La capitale fédérale

Institutions politiques

**Études de
la Commission royale d'enquête
sur le bilinguisme
et le biculturalisme**

1.	Kenneth D. McRae	*La capitale fédérale — Institutions politiques*
2.	John C. Johnstone	*Le Canada vu par les jeunes de 13 à 20 ans*

Sous presse

3.	Gilles Lalande	*Le ministère des Affaires extérieures et la dualité culturelle — Personnel diplomatique, emploi des langues*

À paraître

Ramsay Cook	*L'autonomie provinciale, les droits des minorités et la théorie du pacte, 1867-1921*
Frederick W. Gibson	*La formation du ministère et les relations biculturelles — Étude de sept cabinets*
Marcel Trudel et Geneviève Jain	*L'histoire du Canada — Enquête sur les manuels*

Études
de la Commission
royale d'enquête
sur le bilinguisme
et le biculturalisme

1 La capitale fédérale

Institutions politiques

Sous la direction de
Kenneth D. McRae

La présente étude a été effectuée pour la Commission royale d'enquête sur le bilinguisme et le biculturalisme. Sa publication sous les auspices de la Commission ne signifie pas nécessairement que celle-ci souscrive aux points de vue qui y sont exprimés.

352
.07138-1
M174c

© Droits de la Couronne réservés

En vente chez
l'Imprimeur de la Reine à Ottawa,
et dans les librairies du
gouvernement fédéral :

HALIFAX
1735, rue Barrington

MONTRÉAL
Édifice Æterna-Vie, 1182 ouest, rue Sainte-Catherine

OTTAWA
Édifice Daly, angle Mackenzie et Rideau

TORONTO
221, rue Yonge

WINNIPEG
Édifice Mall Center, 499, avenue Portage

VANCOUVER
657, rue Granville

ou chez votre libraire

Prix $3.00 (sujet à changement sans avis préalable)

N° de catalogue Z1-1963/1-1/1F

L'IMPRIMEUR DE LA REINE,
Ottawa, 1969

Table

              Liste des figures   x
              Tableaux   x
              Cartes, graphiques, organigrammes   XVII

              Avant-propos   XIX

Chapitre premier   **La région de la capitale : territoire et population**   1

      A   Milieu géographique et cadres politiques   1
           Les municipalités de la région   3

      B   Composition linguistique de la population   5
           La langue maternelle   7
           L'origine ethnique   10

      C   La structure socio-économique   13
           1. La main-d'œuvre   15
           2. La structure industrielle   17
           3. L'instruction   18
           4. Les catégories d'emploi   20
           5. L'âge   22
           6. Importance relative des divers facteurs   23

      D   Répartition géographique de la population   25
           Habitation et niveau de vie   27
           Résumé   33

      E   Le bilinguisme dans le capitale fédérale   33
           Le bilinguisme et le monde du travail   36
           Résumé   41

Chapitre II   **Le cadre provincial**   43

      A   Introduction   43

      B   Le gouvernement provincial et les citoyens   45
           1. L'Ontario   45
              La législation provinciale   45
              La langue de l'administration   46
              Les fonctionnaires provinciaux   50
              Politique en matière de personnel   53
           2. Québec   55
              La législation provinciale   55

Table

La langue de l'administration   56
Les fonctionnaires provinciaux   59
Politique en matière de personnel   62
3. Comparaison entre l'Ontario et le Québec   62

    C   Le gouvernement provincial et les municipalités   64
         Les lois régissant les municipalités   65
         Les chartes municipales   68
         Autres formes d'influence provinciale   68

    D   Résumé   70

Chapitre III   **L'administration municipale d'Ottawa**   **71**

    A   Introduction   71
         Interviews et dossiers du personnel   72
         Listes sélectives des salariés   72
         Questionnaire écrit   73
         Spécimens d'imprimés   74
         Enquête par téléphone   74
         Données du recensement de 1961   75

    B   La langue de communication avec le public   75
         Communications orales   76
         Communications écrites   78
         Situation des langues autres que l'anglais et le français   80
         La langue de travail   80

    C   Les dispositions à l'égard des services fournis dans les deux langues   81

    D   Composition du personnel et connaissance des langues   83
         La répartition linguistique   84
         Le bilinguisme   88

    E   Résumé   94

Chapitre IV   **L'administration des autres municipalités de la région de la capitale nationale**   **97**

    A   Introduction   97

    B   La ville de Hull   98
         La composition du personnel et la connaissance des langues   99

Table VII

          C   La ville d'Eastview   104
               L'emploi des langues dans l'administration   104
               La composition du personnel et la connaissance des langues   106

          D   Les autres municipalités   110
               L'emploi des langues dans les trois municipalités ontariennes   110
               L'emploi des langues dans les sept municipalités québécoises   111
               La composition du personnel et la connaissance des langues dans les dix administrations   113

          E   Résumé   118

Chapitre V   **Le gouvernement fédéral et la capitale   121**

          A   La présence fédérale dans la région d'Ottawa   121

          B   La Commission de la capitale nationale   123
               Historique   123
               Les buts et pouvoirs de la Commission de la capitale nationale   127
               L'emploi des langues   131

          C   Les autres organismes fédéraux   132
               Le ministère des Travaux publics   132
               La Division des subventions aux municipalités   134
               Les autres voies de l'influence fédérale   136

          D   L'emploi des langues dans les organismes fédéraux de la capitale   138

          E   Le cadre physique des activités fédérales   142

          F   Résumé   148

Chapitre VI   **L'organisation de la justice   151**

          A   Introduction   151

          B   Le système judiciaire du secteur ontarien   153
               Les cours locales de première instance   153

          C   Le système judiciaire du secteur québécois   158
               Les cours locales de première instance   159
               L'emploi des langues   161

	D	La profession d'avocat dans les secteurs ontarien et québécois 163 En Ontario 163 Au Québec 165
	E	Résumé 166
Chapitre VII		**La représentation politique 167**
	A	Introduction 167
	B	La représentation aux conseils municipaux d'Ottawa, Hull et Eastview 169 1. Ottawa 169 2. Hull 181 3. Eastview 183
	C	L'emploi des langues dans les 13 conseils municipaux 184 1. Ottawa 184 2. Hull 185 3. Eastview 186 4. Les autres municipalités 186
	D	La représentation politique aux échelons fédéral et provincial 189 1. L'échelon fédéral 189 2. L'Ontario 193 3. Le Québec 194 4. La représentation et l'emploi des langues 195
	E	Résumé 196
Appendices		
	A	Tableaux A à O 201
	B	Influence de certains facteurs sur la disparité des revenus de travail 218
	C	La signalisation bilingue à Ottawa 227
	D	Échange de lettres entre la Commission royale d'enquête sur le bilinguisme et le biculturalisme et les villes d'Ottawa, Hull et Eastview 229
	E	L'emploi des langues dans quelques organismes municipaux d'Ottawa 247

F L'emploi des langues au service de la Police et à la Commission des transports d'Ottawa   250

G Tableaux   253

H Dépenses de la Commission de la capitale nationale, de 1947 à 1967   258

I Propriétés acquises par la Commission de la capital nationale   260

J Versements faits à la ville d'Ottawa   261

K Exemples de rapports entre la ville d'Ottawa et le gouvernement fédéral   262

L Comparaison des sommes dépensées par le gouvernement fédéral à Ottawa et à Hull, de 1954 à 1964   267

M L'enregistrement des actes dans le comté de Carleton   268

Notes

Chapitre premier   271

Chapitre II   272

Chapitre III   274

Chapitre IV   275

Chapitre V   275

Chapitre VI   277

Chapitre VII   278

Appendice C   279

Appendice E   279

Appendice F   279

Appendice K   280

Liste des figures

Tableaux

1.1 Taux d'accroissement de la population des neuf principales zones métropolitaines du Canada, de 1951 à 1966   4

1.2 Répartition, en nombre et en pourcentage, de la population de la zone métropolitaine d'Ottawa, selon la municipalité, en 1961 et en 1966   5

1.3 Densité de la population des municipalités de la zone métropolitaine d'Ottawa, en 1961 et en 1966   6

1.4 Répartition en pourcentage, selon la langue maternelle, de la population du Canada et des principales zones métropolitaines (200 000 hab. et plus), en 1961   7

1.5 Répartition en pourcentage, selon la langue maternelle, de la population du Canada et de la zone métropolitaine d'Ottawa, en 1961   8

1.6 Répartition en pourcentage, selon la langue maternelle, de la population dans le secteur ontarien de la zone métropolitaine d'Ottawa, en 1961   11

1.7 Répartition en pourcentage de la population dans les principales villes de la zone métropolitaine d'Ottawa, selon l'origine ethnique et la langue maternelle, en 1961   11

1.8 Répartition en nombre et en pourcentage de la population de la zone métropolitaine d'Ottawa, selon l'origine ethnique, de 1941 à 1961   13

1.9 Répartition en pourcentage, selon les secteurs de travail, de la main-d'œuvre masculine des zones métropolitaines d'Ottawa, de Montréal et de Toronto, en 1961   14

1.10 Répartition en pourcentage, selon les secteurs de travail, de la main-d'œuvre (âgée de 15 ans et plus) de la zone métropolitaine d'Ottawa, en 1961   15

1.11 Répartition en pourcentage, selon l'origine ethnique, de la population et de la main-d'œuvre de la zone métropolitaine d'Ottawa, en 1961   16

1.12 Revenu moyen, selon l'origine ethnique, de la main-d'œuvre masculine et de la main-d'œuvre féminine des zones métropolitaines d'Ottawa, de Montréal et de Toronto, en 1961   16

1.13 Répartition en pourcentage, selon les secteurs de travail, de la main-d'œuvre masculine de la zone métropolitaine d'Ottawa, classée d'après l'origine ethnique, en 1961   17

1.14 Revenu moyen de la main-d'œuvre masculine de la zone métropolitaine d'Ottawa, classée d'après le secteur de travail et l'origine ethnique en 1961   18

1.15 Répartition en pourcentage, selon le degré d'instruction, de la main-d'œuvre masculine de la zone métropolitaine d'Ottawa, classée d'après l'origine ethnique, en 1961   19

1.16 Revenu moyen de la main-d'œuvre masculine de la zone métropolitaine d'Ottawa, classée d'après l'origine ethnique et le degré d'instruction, en 1961   19

1.17 Répartition en pourcentage, selon la profession, de la main-d'œuvre masculine de la zone métropolitaine d'Ottawa, classée d'après l'origine ethnique, en 1961   20

1.18 Revenu moyen de la main-d'œuvre masculine de la zone métropolitaine d'Ottawa, classée selon la profession et l'origine ethnique, en 1961   21

1.19 Répartition en pourcentage, selon l'âge, de la main-d'œuvre masculine de la zone métropolitaine d'Ottawa, classée d'après l'origine ethnique, en 1961   22

1.20 Revenu total moyen de la main-d'œuvre masculine de la zone métropolitaine d'Ottawa, classée d'après l'origine ethnique et l'âge, en 1961   22

1.21 Répartition, en nombre et en pourcentage, des effectifs scolaires de la zone métropolitaine d'Ottawa, classés d'après l'origine ethnique et deux catégories d'âge, en 1961   24

1.22 Répartition en pourcentage de la population, classée d'après la langue maternelle, dans les secteurs de recensement de la région métropolitaine d'Ottawa, groupés selon leur densité linguistique, en 1961   26

1.23 Répartition en pourcentage de la population, classée d'après la langue maternelle, dans les 80 secteurs de recensement de la région métropolitaine d'Ottawa, groupés selon leur revenu moyen, en 1961   28

1.24 Répartition en pourcentage, selon la langue maternelle et la province de résidence, de l'ensemble de la population et des fonctionnaires fédéraux, dans la région métropolitaine d'Ottawa, en 1961   32

1.25 Répartition en pourcentage, selon la langue officielle, de la population du Canada et des principales zones métropolitaines (200 000 hab. et plus), en 1961   34

1.26 Répartition en pourcentage, selon la langue officielle, de la population de la zone métropolitaine d'Ottawa, classée d'après les municipalités, en 1961   35

1.27 Répartition en pourcentage, selon la langue officielle, de la population de la zone métropolitaine d'Ottawa, en 1951 et en 1961   36

1.28 Proportion des bilingues, selon l'origine ethnique, pour l'ensemble de la population et de la main-d'œuvre dans la zone métropolitaine d'Ottawa, en 1961   37

1.29 Répartition en pourcentage de la main-d'œuvre bilingue de la zone métropolitaine d'Ottawa, selon l'instruction et l'origine ethnique, en 1961   38

1.30 Répartition en pourcentage de la main-d'œuvre bilingue de la zone métropolitaine d'Ottawa, selon l'origine ethnique et les professions, en 1961   38

Tableaux XII

1.31 Écarts entre le revenu moyen de l'ensemble de la main-d'œuvre et celui de la main-d'œuvre bilingue dans la zone métropolitaine d'Ottawa, selon l'instruction et l'origine ethnique, en 1961   39

1.32 Écarts entre le revenu moyen de l'ensemble de la main-d'œuvre et celui de la main-d'œuvre bilingue dans la zone métropolitaine d'Ottawa, selon la profession et l'origine ethnique, en 1961   40

2.1 Répartition en pourcentage, selon la langue maternelle, de la population et des fonctionnaires provinciaux, pour l'ensemble de la province d'Ontario et pour cinq comtés du sud-est ontarien, en 1961 et 1966   50

2.2 Connaissance des langues officielles, en nombre et en pourcentage, chez les fonctionnaires de la province d'Ontario classés selon la langue maternelle, en 1961   51

2.3 Degré de connaissance du français et de l'anglais chez les fonctionnaires provinciaux de l'Ontario, dans la région d'Ottawa, en 1966   52

2.4 Langue utilisée par les fonctionnaires provinciaux du Québec, en 1965   57

2.5 Répartition en pourcentage, selon la langue maternelle, de la population et des fonctionnaires provinciaux du Québec, en 1961   60

2.6 Connaissance des langues officielles, en nombre et en pourcentage, chez les fonctionnaires de la province de Québec, classés selon la langue maternelle, en 1961   61

3.1 Rapidité du service fourni en français par la ville d'Ottawa, en 1966   77

3.2 Postes à confier de préférence à des employés bilingues dans l'administration municipale d'Ottawa, d'après les chefs de service   83

3.3 Répartition en nombre et en pourcentage, selon la langue maternelle, de la population et des employés municipaux d'Ottawa, en 1961   84

3.4 Répartition en pourcentage, selon l'origine ethnique, des employés municipaux d'Ottawa, en 1961 et 1965   85

3.5 Répartition en nombre et en pourcentage, selon l'origine ethnique, des employés municipaux d'Ottawa classés d'après diverses catégories de rémunération, en 1965   85

3.6 Répartition en pourcentage, selon l'échelle des salaires, des employés municipaux d'Ottawa classés d'après l'origine ethnique, en 1961   86

3.7 Répartition en nombre et en pourcentage, selon l'origine ethnique, des employés municipaux d'Ottawa figurant sur l'organigramme et gagnant $ 6 500 et plus, en 1965   87

3.8 Répartition en pourcentage, selon les catégories d'emploi, des employés municipaux d'Ottawa classés d'après l'origine ethnique, en 1961   87

3.9 Répartition en pourcentage, selon la langue officielle, des employés municipaux d'Ottawa classés d'après la langue maternelle, en 1961   88

3.10 Répartition en pourcentage, selon la langue officielle, des employés municipaux d'Ottawa classés d'après les catégories d'emploi, en 1961   89

3.11 Répartition, en nombre et en pourcentage, des employés municipaux bilingues d'Ottawa classés d'après l'origine ethnique et les catégories d'emploi, en 1961   90

3.12 Répartition en pourcentage, selon la connaissance du français, des employés salariés de la ville d'Ottawa classés d'après la langue maternelle, en 1965   91

3.13 Répartition en pourcentage, selon la connaissance du français, des employés salariés de la ville d'Ottawa classés d'après les services, en 1965   92

3.14 Répartition en pourcentage, selon la connaissance du français, des employés salariés de la ville d'Ottawa classés d'après la fréquence des rapports avec le public, en 1965   92

3.15 Répartition en pourcentage, selon la connaissance du français, des employés salariés de la ville d'Ottawa classés d'après le genre de travail, en 1965   93

4.1 Répartition, en nombre et en pourcentage, de la population (en 1961) et des employés municipaux (en 1967) de la ville de Hull, selon la langue maternelle   101

4.2 Répartition, en nombre et en pourcentage, des employés municipaux de la ville de Hull, selon la connaissance de l'anglais et du français   101

4.3 Répartition, en nombre et en pourcentage, des employés municipaux de la ville de Hull, selon la connaissance de la langue seconde   102

4.4 Répartition, selon la connaissance de la langue seconde, des employés municipaux de la ville de Hull classés d'après les catégories professionnelles   102

4.5 Répartition, selon la connaissance de la langue seconde, des employés municipaux de la ville de Hull classés d'après la fréquence des rapports avec le public   103

4.6 Répartition, en nombre et en pourcentage, de la population (en 1961) et des employés municipaux (en 1966) de la ville d'Eastview, selon la langue maternelle   107

4.7 Répartition, en nombre et en pourcentage, des employés municipaux de la ville d'Eastview, selon la connaissance de l'anglais et du français   107

4.8 Répartition, en nombre et en pourcentage, des employés municipaux de la ville d'Eastview, selon la connaissance de la langue seconde   108

4.9 Répartition, selon la connaissance de la langue seconde, des ouvriers et techniciens à l'emploi de la ville d'Eastview, classés d'après la fréquence des rapports avec le public   109

4.10 Répartition, selon la connaissance de la langue seconde, des employés municipaux de la ville d'Eastview classés d'après la fréquence des rapports avec le public   109

4.11 Pourcentage, par type de communication, de la demande de services en anglais, dans sept municipalités québécoises de la zone métropolitaine d'Ottawa   111

4.12   Chiffres comparatifs de la population et des employés des municipalités de la zone métropolitaine d'Ottawa, en 1966   114

4.13   Répartition en pourcentage, selon l'aptitude à servir le public en anglais ou en français, des employés de huit municipalités de la zone métropolitaine d'Ottawa   116

4.14   Répartition, en nombre et en pourcentage, des employés bilingues de huit municipalités de la zone métropolitaine d'Ottawa, classés d'après la langue maternelle   116

4.15   Pourcentage des employés bilingues classés par catégories professionnelles, dans huit municipalités de la zone métropolitaine d'Ottawa   117

4.16   Pourcentage des employés bilingues ayant des rapports avec le public, dans huit municipalités de la zone métropolitaine d'Ottawa   117

5.1   Subventions fédérales (en millions de dollars) versées à quelques municipalités, de 1957 à 1966, pour les propriétés fédérales non imposables   135

5.2   Répartition en pourcentage, selon leur aptitude à exercer leurs fonctions dans l'une des langues officielles ou dans les deux, des fonctionnaires fédéraux travaillant à Ottawa dans différents organismes, en 1965   139

5.3   Répartition en pourcentage, selon la connaissance des langues officielles, des commissionnaires employés par différents organismes, dans des immeubles fédéraux d'Ottawa en 1965   141

5.4   Répartition en nombre et en pourcentage, des immeubles et terrains dont le gouvernement fédéral était propriétaire ou locataire à Ottawa, Hull et Eastview le 31 mars 1967   145

5.5   Répartition, en pourcentage et par tête, de l'ensemble des taxes et subventions versées par le gouvernement fédéral et les sociétés de la Couronne, au lieu de taxes municipales, aux municipalités de la région de la capitale nationale pour l'exercice financier de 1963   146

5.6   Total des taxes et subventions (en milliers de dollars) versées à Ottawa et à Hull par le gouvernement fédéral et les sociétés de la Couronne pour les propriétés non imposables, de 1963 à 1966   146

6.1   Répartition, selon le nombre et l'origine ethnique probable de leurs membres, des cabinets d'avocats dans le comté de Carleton, en 1964   164

6.2   Répartition des cabinets d'avocats dans les districts de Hull, Pontiac et Labelle, selon l'origine ethnique probable de leurs membres en 1964   165

7.1   Répartition, en nombre et en pourcentage, des commissaires de la ville d'Ottawa, selon l'origine ethnique et par décennies, de 1908 à 1967   170

7.2   Répartition, en nombre et en pourcentage, des conseillers municipaux d'Ottawa, selon l'origine ethnique et par périodes quinquennales, de 1865 à 1967   171

7.3 Répartition, selon l'origine ethnique et par arrondissement, des candidats aux postes de conseillers municipaux à Ottawa, dans cinq élections, de 1958 à 1966   173

7.4 Répartition, selon l'origine ethnique, des candidats élus et défaits au conseil municipal d'Ottawa, de 1958 à 1966   174

7.5 Répartition, en pourcentage et par arrondissement, des votes obtenus par quelques candidats au Bureau des commissaires d'Ottawa, aux élections de 1962, 1964 et 1966   176

7.6 Répartition en pourcentage des votes obtenus dans chaque arrondissement par les candidats au Bureau des commissaires, aux élections municipales d'Ottawa, en 1966   177

7.7 Répartition, en pourcentage et par arrondissement, de la participation électorale au choix du maire d'Ottawa, de 1958 à 1966   179

7.8 Répartition, en nombre et en pourcentage, des conseillers municipaux de Hull, selon l'origine ethnique et par périodes quinquennales, de 1875 à 1967   182

7.9 Répartition, en nombre et en pourcentage, des conseillers municipaux d'Eastview, selon l'origine ethnique et par périodes quinquennales, de 1927 à 1966   183

7.10 Répartition en pourcentage, selon la langue maternelle et l'origine ethnique, de la population de chaque circonscription fédérale, dans la région de la capitale nationale, en 1961   189

7.11 Répartition, en nombre et selon l'origine ethnique, des candidats, élus et défaits, aux élections fédérales pour les six circonscriptions de la région de la capitale nationale, en 1953, 1957, 1958, 1962, 1963 et 1965   191

7.12 Répartition, en nombre et selon l'origine ethnique, des candidats, élus et défaits aux élections provinciales dans le secteur ontarien de la capitale nationale, en 1955, 1959 et 1963   194

7.13 Répartition, en nombre et selon l'origine ethnique, des candidats, élus et défaits, aux élections provinciales dans le secteur québécois de la région de la capitale nationale, en 1952, 1956, 1960, 1962 et 1966   195

Appendice A

A Répartition de la population des secteurs ontarien et québécois de la zone métropolitaine d'Ottawa, classée selon la langue maternelle, en 1961   201

B Répartition en pourcentage, par municipalité, de la population de la zone métropolitaine d'Ottawa, classée selon la langue maternelle, en 1961   202

C Répartition en pourcentage, selon la connaissance des langues officielles, de la population de la zone métropolitaine d'Ottawa, classée d'après l'origine ethnique, en 1961   203

Tableaux

D Répartition en pourcentage, selon la langue maternelle anglaise ou française, de la population de la zone métropolitaine d'Ottawa et des municipalités d'Ottawa et de Hull, classée d'après l'origine ethnique britannique ou française, en 1961   203

E Répartition en nombre et en pourcentage, par décennies, de la population de la ville d'Ottawa, classée selon l'origine ethnique, de 1871 à 1961   204

F Répartition en nombre et en pourcentage, par décennies, de la population de la ville de Hull, classée selon l'origine ethnique, de 1881 à 1961   205

G Répartition en pourcentage, selon la langue maternelle, de la population de la zone métropolitaine d'Ottawa, classée d'après l'origine ethnique, en 1961 206

H Répartition en pourcentage, selon le degré d'instruction et l'origine ethnique, de la main-d'œuvre masculine de la zone métropolitaine d'Ottawa, classée d'après la profession, en 1961   207

I Répartition en pourcentage, selon la langue maternelle, de la population de la zone métropolitaine d'Ottawa, classée par secteur de recensement, en 1961. Les secteurs sont classés dans l'ordre de progression de la moyenne des revenus de travail   208

J Répartition en nombre et en pourcentage, selon la langue maternelle, des fonctionnaires fédéraux de la zone métropolitaine d'Ottawa, classés par secteur géographique, en 1961   210

K Répartition en nombre et en pourcentage, selon la langue maternelle, des fonctionnaires fédéraux de la zone métropolitaine d'Ottawa gagnant plus de $ 10 000 et classés par secteur géographique, en 1961   211

L Nombre et proportion des bilingues dans quelques municipalités canadiennes (20 000 hab. et plus), en 1961   212

M Répartition en pourcentage, selon la connaissance des langues officielles, de la population de la zone métropolitaine d'Ottawa classée par secteur de recensement, en 1961   213

N Répartition en nombre et revenu de travail annuel moyen, selon le degré d'instruction, de l'ensemble de la main-d'œuvre de la région métropolitaine d'Ottawa, classée d'après l'origine ethnique et la connaissance des langues officielles, en 1961   215

O Répartition en nombre et revenu de travail annuel moyen, selon la profession, de l'ensemble de la main-d'œuvre de la région métropolitaine d'Ottawa, classée d'après l'origine ethnique et la connaissance des langues officielles, en 1961   216

Appendice B

A Niveau d'instruction et différence de revenu de travail entre la main-d'œuvre masculine d'origine britannique et d'origine française, dans la zone métropolitaine d'Ottawa, en 1961   222

B Influence de certains facteurs sur la disparité des revenus entre la main-d'œuvre masculine d'origine britannique et d'origine française à Ottawa, en 1961   225

C Influence des facteurs retenus sur l'écart de revenu entre la main-d'œuvre masculine d'origine britannique et celle d'origine française à Ottawa, Montréal et Toronto, en 1961   226

Appendice F

A Répartition en pourcentage, selon la langue maternelle, du personnel à salaire et à traitement fixe, à la Commission des transports d'Ottawa, en 1965   251

Appendice G

A Répartition en pourcentage, selon la langue maternelle, de la population (en 1961) et des fonctionnaires municipaux (en 1966) de la zone métropolitaine d'Ottawa, classés par municipalité   253

B Répartition en pourcentage, selon l'aptitude à servir le public en anglais ou en français, des fonctionnaires municipaux de la zone métropolitaine d'Ottawa, classés par municipalité   254

C Répartition en pourcentage, selon la connaissance de la langue seconde, des fonctionnaires municipaux de la zone métropolitaine d'Ottawa, classés par municipalité   255

D Répartition en nombre et en pourcentage, selon les catégories d'emploi, des fonctionnaires municipaux bilingues de la zone métropolitaine d'Ottawa, classés par municipalité (sauf les services de protection)   256

E Répartition en nombre et en pourcentage, selon la fréquence des rapports avec le public, des employés municipaux bilingues de la zone métropolitaine d'Ottawa, classés par municipalité (sauf les services de protection)   257

Cartes

1.1 Région de la capitale nationale   (suit la page 38)
1.2 Zone métropolitaine d'Ottawa, 1961   (suit la page 38)
1.3 Zone métropolitaine d'Ottawa, 1961, secteurs de recensement   (suit la page 38)
1.4 Zone métropolitaine d'Ottawa, 1961, concentration des groupes linguistiques   (suit la page 38)
1.5 Zone métropolitaine d'Ottawa, 1961, les secteurs de recensement les plus riches et les plus pauvres   (suit la page 38)
1.6 Zone métropolitaine d'Ottawa, 1961, degré de bilinguisme   (suit la page 38)
7.1 Ottawa, concentration linguistique et arrondissements municipaux, 1966   (suit la page 182)

7.2 Ottawa, participation électorale et revenu moyen, 1958-1966 (suit la page 182)
7.3a Zone métropolitaine d'Ottawa, concentration linguistique et circonscriptions électorales fédérales, 1953-1965 (suit la page 182)
7.3b Zone métropolitaine d'Ottawa, concentration linguistique et circonscriptions électorales fédérales remaniées, 1966 (suit la page 182)
7.4a Région de la capitale nationale, circonscriptions électorales fédérales, 1953-1965 (suit la page 182)
7.4b Région de la capitale nationale, circonscriptions électorales fédérales remaniées, 1966 (suit la page 182)
7.5a Région de la capitale nationale, circonscriptions électorales provinciales, 1952-1966 (suit la page 182)
7.5b Région de la capitale nationale, circonscriptions électorales provinciales remaniées, 1966 (suit la page 182)
7.6a Zone métropolitaine d'Ottawa, concentration linguistique et circonscriptions électorales provinciales, 1952-1966 (suit la page 182)
7.6b Zone métropolitaine d'Ottawa, concentration linguistique et circonscriptions électorales provinciales remaniées, 1966 (suit la page 182)

Graphiques

1.1 Répartition, selon la langue maternelle, de la population des secteurs québécois et ontarien de la zone métropolitaine d'Ottawa, en 1961   9
1.2 Répartition des groupes linguistiques, selon le revenu moyen, par secteur de recensement (1961) dans la zone métropolitaine d'Ottawa   31
7.1 Pourcentage des suffrages exprimés dans quelques arrondissements municipaux d'Ottawa, pour l'élection du maire, en 1958, 1960, 1962, 1964 et 1966   180

Organigrammes

6.1 Cours civiles criminelles, comté de Carleton, Ontario, en janvier 1966 (régime des appels)   154
6.2 Cours du district judiciaire de Hull, Québec, en janvier 1966 (régime des appels)   160

Avant-propos

Lors de ses premières réunions, à l'automne 1963, la Commission royale d'enquête sur le bilinguisme et le biculturalisme a décidé de faire de la capitale du Canada un de ses principaux objets d'étude. La Commission croit qu'à titre de siège du gouvernement fédéral, Ottawa et sa région doivent jouer un rôle spécial – un rôle de symbole et de guide – dans l'élaboration du « principe d'égalité » formulé dans le mandat de la Commission.

En effet, elle a fait savoir son intérêt pour la capitale, dès l'audience publique préliminaire tenue à Ottawa le 7 novembre 1963; et, quand a commencé la mise en œuvre méthodique du programme de recherche en mai 1964, une de ses premières tâches a été d'entreprendre une étude complète de la région de la capitale, dans un esprit conforme à son mandat. Plus tard, cette étude allait couvrir tous les secteurs, qu'ils relèvent du gouvernement ou non. On y a accordé une attention particulière à l'instruction et aux moyens de culture. Certains secteurs, celui de l'administration municipale, par exemple, se sont révélés plus complexes qu'on ne s'y attendait, de sorte que cette étude a fini par prendre des proportions considérables.

Entre temps, alors que la Commission poursuivait ses travaux, les relations entre les diverses administrations publiques de la région passaient par des hauts et des bas. En 1964, le gouvernement ontarien chargeait une commission spéciale de faire enquête sur les administrations municipales du comté de Carleton et sur leurs relations entre elles. Connue sous le nom de commission Jones, celle-ci présentait son rapport en juin 1965, ainsi que des recommandations dont les points ne furent pas tous acceptés dans le détail; on continuait cependant de travailler à la réorganisation de l'administration régionale. Le 1er février 1967, l'honorable J. W. Spooner, ministre des Affaires municipales de l'Ontario, proposait officiellement une forme nouvelle d'administration métropolitaine pour toute la partie ontarienne de l'agglomération de la capitale; il demandait que des représentants municipaux étudient et révisent le projet, avec l'idée de le faire adopter par l'assemblée législative de l'Ontario, en 1968.

A la même époque, un autre organisme, le Comité consultatif de l'Ontario pour la Confédération (Ontario Advisory Committee on Confederation), chargeait le professeur D. C. Rowat d'une étude sur les avantages et les inconvénients d'un district fédéral. Cette étude, qui avait été annoncée en décembre 1966, fut publiée en avril 1967; elle contribua à intéresser davantage la population aux changements projetés pour l'administration de la région.

Cependant, on ne restait pas inactif non plus du côté québécois. Depuis un certain temps, on parlait parfois d'une sorte d'association plus étroite entre les diverses municipalités. La discussion soulevée par le rapport Rowat sur le district fédéral avait également éveillé l'intérêt des Québécois de la région. Dans un mémoire présenté au gouvernement du Québec, le Conseil économique régional de l'Ouest du Québec préconisait la création d'un organisme qui remplirait dans la partie québécoise de la région de la capitale nationale le rôle que joue actuellement le gouvernement fédéral par l'entremise de la Commission de la capitale nationale. En août 1967, la commission Dorion, enquêtant sur l'intégrité du territoire québécois, tenait des audiences publiques à Hull pour connaître les problèmes de l'Ouest du Québec.

Il est difficile de prévoir les résultats de ces initiatives pour les deux provinces, mais il se peut qu'elles apportent des changements importants au statut de la région de la capitale.

À ce jour, certains problèmes ont été analysés à fond, mais d'autres questions très importantes n'ont, en fait, pas été traitées. On éprouve de la difficulté à concevoir la région métropolitaine comme un seul ensemble urbain, même du point de vue de sa planification et de sa mise en valeur, peut-être parce que l'Outaouais divise cette région entre deux provinces. De plus, on n'a accordé que peu d'attention aux intérêts du gouvernement fédéral dans la région. On remarque que les rapports Jones et Spooner, en particulier, n'ont pas fait mention des langues et de la culture dans la région de la capitale. La Commission, par contre, a étudié de façon précise les deux questions au cours de son travail de recherche sur la capitale fédérale.

À la lumière de ces circonstances assez particulières, la Commission a décidé de publier le résultat de ses recherches sur la capitale fédérale, afin d'apporter ainsi sa contribution au débat public déjà en cours sur le statut de la région de la capitale. Ce volume traite de questions administratives et judiciaires. Vu l'intérêt suscité depuis quelques mois par les débats publics sur l'avenir de la région de la capitale, la Commission a pensé que les données recueillies et exposées dans le présent volume pourraient aider à une meilleure compréhension de la question.

On ne trouvera pas de recommandations officielles dans ce volume. La Commission a déjà présenté, au livre premier de son Rapport (§ 380), des recommandations d'ordre général en faveur d'un régime linguistique approprié à la capitale. Par la même occasion, elle soulignait qu'un régime linguistique ne saurait assurer à lui seul le développement d'une capitale vraiment bilingue et biculturelle; des recommandations détaillées sur les réformes nécessaires et les changements qu'elles entraîneront seront exposées dans un autre livre du Rapport.

La recherche a été effectuée sous la surveillance de Kenneth D. McRae qui agissait également comme directeur du projet. Ont fait partie du personnel de recherche :

Lyse Beaulieu	*Robert Campbell*	*Noel F. W. Gates*
Régine N. Bergeron	*Mireille D. Desjarlais*	*Guy Robitaille*
Brian B. Buckley	*Judy M. Dibben*	*Reginald Whitaker*
David R. Cameron	*Jean-T. Fournier*	

De plus, la Commission a fait appel à plusieurs universitaires, dont Richard D. Abbott (questions juridiques), John Johnstone (sondage), Roman R. March (analyse des données), Gilles Paquet et André Raynauld (questions économiques), Guenther F. Schaefer et A. M. Willms (interviews). Mmes Claire M. ApSimon, Eileen L. Cameron et M. C. Janine Pellerin ont prêté leur concours à l'enquête téléphonique, et Mme Simone Chaussé a assuré la dactylographie du texte.

Les cartes ont été préparées par le département de géographie de l'université McGill, sous la direction de Frank C. Innis et Jan Lundgren.

Chapitre premier   **La région de la capitale : territoire et population**

A. Milieu géographique et cadres politiques

La « région de la capitale nationale* » s'étend sur les deux rives de l'Outaouais à quelque 75 milles à l'ouest du confluent Saint-Laurent/Outaouais situé près de Montréal. Le pourtour de la région (voir la carte n° 1.1) délimite un espace quadrilatère traversé d'ouest en est par l'Outaouais et du nord au sud par les rivières Gatineau et Rideau. À la rencontre de ces trois cours d'eau se situe le point central d'une agglomération urbaine : la zone métropolitaine d'Ottawa-Hull.

L'Outaouais arrose, au nord, le Québec et, au sud, l'Ontario. La région de la capitale nationale couvre une superficie d'environ 1 800 milles carrés dont 1 050 en Ontario et 750 au Québec. Au recensement de 1961, la population n'atteignait pas tout à fait le demi-million (492 000 hab.).

Les collines de la Gatineau constituent les formes les plus saillantes du relief de la région. Elles sont issues des montagnes précambriennes usées par les glaciers et appartiennent au Bouclier canadien. Le retrait des glaces, il y a quelque 10 000 ans, n'a laissé au sol qu'une mince couche de terre, ce qui rend l'agriculture difficile sur les hauteurs. En revanche, les ressources minérales et forestières ont joué un rôle important dans le développement économique premier de cette région. De nos jours, le pays des collines est de plus en plus utilisé à des fins touristiques.

Les glaciers ont usé le massif précambrien et abaissé, par leur poids, le niveau du sol; aussi, après leur retrait, la mer a-t-elle envahi par l'est les terres basses jusqu'à la Gatineau. En se retirant, à la faveur d'un relèvement des terres, la mer a abandonné sur les roches sédimentaires une épaisse couche de limon et d'argile. On trouve donc, au sud et à l'ouest des collines rugueuses et pittoresques de la Gatineau, des terres légèrement inclinées et favorables à l'agriculture, c'est-à-dire plus précisément, à l'industrie laitière, à

---
*Ainsi désigne-t-on le territoire sur lequel la Commission de la capitale nationale exerce sa compétence.

l'élevage des animaux de boucherie, aux cultures de semences et aux cultures maraîchères, ces dernières destinées au marché local. Les matériaux de construction qu'on tire de la roche sédimentaire constituent une autre ressource économique des basses terres. Toutefois, les industries de la région (pâtes et papier, cimenteries, laiteries, abattoirs...) se rattachent surtout aux richesses forestières et agricoles. Comme on le verra par la suite, cependant, l'industrie n'est pas de première importance dans l'activité économique régionale, si on la compare à l'administration publique.

Dans la zone urbaine, les variations d'altitude sont peu prononcées. Les terres sont ondulées et s'élèvent progressivement depuis les bords de l'Outaouais qui, à Ottawa, atteint une altitude de 135 pieds au-dessus du niveau de la mer. Le niveau de presque toute la zone urbaine est inférieur à 300 pieds d'altitude.

L'Outaouais et ses affluents, le Rideau et la Gatineau, constituent, avec le canal Rideau, les seuls accidents géographiques considérables de la région, qui affectent la zone urbaine. L'Outaouais coule vers l'est et traverse toute la zone métropolitaine. À Deschênes, il s'étale pour former le lac de ce nom qui mesure, par endroits, deux milles de large; plus loin, en aval, son lit se brise en une série de rapides et de chutes dont les chutes de la Chaudière. La Gatineau, qui descend des régions boisées du nord du Québec, se jette dans l'Outaouais. Au sud, la rivière Rideau traverse un pays de plaine jusqu'à son embouchure. Le canal Rideau qui fut construit de 1827 à 1832 à des fins militaires relie la capitale fédérale à Kingston, c'est-à-dire, en fait, la rivière Outaouais au lac Ontario. Les cours d'eau servirent, autrefois, au commerce; aujourd'hui, on n'y fait plus que de la navigation de plaisance. Mais le flottage se pratique encore sur l'Outaouais et la Gatineau.

Il est certain que l'Outaouais est un élément fort important, à la fois pour la région et pour le centre urbain. Les terres, de part et d'autre, descendent en pentes douces vers la rivière et forment une vallée qui fut, pour les pionniers, un couloir naturel de pénétration. En outre, c'est l'Outaouais, voie de communication et de transport, qui, par sa rencontre avec la Gatineau et le Rideau et à cause de ses chutes et de ses nombreux rapides, a été le moteur initial du développement urbain.

Chose paradoxale, si l'Outaouais a été le point d'appui et le foyer d'un développement urbain, il est aussi un facteur de division aux plans politique et géographique : on sait que l'Outaouais sert de frontière commune au Québec et à l'Ontario, ces deux entités politiques si différentes par la langue, la culture et le droit. Les différences ne sont pas absolues, à cause de la présence d'anglophones et de francophones sur les deux rives de l'Outaouais, mais les systèmes judiciaires et politiques sont toujours distincts, si bien que la rivière – frontière naturelle – devient frontière politique.

Au point de vue géographique, l'Outaouais, le Rideau et la Gatineau sont, en réalité, les seuls obstacles naturels au transport et aux communications dans la zone urbaine qui, en général, est plane et horizontale. Ainsi, s'il fallait imaginer une maquette de la région de la capitale, et en abstraire l'Outaouais, il ne subsisterait guère d'éléments économiques ou géographiques pour justifier l'asymétrie actuelle de la zone urbaine dont le développement concentrique a été entravé; en d'autres termes, il serait difficile d'expliquer pourquoi la rive québecoise ne s'est pas développée au rythme de la rive ontarienne.

La frontière à la fois géographique et politique que constitue l'Outaouais semble avoir freiné les efforts pour surmonter l'obstacle qu'elle oppose au transport et aux communications. En d'autres mots, la tendance naturelle de l'homme à transformer le milieu physique pour s'en faire un milieu de vie — transformation visant l'obstacle de l'Outaouais — a été contrariée par le rôle politique de cette barrière. On le comprendra mieux en voyant où sont construits les ponts dans la région.

En 1967, quatre ponts — totalisant 14 voies — franchissaient l'Outaouais. (Il n'y avait que huit voies avant l'ouverture du pont Cartier-Macdonald le 15 octobre 1965.) D'autre part, pour ce qui est du Rideau, 10 ponts se partagent au moins 36 voies sur une distance de sept milles, entre les chutes Rideau et Mooneys Bay. Sur la Gatineau, entre Wakefield et Pointe-Gatineau, il y a trois ponts et sept voies. Sur l'Outaouais, il n'existe aucun pont à l'est, entre Ottawa et Hawkesbury, ni à l'ouest, entre la capitale et Chenaux, c'est-à-dire sur des distances respectives de 55 et 50 milles.

Outre qu'elles sont nécessaires à l'expansion urbaine, ces artères sont, aussi, essentielles au développement économique et social de la région métropolitaine et à l'intégration de ses diverses parties. On peut attribuer l'inégalité du développement des deux rives à maints facteurs, mais le nombre nettement insuffisant de ponts entre le Québec et l'Ontario y a joué un rôle certain; en comparaison, les riverains du Rideau sont mieux desservis. Alors que cette rivière a cessé depuis longtemps de gêner la circulation, l'Outaouais demeure une entrave à la fois politique et géographique au développement normal de l'agglomération urbaine.

Les municipalités de la région

Il y a, dans la région de la capitale nationale, un réseau complexe de compétences administratives : des niveaux fédéral et provincial, jusqu'aux quelque 70 administrations municipales.

Le peuplement de la région s'est d'abord fixé sur la rive nord de l'Outaouais. Le Hull actuel abritait à l'origine une communauté en grande partie anglophone et protestante; mais, à l'époque de la Confédération, l'élément francophone et catholique avait pris de l'importance. La localité reçut le statut de cité *(city)* en 1875. Ottawa fait remonter ses origines à deux villages distincts : la haute ville, le long de l'Outaouais, à l'ouest du canal Rideau, et la basse ville, à l'est du canal; celle-ci était plus francophone que l'autre. Les deux villages se sont développés simultanément et ont pris, en 1827, le nom de Bytown, constitué en ville *(town)* en 1850, puis en cité *(city)*, sous le nom d'Ottawa, en 1855.

Ottawa s'étend aujourd'hui sur plus de 30 000 acres, dépassant Toronto en superficie; la ville est bornée au sud, à l'est et à l'ouest par la zone verte (qui appartient au gouvernement fédéral et qui est réservée à un aménagement non urbain), ainsi que par des zones intermédiaires suburbaines, situées dans les cantons de Nepean et de Gloucester, tous deux mi-ruraux, mi-urbains. Dans la partie nord/est d'Ottawa, à l'intérieur des limites de la ville, et y formant deux enclaves, se trouvent les municipalités autonomes d'Eastview et de Rockcliffe Park.

Sur l'autre rive de l'Outaouais, Hull s'étend surtout vers le nord; s'y trouvent aussi les municipalités de Pointe-Gatineau, Gatineau et Templeton, à l'est puis, à l'ouest, Lucerne (anciennement Hull-Sud), vaste zone mi-rurale, mi-urbaine, ainsi que le village de

Deschênes et la ville d'Aylmer, plus ancienne et indépendante, mais qui s'intègre aux banlieues en expansion, qui la bordent à l'est.

Suivant le Bureau fédéral de la statistique, une « zone métropolitaine » comprend toutes les sections urbaines contiguës qui entretiennent des rapports étroits entre elles sur les plans économique, géographique et social. D'après le recensement de 1961, la « zone métropolitaine d'Ottawa » renferme 13 municipalités distinctes : 8 au Québec et 5 en Ontario (voir la carte n° 1. 2). La zone métropolitaine comprenait alors 429 750 habitants, soit à peu près 87 % de la population de la région de la capitale nationale, en 1961, et 489 392 en 1966.

La zone d'Ottawa, comme d'autres grandes agglomérations au Canada, reflète l'urbanisation rapide du pays depuis quelques années. Parmi les zones métropolitaines du pays (voir le tableau n° 1.1), elle se classe cinquième pour la population et quatrième pour le taux d'accroissement des quinze dernières années; de 1951 à 1966, sa population a augmenté de 67,5 %.

TABLEAU 1.1 Taux d'accroissement de la population des neuf principales zones métropolitaines du Canada, de 1951 à 1966.

Zone métropolitaine	Population		Taux d'accroissement
	1951	1966*	
Calgary	142 315	328 258	130,9
Edmonton	176 782	398 587	125,5
Toronto	1 210 353	2 145 637	77,3
Ottawa	292 476	489 392	67,5
Montréal	1 471 851	2 418 984	64,3
Hamilton	280 293	447 197	59,6
Vancouver	561 960	884 095	57,3
Québec	276 242	407 731	47,5
Winnipeg	356 813	505 255	41,5

Source: Recensement du Canada de 1961, catalogue 92-535, et premières compilations du recensement de 1966.
*Les chiffres de 1966 sont provisoires.

Cet accroissement démographique en flèche n'a pas été uniforme dans toute l'agglomération de la capitale. Comme l'indique le tableau n° 1.2, le pourcentage de la population de la zone métropolitaine d'Ottawa qui habite le centre urbain (Ottawa, Hull, Eastview) est plus faible en 1966 qu'en 1961. Ces trois municipalités sont déjà très développées (voir le tableau n° 1.3) et ne se prêtent guère à plus d'expansion; Aylmer et Deschênes, qui ne disposent que d'un espace limité, sont dans la même situation. Au contraire, les cantons périphériques de Nepean et de Gloucester en Ontario, mi-ruraux et mi-urbains, se développent rapidement; et il en est de même, au Québec, pour Lucerne et la zone située à l'est de la Gatineau. Ainsi, la population de Nepean a plus que doublé de 1961 à 1966, et pourtant elle est encore d'une densité assez faible si on la compare à la plupart des 13 autres municipalités.

Il est probable que l'accroissement démographique de l'agglomération métropolitaine maintiendra son rythme rapide. D'après les prévisions de la Commission de la capitale nationale, Ottawa et les parties de Nepean et de Gloucester situées dans la zone verte auraient en 2001 plus de 540 000 habitants. Les secteurs à l'ouest, au sud et à l'est de la zone verte abriteraient respectivement 180 000, 120 000 et 65 000 personnes. Les secteurs à l'ouest et à l'est de la Gatineau, 160 000 et 115 000. La population de l'ensemble de la zone métropolitaine atteindrait 1 180 000, dont 275 000, ou 23 %, sur la rive nord de l'Outaouais[1].

TABLEAU 1.2   Répartition en nombre et en pourcentage de la population de la zone métropolitaine d'Ottawa, selon la municipalité, en 1961 et en 1966.

Municipalité	1961		1966*	
	Nombre	%	Nombre	%
Zone métropolitaine	429 750	100[a]	489 392	100[a]
Ottawa	268 206	62,4	288 735	59,0
Eastview	24 555	5,7	24 047	4,9
Nepean	19 753	4,6	43 420	8,9
Gloucester	18 301	4,3	23 002	4,7
Rockcliffe Park	2 084	0,5	2 155	0,4
Secteur ontarien	332 899	77,5	381 359	77,9
Hull	56 929	13,2	58 902	12,0
Gatineau	13 022	3,0	17 434	3,6
Pointe-Gatineau	8 854	2,1	10 903	2,2
Aylmer	6 286	1,5	7 150	1,5
Lucerne	5 762	1,3	8 042	1,6
Templeton	2 965	0,7	3 219	0,7
Deschênes	2 090	0,5	1 772	0,4
Templeton-Ouest	943	0,2	611	0,1
Secteur québécois	96 851	22,5	108 033	22,1

Source: Recensement du Canada de 1961, catalogue 95-528, et premières compilations du recensement de 1966.
*Les chiffres de 1966 sont provisoires.
[a]. Dans ce tableau comme dans tous les autres, les pourcentages ont été arrondis à la décimale; leur total n'est donc pas nécessairement égal à 100.

B. Composition linguistique de la population

On ne saurait étudier les attitudes linguistiques et culturelles des habitants de la capitale fédérale et de sa région sans soulever des problèmes assez délicats. Par exemple, on peut faire preuve d'une égale connaissance de l'anglais et du français dans la vie courante et, cependant, manifester une préférence marquée pour l'une des deux langues sur le plan de la culture personnelle. Nous n'avons pas l'intention d'étudier ici les rapports complexes entre langue, culture et appartenance ethnique. La Commission a traité ailleurs cette question². Nous nous proposons simplement d'esquisser les grands traits linguistiques et culturels de la population de la région de la capitale.

TABLEAU 1.3 Densité de la population des municipalités de la zone métropolitaine d'Ottawa, en 1961 et en 1966.

Municipalité	1961		1966*	
	Superficie en milles carrés	Densité de la population	Superficie en milles carrés	Densité de la population
Zone métropolitaine	335,02	1 282	334,83	1 462
Ottawa	45,44	5 902	45,44	6 754
Eastview	1,15	21 352	1,15	20 910
Nepean	85,84	230	85,84	506
Gloucester	115,63	158	115,63	199
Rockcliffe Park	0,67	3 110	0,67	3 216
Secteur ontarien	248,73	1 338	248,73	1 533
Hull	6,81	8 359	8,67^a	6 794
Gatineau	3,72	3 500	6,47^a	2 697
Pointe-Gatineau	1,76	5 030	1,76	6 195
Aylmer	2,24	2 806	2,24	3 192
Lucerne	35,97	160	33,90^a	237
Templeton	2,91	1 018	2,91	1 106
Deschênes	0,28	7 464	0,28	6 329
Templeton-Ouest	32,60	28	29,87^a	21
Secteur québécois	86,29	1 222	86,10	1 255

Source : Les données sur les superficies ont été fournies par le Bureau fédéral de la statistique (B. F.S.); les chiffres sur la densité de la population ont été calculés à partir du tableau 1.2.
*Les chiffres de 1966 sont provisoires.
a. Changement de superficie dû à un remaniement du territoire.

Le recensement du Canada nous fournit trois points de repère : la langue maternelle, l'origine ethnique et la langue officielle. Il définit la langue maternelle : la première langue apprise dans l'enfance et encore comprise. La langue maternelle est le meilleur indice que nous ayons sur le degré d'emploi des diverses langues, quoiqu'il s'appuie sur le comportement linguistique dans l'enfance plutôt que sur l'usage actuel. L'origine ethnique désigne l'appartenance à telle ethnie ou à telle culture du sujet lui-même ou de son premier ancêtre paternel établi en Amérique du Nord. Ce point de repère est moins précieux que l'autre pour l'étude de l'usage courant, mais il nous renseigne sur l'emploi d'une langue pendant une longue période, ainsi que sur le maintien ou l'abandon de cette langue. Les données du recensement sur les langues officielles portent sur la connaissance des langues officielles du Canada et nous permettent de mesurer la portée du bilinguisme officiel (voir pp. 33 et ss.) et la préférence donnée à l'une ou l'autre des langues officielles dans le secteur public, en particulier par les personnes dont la langue maternelle est autre que le français et l'anglais.

La langue maternelle

Le tableau n° 1.4 donne de façon sommaire la répartition des langues maternelles dans les grandes villes et dans l'ensemble du Canada. Si on compare les chiffres de la zone métropolitaine d'Ottawa à ceux du Canada entier, on remarque qu'ils sont relativement près de la moyenne nationale. Les personnes de langue maternelle anglaise y représentent 55,7 % de la population, soit une proportion un peu moindre que pour l'ensemble du Canada (58,4 %); et les personnes de langue maternelle française 37,7 %, ce qui est supérieur à la moyenne nationale (28,1 %); 6,6 % de la population d'Ottawa parlent d'autres langues, contre 13,5 % dans l'ensemble du pays. On notera cet excédent relatif de la population de langue maternelle française dans la zone métropolitaine d'Ottawa où l'équilibre numérique entre les deux groupes dont la langue maternelle est officielle vient plus près de se réaliser qu'ailleurs au Canada.

TABLEAU 1.4 Répartition en pourcentage, selon la langue maternelle, de la population du Canada et des principales zones métropolitaines (200 000 hab. et plus), en 1961.

Zone métropolitaine	Langue maternelle		
	Anglais	Français	Autre
Canada	58,4	28,1	13,5
Ottawa	55,7	37,7	6,6
Montréal	23,4	64,8	11,8
Toronto	76,6	1,4	22,0
Vancouver	82,0	1,7	16,3
Winnipeg	67,9	5,9	26,2
Hamilton	80,0	1,5	18,5
Québec	3,8	95,4	0,8
Edmonton	71,9	3,3	24,8
Calgary	82,1	1,3	16,6

Source : Recensement du Canada de 1961, catalogue 92-549.

Si on compare les chiffres d'Ottawa à ceux d'autres grandes villes (tableau n° 1.4), on constate que les groupes anglophones et francophones ne s'équilibrent que rarement, même de façon très relative. Parmi les villes de plus de 200 000 habitants, seul Montréal peut-il à peu près se comparer avec Ottawa sur ce point, encore que là les francophones sont plus nombreux. Dans les autres grandes villes du Canada, il y a prédominance de l'élément anglophone, sauf à Québec, où la majorité de l'élément francophone est écrasante.

Même dans les villes canadiennes de plus faible importance, francophones et anglophones ne sont pas souvent dans des proportions comparables. Ainsi, en 1961,

49,7 % de la population de Sudbury (80 120 hab.) avaient pour langue maternelle l'anglais, et 30,7 % le français. À Timmins (40 121 hab.) les proportions étaient respectivement de 46,2 et 34,3 % ; à Cornwall (43 639 hab.) de 54,8 et 42,4 % ; à Moncton (55 768 hab.) de 66,2 et 32,5 %. On notera que ces villes sont situées dans la zone bilingue qui sépare de façon imprécise les parties du Canada où les francophones et les anglophones dominent. Ottawa et Montréal sont situés dans la même zone de bilinguisme. À l'extérieur de cette zone, il n'y a guère de grandes villes où s'équilibrent un peu les deux groupes linguistiques. Ainsi, à Windsor 10,3 % de la population seulement sont de langue maternelle française; à Sherbrooke, 10,5 % de langue maternelle anglaise.

On l'a dit déjà, une proportion assez faible de la population n'a ni l'anglais ni le français pour langue maternelle dans la région d'Ottawa. Mais la répartition des autres langues est plutôt inégale. Le tableau n° 1.5 montre la répartition des onze premiers groupes linguistiques pour le Canada et pour la zone métropolitaine d'Ottawa, d'après les chiffres de 1961. On remarquera que l'italien, plus souvent parlé à la ville qu'à la campagne, est aussi bien représenté dans la seule zone d'Ottawa que dans l'ensemble du pays. D'autres langues, comme l'ukrainien, l'indien ou l'esquimau, ne sont à Ottawa le fait que d'un petit nombre. D'autres encore, tels l'allemand, le hongrois et les langues scandinaves, accusent une proportion bien inférieure à la moyenne du Canada. En résumé, l'italien est la troisième langue de l'agglomération d'Ottawa, en pourcentage et en chiffres absolus, mais, pour une personne de langue maternelle italienne, on en compte 24 de langue maternelle française et 36 de langue maternelle anglaise.

TABLEAU 1.5   Répartition en pourcentage, selon la langue maternelle, de la population du Canada et de la zone métropolitaine d'Ottawa, en 1961.

Langue maternelle	Canada	Ottawa
Anglais	58,5	55,7
Français	28,1	37,7
Allemand	3,1	1,4
Ukrainien	2,0	0,4
Italien	1,9	1,6
Néerlandais	0,9	0,6
Indien et Esquimau	0,9	0,02
Polonais	0,9	0,5
Langues scandinaves	0,6	0,2
Hongrois	0,5	0,2
Yiddish	0,4	0,3
Autres	2,2	1,4

Source : Recensement du Canada de 1961, catalogue 92-459.

Si, après avoir étudié l'ensemble de la zone métropolitaine d'Ottawa, on passe à l'analyse de ses composantes québécoise et ontarienne, on constate que la répartition des langues y est nettement moins équilibrée. Le graphique n° 1.1 illustre la répartition des groupes linguistiques de chaque côté de la frontière.

Géographie linguistique d'Ottawa

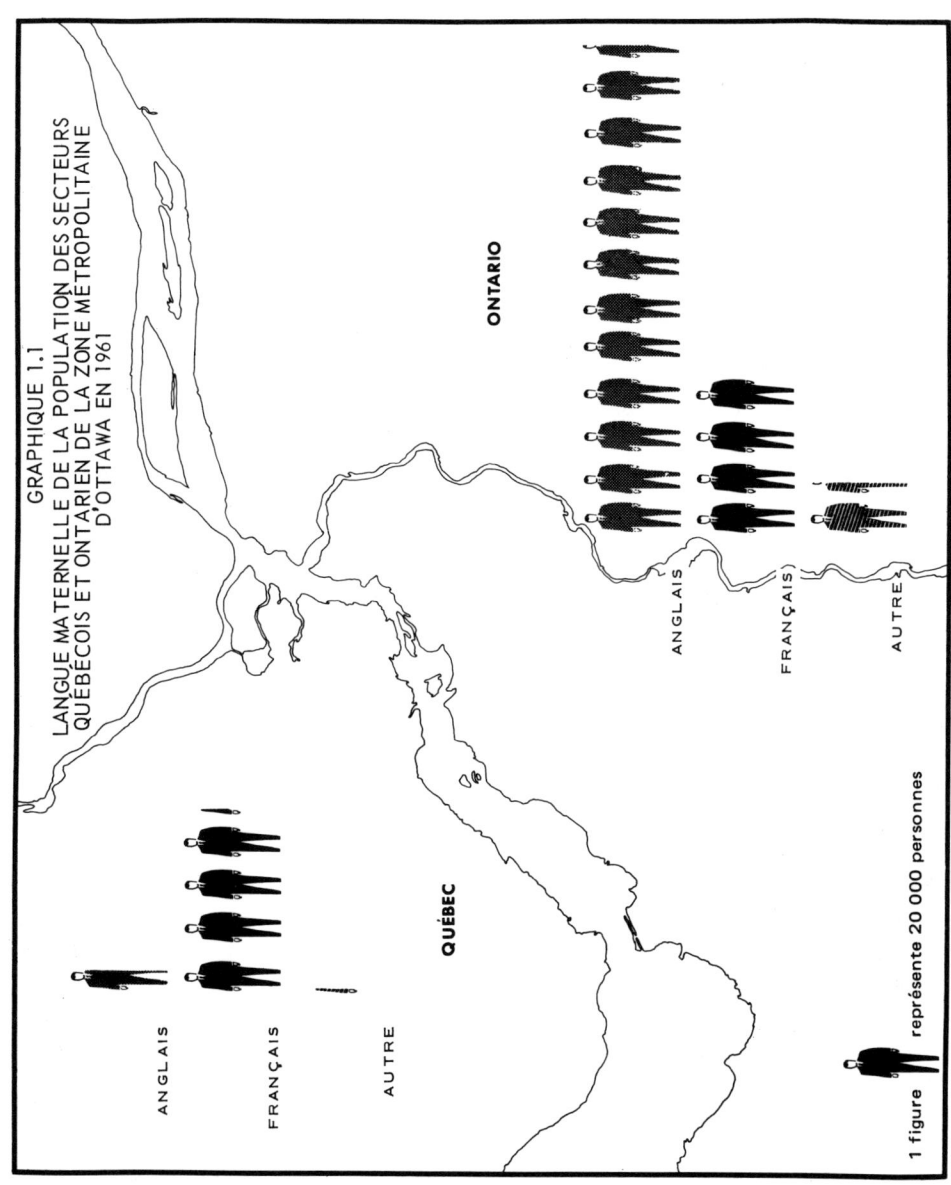

Comme on l'a dit plus haut, un peu plus des trois quarts de la population de la zone métropolitaine d'Ottawa habitent l'Ontario; *grosso modo,* un anglophone sur 20 habite au Québec. Quant aux francophones, ils sont répartis presque également de part et d'autre de l'Outaouais : 50,6 % habitent le Québec et 49,4 l'Ontario, d'après les données du recensement sur la langue maternelle. Cependant, si on se fonde plutôt sur l'origine ethnique, on constate qu'ils habitent en majorité (53,2 %) l'Ontario. En somme, la moitié de la communauté francophone de l'agglomération est tournée vers le Québec, l'autre vers l'Ontario.

Si on considère séparément les deux provinces, on constate qu'il y a prépondérance marquée d'une langue dans les deux parties provinciales de la région de la capitale fédérale : à peu près les cinq sixièmes de la population habitant au Québec sont de langue française, et les deux tiers de ceux qui vivent en Ontario sont de langue anglaise. La supériorité numérique de chaque groupe linguistique est accentuée par la composition linguistique de l'ensemble de la province.

Cependant, l'étude de municipalités particulières nous amène à préciser nos données. Au recensement de 1961, Eastview, en Ontario, était habité à 61 % par des francophones, et Lucerne (anciennement Hull-Sud), au Québec, à 52,2 % par des anglophones. Ce sont là des cas extrêmes, mais il y a, dans beaucoup d'autres municipalités de la zone métropolitaine, un nombre important de membres de l'autre communauté linguistique officielle. Ainsi, Gloucester, en Ontario, est habité à 39,6 % par des gens de langue maternelle française, et Aylmer, au Québec, à 41,3 % par des gens de langue maternelle anglaise. D'ailleurs, n'oublions pas que la population même d'Ottawa est de langue maternelle française à 21,2 %. Ottawa est la plus grande municipalité de la région, et c'est là qu'on trouve, en chiffres absolus, le plus fort groupe de francophones. (Le tableau B de l'appendice A donne la répartition par municipalité.)

Si nous insistons sur ces multiples variations, c'est pour bien souligner les conséquences sérieuses de la complexité du territoire qui forme la région de la capitale. Comme en témoignent les chiffres du tableau no 1.6, c'est dans l'ensemble de l'agglomération métropolitaine (les deux rives comprises) que la population est le mieux répartie entre anglophones et francophones; elle l'est beaucoup moins dans la partie ontarienne, et encore moins à Ottawa même[3]. La population québécoise est donc un facteur important de la composition linguistique de la région de la capitale fédérale. Grâce à elle, la proportion des francophones passe de 1 sur 5 dans la ville d'Ottawa à un peu plus de 1 sur 3 pour l'ensemble de la zone métropolitaine.

L'origine ethnique

Si les données sur les langues maternelles sont la mesure la plus précise du recensement sur l'usage des langues, l'origine ethnique nous fournit d'autres renseignements dont on peut tirer des observations quant à l'emploi des langues dans le passé. En combinant les renseignements sur la langue maternelle et sur l'origine ethnique, on peut mesurer, avec une précision relative, jusqu'à quel point on a conservé ou abandonné pour une autre, la langue qui correspond sans doute à l'origine ethnique. Nous pouvons aussi apprécier le degré d'attraction exercée par une langue dans les régions où l'on en parle couramment deux ou plus.

TABLEAU 1.6 Répartition en pourcentage, selon la langue maternelle, de la population dans le secteur ontarien de la zone métropolitaine d'Ottawa, en 1961.

	Population		Langue maternelle		
	Nombre	%	Anglais	Français	Autre
Zone métropolitaine d'Ottawa	429 750	100	55,7	37,7	6,6
Secteur ontarien (Ottawa, Eastview, Gloucester, Nepean, Rockcliffe Park)	332 899	100	67,8	24,1	8,1
Cité d'Ottawa	268 206	100	70,1	21,2	8,7

Source: Recensement du Canada de 1961, catalogue 92-549.

Au tableau n° 1.7, on compare langue maternelle et origine ethnique; on peut constater alors les gains et les pertes de l'anglais, du français et des autres langues par rapport à l'origine ethnique. Il ne s'agit là que d'un calcul approximatif. Il montre cependant que dans l'ensemble de la zone métropolitaine, 55,7 % de la population sont de langue anglaise et 44 % seulement d'origine britannique; que 37,7 % sont de langue française et 40,8 % d'origine française. On trouve les écarts les plus élevés chez les personnes des autres communautés. En effet, elles représentent 15,2 % de la population si l'on considère l'origine, mais 6,6 % seulement selon la langue maternelle. Ainsi qu'on peut le voir, Ottawa et Eastview sont à l'image de l'ensemble de l'agglomération métropolitaine. Pour Hull, la situation est quelque peu différente, alors que et l'anglais et le français marquent un léger gain sur les autres langues.

TABLEAU 1.7 Répartition en pourcentage de la population dans les principales villes de la zone métropolitaine d'Ottawa, selon l'origine ethnique et la langue maternelle, en 1961.

	Total	Origine britannique	Langue anglaise	Origine française	Langue française	Autres origines	Autres langues
Zone métropolitaine d'Ottawa	100	44,0	55,7	40,8	37,7	15,2	6,6
Ottawa	100	55,2	70,1	25,5	21,2	19,2	8,7
Hull	100	7,8	8,2	89,4	90,2	2,8	1,6
Eastview	100	26,4	34,0	63,3	61,0	10,3	5,0

Source : Recensement du Canada de 1961, catalogues 92-545 et 92-549.

L'analyse des données sur la langue maternelle et sur l'origine ethnique fait ressortir deux fortes tendances en matière de langue, soit, chez les gens d'origine non britannique et non française, la tendance à adopter une des langues officielles, généralement l'anglais; et chez les membres des deux principales communautés, comme le montrera une analyse plus poussée, la tendance à abandonner leur langue s'il y a prédominance de l'autre langue là où ils habitent.

Dans la zone d'Ottawa, les habitants d'origine étrangère ont fortement tendance à adopter l'anglais plutôt que le français. Le tableau G de l'appendice A donne la répartition des langues dans les communautés d'origine ni britannique ni française. Plus de la moitié (57,4 %) de la population d'origine allemande a maintenant l'anglais pour langue maternelle, et 3,5 % seulement, le français; la plupart des autres personnes d'origine allemande (38,4 %) sont de langue maternelle allemande. La communauté d'origine italienne offre peut-être un exemple plus intéressant : 24,5 % ont adopté l'anglais, 3,6 seulement, le français. À Montréal, le français exerce sensiblement plus d'attraction : il est maintenant la langue maternelle de 12 % d'entre eux, l'anglais, 5,6 %.

Cependant, ce sont les données du recensement sur les langues officielles qui mettent le plus en évidence l'évolution linguistique de la population d'origine ni britannique ni française. D'après le tableau C de l'appendice A, cette population a une forte tendance à choisir uniquement l'anglais parmi les deux langues officielles. Les proportions vont de 63 à 90 %. Dans chacun de ces groupes, ceux qui ne parlent que le français ne dépassent pas 3 % de l'ensemble. Notons que parmi les personnes d'origine ni britannique ni française qui habitent la zone métropolitaine, 94,7 % se trouvent en Ontario, où domine l'anglais.

Une étude plus serrée des données sur la langue maternelle pour la population d'origine britannique ou française soulève une autre question : le passage d'une langue officielle à l'autre. D'après le tableau D de l'appendice A il y a, dans l'ensemble de l'agglomération métropolitaine, un passage marqué du français à l'anglais. Plus exactement, 11,9 % de la population d'origine française parlent maintenant l'anglais, 2,3 % des habitants d'origine britannique ont le français pour langue maternelle.

Mais le tableau D révèle une différence intéressante entre Hull et Ottawa. À Ottawa, 22,1 % des habitants d'origine française ont déclaré l'anglais comme langue maternelle, alors que les personnes d'origine britannique ayant adopté le français ne forment qu'une infime minorité (1,4 %). À Hull, au contraire, les proportions sont presque opposées : 25,2 % des personnes d'origine britannique sont de langue maternelle française et 1,8 % de la population d'origine française a déclaré avoir l'anglais pour langue maternelle. On peut conclure qu'il y a, dans chaque ville, un taux comparable de passage de la langue de la minorité à celle de la majorité. Ce qui explique le passage d'un plus grand nombre du français à l'anglais, dans l'ensemble de la zone métropolitaine, c'est l'infériorité numérique, en chiffres absolus, de la population hulloise d'origine britannique par rapport à celle d'origine française qui habite Ottawa.

On devrait aussi faire l'histoire des langues dans l'agglomération d'Ottawa; on se rappellera, en effet, que les deux langues se parlent depuis longtemps dans la vallée de l'Outaouais. Comme on ne dispose de statistiques sur la langue maternelle que depuis 1931, il faut, pour les années antérieures, s'en remettre à l'origine ethnique. Mais on peut raisonnablement présumer qu'il y avait une corrélation assez étroite entre langue et origine, au moins dans les premiers temps.

Les tableaux E et F de l'appendice A présentent la répartition, selon l'origine ethnique, des populations respectives d'Ottawa et de Hull, depuis le début de la Confédération. À Ottawa, de 1871 à 1951, la population d'origine britannique a oscillé autour de 60 % ; celle d'origine française s'est stabilisée à 30 % : un peu plus de 30 % au XIXe siècle et un peu moins après 1921.

La part de la population d'origine ni britannique ni française, à Ottawa, était d'environ 8 % depuis 1911. Toutefois, au recensement de 1961, la situation avait considérablement changé. À cause d'arrivées massives d'immigrants dans la région à compter de 1945, cette proportion est passée de 8 % à 19 %, entre 1941 et 1961, ce qui a réduit l'importance des communautés britannique et française.

À Hull, les deux principales communautés sont dans une situation analogue. Depuis 1881, les habitants d'origines britannique et française ont constitué respectivement de 6 à 13 % et de 86 à 93 % de la population. Les autres ne forment qu'une très faible proportion : 1 % en 1881, 2,8 % en 1961.

Il est difficile de calculer les variations de la part des divers groupes linguistiques pour l'ensemble de l'agglomération urbaine, au cours des années. La catégorie de zone métropolitaine n'a été utilisée qu'à partir du recensement de 1941. Les limites de la zone métropolitaine ont changé d'un recensement à l'autre. En 1941, elle embrassait 7 municipalités; elle en comprend maintenant 13, comme nous l'avons vu. Cependant, le tableau no 1.8 présente une vue d'ensemble de la zone métropolitaine depuis 1941. La population d'origine française a été relativement stable. Celle d'origine britannique a perdu en proportion ce qu'a gagné la population d'origine ni britannique ni française, qui a plus que doublé.

En conclusion, signalons les traits les plus intéressants de la zone métropolitaine : les proportions entre les groupes linguistiques, la présence continue, du XIXe siècle à nos jours, des deux principales communautés ethniques, l'accroissement récent de la population d'origine ni britannique ni française et sa forte tendance à préférer l'anglais au français à titre de langue officielle.

TABLEAU 1.8   Répartition en nombre et en pourcentage de la population de la zone métropolitaine d'Ottawa selon l'origine ethnique, de 1941 à 1961.

Origine ethnique	1941		1951		1961	
	Nombre	%	Nombre	%	Nombre	%
Total	215 022	100	281 908	100	429 750	100
Britanniques	110 089	51,1	135 243	48,0	189 227	44,0
Français	90 310	42,0	121 680	43,1	175 374	40,8
Autres	14 623	6,9	24 985	8,9	65 149	15,2

Source : Recensement du Canada de 1941, vol. II, tableau 33; recensement de 1951, vol. I, tableau 36; recensement de 1961, catalogue 92-545.

C. La structure socio-économique

La main-d'œuvre de la zone métropolitaine d'Ottawa possède certains traits distinctifs qui tiennent, au moins en partie, à la condition particulière de la ville, capitale fédérale. L'administration publique, en particulier, est de loin le plus important secteur d'emploi: ses effectifs sont plus de deux fois supérieurs à toute autre catégorie d'emploi.

On trouve au tableau n° 1.9 des chiffres comparatifs sur Ottawa, Montréal et Toronto; ces statistiques mettent en évidence la prédominance de l'administration publique dans l'agglomération[4]. On notera que ce secteur a beaucoup plus d'importance dans la capitale : ses effectifs masculins sont plus de cinq fois supérieurs à ceux de Montréal et de Toronto. En revanche, les effectifs ouvriers des manufactures d'Ottawa sont minimes. En outre, le commerce, les finances, les transports et communications et l'industrie primaire n'ont pas à Ottawa l'importance qu'ils ont à Montréal ou à Toronto.

TABLEAU 1.9 Répartition en pourcentage, selon les secteurs de travail, de la main-d'œuvre masculine des zones métropolitaines d'Ottawa, de Montréal et de Toronto, en 1961.

Secteur de travail		Ottawa	Montréal	Toronto
Total	Nombre	105 046	543 512	512 265
	%	100	100	100
Administration publique		33,9	6,3	6,0
Manufactures		14,0	33,2	32,8
Construction		10,3	10,0	9,4
Transports et communications		8,7	13,7	10,8
Commerce		14,9	17,1	18,6
Finances		3,7	4,5	5,2
Services		12,0	13,0	14,3
Industrie primaire		0,6	1,8	2,3
Autres		2,0	0,6	0,7

Source : A. Raynauld, G. Marion et R. Béland, « La répartition des revenus selon les groupes ethniques au Canada ». Étude faite pour la Commission royale d'enquête sur le bilinguisme et le biculturalisme. Appendice statistique, tableaux 46, 52 et 64.

Au tableau n° 1.10, où sont utilisées des données un peu différentes, on compare la main-d'œuvre totale, masculine et féminine, des diverses catégories d'emploi dans quatre municipalités de la zone métropolitaine d'Ottawa. On constate, en premier lieu, la prépondérance du gouvernement fédéral dans l'administration publique : les employés des administrations municipales et provinciales sont relativement peu nombreux dans les quatre municipalités. À Ottawa et à Eastview, les employés fédéraux représentent à peu près le tiers de la main-d'œuvre; à Hull et à Gatineau, ils en représentent respectivement un cinquième, environ, et un neuvième. Parallèlement, les effectifs des manufactures d'Ottawa et d'Eastview sont proportionnellement inférieurs à ceux de l'ensemble de la zone métropolitaine. Les pourcentages de Hull et de Gatineau s'élèvent à 17,5 et à 38,6 %.

Comparativement à d'autres grandes agglomérations urbaines, la capitale fédérale est dans une très large mesure une ville administrative, en ce sens que son économie dépend étroitement du gouvernement fédéral; c'est aussi le cas des municipalités ontariennes d'Ottawa et d'Eastview par opposition à Hull et à Gatineau au Québec. Comme beaucoup d'employés des autres secteurs de l'économie fournissent des marchandises et assurent divers services aux fonctionnaires, leur dépendance vis-à-vis du gouvernement fédéral est en fait beaucoup plus grande que ne l'indiquent les statistiques sur l'emploi.

TABLEAU 1.10   Répartition en pourcentage, selon les secteurs de travail, de la main-d'œuvre (âgée de 15 ans et plus) de la zone métropolitaine d'Ottawa en 1961.

Secteur de travail		Zone métro-politaine d'Ottawa	Ottawa*	Hull*	Eastview*	Gatineau*
Total	Nombre	167 712	111 124	20 867	9 911	3 935
	%	100	100	100	100	100
Administration publique						
fédérale		30,7	33,2	21,0	32,9	11,0
provinciale		0,3	0,3	0,7	0,3	0,1
municipale		2,0	2,3	2,0	1,1	2,2
diplomatique		0,3	0,4	0,1	0,3	-
Manufactures		10,6	8,2	17,5	7,5	38,6
Construction		7,0	5,7	9,9	7,6	11,5
Transports et communications		6,8	6,8	6,9	7,9	4,4
Commerce		13,6	13,2	15,2	16,0	13,1
Finances		4,5	4,9	3,0	5,5	2,1
Services		20,6	21,8	20,6	17,3	14,6
Autres**		3,6	3,2	3,2	3,6	2,5

Source : Recensement du Canada de 1961, catalogues 94-519 et 94-521.
*On n'a pu se procurer de renseignements pour les autres villes.
**Agriculture, industrie forestière, pêche, piégeage, mines, etc.

Notre principal dessein est ici de situer les groupes linguistiques (francophone, anglophone et autres) dans la structure économique. Cependant, presque toutes les données sont fondées sur l'origine ethnique plutôt que sur la langue maternelle; nous devrons donc nous servir de ce critère, faute d'indication plus précise sur l'usage de la langue.

1. La main-d'œuvre

Au recensement de 1961, la main-d'œuvre de la zone métropolitaine d'Ottawa comprenait 155 643 personnes, soit à peu près le tiers de la population, et 67,5 % étaient de sexe masculin. On en trouve la répartition selon l'origine ethnique au tableau no 1.11. On y constatera que, par rapport à l'ensemble, la population d'origine française est sous-représentée au travail, et cela de façon plus marquée chez les femmes que chez les hommes Que ce soit attribuable à la répartition des groupes d'âge, aux taux de chômage, ou à quelque autre raison, il n'y a pas lieu d'en discuter ici. Nous noterons cependant que le pourcentage de travailleurs dans chaque communauté est le premier facteur qui ait quelque portée sur la condition financière du groupe.

TABLEAU 1.11 Répartition en pourcentage, selon l'origine ethnique, de la population et de la main-d'œuvre de la zone métropolitaine d'Ottawa, en 1961.

	Total		Origine ethnique		
	Nombre	%	Britanniques	Français	Autres
Population	429 750	100	44,0	40,8	15,2
Ensemble de la main-d'œuvre	155 643*	100	45,0	38,5	16,5
Main-d'œuvre masculine	105 046	100	43,8	39,2	17,1
Main-d'œuvre féminine	50 597	100	47,7	37,1	15,2

Source : Tableau fondé sur le recensement de 1961 et dressé à notre demande par le B. F. S., bande 3, tableau 8, 1re partie, pp.34-36.
*On ne donne pas toujours la même définition à « main-d'œuvre » ; c'est ce qui explique l'écart entre ce chiffre et celui du tableau 1.10, basé sur le bulletin 94-519 du B. F. S.

TABLEAU 1.12 Revenu moyen, selon l'origine ethnique, de la main-d'œuvre masculine et de la main-d'œuvre féminine des zones métropolitaines d'Ottawa, de Montréal et de Toronto, en 1961.

A. Main-d'œuvre masculine

Zone métropolitaine	Total	Origine ethnique		
		Britanniques	Français	Autres
Ottawa	$ 4 785	$ 5 504	$ 4 008	$ 4 714
Montréal	4 448	5 896	3 998	4 502
Toronto	4 812	5 261	4 168	4 168

B. Main-d'œuvre féminine				
Ottawa	$ 2 447	$ 2 731	$ 2 155	$ 2 253
Montréal	2 255	2 690	2 158	2 092
Toronto	2 340	2 488	2 224	2 079

Source A : A. Raynauld et coll., « La répartition des revenus ». Appendice statistique, tableaux 42, 48 et 60.
Source B : bande 3, tableau 8, 1re partie, p. 35 (Ottawa), p. 17 (Montréal), p. 53 (Toronto).

On donne au tableau n⁰ 1.12 le revenu moyen — salaires et appointements — selon l'origine ethnique, dans trois zones métropolitaines. On constate immédiatement, et c'est frappant, que les différences entre les revenus respectifs des hommes et des femmes sont plus grandes que celles entre les groupes ethniques. Par conséquent, les rapports différents entre les effectifs masculins et féminins de chaque communauté seraient peut-être une cause des différences de condition financière. En fait, ces proportions n'accusent que de légères différences, et la situation est plutôt l'inverse de celle qu'on vient de suggérer. En effet, c'est dans la communauté d'origine britannique, qui jouit du meilleur revenu, que le pourcentage des travailleuses est le plus élevé : 34,4 % contre 31,4 et 30 respectivement pour les groupes d'origines française et autre (bande 3, tableau 8, 1re partie, pp. 34-35). Cependant, l'analyse du revenu des femmes soulève quelques difficultés particulières. Dans le reste de la présente section, on essaiera d'expliquer l'essentiel des différences entres revenus, pour ce qui est de la seule main-d'œuvre masculine de la zone métropolitaine d'Ottawa. On peut dégager quatre facteurs importants et leurs effets en recourant aux données du recensement. Nous étudierons donc, successivement, la structure industrielle, le niveau d'instruction, les diverses catégories d'emploi et la pyramide des âges.

2. La structure industrielle

On a déjà dit que le marché du travail dans la région de la capitale diffère passablement de celui de Montréal ou de Toronto par l'importance du secteur de l'administration publique. Une analyse plus poussée des données sur Ottawa montre que, toutes proportions gardées, le nombre de personnes d'origine britannique employées dans ce secteur est nettement supérieur à la moyenne canadienne, et que celui des personnes d'origine française ou autre y est inférieur à la moyenne.

TABLEAU 1.13 Répartition en pourcentage, selon les secteurs de travail, de la main-d'œuvre masculine de la zone métropolitaine d'Ottawa, classée d'après l'origine ethnique, en 1961.

Secteur de travail		Total	Origine ethnique		
			Britanniques	Français	Autres
Total	Nombre	105 046	45 988	41 111	17 947
	%	100	100	100	100
Administration publique		33,9	43,3	26,2	27,5
Manufactures		14,0	10,9	18,1	12,7
Construction		10,3	5,7	13,2	15,7
Transports et communications		8,7	9,3	9,6	5,2
Commerce		14,9	12,7	16,4	16,9
Finances		3,7	4,7	2,9	2,8
Services		12,0	11,0	11,3	16,1
Industrie primaire		0,6	0,4	0,6	0,9
Non déclarés		2,0	2,0	1,8	2,3

Source : A. Raynauld et coll., « La répartition des revenus ». Appendice statistique, tableaux 51 et 52.

Le tableau n° 1.13 indique la part de chaque groupe dans les principaux secteurs de l'industrie. Compte tenu du marché du travail tout entier, les personnes d'origine britannique sont surreprésentées dans l'administration publique et les finances, et sous-représentées dans les manufactures et la construction. Quant aux personnes d'origine française, elles donnent lieu à des observations inverses. Enfin, en ce qui concerne la population d'origine ni britannique ni française, elle est considérablement surreprésentée dans la construction, les services divers et l'industrie primaire, et sous-représentée dans les transports et les communications, les finances et l'administration publique.

TABLEAU 1.14   Revenu moyen de la main-d'œuvre masculine de la zone métropolitaine d'Ottawa, classée d'après le secteur de travail et l'origine ethnique en 1961.

Secteur de travail	Total	Origine ethnique		
		Britanniques	Français	Autres
Total	$ 4 785	$ 5 504	$ 4 008	$ 4 714
Administration publique	5 335	5 862	4 290	5 485
Manufactures	4 548	5 360	4 038	4 432
Construction	3 774	4 360	3 493	3 776
Transports et communications	4 479	5 070	3 825	4 538
Commerce	4 322	4 731	3 739	4 821
Finances	6 025	6 425	5 088	6 489
Services	4 947	5 878	4 335	4 301
Industrie primaire	4 069	5 433	3 145	3 861
Non déclarés	3 965	4 450	3 241	4 061

Source : A. Raynauld et coll., « La répartition des revenus ». Appendice statistique, tableau 48.

Ces variations entre les groupes et d'une catégorie à l'autre peuvent aussi expliquer les écarts de revenu : un groupe qui se concentre dans une catégorie lucrative aura un revenu moyen supérieur à celui du groupe occupant surtout une catégorie moins avantageuse. Le tableau n° 1.14 donne le revenu moyen de la main-d'œuvre masculine dans chaque catégorie, puis celui des hommes d'origines britannique, française et autre respectivement. On constate que dans les catégories où il y a surreprésentation de l'élément d'origine britannique (administration publique, finances) le revenu est supérieur à la moyenne générale; par contre, dans la catégorie de la construction, où il y a excédent des effectifs d'origine française ou autre, le revenu est inférieur de plus de $1 000 à la moyenne générale.

3. L'instruction

Le degré d'instruction influe beaucoup sur l'emploi. Sur ce point, le recensement révèle aussi des différences considérables, selon qu'on est d'origine britannique, française ou autre; là encore, ce sont les gens d'origine britannique qui possèdent, dans l'ensemble, le plus haut degré d'instruction. On trouve au tableau n° 1.15 l'analyse du degré d'instruction des membres des trois groupes.

On notera que plus d'un cinquième des effectifs masculins d'origine britannique ou autre que française ont fréquenté l'université, contre un dixième seulement de la main-d'œuvre masculine d'origine française. De plus, près de la moitié de ces derniers n'ont fréquenté que l'école élémentaire, contre un sixième seulement pour les anglophones. Comme le degré d'instruction a une portée immédiate sur les catégories d'emploi et sur le revenu, les écarts constatés expliquent en partie la situation socio-économique des membres de chaque groupe.

TABLEAU 1.15 Répartition en pourcentage, selon le degré d'instruction, de la main-d'œuvre masculine de la zone métropolitaine d'Ottawa, classée d'après l'origine ethnique, en 1961.

Instruction		Total	Origine ethnique		
			Britanniques	Français	Autres
Total	Nombre	105 046	45 988	41 111	17 947
	%	100	100	100	100
Aucune		0,4	0,1*	0,6	0,6
Élémentaire (1 an et plus)		31,0	17,7	45,7	31,8
Secondaire (1-2 ans)		20,5	20,3	22,8	15,7
Secondaire (3-5 ans)		31,0	39,5	21,1	31,9
Universitaire (1 an et plus)		17,1	22,5	9,8	20,1

Source : A. Raynauld et coll., « La répartition des revenus ». Appendice statistique, tableau 123.
*L'échantillon est trop faible pour être considéré comme significatif dans une analyse.

En fait, aux écarts entre les niveaux d'instruction correspondent de fortes différences de revenus. Ainsi, on le vérifie dans tous les groupes, les personnes qui ont reçu une certaine formation universitaire touchent un revenu trois fois plus élevé que celles qui n'ont aucune instruction et de plus du double de celles qui n'ont qu'une instruction élémentaire. On trouve au tableau n° 1.16 le revenu moyen de l'ensemble des effectifs, selon leur origine ethnique, pour chacun des cinq degrés d'instruction.

TABLEAU 1.16 Revenu moyen* de la main-d'œuvre masculine de la zone métropolitaine d'Ottawa, classée d'après l'origine ethnique et le degré d'instruction, en 1961.

Instruction	Total	Origine ethnique		
		Britanniques	Français	Autres
Total	$ 4 785	$ 5 504	$ 4 008	$ 4 714
Aucune	2 425	2 688**	2 481	2 161
Élémentaire (1 an et plus)	3 535	3 928	3 385	3 465
Secondaire (1-2 ans)	3 978	4 394	3 615	3 807
Secondaire (3-5 ans)	5 049	5 354	4 462	4 969
Universitaire (1 an et plus)	7 583	8 023	6 925	7 059

Source : A. Raynauld et coll., « La répartition des revenus ». Appendice statistique, tableau 119.
*Statistiques établies à partir des déclarations de revenus.
**L'échantillon est trop faible pour être considéré comme significatif dans une analyse.

La corrélation entre revenu moyen et degré d'instruction est manifeste chez tous les groupes; en chiffres absolus, c'est pour les personnes de formation universitaire que l'écart est le plus prononcé. Il est évident qu'un groupe comptant beaucoup de membres très instruits jouit d'avantages pécuniaires considérables. Cependant, on notera que pour le même degré d'instruction, les effectifs d'origine britannique ont un revenu moyen, en appointements et salaires, supérieur à celui des autres effectifs; pour les gens qui ont fréquenté l'université, l'écart est de l'ordre de $ 1 000 par année. Il faut trouver d'autres facteurs qui expliquent ces différences.

4. Les catégories d'emploi

Le statut des citoyens au sein de la main-d'œuvre globale est déterminé, aussi, par leur appartenance à telle ou telle catégorie d'emploi. Dans les statistiques du recensement, on classe la main-d'œuvre en une douzaine de catégories – depuis les ouvriers non spécialisés jusqu'aux cadres administratifs – avec indication des revenus correspondants. Pour la zone métropolitaine d'Ottawa, nous pouvons mettre en regard la répartition, selon la profession, de la main-d'œuvre masculine d'origines britannique, française et autre et l'échelonnement du revenu moyen pour chaque groupe, comme nous l'avions fait pour connaître les relations entre le niveau d'instruction et le revenu. On trouve au tableau n° 1.17 la répartition selon les catégories d'emploi de la main-d'œuvre d'origines britannique, française et autre.

TABLEAU 1.17 Répartition en pourcentage, selon la profession, de la main-d'œuvre masculine de la zone métropolitaine d'Ottawa, classée d'après l'origine ethnique, en 1961.

Profession		Total	Origine ethnique		
			Britanniques	Français	Autres
Total	Nombre	105 046	45 988	41 111	17 947
	%	100	100	100	100
Administrateurs		13,2	16,3	8,8	15,6
Professions libérales et techniciens		13,8	18,5	7,7	16,0
Employés de bureau		13,6	14,5	14,6	8,9
Vendeurs		6,1	6,5	6,1	5,3
Employés des transports et communications		7,2	5,8	10,2	4,0
Travailleurs des services et activités récréatives		14,6	16,8	11,8	15,2
Ouvriers de métiers		22,9	15,9	29,5	25,3
Manœuvres		5,4	2,5	8,5	5,7
Agriculteurs		0,1	0,1	0,1	0,1
Autres professions primaires		1,0	0,9	0,9	1,5
Professions non déclarées		2,1	2,1	1,9	2,5

Source : Bande 3, tableau 8, 1re et 2e parties, p. 34.

Dans ce tableau, on remarque tout de suite quelques écarts considérables. En gros, les effectifs d'origine britannique sont deux fois plus nombreux que ceux d'origine française dans les secteurs de l'administration et des professions libérales. D'autre part, les artisans d'origine française sont presque deux fois plus nombreux, proportionnellement, que ceux d'origine britannique et cette proportion triple chez les manœuvres. Pour les personnes d'autres origines ethniques, les proportions touchant l'administration et les professions libérales sont à peu près identiques à celles du groupe britannique; quant aux artisans et aux manœuvres, leur proportion est sensiblement la même que pour le groupe d'origine française. Enfin, pour ce qui est des catégories « transports et communications » et « emplois de bureau » les chiffres sont nettement inférieurs à la moyenne.

Si l'on étudie les statistiques du recensement pour ces catégories d'emploi, on constate des écarts considérables de revenus entre la plus haute et la plus basse. Le tableau n° 1.18 donne le revenu moyen de la main-d'œuvre masculine d'origines britannique, française et autre, selon la catégorie d'emploi.

TABLEAU 1.18   Revenu moyen de la main-d'œuvre masculine de la zone métropolitaine d'Ottawa, classée selon la profession et l'origine ethnique, en 1961.

Profession	Total	Origine ethnique		
		Britanniques	Français	Autres
Total	$ 4 785	$ 5 504	$ 4 008	$ 4 714
Administrateurs	7 760	8 324	6 902	7 336
Professions libérales et techniciens	6 887	7 119	6 703	6 405
Employés de bureau	3 733	3 928	3 528	3 684
Vendeurs	4 494	4 856	4 000	4 650
Employés des transports et communications	3 504	3 886	3 228	3 710
Travailleurs des services et activités récréatives	4 429	5 195	3 360	4 146
Ouvriers de métiers	3 864	4 175	3 757	3 648
Manœuvres	2 402	2 310	2 443	2 365
Agriculteurs	4 350	4 739	3 670	4 338
Autres professions primaires	2 667	2 635	2 827	2 470
Professions non déclarées	3 919	4 406	3 270	3 858

Source : Bande 3, tableau 8, 1re et 2e parties, p. 34.

Le revenu moyen des catégories « administration » et « professions libérales » est à peu près le triple de celui des manœuvres, qu'il s'agisse de l'ensemble des effectifs ou de chaque groupe. Par conséquent, la répartition de l'emploi propre à chaque groupe expliquera elle aussi la situation financière de ses membres. Mais au-delà des variations expliquées par la structure des emplois, il subsiste des écarts à l'intérieur d'une même catégorie et qui relèvent de l'origine ethnique. Ils sont plus prononcés dans certains secteurs : administration, vente, services, par exemple, que dans d'autres comme les professions libérales et les artisans. Les manœuvres et les travailleurs de l'industrie primaire forment deux groupes où les francophones gagnent plus que la moyenne. Dans les autres secteurs, ce sont les effectifs d'origine britannique qui jouissent du revenu moyen le plus élevé.

5. L'âge

Les statistiques du recensement nous permettent d'étudier un dernier facteur : l'âge de la main-d'œuvre en fonction de l'origine : britannique, française ou autre. D'une manière générale, un groupe jouira de revenus plus élevés que les autres dans la mesure où ses membres appartiendront, dans une forte proportion, à la classe d'âge la mieux rémunérée. À l'inverse, un groupe où les jeunes seront nombreux aura, à cause de la structure des âges, un revenu inférieur à la moyenne. Suivant notre procédé habituel, nous examinerons d'abord l'âge de la main-d'œuvre d'Ottawa selon l'origine ethnique (tableau n° 1.19), puis le revenu moyen de chaque groupe selon l'âge (tableau n° 1.20).

TABLEAU 1.19   Répartition en pourcentage, selon l'âge, de la main-d'œuvre masculine de la zone métropolitaine d'Ottawa, classée d'après l'origine ethnique, en 1961.

Âge		Total	Origine ethnique		
			Britanniques	Français	Autres
Total	Nombre	105 046	45 988	41 111	17 947
	%	100	100	100	100
15-24 ans		15,9	13,2	19,9	13,9
25-44 ans		52,7	50,8	51,8	59,6
45-64 ans		28,4	32,2	25,9	24,6
65 ans et plus		3,0	3,8	2,4	1,9

Source : Bande 3, tableau 4, pp. 64-112.

Le tableau n° 1.19 montre que les effectifs d'origine française sont généralement plus jeunes que les autres. En 1961, le cinquième d'entre eux étaient âgés de 15 à 24 ans, contre le septième seulement pour les effectifs d'origines britannique et autre. Le tiers des effectifs d'origine britannique étaient âgés de 45 à 64 ans contre seulement le quart des effectifs d'origines française et autre.

TABLEAU 1.20   Revenu total moyen* de la main-d'œuvre masculine de la zone métropolitaine d'Ottawa, classée d'après l'origine ethnique et l'âge, en 1961.

Âge	Total	Origine ethnique		
		Britanniques	Français	Autres
Total	$ 5 103	$ 5 862	$ 4 281	$ 5 035
15-24 ans	2 331	2 325	2 302	2 444
25-44 ans	5 338	6 011	4 687	5 164
45-64 ans	6 181	7 019	4 998	6 221
65 ans et plus	5 419	6 328	4 076	4 584

Source : Bande 3, tableau 4, pp. 64-112.
*Chiffre global, comprenant appointements et salaires, revenus du commerce et de l'exercice de professions, intérêts de placements, retraites et allocations; ailleurs dans la présente section, nous ne traitons que des revenus provenant de l'activité professionnelle (appointements, salaires, etc...)

Le tableau no 1.20 illustre le rapport entre l'âge et le revenu moyen, y compris, dans ce cas, les revenus autres que ceux du travail. Quelle que soit l'origine ethnique, les effectifs de 15 à 24 ans gagnent beaucoup moins que ceux des autres classes. La proportion plus grande des effectifs d'origine française, dans cette catégorie, devient alors significative. Néanmoins, dans certaines catégories, les écarts de revenu demeurent considérables entre les effectifs des divers groupes. Les écarts de revenu, de peu d'importance entre 15 et 24 ans, augmentent entre 24 et 44 ans, et s'accroissent encore passé 45 ans, jusqu'à excéder $ 2 000 par année entre personnes d'origine britannique et celles d'origine française.

6. Importance relative des divers facteurs

Dans les paragraphes qui précèdent, nous avons étudié l'influence de la structure industrielle, du niveau d'instruction, des catégories d'emploi et de l'âge sur la situation pécuniaire de la main-d'œuvre masculine, groupée selon l'origine ethnique, de la zone métropolitaine d'Ottawa. Il est intéressant d'apprécier l'importance de chaque facteur dans les écarts de revenu relevés au tableau no 1.12; les statistiques nous y aideront. Dans l'étude que nous avons déjà citée, André Raynauld et ses collègues utilisent une méthode particulière d'analyse des écarts de revenu entre deux groupes.

La technique de base utilisée pour mesurer l'importance d'un facteur particulier consiste à calculer ce que deviendraient les différences de revenu si les deux groupes étaient identiques en regard de ce facteur. L'écart entre la disparité réelle et celle qui subsisterait si les deux groupes étaient identiques, en regard du facteur étudié, donnera la mesure de l'importance de ce facteur. En effectuant ces mesures séparément pour tous les facteurs, on établit l'importance relative de chacun par rapport à l'écart total entre les revenus des deux groupes. Cependant, il se présente certaines difficultés. Ainsi, l'influence combinée de plusieurs facteurs n'est pas nécessairement la somme des influences particulières. Il y a chevauchement jusqu'à un certain point, et l'examen de l'ensemble des rapports entre tous les facteurs appelle certains jugements sur le degré de leur interdépendance.

À l'appendice B, on trouvera les résultats d'une analyse de ce genre, où l'on compare la main-d'œuvre masculine d'origines britannique et française de la zone métropolitaine d'Ottawa. (Nous n'avons pas tenu compte des autres origines ethniques, pour éviter des calculs trop complexes et à cause de la grande hétérogénéité de cette catégorie.) Nous avons considéré comme facteurs interdépendants le niveau d'instruction et la structure des emplois, et comme facteurs isolés l'âge et la structure industrielle. Nous y avons joint l'évaluation de la portée des différents taux de chômage, selon le degré d'instruction; cette appréciation est fondée sur des données où il est impossible d'isoler Ottawa.

Les calculs montrent que 62 % des écarts entre le revenu total des effectifs d'origine britannique et française d'Ottawa sont conjointement attribuables au niveau d'instruction et à la structure des emplois. À Montréal et à Toronto, les proportions sont de 45 % et 44 %. Les écarts attribuables à la structure industrielle, à l'âge et aux taux de l'emploi sont relativement faibles : 8, 11 et 9 % respectivement. En supposant qu'il n'existe pas de corrélation entre ces derniers facteurs, les quatre facteurs suivants : instruction, emploi, industrie, âge et taux d'emploi, rendent compte ensemble de 90 % environ des différences de revenu entre les effectifs d'origines française et britannique. Les 10 % qui restent sont attribuables à des facteurs que nous n'avons pu étudier à l'aide de statistiques. On notera, par comparaison, que l'importance des quatre facteurs combinés, mesurée selon la même méthode, est de 78 % seulement à Toronto, et de moins de 70 % à Montréal; c'est l'importance, de loin la plus forte, du facteur instruction-emploi, à Ottawa, qui explique principalement cette différence.

Il est donc clair, d'après cette méthode de calcul, que l'écart entre les revenus de la main-d'œuvre masculine d'origines britannique et française est imputable, aux deux tiers, aux différences d'instruction et de catégorie d'emploi qui existent entre eux. Au-delà de cette affirmation, nous devons nous limiter à des hypothèses. D'une part, il se peut que le système d'enseignement ne retienne pas autant les francophones aux degrés supérieurs. Les anglophones et les francophones de la région disposent de ressources, dans le domaine de l'éducation, qui ne sont pas du tout les mêmes; et c'est une autre possibilité à examiner sérieusement. Il se peut aussi que les personnes d'origine française, après des études supérieures, ne trouvent pas de situation intéressante sur le marché du travail. Elles passeraient alors à des occupations de rang et de revenu inférieurs ou iraient travailler ailleurs. Il nous est difficile d'apprécier cette dernière hypothèse, car nous n'avons pas de statistiques sur les migrations vers et hors de la région. On peut, cependant, comparer degré d'instruction et catégorie d'emploi, pour les effectifs d'origines britannique, française et autre; nous y avons consacré le tableau H de l'appendice A.

TABLEAU 1.21 Répartition en nombre et en pourcentage des effectifs scolaires de la zone métropolitaine d'Ottawa, classés d'après l'origine ethnique et deux catégories d'âge, en 1961.

	15-19 ans			20-24 ans		
	Britanniques	Français	Autres	Britanniques	Français	Autres
Population totale	12 180	14 437	3 815	10 043	12 457	4 452
Effectifs scolaires (en nombre)	8 899	7 349	2 703	1 187	697	392
Effectifs scolaires (en %)	73,1	50,9	70,9	11,8	5,6	8,8

Source : Bande 3, tableau 3, pp. 16-30.

Le tableau nº 1.21 montre qu'à l'âge où l'on se trouve normalement à la fin des études secondaires et au seuil des études supérieures, la fréquentation des écoles est soumise, toutes proportions gardées, à des variations remarquables. En 1961, sur dix personnes âgées de 15 à 19 ans, et d'origine britannique ou autre, sept fréquentaient l'école, contre cinq seulement d'origine française. Entre 20 et 24 ans, la fréquentation scolaire baisse beaucoup, quelle que soit l'origine ethnique; cependant, elle accuse une différence de plus du double entre les groupes d'origines britannique et française, en faveur du premier.

D'autre part, selon le tableau H de l'appendice A, l'accès aux situations ou professions de rang et de revenu supérieurs serait plus facile pour les personnes d'origine britannique que pour celles d'origine française de même degré d'instruction. Cependant, à certains niveaux d'instruction, ce sont les personnes d'autres origines qui se placent le mieux sur le marché du travail. Dans l'administration et dans les professions libérales, les effectifs d'origine britannique sont proportionnellement plus nombreux que ceux d'origine française, quel que soit le degré d'instruction; dans ces deux secteurs, on retrouve 74,2 % des hommes d'origine britannique ayant reçu une formation universitaire, contre seulement 60,1 % d'origine française. De plus, quelque 15,7 % des francophones ayant fait des études universitaires occupent des emplois de bureau, contre 5,6 et 5,4 % seulement pour leurs homologues d'origines britannique et autre, respectivement.

En somme, nos deux premières hypothèses semblent avoir quelque valeur. Les hommes d'origine française quitteraient l'école plus jeunes que ceux d'origine britannique et même ceux qui font les études les plus poussées occuperaient des postes et toucheraient des revenus inférieurs à ceux des hommes d'origine britannique. Il semble que ces deux résultantes peuvent se compléter : dans la mesure où l'on sait qu'une instruction poussée ne procurera pas automatiquement de situation rémunératrice, on tient moins à poursuivre ses études.

Nous ne pouvons approfondir davantage les causes des écarts de revenu dans la main-d'œuvre de la région d'Ottawa; cependant, ces écarts sont évidents. Bien que les statistiques dont nous disposons aient trait à l'origine plutôt qu'à la langue, tout indique que les communautés anglophone et francophone de la capitale fédérale accusent des différences notables de train de vie, et qu'à des différences de revenu correspondent des disparités socio-économiques encore plus marquées. Quand on examine ensemble la condition inférieure des francophones sur le plan économique, leur infériorité numérique et le fait qu'ils se répartissent à peu près également dans deux provinces, on comprend plus facilement pourquoi leur présence dans la capitale fédérale n'a pas été pleinement sentie, par le passé, comme on l'aurait espéré.

D. Répartition géographique de la population

Après avoir étudié les facteurs linguistiques et socio-économiques dans la région d'Ottawa, nous considérerons maintenant les relations qui existent entre ces facteurs et la répartition de la population dans le territoire. La région comprend 80 secteurs de recensement : 16 au Québec, 64 en Ontario (voir la carte n° 1.3). Au tableau I de l'appendice A, on répartit la population de chacun d'eux selon la langue maternelle, et on obtient un indice du statut économique du secteur en calculant le revenu de travail moyen de la main-d'œuvre masculine. Cette information nous permet de répondre, au moins partiellement, à deux questions. D'abord, les gens de même langue maternelle ont-ils tendance à se grouper ou, au contraire, sont-ils passablement dispersés dans la région de la capitale, qu'ils soient de langue maternelle anglaise, française ou autre ? Ensuite, la composition de la population varie-t-elle d'un secteur à l'autre selon la condition socio-économique ou est-elle plus ou moins uniforme ?

Du point de vue de la langue uniquement, il y a tendance générale, chez les gens de même langue maternelle, à se grouper. Les personnes de langue maternelle anglaise forment plus de 70 % de la population dans 38 secteurs de recensement, et celles de langue maternelle française dans 18; 24 secteurs seulement se situent entre ces extrêmes. Sous un autre angle, quelque 66,3 % des anglophones et 62,2 % des francophones habitent des secteurs où il y a forte densité d'un groupe linguistique (70 % ou davantage). Les personnes d'autre langue maternelle constituant moins de 7 % de la population de la région, il n'est pas étonnant qu'elles ne soient majoritaires en aucun secteur. On peut cependant remarquer une certaine densité chez elles, car 37,9 % habitent 13 secteurs où elles forment au moins 10 % de la population.

La situation de ces zones est intéressante. Sur les 18 secteurs de fort groupement francophone, 11 ont une population de langue maternelle française à plus de 80 %. Ils sont tous au Québec; il s'agit de huit des neuf secteurs hullois, et de ceux de Templeton-Ouest, Gatineau et Pointe-Gatineau. Sur les sept où la population francophone varie entre 70 et 79,9 %, un seul est au Québec, à Hull, et six sont en Ontario. Trois des cinq secteurs d'Eastview sont de ce nombre.

Les zones de forte densité anglophone sont toutes situées en Ontario. Comme le montre la carte n° 1.4, elles s'étendent surtout à l'ouest et au sud du centre d'Ottawa; en fait, elles sont de caractère suburbain. Les secteurs où se rassemblent quelque peu les autres communautés linguistiques occupent, à deux exceptions près, la partie centrale de la ville.

TABLEAU 1.22 Répartition en pourcentage de la population, classée d'après la langue maternelle, dans les secteurs de recensement de la région métropolitaine d'Ottawa groupés selon leur densité linguistique, en 1961.

Densité linguistique	Secteurs linguistiques		Langue maternelle		
	Nombre	Population	Anglais	Français	Autre
Total	80	415 740	100	100	100
Forte densité anglophone (70 % et plus)	38	182 538	66,3	10,7	47,5
Mixte : majorité anglophone	16	91 940	23,8	17,0	38,4
Mixte : majorité francophone	8	27 943	4,3	10,1	5,4
Forte densité francophone (70 % et plus)	18	113 319	5,6	62,2	8,7

Source : Appendice A, tableau I.

Dans les secteurs où leur langue est fortement représentée, anglophones et francophones sont groupés à peu près selon les mêmes proportions, mais dans les autres secteurs, il reste une part importante de la population francophone dont la situation en matière d'habitation diffère de celle des anglophones. On le voit au tableau n° 1.22, 90 % des anglophones habitent les 54 secteurs où l'anglais est, au moins, la langue de la majorité. En pourcentage, trois fois plus de francophones que d'anglophones habitent des secteurs où leur langue n'est pas celle de la majorité.

Une proportion notable des gens dont la langue maternelle est autre que l'anglais ou le français habitent des secteurs à majorité anglophone. Cette tendance à élire domicile dans ces secteurs confirme les constatations que nous avons faites plus haut — fondées sur l'adoption d'une autre langue maternelle et la connaissance des langues officielles — et qui montrent que les personnes d'origine ethnique ni britannique ni française ont tendance à s'assimiler, par la langue et la culture, à la population dont l'anglais est la langue maternelle (voir p. 12). Cette tendance est assez nette pour qu'il nous soit possible, à certaines fins, comme nous le verrons par la suite, de considérer comme membres d'une seule communauté les personnes dont la langue maternelle est l'anglais ou une autre langue que le français.

Bien des causes, d'importance variable selon les individus, peuvent expliquer cette répartition géographique de la population. Quand on a un faible revenu, on limite son choix d'un domicile aux secteurs où le loyer est en rapport avec ses possibilités financières; quand on jouit d'un revenu élevé, le prestige social est un facteur important dans le choix du domicile. Les autochtones seront probablement plus sensibles que les nouveaux venus à certaines traditions, comme la concentration des francophones dans la basse ville à Ottawa. La proximité de l'école, de l'église et de certains services détermine, pour un bon nombre, le choix du domicile. Le désir de la proximité du lieu de travail, la préférence pour un appartement ou une maison, pour la vie en banlieue plutôt qu'au centre de la ville, pour une province plutôt qu'une autre, sont autant de facteurs qui peuvent influencer le choix.

Habitation et niveau de vie

On ne peut guère ici étudier en détail tous les facteurs qui jouent dans le choix d'un domicile, mais le facteur économique mérite une analyse plus vaste, parce que la composition de la population dans les secteurs de revenu plus élevé diffère de celle des secteurs de plus faible revenu. On trouve sur la carte n° 1.5 les 20 secteurs les plus riches et les 20 les plus pauvres, pour ce qui est du revenu de travail moyen[5]. Sur ces derniers, huit sont au Québec : il s'agit de quatre des neuf secteurs hullois et de ceux de Templeton-Ouest, Templeton, Pointe-Gatineau et Deschênes. En somme, la moitié des secteurs québécois font partie de ce quart des 80 secteurs de la zone métropolitaine où le revenu est le plus bas. Les 12 autres secteurs de ce groupe sont en Ontario, dans les vieux quartiers du centre d'Ottawa. Les 20 secteurs privilégiés sont tous en Ontario, et tous en banlieue. Il s'agit de 14 secteurs d'Ottawa sur 40, de cinq secteurs de Nepean sur six, et de celui de Rockcliffe Park; il n'y en a ni à Eastview, ni à Gloucester.

Les statistiques étant limitées, nous ne pouvons indiquer, selon la langue maternelle, où habitent les gens bien et mal rétribués. Cependant, en appréciant d'après le revenu moyen du secteur le statut économique du milieu, nous saurons quelles zones habitent les personnes de telle ou telle langue maternelle. Par exemple, le revenu moyen de la population de Rockcliffe Park est de $ 8 326, et l'on trouve dans cette localité 217 personnes de langue maternelle française. On ne peut dire que 217 francophones jouissant de revenus élevés habitent ce secteur, mais qu'ils sont 217 dans un secteur où le revenu moyen est élevé.

Si l'on répartit, selon la langue maternelle, la population des secteurs, eux-mêmes partagés en catégories d'après le statut économique (voir le tableau n° 1.23), on constate que près de 80 % des francophones habitent les 40 secteurs de revenu inférieur, et qu'une proportion légèrement plus faible d'anglophones vivent dans les secteurs où le revenu est plus élevé. On s'y attendait un peu après les considérations de la section C (pp. 13 et suivantes) sur les écarts socio-économiques dans la région de la capitale. La population dont la langue maternelle est autre que l'anglais ou le français est présente dans des proportions à peu près égales dans les quatre catégories du tableau n° 1.23.

TABLEAU 1.23 Répartition en pourcentage de la population classée d'après la langue maternelle, dans les 80 secteurs de recensement de la région métropolitaine d'Ottawa, groupés selon leur revenu moyen, en 1961.

Revenu moyen	Langue maternelle		
	Anglais	Français	Autre
Total	100	100	100
$ 2 843–$ 3 450 (20 secteurs)	12,3	40,5	29,7
$ 3 457–$ 4 096 (20 secteurs)	18,1	39,2	21,5
$ 4 180–$ 5 226 (20 secteurs)	32,3	15,6	28,7
$ 5 253–$ 8 326 (20 secteurs)	37,3	4,6	20,1

Source : Appendice A, tableau I.

Pour mieux voir la situation, nous pouvons mettre en regard le degré de concentration d'un groupe linguistique et le revenu moyen, dans chaque secteur de recensement. Pour y arriver, nous répartirons la population en quatre catégories, selon le type de secteur habité, de manière à savoir quel pourcentage occupe chaque zone. On aura ainsi :
1. Une zone de *faible* revenu, où la population est de même langue maternelle à plus de 70 %.
2. Une zone de *faible* revenu, où cette densité linguistique ne se retrouve pas.
3. Une zone de revenu *élevé*, où elle est supérieure à 70 %.
4. Une zone de revenu *élevé*, où elle est inférieure à 70 %.

À l'aide de ces pourcentages, nous avons dressé les quatre tableaux ci-dessous.

Population de langue maternelle française

	Revenu modique (40 secteurs)	Revenu élevé (40 secteurs)
Secteurs francophones à 70 % et plus	60,4 %	1,8 %
Secteurs francophones à moins de 70 %	19,4 %	18,4 %

En faisant ces calculs pour la population francophone, on constate que plus des trois quarts de ceux qui vivent dans des secteurs où le revenu est bas sont dans des secteurs où la densité des francophones est forte. Quant à ceux qui vivent dans des secteurs de revenu élevé, plus des neuf dixièmes habitent des secteurs où le groupe francophone n'est pas en majorité. D'après le tableau I de l'appendice A, sur les 40 secteurs favorisés, seul le n° 107, dans le nord de Hull, est en majorité francophone.

Il n'en est pas de même pour la localisation résidentielle des anglophones. D'après nos chiffres, une bonne majorité des anglophones qui habitent des secteurs où le revenu est plus élevé vivent dans des secteurs où il y a forte densité de langue anglaise. Un peu moins du tiers des habitants des secteurs où le revenu est inférieur sont dans des zones de forte concentration anglophone.

Population de langue maternelle anglaise

	Revenu modique (40 secteurs)	Revenu élevé (40 secteurs)
Secteurs anglophones à 70 % et plus	9,1 %	57,2 %
Secteurs anglophones à moins de 70 %	21,3 %	12,4 %

La situation n'est pas la même pour la population dont la langue maternelle n'est ni l'anglais ni le français; mais comme ils ne sont pas nombreux, on établira la densité de leur groupe d'après une mesure différente (seulement 10 % dans ce cas), comme on l'a déjà fait. On peut dire que c'est dans les secteurs où le revenu est plus faible que cette population aurait tendance — légèrement — à se regrouper. Dans les secteurs où le revenu est élevé, il y a une forte tendance inverse.

Population d'autres langues maternelles

	Revenu modique (40 secteurs)	Revenu élevé (40 secteurs)
Secteurs où la densité du groupe d'autres langues maternelles est de 10 % et davantage	35,7 %	2,2 %
Secteurs où elle est inférieure à 10 %	15,5 %	46,6 %

On a déjà énoncé l'hypothèse selon laquelle, dans la région de la capitale, les communautés d'autres langues maternelles tendraient à s'identifier à la population anglophone. Si tel est le cas, on peut aussi étudier la répartition de la population de langue maternelle autre que le français. Il y aurait alors une forte densité de non-francophones dans 45 secteurs au lieu de 38; parallèlement il y aurait augmentation de la proportion de la population habitant les secteurs où le revenu est bas. On partagerait alors la population de langue maternelle autre que le français dans les catégories suivantes :

Population de langue maternelle non française

	Revenu modique (40 secteurs)	Revenu élevé (40 secteurs)
Secteurs où la densité de la population non francophone est de 70 % et davantage	19,9 %	58,0 %
Secteurs où elle est inférieure à 70 %	12,7 %	9,4 %

D'après cette répartition, nous voyons qu'une forte proportion de la population des secteurs de revenu élevé habite en fait des secteurs où se concentrent des individus de même langue. Un phénomène identique, mais moins marqué, s'observe au niveau des secteurs de faible revenu. Dans la mesure où notre hypothèse est exacte, dans les secteurs de faible revenu, toutes les communautés tendent à se grouper; dans les secteurs fortunés, les francophones sont disséminés à travers une forte majorité d'anglophones.

On trouvera au graphique nᵒ 1.2 une autre répartition des francophones et non-francophones, selon le revenu. Chaque point de ce diagramme de dispersion représente un secteur; sa position en ordonnée nous donne le revenu moyen et, en abscisse, la proportion de sa population de langue maternelle française. Les secteurs de revenu élevé sont situés dans la partie supérieure du graphique, et ceux de faible revenu dans la partie inférieure. Les secteurs habités par une faible proportion de francophones sont à gauche, les autres à droite.

De la sorte, on peut constater que les secteurs habités par un petit nombre de personnes de langue maternelle française sont beaucoup plus nombreux que ceux en comptant beaucoup. Les francophones représentent un pourcentage assez faible de la population des secteurs de revenu élevé, et pourtant on ne peut dire qu'il y a tendance prononcée chez les secteurs de bas revenu à se grouper à un seul échelon. En fait, parmi ces derniers, la répartition touche tous les degrés de densité française jusqu'aux secteurs où prévaut une majorité, forte ou substantielle, de gens de langue anglaise et d'autre langue. Néanmoins, vu les structures socio-économiques de la région de la capitale, ces derniers secteurs sont moins nombreux au bas de l'échelle des revenus que ceux où il y a forte densité de francophones.

On ne peut analyser la localisation résidentielle de l'ensemble de la population que par le biais du revenu moyen de chaque secteur de recensement; mais on peut examiner celle des fonctionnaires fédéraux, selon les revenus particuliers. Nous avons noté dans la section précédente que la proportion de la main-d'œuvre d'Ottawa et d'Eastview travaillant dans le secteur de l'administration publique est plus grande que pour les municipalités québécoises de Hull ou Gatineau. Il n'est donc guère surprenant que les fonctionnaires tendent, plus que l'ensemble de la population, à vivre en Ontario. On trouve, au tableau nᵒ 1.24, une répartition en pourcentage des fonctionnaires en général, et des mieux rétribués d'entre eux, en regard de l'ensemble de la population.

Chez les personnes qui ont l'anglais ou toute langue autre que le français pour langue maternelle, et qui se trouvent surtout du côté ontarien, il n'y a qu'une différence minime entre les fonctionnaires et l'ensemble de la population. Cette différence est plus forte chez les francophones, et croît encore pour les fonctionnaires dont le revenu est plus élevé. Ainsi, dans la région de la capitale, en 1961, quelque six sur dix des fonctionnaires francophones habitaient l'Ontario, et la proportion atteignait presque huit sur dix pour ceux qui déclaraient un revenu supérieur à $ 10 000.

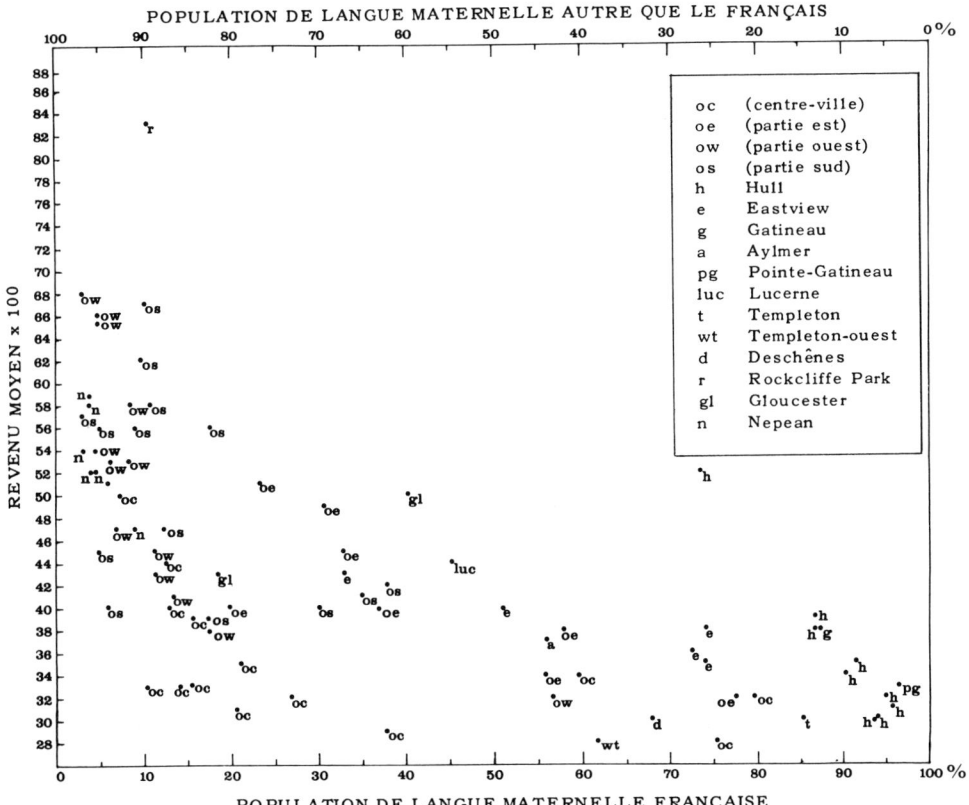

GRAPHIQUE 1.2
COMPOSITION LINGUISTIQUE ET REVENU MOYEN DES SECTEURS
DE RECENSEMENT DE LA ZONE MÉTROPOLITAINE D'OTTAWA EN 1961

On peut faire une étude plus détaillée des tendances dans le choix de leur domicile que font les fonctionnaires fédéraux, bien que la nature des données ne permette pas d'examiner séparément chaque secteur de recensement. On trouvera dans deux tableaux de l'appendice A, pour chacune des 12 divisions de recensement, le nombre et le pourcentage des fonctionnaires fédéraux de la zone métropolitaine; chaque division est formée de plusieurs secteurs contigus. Au tableau J, on traite de l'ensemble des fonctionnaires fédéraux habitant la zone métropolitaine; au tableau K, on se limite à ceux d'entre eux – un peu plus de 2 000 – qui gagnaient $ 10 000 et plus en 1961. Ces tableaux, pris séparément, nous éclairent sur leur répartition différente selon qu'ils sont de langue maternelle anglaise, française ou autre; si on les confronte, on peut mettre plus en évidence les tendances du groupe de revenu supérieur par rapport à l'ensemble. On pourrait approfondir l'analyse, mais nous nous en tiendrons à l'étude des principales tendances, qui nous semble seule nécessaire.

TABLEAU 1.24 Répartition en pourcentage*, selon la langue maternelle et la province de résidence, de l'ensemble de la population et des fonctionnaires fédéraux, dans la région métropolitaine d'Ottawa, en 1961.

	Total		Langue maternelle					
			Anglais		Français		Autre	
	Ontario	Québec	Ontario	Québec	Ontario	Québec	Ontario	Québec
Population de la zone métropolitaine 429 750 hab.	77,5	22,5	94,4	5,6	49,4	50,6	94,7	5,3
Ensemble des fonctionnaires fédéraux 45 619	85,4	14,6	95,9	4,1	61,3	38,7	97,5	2,5
Fonctionnaires fédéraux gagnant plus de $ 10 000 2 017	96,2	3,8	98,1	1,9	78,6	21,4	97,1	2,9

Source : Appendice A, tableau A. Bande 1, tableau 3.
*Pour chaque catégorie, l'addition des pourcentages des secteurs Ontario et Québec donne un total de 100.

Comparons à l'ensemble des fonctionnaires ceux qui ont un revenu élevé (voir les tableaux J et K de l'appendice A). Ceux qui gagnaient plus de $ 10 000 en 1961 se concentrent davantage dans l'anneau suburbain qui entoure le cœur de la ville, en particulier dans les secteurs est, sud-est, sud-ouest et ouest d'Ottawa, ainsi que dans la zone formée de Rockcliffe Park, Nepean et Gloucester. Les effectifs moins rétribués se groupent au centre d'Ottawa, à Eastview, à Hull et dans les autres municipalités québécoises. Et ceci est généralement vrai, quelle que soit la langue maternelle des fonctionnaires en cause. Le seul écart notable provient de la tendance qu'ont les fonctionnaires francophones qui ont un revenu élevé à se grouper dans les secteurs 11-15, au centre-est d'Ottawa, c'est-à-dire dans le quartier de la Côte de sable.

Si nous examinons de plus près la question de l'habitation selon la langue des fonctionnaires (voir le tableau J de l'appendice A), nous retrouvons certaines tendances qui ne diffèrent pas de celles de l'ensemble de la population. Les francophones se concentrent davantage à Eastview, à Hull, dans les autres municipalités québécoises, et dans la basse ville d'Ottawa (division B). Les anglophones se groupent surtout à la périphérie d'Ottawa (divisions D, G et H), dans les autres municipalités ontariennes sauf Eastview, et au centre d'Ottawa (zone E). (La carte n° 1.4 illustre le même phénomène pour l'ensemble de la population.) Il en est à peu près de même pour les fonctionnaires d'autres langues maternelles.

Quant à ceux gagnant plus de $ 10 000, quelle que soit leur langue maternelle, ils ont des préférences communes plus marquées encore, à tout le moins dans la ville d'Ottawa. D'après le tableau K, la répartition selon la langue maternelle est à peu près la même en pourcentage, à Ottawa, dans six divisions sur huit. Dans les autres, les francophones se groupent plus dans le centre-est de la ville, et beaucoup moins dans la partie ouest. En dehors d'Ottawa, ils sont proportionnellement plus nombreux que les autres à Hull et au Québec de manière générale, moins nombreux dans la zone formée de Rockcliffe Park, Nepean et Gloucester.

Dans l'ensemble, le tableau K donne cependant l'impression que les fonctionnaires dont le revenu est élevé ont les mêmes préférences en matière d'habitation, quelle que soit leur langue. Il est donc permis de supposer que ce ne sont pas surtout des questions de langue et de culture qui ont influencé leur choix. On pourrait peut-être en dire autant de l'ensemble de la classe privilégiée, mais les statistiques ne nous permettent pas de le certifier.

Résumé

Dans la région de la capitale fédérale, à peu près les deux tiers et de la population anglophone et de la population francophone habitent des secteurs de recensement où il y a densité notable d'un groupe linguistique. Ceux d'autres langues maternelles ont une préférence marquée pour les secteurs à majorité anglophone. Une étude plus poussée des secteurs en fonction du revenu moyen nous fait voir une variation considérable de l'homogénéité linguistique là où le revenu est faible : de la forte concentration des francophones à la forte concentration des anglophones. Dans les secteurs où le revenu est élevé, les francophones sont disséminés dans l'ensemble de la zone métropolitaine. Il en est à peu près de même pour les fonctionnaires fédéraux. Dans l'ensemble du groupe, il y a une tendance marquée au groupement dans des secteurs relativement homogènes, du point de vue linguistique; à l'échelon supérieur des revenus, le choix du lieu de résidence est moins directement lié à la langue maternelle. En d'autres termes, les francophones de la région qui ont un revenu moyen ou supérieur ont peu tendance à se grouper en quartiers homogènes, à la façon des anglophones dans les banlieues de Montréal.

Il serait peut-être sage de conclure par une mise en garde. La tendance, chez les fonctionnaires de langue maternelle française de revenu plus élevé, à se disséminer parmi leurs confrères anglophones peut être due à leur nombre relativement restreint. En 1961, ils ne représentaient que 9 % des fonctionnaires gagnant plus de $ 10 000 par année et 8,7 % de ceux dont le traitement s'échelonnait de $ 8 000 à $ 10 000; par contre, 15,4 % des fonctionnaires gagnant de $ 6 000 à $ 8 000 et 34,9 % de ceux dont le salaire était inférieur à $ 6 000 étaient de langue maternelle française (bande 1, tableau 3, 1re partie, p. 225). Les situations décrites plus haut pourraient fort bien changer si le nombre des francophones de revenu moyen ou supérieur augmentait sensiblement.

E. Le bilinguisme dans la capitale fédérale

Dans quelle mesure la population d'Ottawa est-elle bilingue ? Dans les chapitres qui suivent, nous tenterons de donner à cette question des réponses précises, pour des domaines bien définis; ici, nous présentons des statistiques générales sur la connaissance des deux langues officielles. Ces données de base sur le bilinguisme peuvent être rapprochées de certaines caractéristiques que nous avons analysées dans les sections précédentes; nous pouvons examiner les relations entre le bilinguisme, d'une part, et l'origine ethnique, la province, le quartier d'habitation et le travail, d'autre part. Cette partie de notre étude est fort importante; en effet, les bilingues servent d'intermédiaires aux deux principales communautés linguistiques, non seulement dans la capitale, mais jusqu'à un certain point, pour l'ensemble du Canada.

En 1961, quelque 30,8 % de la population de la zone métropolitaine d'Ottawa s'attribuait une connaissance des deux langues officielles. Cette proportion se situe entre le double et le triple de celle du pays, qui est de 12,2 %. Comme le montre le tableau nᵒ 1.25, parmi les grandes zones métropolitaines, la région d'Ottawa se classe deuxième au Canada quant au niveau du bilinguisme officiel, immédiatement après Montréal, où le pourcentage est de 36,8. Québec est la seule autre ville où les bilingues sont en nombre : 24,3 % de la population. Ailleurs, ils sont moins de 10 %[6].

TABLEAU 1.25 Répartition en pourcentage, selon la langue officielle, de la population du Canada et des principales zones métropolitaines (200 000 hab. et plus), en 1961.

Zone métropolitaine	Langue officielle			
	Anglais seulement	Français seulement	Anglais et français	Ni l'une ni l'autre
Canada	67,4	19,1	12,2	1,3
Ottawa	55,0	13,2	30,8	1,0
Montréal	21,9	39,2	36,8	2,1
Toronto	92,6	0,2	4,3	2,9
Vancouver	94,9	0,2	3,9	1,0
Winnipeg	90,9	0,6	7,4	1,1
Hamilton	94,9	0,2	3,4	1,5
Québec	1,4	74,1	24,3	0,2
Edmonton	93,7	0,3	5,1	0,9
Calgary	95,9	0,1	3,3	0,7

Source : Recensement du Canada de 1961, catalogue 92-549.

Dans la zone métropolitaine d'Ottawa, comme presque partout au Canada, le bilinguisme est beaucoup plus fréquent chez les Canadiens d'origine française — en 1961, à Ottawa, 60,1 % se sont déclarés bilingues, contre 9,6 % de Canadiens d'origine britannique. Ces chiffres sont plus de deux fois supérieurs à ceux de l'ensemble du pays, qui sont de 30 et 4 % respectivement. Si les bilingues sont beaucoup plus nombreux dans la population d'origine française, on constate également que les deux groupes ont contribué à élever le taux de bilinguisme de la capitale au-dessus de la moyenne.

Chez les Canadiens d'origine autre que britannique ou française, la connaissance des deux langues officielles est moins répandue que chez les francophones, mais plus fréquente que chez les personnes d'origine britannique. Certains groupes, d'origine allemande, hollandaise ou scandinave par exemple, sont bilingues à un degré égal ou inférieur à celui du groupe d'origine britannique. Chez d'autres, d'origine juive ou italienne ou encore de certaines autres origines européennes, le niveau de bilinguisme est sensiblement plus élevé. Mais aucun des groupes d'origine ni britannique ni française ne se rapproche le moindrement du niveau de bilinguisme officiel du groupe d'origine française (voir le tableau L de l'appendice A).

Le bilinguisme varie considérablement aussi selon les municipalités de la région, soit entre 54,4 % pour Deschênes et 8,7 % pour Nepean. On trouvera au tableau n° 1.26 une échelle détaillée des pourcentages. Hull et Eastview, avec des pourcentages de 49,1 et de 52,4, sont parmi les plus bilingues des municipalités d'importance comparable au Canada (voir le tableau L de l'appendice A). Au sein des municipalités de la région, Ottawa se classe avant-dernière pour le bilinguisme, mais première en chiffres absolus, vu sa population. Sur le plan provincial, 45,8 % de la population est bilingue du côté québécois, contre 26,5 % seulement du côté ontarien.

TABLEAU 1.26 Répartition en pourcentage, selon la langue officielle, de la population de la zone métropolitaine d'Ottawa, classée d'après les municipalités, en 1961.

Municipalité	Population		Langue officielle			
	Nombre	%	Anglais seulement	Français seulement	Anglais et français	Ni l'une ni l'autre
Zone métropolitaine	429 750	100	55,0	13,2	30,8	1,0
Ottawa	268 206	100	70,4	3,3	25,0	1,3
Eastview	24 555	100	32,0	14,5	52,4	1,1
Gloucester	18 301	100	54,5	12,2	32,8	0,5
Nepean	19 753	100	90,7	0,4	8,7	0,2
Rockcliffe Park	2 084	100	69,0	1,5	29,6	0,1
Secteur ontarien	332 899	100	67,9	4,5	26,5	1,2
Hull	56 929	100	5,6	44,7	49,1	0,6
Aylmer	6 286	100	34,3	17,6	48,0	0,1
Deschênes	2 090	100	25,0	20,3	54,4	0,3
Gatineau	13 022	100	8,1	52,7	39,1	0,1
Lucerne	5 762	100	45,7	14,5	39,6	0,2
Pointe-Gatineau	8 854	100	1,8	59,4	38,7	0,1
Templeton	2 965	100	8,1	52,7	39,1	0,1
Templeton-Ouest	943	100	31,9	40,0	28,0	0,1
Secteur québécois	96 851	100	10,6	43,2	45,8	0,4

Source : Recensement du Canada de 1961, catalogue 95-528.

Les moyennes de l'ensemble de la ville masquent des variations considérables d'un secteur de recensement à l'autre (voir le tableau M de l'appendice A). À Ottawa même, la proportion des bilingues varie dans les divers secteurs de 7,8 à 68,8 %. On peut voir sur la carte nº 1.6 le degré plus ou moins élevé de bilinguisme par secteur. On remarquera que sur les 17 secteurs de la zone métropolitaine où le bilinguisme est le fait de plus de la moitié de la population, sept se trouvent à Ottawa, six à Hull, et trois à Eastview. Comme on pouvait s'y attendre, il y a une forte corrélation entre le niveau de bilinguisme d'un secteur et le nombre de personnes de langue maternelle française qui l'habitent. Sur les 17 secteurs dont on a parlé, 12 sont francophones à plus de 70 % ; sur les 39 secteurs où moins de 25 % de la population est bilingue, 34 sont anglophones à plus de 70 %. En comparant les cartes nos 1.4 et 1.6, on constate le rapport entre bilinguisme et densité d'un groupe linguistique. Il existe une corrélation inverse entre le degré de bilinguisme et le revenu moyen d'un secteur. Sur les 17 secteurs où le bilinguisme est le plus répandu, 16 comptent parmi les 40 derniers pour le revenu; 30 des 39 secteurs les moins bilingues comptent parmi les 40 premiers secteurs pour le revenu.

Il est intéressant de comparer les taux de bilinguisme officiel dans la région de la capitale pour 1951 et 1961. Le tableau nº 1.27 indique combien, sur l'ensemble de la population, connaissaient l'une des langues officielles ou les deux, ou encore ignoraient l'une et l'autre. D'après ces statistiques, le niveau de bilinguisme en 1961 ne résulte pas de changements récents; en effet, il a diminué légèrement depuis le recensement de 1951. Proportionnellement, le nombre des personnes ne parlant que le français n'a guère varié, un peu plus de gens parlent l'anglais seulement, un peu plus aussi ne connaissent ni l'une ni l'autre langue. Les statistiques de 1951 étant restreintes, nous ne pouvons pousser plus loin notre analyse. La décroissance relative de l'élément d'origine française, celui où l'on trouve le plus de bilingues, ainsi que les migrations en provenance de régions de faible bilinguisme, sont probablement les facteurs principaux de cette variation.

TABLEAU 1.27   Répartition en pourcentage, selon la langue officielle, de la population de la zone métropolitaine d'Ottawa, en 1951 et en 1961*.

Langue officielle		1951	1961
Total	Nombre	281 908	429 750
	%	100	100
Anglais seulement		53,2	55,0
Français seulement		13,6	13,2
Anglais et français		33,0	30,8
Ni l'une, ni l'autre		0,2	1,0

Source : Recensement du Canada de 1951, vol. I, tableau 58, et recensement du Canada de 1961, catalogue 92-549.
*Il n'existe pas de statistiques sur la zone métropolitaine pour 1941.

Le bilinguisme et le monde du travail

On pourra se faire une idée plus exacte de l'emploi des langues dans l'activité publique de la capitale en examinant l'étendue du bilinguisme dans la main-d'œuvre. Sont donc exclus non seulement les petits enfants qui ne parlent pas encore, mais les étudiants, les maîtresses de maison et les retraités qui ne jouent qu'un rôle négligeable dans le commerce et les services au public.

Dans la capitale, il y a passablement plus de bilingues dans la population active que dans l'ensemble de la population, soit 40,8 % comme le montre le tableau n° 1.28; cette constatation s'applique d'ailleurs aux éléments d'origine britannique, française ou autre pris séparément. Il est clair que le bilinguisme dans la population active est pour une bonne part le fait des personnes d'origine française : à peu près les quatre cinquièmes de ceux qui déclarent parler les deux langues officielles sont d'origine française.

Tableau 1.28 Proportion des bilingues, selon l'origine ethnique, pour l'ensemble de la population et la main-d'œuvre dans la zone métropolitaine d'Ottawa, en 1961.

	Total	Origine ethnique		
		Britanniques	Français	Autres
Ensemble de la population	30,8	9,6	60,1	13.6
Main-d'œuvre	40,8	12,4	83,8	18,1

Source : Pour l'ensemble de la population, recensement du Canada de 1961, catalogue 95-528. Pour la main-d'œuvre, bande 3, tableau 1.

Le but principal de notre étude est d'établir si les bilingues jouent un rôle caractéristique dans l'activité professionnelle de la capitale; cela soulève deux questions. D'abord, les effectifs bilingues se concentrent-ils dans des secteurs particuliers, selon l'industrie, la profession, ou le degré d'instruction ? Ensuite, la rétribution des individus bilingues les incite-t-elle à se servir de leur connaissance des langues d'une façon particulière dans l'économie de la région ?

Nous ne disposons pas de statistiques qui nous permettent d'étudier le bilinguisme selon les secteurs de l'industrie, mais nous pouvons le faire selon le niveau d'instruction et selon les catégories d'emploi. Le tableau n° 1.29 nous donne, pour la main-d'oeuvre dans son ensemble et classée selon qu'elle est d'origine britannique ou française ou d'une autre origine, la proportion de ceux qui sont bilingues, pour chacun des niveaux d'instruction atteints. La comparaison des trois catégories permet tout au plus de constater que dans tous les groupes, les bilingues sont plus nombreux chez ceux qui ont fréquenté l'université. Mais les écarts entre les groupes ethniques sont beaucoup plus grands qu'entre les niveaux d'instruction.

La répartition des bilingues selon les catégories d'emploi est plus éclairante. Le tableau n° 1.30 donne la proportion des bilingues dans chaque catégorie d'emploi, pour chaque origine ethnique. Il ressort clairement que la répartition des bilingues est passablement uniforme d'une catégorie professionnelle à l'autre, et que, d'une catégorie à l'autre, on retrouve les mêmes écarts entre les origines ethniques. Considérons, par exemple, les effectifs d'origine britannique : il n'y a guère plus de bilingues parmi les administrateurs ou les vendeurs que parmi les manœuvres, et ni l'une ni l'autre de ces catégories ne s'éloigne sensiblement de la moyenne de la main-d'œuvre d'origine britannique. D'autre part, du côté de la main-d'œuvre d'origine française, le bilinguisme est très répandu dans toutes les catégories professionnelles, sauf chez les manœuvres et les travailleurs de l'industrie primaire, où il accuse une baisse notable. Même là, d'ailleurs, sa fréquence est très élevée par rapport à toutes les catégories d'emploi chez les personnes d'origine non française.

TABLEAU 1.29   Répartition en pourcentage de la main-d'œuvre bilingue de la zone métropolitaine d'Ottawa, selon l'instruction* et l'origine ethnique, en 1961.

Instruction	Total	Origine ethnique		
		Britanniques	Français	Autres
Total	40,8	12,4	83,8	18,1
Élémentaire	51,5	13,3	79,8	14,4
Secondaire (1-2 ans)	44,1	10,5	86,2	16,3
Secondaire (3-5 ans)	31,7	9,8	83,4	17,3
Universitaire (1 an et plus)	37,6	20,0	91,6	27,8

Source : Bande 3, tableau 8, 1re et 2e parties.
*Nous avons omis la catégorie « aucune scolarité », les sujets qu'elle engloberait n'étant pas assez nombreux dans un échantillon de 20 %.

TABLEAU 1.30   Répartition en pourcentage de la main-d'œuvre bilingue de la zone métropolitaine d'Ottawa, selon l'origine ethnique et les professions*, en 1961.

Profession	Total	Origine ethnique		
		Britanniques	Français	Autres
Total	40,8	12,4	83,8	18,1
Administrateurs	36,7	14,7	90,6	25,3
Professions libérales et techniciens	33,4	14,2	86,9	24,5
Employés de bureau	39,5	10,1	88,9	16,9
Vendeurs	43,9	15,9	86,7	21,0
Employés des transports et communications	54,3	14,2	88,5	19,6
Travailleurs des services et activités récréatives	37,2	11,1	77,0	14,4
Autres professions primaires	33,3	15,6	64,9	14,4
Ouvriers de métiers	48,6	13,2	82,5	14,0
Manœuvres	50,3	15,3	72,7	12,3

Source : Bande 3, tableau 8, 1re et 2e parties.
*À l'exclusion des catégories « agriculture » et « professions non déclarées ».

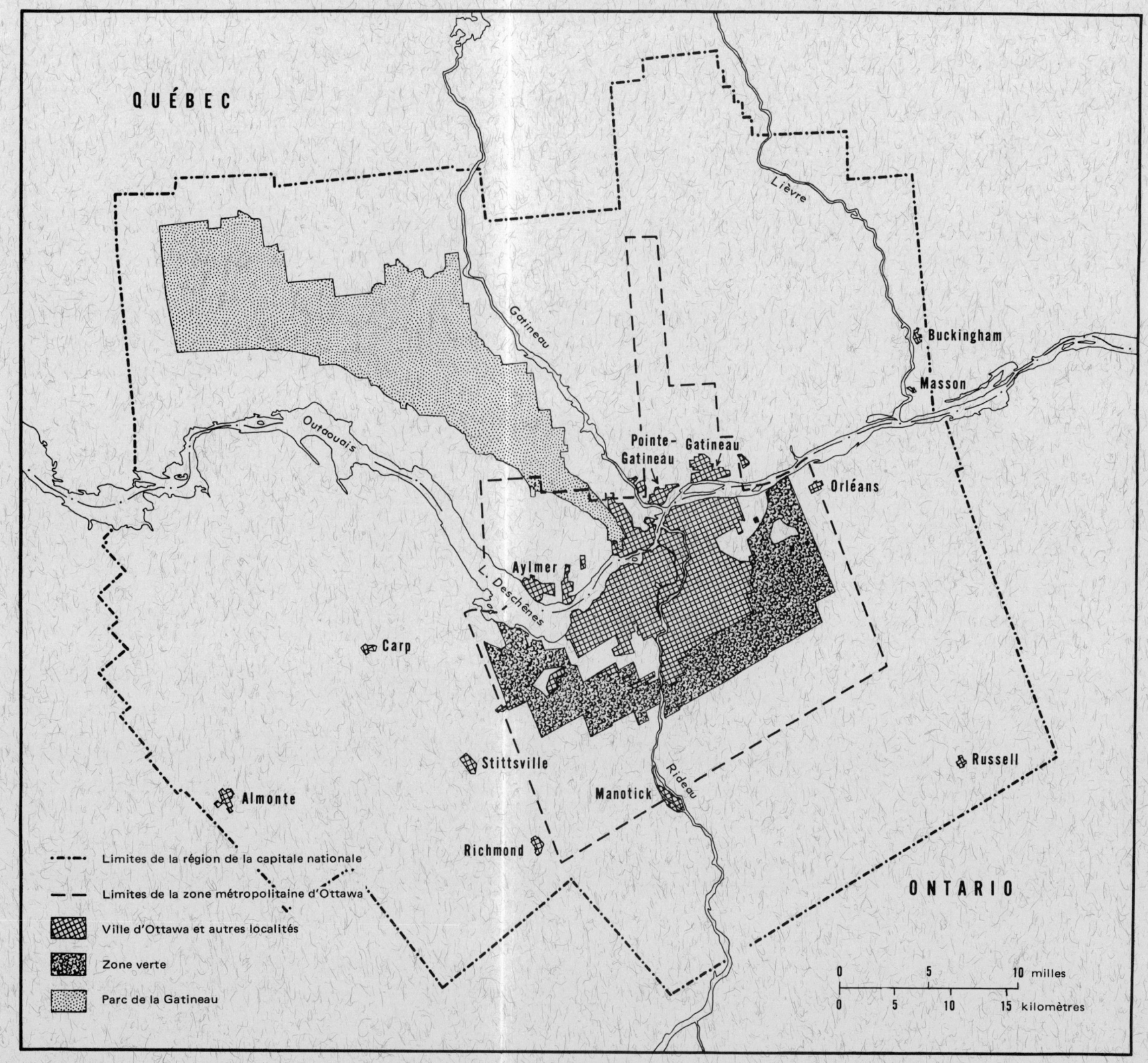

Carte 1.1   Région de la capitale nationale

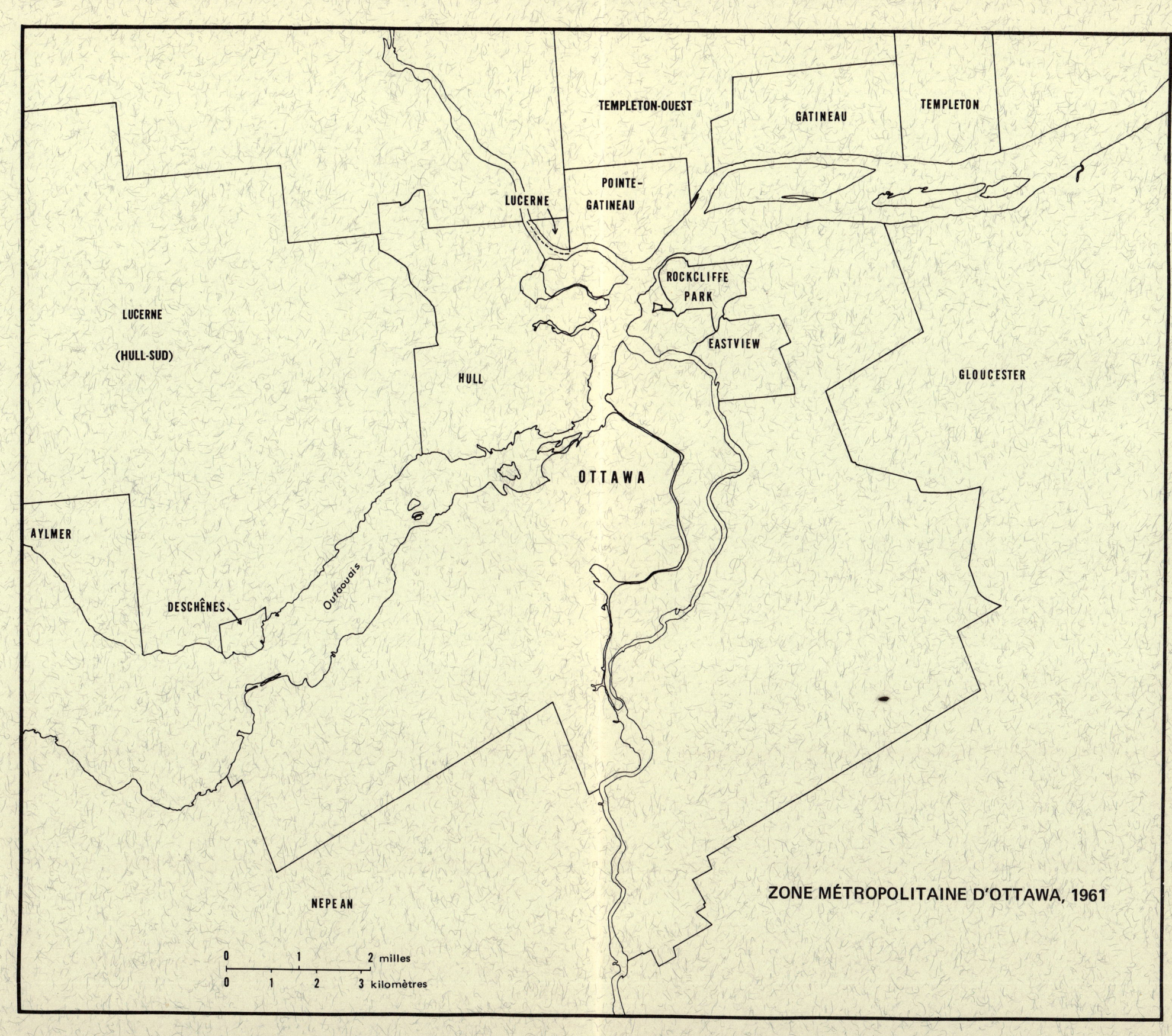

Carte 1.2 Zone métropolitaine d'Ottawa, 1961

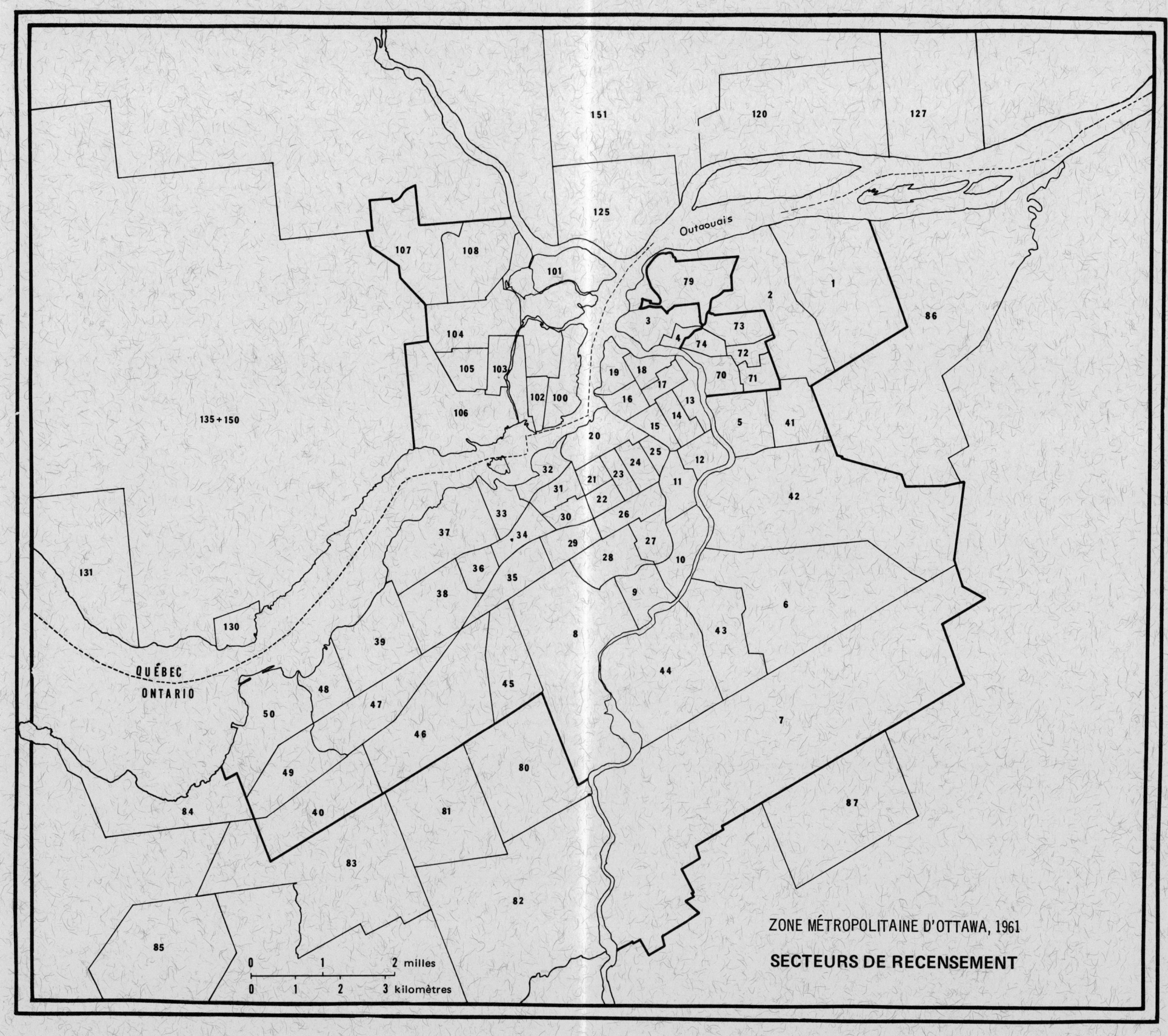

Carte 1.3 Zone métropolitaine d'Ottawa, 1961, secteurs de recensement

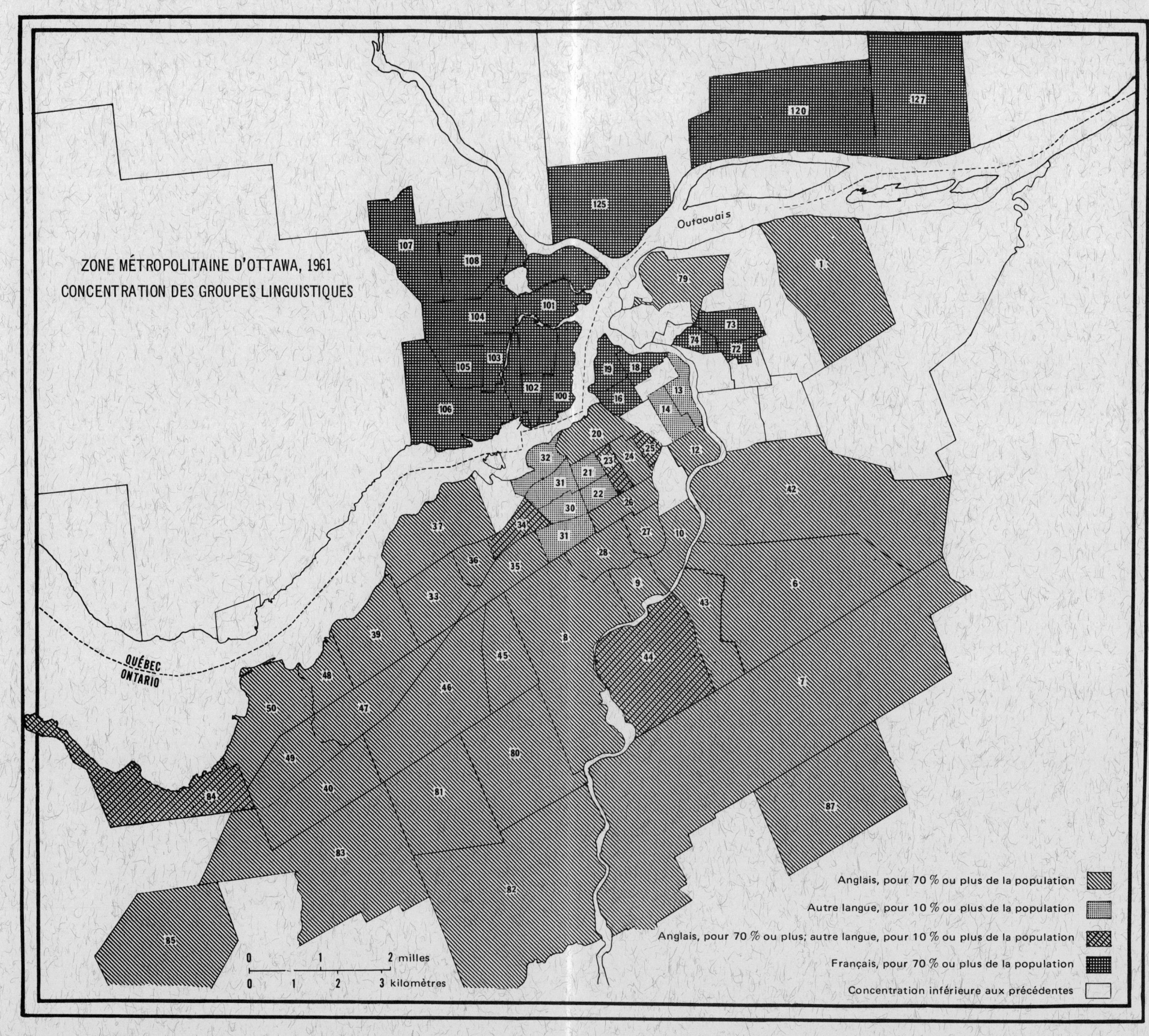

Carte 1.4 Zone métropolitaine d'Ottawa, 1961,
concentration des groupes linguistiques

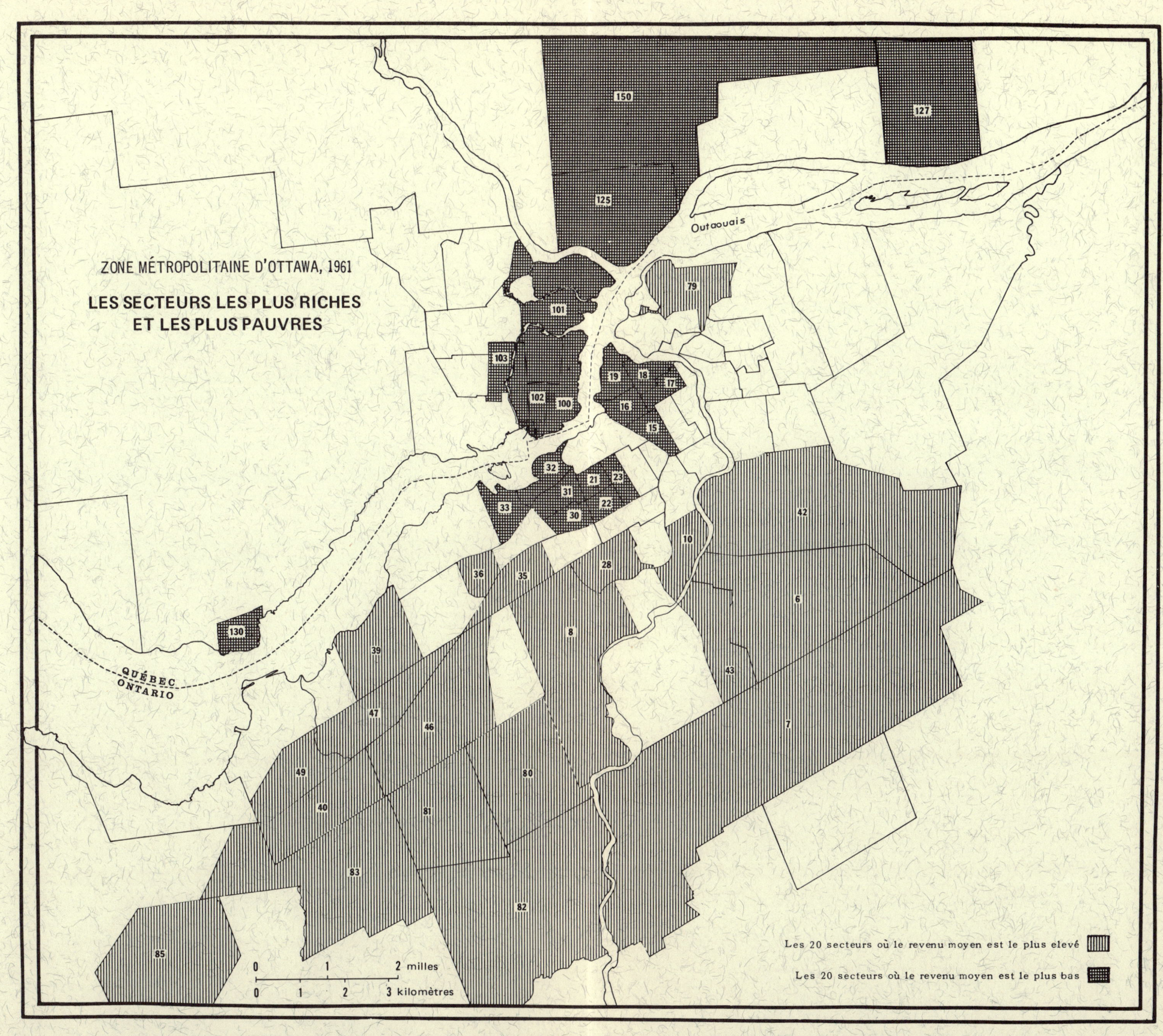

Carte 1.5 Zone métropolitaine d'Ottawa, 1961, les secteurs de recensement les plus riches et les plus pauvres

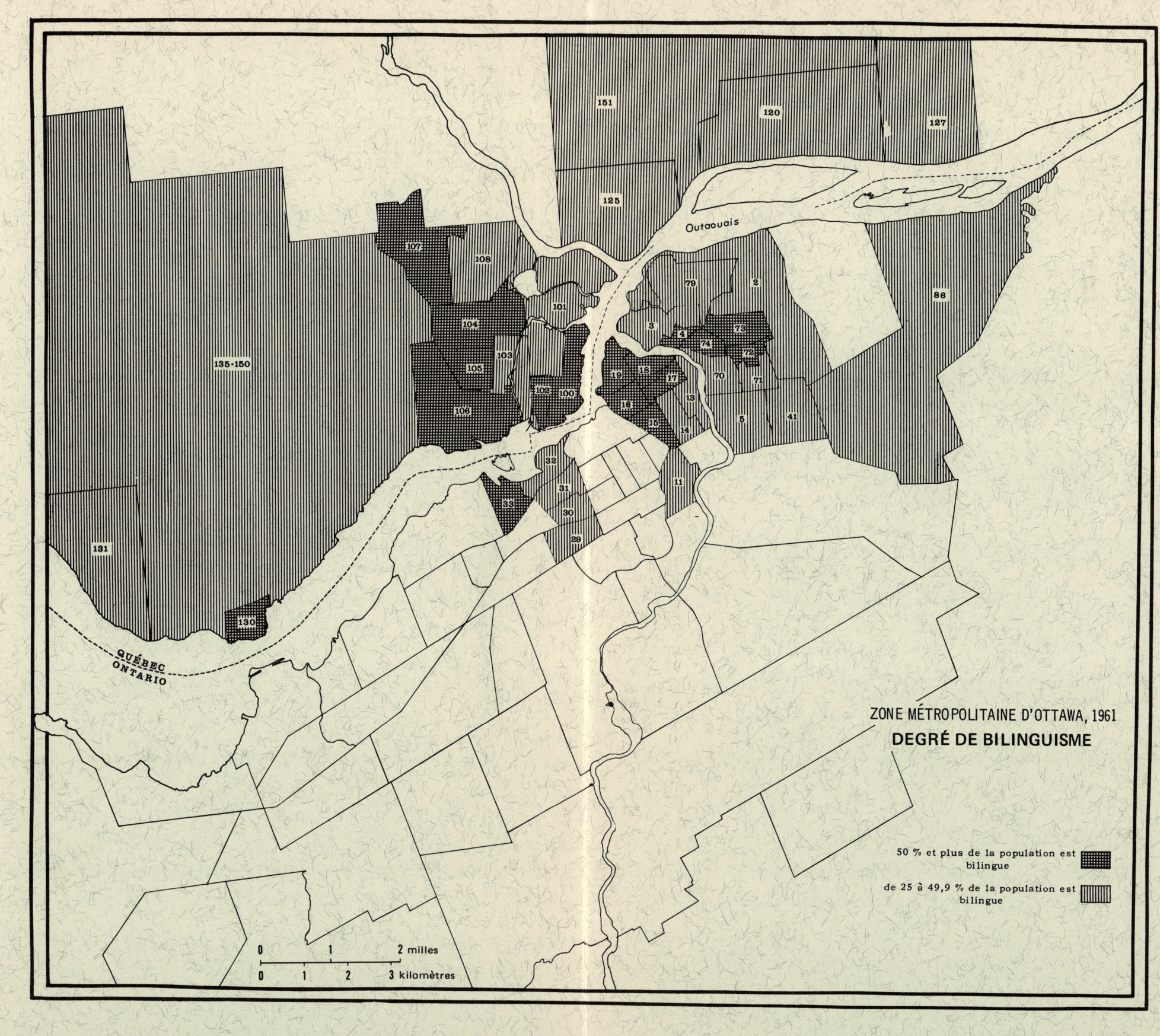

Carte 1.6 Zone métropolitaine d'Ottawa, 1961, degré de bilinguisme

Ce n'est que parmi les gens d'origine autre que britannique ou française que les écarts se montrent considérables entre les diverses catégories d'emploi. Il y a à peu près deux fois plus de bilingues parmi les administrateurs et les hommes de professions libérales que parmi les manœuvres. Ce qui s'explique peut-être par les études effectuées hors du Canada; c'est peut-être aussi le signe de la diversité ethnique qu'on trouve sous la rubrique « autre origine ».

On se fera une meilleure idée du revenu des bilingues en le comparant à celui des unilingues qui ont la même instruction et s'adonnent au même genre de travail. Deux tableaux de l'appendice A y sont consacrés : au tableau N, on tient compte de l'origine ethnique et du niveau d'instruction; au tableau O, de l'origine et de la catégorie d'emploi. Pour exprimer les rapports, le plus simple est de calculer la différence entre le revenu moyen d'un groupe donné et celui des bilingues qui entrent dans la même catégorie. On peut donc dire si le revenu des bilingues est supérieur ou inférieur à celui du groupe. Cependant, ici il faut prendre garde : il se peut que l'écart ne découle pas directement de la connaissance des deux langues, mais plutôt de facteurs que nos statistiques ne feraient pas ressortir.

On trouve, au tableau n° 1.31, le relevé de ces écarts selon l'instruction; ils sont marqués du signe plus (+) lorsque le revenu des bilingues est supérieur, et du signe moins (−) lorsque leur revenu est inférieur. On remarque que le revenu des bilingues d'origine française est légèrement supérieur à la moyenne du groupe, quelle que soit l'instruction; cependant, l'écart est minime, parce qu'une très forte proportion des francophones est bilingue. Dans les effectifs d'origine britannique, les bilingues gagnent un peu moins que les unilingues, sauf ceux qui ont franchi les derniers degrés du cours secondaire. Mais, dans l'ensemble, les anglophones bilingues gagnent plus que les unilingues parce que beaucoup d'entre eux ont fait des études supérieures. Ce n'est que chez les effectifs d'autre origine que les bilingues jouissent d'avantages pécuniaires marqués; il n'en est pas ainsi, cependant, pour ceux qui ont fait, au plus, deux années d'études secondaires.

TABLEAU 1.31   Écarts entre le revenu moyen de l'ensemble de la main-d'œuvre et celui de la main-d'œuvre bilingue dans la zone métropolitaine d'Ottawa, selon le degré d'instruction et l'origine ethnique*, en 1961.

Instruction	Total	Origine ethnique		
		Britanniques	Français	Autres
Total	− $ 204,00	+ $ 324,00	+ $ 132,00	+ $ 711,00
Élémentaire	+ 40,00	− 290,00	+ 151,00	+ 452,00
Secondaire (1-2 ans)	− 176,00	− 12,00	+ 64,00	− 154,00
Secondaire (3-5 ans)	− 122,00	+ 158,00	+ 42,00	+ 678,00
Universitaire (1 an et plus)	− 183,00	− 85,00	+ 140,00	+ 337,00

Source : Bande 3, tableau 8, 1re et 2e parties.
*On ne fait pas état de la catégorie « aucune scolarité ».

Les écarts de revenu d'après l'emploi forment un ensemble plus complexe. Comme le montre le tableau n° 1.32, il y en a de considérables à l'avantage des bilingues, surtout administrateurs et hommes de profession libérale, d'origines britannique et autre. Mais, pour toutes les origines, française, britannique ou autre, il y a dans certaines catégories, telles l'administration, les professions libérales, la vente, les services et divertissements, des écarts positifs parfois assez importants, qui font croire que dans ces secteurs, le bilinguisme est source d'avantages pécuniaires notables. D'autre part, on voit aussi quelques signes moins (−), de sorte que, dans l'ensemble du tableau, la situation est quelque peu confuse.

TABLEAU 1.32 Écarts entre le revenu moyen de l'ensemble de la main-d'œuvre et celui de la main-d'œuvre bilingue dans la zone métropolitaine d'Ottawa, selon la profession et l'origine ethnique*, en 1961.

Profession	Total	Origine ethnique		
		Britanniques	Français	Autres
Administrateurs	+ $ 223,00	+ $ 658,00	+ $ 51,00	+ $ 846,00
Professions libérales et techniciens	− 7,00	+ 253,00	+ 200,00	+ 410,00
Employés de bureau	− 74,00	− 22,00	+ 21,00	+ 30,00
Vendeurs	− 114,00	+ 142,00	+ 88,00	+ 681,00
Employés des transports et communications	− 172,00	− 600,00	+ 63,00	− 286,00
Travailleurs des services et activités récréatives	− 419,00	+ 50,00	+ 204,00	+ 448,00
Autres professions primaires	− 44,00	− 333,00	− 129,00	+ 154,00
Ouvriers de métiers	+ 17,00	− 80,00	+ 110,00	+ 116,00
Manœuvres	+ 98,00	+ 387,00	+ 51,00	− 41,00

Source : Bande 3, tableau 8, 1re et 2e parties.
*A l'exclusion des catégories « agriculture » et « professions non déclarées ».

Dans le monde du travail, il ne semble pas, d'après le recensement de 1961, que les bilingues jouent un rôle particulier dans la vie de la région de la capitale. Ils ne sont groupés de façon notable ni dans les secteurs de l'administration, ni dans ceux des relations avec le public. Leur revenu n'est que légèrement supérieur, sauf exception, et même parfois inférieur, à celui des unilingues. En tout cas, le bilinguisme n'est qu'un facteur secondaire en matière de revenu; plus importants sont le sexe, l'instruction, l'emploi et l'origine ethnique. (On comparera, par exemple, aux tableaux N et O de l'appendice A, les revenus moyens des bilingues d'origines britannique et française.)

En somme, le bilinguisme n'était pas un facteur prédominant du revenu pour la main-d'œuvre de la zone métropolitaine d'Ottawa, au moment du recensement de 1961, mais plutôt un facteur contingent, apparemment peu important dans la plupart des secteurs du travail. Ce qui veut peut-être dire tout simplement qu'à l'époque du recensement, il y avait trop de bilingues pour la demande; le bilinguisme ne valait donc guère d'avantages pécuniaires, sinon aucun. Cependant, on n'affirme pas qu'il en sera toujours ainsi sur le marché du travail à Ottawa. La place des bilingues dans la structure des emplois et leur rétribution relative peuvent changer notablement si la politique officielle en matière de langue se modifie de façon importante.

Résumé

Depuis nombre d'années, la région de la capitale compte parmi celles où le bilinguisme est le plus répandu. Il y a beaucoup plus de bilingues d'origine française qu'on n'en trouve dans la population d'origine britannique ou autre. Il en est de même pour la population active où le bilinguisme officiel est pourtant plus répandu que dans l'ensemble de la population. En termes pratiques, la population active possède plus de ressources en matière de langue que la population canadienne en général. D'après les statistiques sur le revenu moyen des bilingues et des unilingues, la demande de bilingues n'a pas excédé l'offre, dans la capitale, et la connaissance des langues n'a pour ainsi dire pas fait prime. En fonction des effectifs actuellement disponibles dans la région de la capitale fédérale, le service du public dans les deux langues pourrait être beaucoup plus largement répandu qu'il ne l'a été jusqu'ici.

Chapitre II	Le cadre provincial

A. Introduction

Nous allons maintenant étudier les différentes autorités qui exercent une activité dans ce territoire. Les appellations « région de la capitale nationale » ou « zone métropolitaine d'Ottawa » évoquent faussement l'idée d'autorité administrative unique. En effet, il ne faut pas oublier que la région de la capitale nationale comprend 72 municipalités, dont 13 forment la zone métropolitaine d'Ottawa, que deux provinces y exercent leur autorité et que le gouvernement fédéral y joue également un rôle non négligeable. L'administration de la capitale et de sa région est donc une affaire complexe. Dans ce chapitre et les trois suivants, nous nous proposons de délimiter les compétences respectives des autorités fédérale, provinciales et municipales, et d'exposer de façon assez détaillée la situation linguistique dans chacune d'elles.

Le présent chapitre traite des deux provinces dont l'influence est partout présente dans la région d'Ottawa : l'Ontario et le Québec. On objectera peut-être qu'il aurait été plus logique de commencer l'étude des différents paliers administratifs et de leurs rapports mutuels, par le gouvernement fédéral ou les municipalités plutôt que par les gouvernements provinciaux. Mais au Canada, on ne peut dissocier les municipalités des provinces dans lesquelles elles sont situées; par ailleurs, en raison de la situation particulière de la région d'Ottawa, il est nécessaire d'étudier le rôle des municipalités pour bien comprendre celui du gouvernement fédéral. Ainsi donc, les réalités administratives et politiques au Canada nous dictent d'étudier en premier lieu le rôle des provinces puis les administrations municipales, pour terminer avec le gouvernement fédéral.

La ligne de démarcation fondamentale des pouvoirs provinciaux est tracée par l'Acte de l'Amérique du Nord britannique (A. A. N. B.). Il n'est pas nécessaire ici de citer en entier les articles 92 et 93 de l'A. A. N. B.; cependant, comme nous nous intéressons avant tout à l'influence des provinces dans la région d'Ottawa-Hull, nous indiquerons les clauses qui traitent des affaires locales. L'article 93, portant sur l'enseignement, entre naturellement dans cette catégorie, de même que 8 des 16 paragraphes de l'article 92, dont les sujets sont :

> La taxation directe à des fins provinciales (art. 92, § 2);
> Les hôpitaux (art. 92, § 7);
> Les institutions municipales (art. 92, § 8);
> Les licences en vue de prélever des revenus pour des fins provinciales, locales ou municipales (art. 92, § 9);
> Les travaux et les ouvrages d'une nature locale (art. 92, § 10);
> La propriété et les droits civils (art. 92, § 13);
> L'administration de la justice (art. 92, § 14);
> De façon générale, toutes les matières d'une nature purement locale ou privée (art. 92, § 16).

Toutes ces compétences ne sont pas exercées de la même façon, car la province a la faculté de déléguer certains de ses pouvoirs à un autre organe administratif. Dans la section B du présent chapitre, sous le titre « Le gouvernement provincial et les citoyens », nous étudions les champs de compétence administrés directement par la province. Ceux-ci comprennent les lois provinciales qui intéressent directement le citoyen et les programmes dont l'application est confiée aux différents services gouvernementaux. La section suivante, intitulée « Le gouvernement provincial et les municipalités », traite de la province et des corps constitués — principalement les municipalités — auxquels elle délègue des pouvoirs.

Les données nécessaires à la présente étude ont été recueillies au cours de l'année 1966. Les différents ministères provinciaux ont été l'une de nos principales sources de renseignements. Les ministères ontariens se sont fait adresser des questionnaires écrits à Queen's Park, siège du gouvernement de l'Ontario. Dans le cas du Québec, les chefs des bureaux locaux ont été questionnés par téléphone.

Sur les 13 bureaux du gouvernement ontarien dans la région d'Ottawa auxquels on a envoyé des questionnaires, 11 ont retourné des réponses utilisables. En voici la liste : Agriculture et alimentation, Bien-être social, Commission des services d'hospitalisation, Éducation, Établissements de réforme, Régie des alcools, Santé, Terres et forêts, Transports, Travail et Voirie. Un ministère n'a pas répondu au questionnaire, l'autre a été exclu de l'enquête parce qu'il n'avait pas de contacts avec la population locale. Pour le Québec, les questions ont été posées à 12 bureaux de la région relevant des ministères ou organismes suivants : Agriculture, Commerce et industrie, Famille et bien-être social, Justice (Service des mises en liberté surveillée), Régie des alcools, Revenu, Santé, Terres et forêts, Tourisme, chasse et pêche, Transports, Travail et Voirie.

Les divers aspects du département du Procureur général de l'Ontario sont étudiés au chapitre VI, sous le titre : « L'organisation de la justice », à l'exception de la Sûreté provinciale. Ce corps policier, comme la Sûreté provinciale du Québec, est exclu de notre enquête, car les services de police dans la zone métropolitaine d'Ottawa sont assurés dans une très large mesure par les municipalités.

B. Le gouvernement provincial et les citoyens

Pour le citoyen, le fait de vivre en Ontario ou au Québec a des conséquences qui, dans l'ensemble, ne sont guère différentes. Il existe cependant une importante exception dans le domaine des pratiques linguistiques. On relèvera, dans le présent chapitre et ailleurs dans l'étude, un bon nombre de cas où le Québec a utilisé l'anglais et le français ou permis leur usage, alors que l'Ontario ne reconnaissait que la langue anglaise. À cause de cette dichotomie, nous étudierons séparément les rapports entre les citoyens de l'Ontario et du Québec et leur gouvernement respectif. Dans les deux cas, nous examinerons : *a)* l'incidence des lois provinciales sur l'ensemble des citoyens, *b)* les pratiques des services gouvernementaux aux échelons central et local, et *c)* la connaissance des langues des fonctionnaires provinciaux qui ont affaire au public.

1. l'Ontario

La législation provinciale

Dans l'exercice de ses pouvoirs législatifs, une province peut autoriser, imposer ou interdire certains actes à ses citoyens. La réglementation des gouvernements provinciaux couvre des réalités multiples : déclarations et rapport exigés des sociétés et les particuliers; forme des transports de titres immobiliers enregistrables et des contrats de vente conditionnelle; recours des femmes et des veuves contre leur mari ou sa succession; réglementation de la consommation d'alcool; droits des parents sur leurs enfants; questions familiales, en particulier divorce et séparation; égalité de traitement dans l'emploi et salaire minimum, etc.

La langue employée dans plusieurs de ces cas et dans d'autres domaines peut faire l'objet d'une certaine forme de réglementation, mais, sur ce point, il y a une grande divergence d'une province à l'autre. Le texte suivant de C.-A. Sheppard nous éclaire sur la réglementation en matière de langue :

> The language in which the authorities must communicate with the citizens or advise the public at large, the language of the official forms and returns a citizen must submit to the authorities; the language in which certain products which are toxic or dangerous must be labelled, is frequently regulated by law. Even the linguistic aspects of a number of professional activities can lead to legislation: the language qualifications for admission to the practice of a given profession; the minimum knowledge of the current language needed for certain trades, particularly those, such as mining, requiring the observance of safety measures; and the language in which qualifying examinations can or must be passed. Even private papers when their importance to society at large warrants it — can require linguistic regulations : for example, the documents, bills of lading, and notices issued by public carriers; labour contracts; and trade marks[1].

En matière de langue, le gouvernement de l'Ontario n'a légiféré qu'en de rares occasions. Quelques lois imposent l'usage de la langue anglaise. Par exemple, le Judicature Act, adopté en 1881, stipule que tous les actes judiciaires, plaidoiries et procès doivent se faire en anglais dans tous les tribunaux de la province, et le Mining Amendment Act de

1961-1962 exige que les mineurs de certaines catégories aient une connaissance de l'anglais suffisante pour leur travail. Quelques lois relatives à l'enseignement accordent indirectement une place à la langue française. L'Ontario School Trustees' Council Act de 1960 stipule que le conseil doit comprendre des représentants de l'Association des commissaires des écoles bilingues de l'Ontario.

Dans un grand nombre de cas où l'usage de l'anglais n'est pas expressément exigé, on voit difficilement comment il serait possible de l'éviter. C'est ainsi que certaines formules dont l'usage est prescrit par une loi ne sont fournies qu'en anglais. L'emploi de l'anglais et du français n'est nulle part obligatoire.

Les lois elle-mêmes sont toujours publiées en anglais. Très récemment, quelques-unes ont été traduites en français, notamment la loi de 1965 concernant l'Université d'Ottawa. Mais, dans ces cas, la version française n'a pas valeur légale.

La langue de l'administration

L'importance des services fournis en langue française est inégale dans les différentes régions de l'Ontario. La plupart des ministères, au siège du gouvernement, sont appelés à répondre à des demandes dans des langues autres que l'anglais. Le français est la langue la plus fréquemment employée, mais nullement la seule, car il existe plusieurs groupes linguistiques en Ontario. De toute façon, le pourcentage des communications avec Queen's Park dans ces autres langues est infime; la plupart des ministères estiment que moins d'un pour cent des lettres reçues du public sont rédigées dans une autre langue que l'anglais[2].

Dans l'ensemble de la province, 13,5 % des fonctionnaires provinciaux utilisent, dans leur travail, une langue autre que l'anglais. Ce pourcentage est de 25,6 dans le cas des fonctionnaires des cinq comtés du sud-est : Carleton, Glengarry, Prescott, Russell et Stormont (étude de Bryan). Dans la région d'Ottawa, le pourcentage des services demandés en français est également supérieur à la moyenne provinciale. Sur les 11 bureaux décentralisés de cette région, six ont indiqué que plus de 15 % de leur travail se faisait en français.

Les bureaux de la région d'Ottawa ont évalué comme suit leur utilisation du français. Les ministères de l'Éducation et des Transports ont déclaré employer le français dans tous leurs rapports avec des francophones. Le ministère de la Santé a trois bureaux dans la région : un centre antituberculeux, un bureau d'inspection des articles rembourrés et des pesticides et un laboratoire d'hygiène publique. Ces deux derniers n'utilisent pas du tout le français, mais le centre antituberculeux l'employait 40 % du temps. Le ministère des Terres et forêts a répondu que 30 % de son travail se faisait en français. À la Régie des alcools, l'utilisation du français était de 25 % dans les débits de vente, mais seulement d'un pour cent dans les bureaux administratifs. La Commission des services d'hospitalisation estimait que son commis bilingue travaillait en français le quart de son temps (comme la Commission emploie cinq personnes à son bureau d'Ottawa, le chiffre de 5 % de tout le temps serait sans doute une meilleure base de comparaison). Le Bien-être social établissait son évaluation à 15 %; le Travail, à moins de 5 %. Ce dernier ministère cherchait une personne bilingue pour remplacer un chef de bureau qui avait quitté son poste; on avait constaté, en effet, que l'utilisation du français augmentait avec le nombre d'employés francophones. Le ministère des Établissements de réforme évaluait à 2 %

seulement l'utilisation du français dans ses services, et ajoutait : « The majority of people dealt with by the Ottawa office are English-speaking, but when other languages are required our staff are usually able to use interpreters[3] ». Le ministère de la Voirie a répondu qu'on employait rarement le français dans ses services; l'Agriculture a indiqué simplement que ses contacts se faisaient principalement en anglais.

Il ressort de l'étude Bryan que les occasions où le gouvernement de l'Ontario offre un service dans une langue autre que l'anglais varient considérablement d'un ministère à l'autre. Chaque ministère fixe sa ligne de conduite en matière de langue; néanmoins, une observation générale s'impose : « The concessions made to other languages by the Ontario Government are determined by the kind of contact involved–whether personal or written–and by the kind of person involved in the contact–whether the general public, business organizations or other governments[4] » (étude de Bryan). Dans l'ensemble de la province, le public a plus de chances de bénéficier de concessions linguistiques que les entreprises commerciales et les autres gouvernements. Et dans les rapports avec le public, l'utilisation de langues autres que l'anglais est plus fréquente dans les contacts personnels que dans la correspondance. Pour ce qui est des communications écrites, sept organismes gouvernementaux ont indiqué qu'ils répondaient aux lettres dans la langue du correspondant, six utilisent régulièrement d'autres langues en plus de l'anglais dans leurs avis publics et leur publicité, cinq font de même pour leurs publications, et un organisme utilise des formules multilingues. Les rapports oraux ou écrits avec les entreprises commerciales sont presque exclusivement en anglais, de même que les communications avec le gouvernement fédéral et toutes les provinces, sauf le Québec. Dans le cas du Québec, les ministères ontariens rédigent parfois leurs réponses en français (étude de Bryan).

La situation est sensiblement la même dans les bureaux de la province établis dans la région d'Ottawa, mais la disparité des usages d'un ministère à l'autre empêche de la voir aussi clairement. La Régie des alcools, la Commission des services d'hospitalisation et le ministère de l'Éducation ont indiqué que leurs bureaux d'Ottawa utilisaient l'anglais et le français au téléphone, dans les entrevues et la correspondance. La Régie des alcools a précisé qu'en de rares occasions, elle recevait des lettres de l'étranger, auquel cas on demande habituellement une traduction à l'ambassade du pays d'origine. La Commission des services d'hospitalisation a fait observer que presque toute sa correspondance est transmise à Toronto, mais que, de toute façon, les lettres écrites en français reçoivent une réponse en français. Il arrive que la Commission ait affaire à des personnes qui ne parlent ni l'anglais ni le français, mais, habituellement, ces personnes ont des amis ou des voisins qui téléphonent pour elles ou les accompagnent pour leur servir d'interprètes.

Quatre bureaux détachés — le Bien-être social, les Transports, le Travail et les Établissements de réforme — ne répondent aux lettres qu'en anglais, mais utilisent le français pour les appels téléphoniques et les entrevues. Le Bien-être social précise qu'il reçoit peu de lettres, et le ministère du Travail ajoute qu'il fait traduire par son personnel ou, au besoin, par un service de traduction, les lettres qu'il reçoit dans une langue autre que l'anglais. Ce ministère a aussi fait observer que son service était bilingue dans la mesure où il y avait une personne bilingue parmi son personnel.

On se souvient que le ministère de la Santé compte trois bureaux dans la région : un centre antituberculeux, un laboratoire d'hygiène publique et un bureau d'inspection des articles rembourrés et des pesticides. Dans ces trois bureaux, les lettres reçoivent une réponse en anglais. Les deux premiers peuvent aussi répondre en français aux appels téléphoniques, mais l'anglais est la langue de travail préférée; les inspecteurs ne répondent au téléphone qu'en anglais. Le centre peut faire passer des entrevues en français; les deux autres bureaux demandent qu'un interprète accompagne les personnes non anglophones.

Au ministère des Terres et forêts, presque toutes les communications émanant du bureau d'Ottawa sont en anglais. On précise cependant que l'employé bilingue du bureau a pour tâche de répondre aux lettres en français. Toutes les communications émanant du bureau régional du ministère de l'Agriculture et de l'alimentation sont en anglais. Toutefois, les entrevues, les appels téléphoniques et la correspondance pourront être en français, selon la disponibilité de l'unique sténographe bilingue. Le ministère de la Voirie n'utilise que l'anglais pour la correspondance et au téléphone, et les entrevues se font de préférence dans cette langue.

En résumé, il semble que le ministère de l'Éducation, la Régie des alcools et la Commission des services d'hospitalisation ont pris les dispositions nécessaires pour assurer un service en anglais et en français dans leurs bureaux d'Ottawa. Dans les autres ministères, la proportion des services assurés dans les deux langues varie beaucoup; elle peut être considérable ou très limitée. Tous les ministères semblent être conscients d'une certaine demande de services en français, mais peu répondent entièrement à cette demande.

Les 11 bureaux régionaux mettent de la documentation à la disposition du public. Sept d'entre eux ne la font imprimer qu'en anglais; ce sont les bureaux relevant de la Régie des alcools et des ministères de l'Agriculture et de l'alimentation, de l'Éducation, des Établissements de réforme, des Terres et forêts, des Transports, et de la Voirie. Seul, parmi ces organismes, le ministère des Établissements de réforme avait connaissance d'un besoin de documentation non anglaise, pour répondre aux demandes de la population francophone. Ce ministère a précisé : « such demands are infrequent and we encounter little difficulty in dealing with them in English[5] ». Une telle attitude semble faire passer la commodité administrative avant les préférences du public.

Le ministère de la Santé a répondu, dans le questionnaire, qu'il ne traduisait, à son bureau d'Ottawa, que la documentation concernant le centre antituberculeux. On ne savait pas s'il y avait une demande de documentation non anglaise au sujet du laboratoire d'hygiène publique, mais par contre, on était conscient d'une « faible » demande de documentation en français et en italien dans le cas du centre antituberculeux et des services d'inspection. Le ministère ajoutait :

> The Ottawa offices have found that they can carry out their work satisfactorily using only English, as most French-speaking residents are bilingual; however the inspectors working under the Stuffed Articles and Pesticides regulations can see more need for pamphlets re : pesticides being printed in Italian or German than French for the same reason as above[6].

Une fois de plus, la commodité administrative semble être le principal critère de l'utilisation d'une langue.

Le ministère du Bien-être social reconnaît qu'il existe une demande « not too great » (pas très forte) de documentation non anglaise, provenant principalement du groupe francophone. Il publie d'ailleurs en français des brochures de vulgarisation.

De tous les services officiels de l'Ontario, le ministère du Travail et la Commission des services d'hospitalisation sont peut-être ceux qui se soucient le plus de la question des langues. Le premier publie des brochures en plusieurs langues, bien qu'il n'y ait pas une demande pressante de publications non anglaises, dit-on dans le questionnaire. La Commission met à la disposition du public un dépliant rédigé en 13 langues, et la plupart de ses autres publications semblent être offertes au moins en français, en plus de l'anglais. La Commission explique ainsi ce multilinguisme :

> There is no province-wide great public demand, although we hear mostly from French-speaking areas. Public demand played only a small part in motivating the production of non-English literature. We were concerned that the language barrier would not cause a resident to be vulnerable to hospital expense. A survey of 12 ethnic groups in the Province revealed that the greatest problems were amongst the Italian and Portuguese[7].

À l'exception du ministère de Transports, les 11 bureaux de la capitale ont répondu qu'ils étaient en rapport avec le gouvernement fédéral, bien que peu fréquemment dans le cas des ministères de l'Éducation et des Terres et forêts. Pour les ministères de l'Agriculture et de l'alimentation, des Établissements de réforme, de la Santé, des Terres et forêts, du Travail et de la Voirie, la langue de communication est l'anglais; les quatre autres utilisent les deux langues.

Lorsqu'ils ont répondu au questionnaire, cinq bureaux détachés (Éducation, Santé, Travail, Transports et Régie des alcools) n'avaient pas de rapports avec le gouvernement du Québec. Sur les six autres, seuls les ministères du Bien-être social et les Établissements de réforme avaient affaire au gouvernement du Québec au moins une fois par mois. Seul le Bien-être social se servait de l'anglais et du français dans ces communications, les autres ministères utilisant toujours l'anglais.

La Régie des alcools et les ministères de l'Agriculture et de l'alimentation, des Terres et forêts et des Transports ont déclaré que leurs bureaux d'Ottawa n'avaient aucun contact avec les municipalités francophones de l'Ontario telles que Eastview. Sur les sept autres agences, le Travail, la Voirie et la Commission des services d'hospitalisation entrent en communication avec les municipalités moins d'une fois par semaine. Quatre sur sept n'utilisent que l'anglais (Établissements de Réforme, Santé, Travail et Voirie). Le Bien-être social et l'Éducation emploient l'anglais et le français, tandis que la Commission des services d'hospitalisation se sert de l'anglais, mais elle ajoute : « except where contact could be by telephone with our bilingual field clerk[8] ».

Quatre bureaux seulement ont indiqué qu'ils avaient des rapports avec des groupes ou établissements francophones (Bien-être social, Éducation, Santé et Commission des services d'hospitalisation). Dans ces rapports, le premier n'emploie que l'anglais, les deux suivants se servent des deux langues et la Commission utilise l'anglais, sauf lorsque son commis bilingue est libre.

La langue de travail au sein du gouvernement ontarien est l'anglais. Dans tous les ministères sauf deux, le classement des dossiers se fait dans cette langue. L'Agriculture et l'alimentation classe la correspondance telle quelle, sans se soucier de la langue ; l'Éducation fait de même pour les lettres d'affaires courantes, mais en y annexant une note en anglais résumant leur teneur. Les autres lettres sont d'abord traduites. Les formules que les fonctionnaires doivent remplir sont en anglais, à l'exception des rapports statistiques que les inspecteurs d'écoles bilingues soumettent au ministère de l'Éducation. Tous les manuels de service et les circulaires sont aussi en anglais. Bref, la langue de travail est l'anglais, sauf pour les fonctionnaires du ministère de l'Éducation qui s'occupent des écoles bilingues et des cours en français ; ceux-ci travaillent en français.

Les fonctionnaires provinciaux

À la fin de décembre 1965, il y avait, selon les chiffres fournis par le gouvernement de l'Ontario, 43 141 fonctionnaires à l'emploi de la province, y compris les membres de la Sûreté provinciale. Ils touchaient un salaire moyen de $4 978 et le tiers travaillaient dans l'agglomération torontoise. Environ 690 fonctionnaires étaient employés dans les cinq comtés du sud-est ontarien.

Comme l'indique le tableau n° 2.1, la répartition proportionnelle des fonctionnaires selon la langue maternelle (chiffres fournis par le recensement de 1961 et l'étude de Bryan) ne correspond pas aux données sur l'ensemble de la population. En 1961, les fonctionnaires de la province d'Ontario ayant l'anglais pour langue maternelle avaient une représentation supérieure au pourcentage de la population correspondante ; la situation était inverse chez les fonctionnaires dont la langue maternelle n'était pas l'anglais. Bryan fait la même constatation. Dans les comtés du sud-est, les fonctionnaires de langue française représentent un pourcentage quatre fois plus élevé qu'à l'échelle provinciale, mais, en proportion, leur représentation est néanmoins inférieure à l'importance de la population correspondante dans cette région.

TABLEAU 2.1 Répartition en pourcentage, selon la langue maternelle, de la population et des fonctionnaires provinciaux, pour l'ensemble de la province d'Ontario et pour cinq comtés du sud-est ontarien, en 1961 et 1966.

Langue maternelle		Ontario			Cinq comtés du sud-est	
		Population (1961)*	Fonctionnaires (1961)**	(1966)***	Population (1961)*	Fonctionnaires (1966)***
Total	Nombre	6 236 092	21 647	24 897	478 134	690
	%	100	100	100	100	100
Anglais		77,5	87,2	85,1	62,0	81,4
Français		6,8	3,3	3,1	31,3	12,3
Autre		15,6	9,6	11,8	6,6	6,2

Sources :   *Recensement du Canada de 1961, catalogue 92-549.
  **Recensement du Canada de 1961, bande 2, tableau 1, p. 18.
  ***N. Bryan : « Ethnic Participation and Language Use ».

Le tableau n° 2.2 nous renseigne sur la connaissance de l'anglais et du français dans la fonction publique de l'Ontario, d'après le recensement de 1961. La grande majorité des employés ont déclaré que l'anglais était la seule langue officielle qu'ils parlaient : environ un douzième d'entre eux seulement se sont dit capables de parler les deux langues. Cette répartition peut varier considérablement si l'on fait entrer en jeu le facteur de la langue maternelle. On constate en effet que, sur 20 fonctionnaires de langue maternelle française, 19 se déclarent bilingues; la proportion tombe à 1 sur 10 pour ceux d'autres langues maternelles et à 1 sur 20 pour les fonctionnaires dont l'anglais est la langue maternelle. Malgré tout, ces derniers comptent encore le plus grand nombre de personnes bilingues, en chiffres absolus, du fait de leur prédominance au sein de la fonction publique de l'Ontario[9].

TABLEAU 2.2   Connaissance des langues officielles, en nombre et en pourcentage, chez les fonctionnaires de la province d'Ontario classés selon la langue maternelle, en 1961.

1. Nombre

Langue maternelle	Total	Langue officielle			
		Anglais seulement	Français seulement	Anglais et français	Ni l'une ni l'autre
Total	21 647	19 815	39	1 777	16
Anglais	18 868	17 980	–	888	–
Français	711	–	39	672	–
Autres	2 068	1 835	–	217	16

2. Pourcentage

	Total	Anglais seulement	Français seulement	Anglais et français	Ni l'une ni l'autre
Total	100	91,5	0,2	8,2	0,1
Anglais	100	95,3	–	4,7	–
Français	100	–	5,5	94,5	–
Autres	100	88,7	–	10,5	0,8

Source : Bande 2, tableau 1, p. 18.

En additionnant les chiffres des colonnes « anglais seulement » et « anglais et français » du tableau n° 2.2, on constate que tous les fonctionnaires ontariens ou presque parlent l'anglais et donc sont en mesure de servir le public dans cette langue. Si l'on combine maintenant les colonnes « français seulement » et « anglais et français », il apparaît que peu de fonctionnaires — 1 sur 12 seulement — peuvent répondre au public en français. D'après certaines données préparées pour l'étude de Bryan, la proportion des fonctionnaires qui peuvent servir le public en une langue autre que l'anglais ou le français est de près de un sur six.

Dans la région d'Ottawa, un peu plus de 20 % des fonctionnaires provinciaux ont été recensés comme bilingues, proportion légèrement inférieure à celle de l'ensemble de la population. (Au recensement de 1961, dans la partie de la zone métropolitaine d'Ottawa, 26,5 % de la population était bilingue; le chiffre pour le comté de Carleton était de 25,3 %). Le pourcentage du personnel bilingue variait d'un bureau à l'autre, mais dans tous les cas, sauf un, il y avait au moins un employé suffisamment bilingue pour remplir ses fonctions en anglais et en français. Dans les paragraphes ci-dessous, nous indiquons en détail la composition du personnel des bureaux de la province et la proportion des employés bilingues.

Le ministère de la Voirie emploie dans la région d'Ottawa 12 membres des professions libérales, 35 administrateurs (dont deux sont bilingues), 20 employés de bureau et 444 manœuvres, ouvriers sur machine, etc. (dont 55 bilingues). Le ministère des Terres et forêts estime que, somme toute, son personnel d'Ottawa parle exclusivement l'anglais. Le nombre de ses employés est habituellement de 62, mais il peut atteindre 350 avec les emplois saisonniers. Il y a quatre personnes bilingues à son bureau d'Ottawa, et les trois employés de son bureau de Plantagenet – situé à 40 milles d'Ottawa et hors de la région de la capitale nationale – peuvent parler les deux langues. Le ministère ajoute que plusieurs membres de son personnel s'efforcent de devenir bilingues. Le ministère de la Santé emploie 39 personnes dans la région : sept membres des professions libérales, deux inspecteurs, huit employés de bureau, 22 techniciens et ouvriers d'entretien. Seulement trois personnes de cette dernière catégorie et un employé de bureau sont bilingues.

TABLEAU 2.3 Degré de connaissance du français et de l'anglais chez les fonctionnaires provinciaux de l'Ontario, dans la région d'Ottawa, en 1966.

Ministère	Nombre d'employés	Anglais et français	Rudiments de français	Anglais seulement Nombre	%
Total	429	95	5	329	76,6
Voirie*	67	2		65	97,0
Terres et forêts	62	4		58	93,5
Santé	39	4		35	89,7
Travail	24	2	1	21	87,5
Commission des services d'hospitalisation	5	1		4	80,0
Transports	39	8		31	79,5
Agriculture et alimentation	4	1		3	75,0
Bien-être social	23	8		15	65,2
Régie des alcools	109	43		66	60,6
Éducation	53	22	1	30	56,6
Institutions de réforme	4		3	1	25,0

Source : Questionnaires remplis par les ministères provinciaux.
*En excluant les 444 manœuvres et autres ouvriers qui ont peu ou pas de contacts avec le public.

Au ministère du Travail, deux membres des professions libérales sur un total de 20 sont parfaitement bilingues, et un des quatre employés de bureau « comprend le français, mais ne le parle pas ». Parmi le personnel de la Commission des services d'hospitalisation, qui comprend un directeur régional, deux employés itinérants et deux représentants, un des employés est bilingue. Le ministère des Transports compte 39 employés d'administration et de bureau, dont huit sont bilingues. Il y a quatre employés au ministère de l'Agriculture et de l'alimentation, parmi lesquels une sténographe bilingue. Le personnel du Bien-être social comprend deux membres des professions libérales (dont un bilingue), un administrateur bilingue, trois employés de bureau (deux bilingues) et 17 assistants sociaux non diplômés (quatre bilingues).

À la Régie des alcools, sont bilingues un des deux administrateurs, 7 des 21 gérants et 35 des 80 employés de magasin, mais aucun des six employés de bureau n'est bilingue. Sur 45 inspecteurs du ministère de l'Éducation, 18 sont bilingues. L'inspecteur régional du secteur est d'Ottawa est bilingue; l'autre, de qui relève le secteur ouest, ne parle que l'anglais. Trois des six employés de bureau sont bilingues : la téléphoniste et deux des quatre secrétaires. Le ministère des Établissements de réforme compte un employé de bureau et trois agents de réadaptation. Aucun n'est bilingue, mais deux des agents et l'employé ont une connaissance rudimentaire du français. Ces renseignements sur les bureaux régionaux de l'Ontario sont repris au tableau no 2.3.

Politique en matière de personnel

Certains employés bilingues des bureaux d'Ottawa ont été engagés par suite d'une politique consciente du ministère dont ils relèvent; d'autres sont là pour diverses raisons. Avant d'examiner l'attitude des ministères dans ce domaine, trois remarques s'imposent. Tout d'abord, la politique officielle du gouvernement ontarien à l'égard du personnel est de n'embaucher et de n'accorder de l'avancement qu'en fonction du mérite; l'origine ethnique, la religion, les opinions politiques et autres facteurs semblables n'entrent pas en ligne de compte. En second lieu, la connaissance d'une autre langue, en plus de l'anglais, n'est pas exigée officiellement, sauf pour quelques postes au ministère de l'Éducation et au Secrétariat de la province. Enfin, la province n'accorde pas de prime au bilinguisme (étude de Bryan).

Le choix de fonctionnaires doués pour les langues semble cependant être reconnu implicitement, si l'on s'en tient à une récente déclaration du Secrétaire de la province et ministre de la Citoyenneté :

> I accept as government policy of this administration that no person need ever be aggrieved, need ever be deprived of any right or of any privilege or anything which any one of his co-citizens is entitled to by reason of not being able to communicate in a language which will make him and his problem understood. Any such person appearing on the scene in any department of this government will have his wants attended to completely and fully[10] (Ontario Legislature, *Debates,* 1966, p. 3309).

On pourrait faire observer en passant que, pour le ministre, c'est au public, et non aux fonctionnaires, qu'il incombe de se faire comprendre, la province ne communiquant avec le citoyen dans sa propre langue que s'il est incapable de s'exprimer en anglais. En d'autres termes, l'effort et les incertitudes que comporte l'utilisation d'une langue étrangère sont laissés au simple citoyen.

Même si la politique officielle est de choisir le personnel au mérite seulement, il existe des cas où l'on a consciemment engagé et promu des personnes bilingues[11]. Il n'y a pas de règle fixe en ce domaine, l'usage variant selon les ministères et même selon les services.

Le ministère de l'Agriculture et de l'alimentation laisse ses bureaux régionaux libres de déterminer les langues que doivent connaître les candidats. Le bureau d'Ottawa a ainsi décidé d'employer une sténographe bilingue qui, au besoin, peut faire office de traducteur et d'interprète. Le ministère de la Santé accorde à ses bureaux régionaux la même liberté que le ministère de l'Agriculture et de l'alimentation mais, en fait, ses succursales d'Ottawa n'ont adopté aucune ligne de conduite en matière de langue. Depuis longtemps, la Régie des alcools a pour règle d'employer du personnel bilingue à Ottawa et dans certaines régions de la province; à l'échelon inférieur, toutefois, le personnel est recruté sur place, et ce sont les gérants de magasin qui décident quelles langues doivent parler leurs employés. Les succursales d'Ottawa ont indiqué qu'elles n'avaient pas de politique définie.

Le ministère du Travail emploie, en règle générale, des chefs de district qui parlent la langue du district. Selon un représentant du ministère à Toronto, Ottawa est un cas assez particulier : en plus d'employés francophones, il faut un personnel qui convienne à la population irlandaise de la vallée de l'Outaouais. En dehors de ce cas, le ministère accorde la préférence aux personnes bilingues qui répondent, par ailleurs, aux normes établies.

Le ministère des Terres et forêts recrute habituellement sur place des personnes qui, selon lui, devraient être en mesure de parler les langues de la région. Les trois employés de son bureau de Plantagenet doivent être bilingues, et au moment de l'enquête, on cherchait du personnel bilingue pour le bureau de Fitzroy Harbour. Il s'avérait cependant difficile de trouver des fonctionnaires à la fois compétents et bilingues.

Dans la mesure du possible, le Bien-être social engage son personnel sur place et, dans ses offres d'emploi, il indique clairement sa préférence pour des candidats bilingues. En règle générale, le ministère s'efforce d'avoir à son bureau d'Ottawa, au moins une personne bilingue dans chaque catégorie d'emploi (professions libérales, employés de bureau, etc.). L'une des trois sténographes doit être bilingue.

Le ministère des Transports choisit spécialement des examinateurs bilingues pour faire passer les épreuves du permis de conduire dans 10 villes ontariennes, y compris Ottawa. Le bureau d'Ottawa du ministère de l'Éducation doit avoir des inspecteurs bilingues pour les écoles bilingues de la région. Il voit également à ce que sa téléphoniste soit bilingue. Le ministère des Établissements de réforme n'a pas de politique en matière de langue pour le recrutement du personnel. Quant au ministère de la Voirie et à la Commission des services d'hospitalisation, leur politique est assez ambiguë[12].

D'une façon générale, on semble se rendre compte que la connaissance du français et d'autres langues que l'anglais est utile pour certains postes de la fonction publique, notamment dans les parties est et nord de la province. Avant de passer à l'étude de la situation au Québec, quelques précisions s'imposent. Lorsqu'on leur a demandé s'ils estimaient qu'une autre langue en plus de l'anglais leur serait utile dans leur travail, 54 % des fonctionnaires ontariens ont répondu affirmativement, 40,7 % désignant le français comme cette langue (étude de Bryan). Dans les comtés du sud-est, 71,4 % jugeaient utile la connaissance d'une autre langue et presque tous ont indiqué le français. Les fonctionnaires ontariens reconnaissent manifestement que l'utilisation du français dans leur travail répond à un besoin qu'ils ne peuvent actuellement satisfaire. Notre étude a révélé, en outre, que le gouvernement ontarien ne fait apparemment rien pour remédier à cette situation au moyen de programmes d'enseignement des langues.

2. Le Québec

La législation provinciale

Aux termes de l'article 133 de l'A. A. N. B., les lois provinciales du Québec doivent être publiées en anglais et en français. En outre, contrairement à celle de l'Ontario, la législation québécoise fait fréquemment état de l'utilisation de la langue. Les exemples suivants, empruntés à l'étude C.-A. Sheppard, « The Law of Languages in Canada », donnent un aperçu de l'étendue des activités soumises à une réglementation linguistique par des lois ou des règlements.

1) En vertu de la Loi de la vente des effets non-réclamés, les avis annonçant dans les journaux la vente de biens abandonnés chez des blanchisseurs, teinturiers et marchands de fourrures doivent être publiés en anglais et en français.
2) À l'article 1682 c du Code civil, on lit ce qui suit :

> Doivent être imprimés en français et en anglais les billets des voyageurs, les bulletins d'enregistrement des bagages, les imprimés pour lettres de voiture, connaissements, dépêches télégraphiques, feuilles et formules de contrats faits, fournis ou délivrés par une compagnie de chemin de fer, de navigation, de télégraphe, de téléphone, de transport et de messagerie ou d'énergie électrique, ainsi que les avis ou règlements affichés dans ses gares, voitures, bateaux, bureaux, usines ou ateliers.

3) Aux termes de la Loi électorale, les énumérateurs doivent porter une plaque avec l'inscription « Énumérateur – Québec – Enumerator ».
4) La Loi des enquêtes sur les incendies exige que le secrétaire du Commissaire aux incendies de Montréal parle et écrive « correctement les langues française et anglaise ».
5) La Loi médicale stipule que les examinateurs désignés par le Bureau provincial de la médecine devront être francophones à l'université Laval et à l'université de Montréal, et anglophones à l'université McGill.
6) La loi concernant le Bureau des commissaires d'écoles catholiques de la cité de Québec fixe à sept le nombre des membres du Bureau, dont un de langue anglaise.
7) Les examens prévus par la Loi des médecins vétérinaires doivent être en français et en anglais.
8) L'ordonnance 39 de 1962 (relative aux opérations forestières) prise en application de la Loi du salaire minimum stipule que « l'employeur doit prendre les mesures nécessaires en français ou en anglais, selon la langue de l'employé visé ».
9) Un article de la Loi des compagnies du Québec est rédigé en ces termes : « Si la compagnie a un nom français et un nom anglais, ou un nom comportant une version

française et une version anglaise, elle peut être légalement désignée sous son nom français ou la version française de ce nom, ou sous son nom anglais ou la version anglaise de ce nom, ou à la fois sous les deux noms ou les deux versions ».

Le décret du 15 mars 1967 offre un exemple récent dans le domaine de l'étiquetage des aliments. Il stipule que « dans toute inscription sur tous les aliments et breuvages destinés à la consommation humaine ou animale, à l'exception des boissons alcooliques, l'usage du français est obligatoire et aucune inscription rédigée en une autre langue ne doit l'emporter sur celle rédigée en français. » De plus, presque toutes les formules officielles sont imprimées dans les deux langues, et il est d'usage de permettre qu'elles soient remplies en français ou en anglais. Il est manifeste que la langue, dans les secteurs public et privé, a retenu l'attention du législateur québécois.

La langue de l'administration

Sur l'ensemble des fonctionnaires du Québec, 66,9 % n'utilisent que le français dans leur travail, 32 % emploient l'anglais et le français, et 1,1 % ne travaillent qu'en anglais[13]. Environ un tiers des fonctionnaires sont donc appelés à travailler parfois en anglais. Si l'on prend ce chiffre comme moyenne générale de la province, on constate que 8 des 12 bureaux situés dans la région de Hull dépassent la moyenne. Comme dans le cas de l'Ontario, il y a des différences marquées d'un bureau à l'autre, l'utilisation de la langue variant, semble-t-il, selon la région et le public.

Les bureaux locaux de cinq ministères (Agriculture, Commerce et industrie, Terres et forêts, Tourisme et Voirie) estiment qu'environ la moitié des personnes qui font appel à leurs services sont anglophones. Le Tourisme et les Terres et forêts attribuent ce fait à la présence de nombreux touristes américains et ontariens en été. Le public qui s'adresse au ministère du Commerce et de l'industrie comprend surtout les directeurs d'entreprise, dont beaucoup sont anglophones; en outre, comme ce ministère cherche à attirer dans la région de nouvelles usines canadiennes, américaines et européennes, l'anglais est une nécessité évidente. Le ministère de la Voirie déclare utiliser à peu près également les deux langues, mais il signale quelques différences régionales : l'anglais est la principale langue dans le comté de Pontiac, les deux langues sont à égalité dans le comté de Gatineau, tandis qu'à Hull le français est la langue dominante. Le ministère de l'Agriculture mentionne qu'il est en rapport avec un bon nombre de municipalités anglophones de la région, surtout dans le comté de Pontiac. Les bureaux des ministères des Transports et du Revenu, ainsi que la Régie des alcools, estiment qu'entre 35 et 40 % de leurs contacts se font avec des anglophones.

Dans le cas du bureau de la Famille et du bien-être social, les chiffres sont inférieurs à la moyenne provinciale. La proportion des contacts en langue anglaise n'atteint que 15 à 20 % et encore le bureau estime que ce pourcentage serait moins élevé si les comtés de Gatineau et de Pontiac ne relevaient pas de sa compétence. Trois ministères ont relativement peu de rapports avec la population anglophone. Le ministère de la Santé fait observer que la région qu'il dessert comprend les municipalités situées le long de l'Outaouais (de Gatineau à Aylmer), qui sont surtout francophones. Le ministère du Travail évalue à 1 % les anglophones qui s'adressent à son bureau de placement, et à 5 ou 6 % les employeurs de langue anglaise qui font appel à ses services. Le ministère de la

Justice note que seulement 5 % des personnes qui communiquent avec son service de mise en liberté surveillée sont des anglophones, bien qu'il estime que 10 % de la population de la région sous sa juridiction parlent l'anglais.

Le tableau nº 2.4 indique que l'utilisation de la langue dans l'ensemble de la fonction publique du Québec varie selon la catégorie de personnes avec qui la communication a été établie. Un fonctionnaire québécois s'adressera à un collègue presque invariablement en français. Les communications avec les municipalités et autres corps publics se font aussi presque toujours en français. Viennent ensuite, dans l'ordre d'utilisation du français, le grand public, les entreprises commerciales et le gouvernement fédéral. Il semble que le français soit rarement utilisé dans les rapports avec les autres gouvernements provinciaux, notamment dans le cas de l'Ontario. Le tableau nº 2.4 fait aussi ressortir que le français est un peu plus employé dans les communications écrites que dans les communications orales.

TABLEAU 2.4 Langue utilisée par les fonctionnaires provinciaux du Québec, en 1965.

1. Rapports externes

Communications avec	Communications orales			Communications écrites		
	Surtout français	Anglais et français	Surtout anglais	Surtout français	Anglais et français	Surtout anglais
Grand public	78,6	20,2	1,2	79,6	18,5	1,8
Municipalités, commissions scolaires, services sociaux et hospitaliers	90,0	8,6	1,4	90,3	7,8	1,8
Entreprises industrielles et commerciales	64,3	32,6	3,0	65,7	30,6	3,7
Gouvernement fédéral	63,8	25,0	11,2	61,0	27,0	12,0
Gouvernement de l'Ontario	12,4	19,6	68,0	16,5	17,8	65,7
Autres gouvernements provinciaux	30,9	23,4	45,6	26,2	19,2	54,5

2. Rapports internes

	Surtout français	Anglais et français	Surtout anglais	Surtout français	Anglais et français	Surtout anglais
Même ministère	96,0	3,1	0,9	96,9	2,1	1,0
Autres ministères	96,0	3,5	0,5	96,7	2,6	0,7

Source : G. Lapointe, « Essais sur la fonction publique québécoise ».

Certains ministères s'écartent parfois de cette norme. À l'échelle de la province, dans leurs rapports avec l'extérieur du moins, les ministères qui traitent beaucoup avec le grand public, tels ceux du Revenu et de la Santé, offrent un service entièrement bilingue. Les ministères qui n'ont que des contacts limités avec le public ne se sentent pas nécessairement soumis à la même obligation. Certains n'utilisent que le français lorsqu'ils communiquent avec un particulier ou une entreprise (pour les réponses aux lettres, seule la Commission de la fonction publique n'a pas pour règle d'employer la langue du correspondant). Dans certains cas, les ministères des Travaux publics et de la Voirie ne publient leurs appels d'offres qu'en français. Mais ce sont là des exceptions et, règle générale, le public qui s'adresse à des fonctionnaires québécois peut s'attendre à un service bilingue[14]. Les bureaux du gouvernement situés dans la région de Hull suivent cette règle : les 12 ont déclaré qu'on pouvait obtenir leurs services en français ou en anglais.

Interrogés sur les principes qui les guidaient dans le choix de la langue utilisée pour la correspondance, les conversations téléphoniques et les entrevues privées, neuf bureaux ont répondu qu'ils employaient la langue de la personne à qui ils s'adressaient. Pour les premières prises de contact, il semble qu'il est d'usage de choisir la langue d'après le nom du destinataire ou de l'interlocuteur. Ces neuf bureaux sont ceux des ministères de l'Agriculture, de la Justice, du Revenu, de la Santé, du Tourisme, des Transports, du Travail et de la Voirie, ainsi que celui de la Régie des alcools.

Les bureaux du ministère de la Famille et du bien-être social et du ministère du Commerce et de l'industrie utilisent d'abord le français, mais passent à l'anglais si la personne qui répond est anglophone. Aux Terres et forêts, on utilise en principe le français, sauf si c'est impossible.

La plupart des imprimés envoyés ou remis au public semblent être disponibles dans les deux langues. Lorsque les versions française et anglaise sont imprimées séparément, la langue de la demande ou le nom du destinataire détermine le choix de la version à envoyer.

Il y a quelques exceptions à cette pratique courante. Les publications du ministère du Travail viennent de Québec et ne sont rédigées qu'en français, mais le personnel du bureau local les traduit lorsque c'est nécessaire. Le bureau du ministère de l'Agriculture est d'avis qu'il ne reçoit pas assez de documentation anglaise pour la région de Hull, qui est un cas particulier du fait de l'importance de sa minorité anglophone. Pour combler cette lacune, le bureau se sert de la documentation de l'Ontario et du gouvernement fédéral. Certaines publications du ministère du Commerce et de l'industrie ne sont imprimées qu'en français.

La langue utilisée dans les rapports avec le gouvernement fédéral varie considérablement d'un bureau à l'autre. Deux bureaux (Régie des alcools et Voirie) n'ont aucun contact avec Ottawa. Trois autres (Santé, Terres et forêts, Travail) n'utilisent que le français. Le bureau du ministère de la Justice se sert de la langue du correspondant. Ceux des ministères du Commerce et de l'industrie, du Revenu et des Transports utilisent d'abord le français, mais passent à l'anglais si on leur répond dans cette langue. Le ministère de l'Agriculture et celui de la Famille et du bien-être social emploient toujours l'anglais, sauf lorsqu'ils savent qu'ils s'adressent à un fonctionnaire francophone. Le Tourisme a des rapports avec la Commission de la capitale nationale et le ministère fédéral des Forêts; il utilise toujours le français dans le premier cas et l'anglais dans le second.

Quatre bureaux n'ont pas de contacts avec le gouvernement de l'Ontario : Commerce et industrie, Régie des alcools, Travail et Voirie. Parmi les autres, les bureaux du Revenu et des Transports utilisent la langue de leur correspondant. L'Agriculture, la Justice et la Santé emploient l'anglais, sauf s'ils savent que la personne à qui ils s'adressent est francophone. Les Terres et forêts se servent de l'anglais, de peur que l'utilisation du français ne prête à de fausses interprétations. Le Tourisme commence toujours par écrire en français au ministère ontarien des Terres et forêts; la réponse arrive parfois en français, parfois en anglais. Le ministère de la Famille et du bien-être social a longtemps utilisé l'anglais dans sa correspondance avec la Commission des accidents du travail de l'Ontario; il n'emploie plus maintenant que le français, et les réponses qu'il reçoit sont tantôt dans une langue, tantôt dans l'autre. Dans leurs rapports avec les municipalités anglophones situées dans la partie québécoise de la région de la capitale nationale, les fonctionnaires québécois de cette région utilisent généralement l'anglais. Les bureaux de l'Agriculture, de la Famille et du bien-être social, du Revenu, des Terres et forêts, des Transports, du Travail et de la Voirie emploient la langue de leur correspondant. Le bureau du Commerce et de l'Industrie utilise la langue de la municipalité. On cite en exemple le cas de Lucerne, dont la population et l'administration municipale sont moitié anglophones, moitié francophones : dans ses contacts avec l'administration, le bureau emploie l'une ou l'autre langue selon la personne à qui il s'adresse. Le ministère de la Santé correspond en français, sauf si la municipalité est anglophone, et le Tourisme n'utilise l'anglais que s'il s'adresse à un employé municipal ne comprenant pas le français. La Justice et la Régie des alcools déclarent ne pas avoir de rapports avec des municipalités de langue anglaise.

Sept bureaux seulement font état de la langue utilisée dans leurs rapports avec des groupes et écoles anglophones. L'Agriculture, la Famille et le bien-être social, la Justice, la Régie des alcools et la Santé utilisent la langue de leur correspondant. Le Tourisme emploie l'anglais seulement lorsqu'il s'adresse à des personnes ne parlant pas français; le bureau du Commerce et de l'industrie, qui est en contact avec les chambres de commerce, déclare n'utiliser que le français.

L'utilisation de langues autres que l'anglais et le français ne semble pas très importante dans la fonction publique québécoise. Interrogés à ce sujet, 3,5 % seulement des fonctionnaires provinciaux estiment que la connaissance de ces autres langues les aiderait dans leur travail, comparativement à 57,2 % qui jugent utile de connaître l'anglais (étude de Lapointe). Aucun des bureaux de Hull ne mentionne l'usage d'autres langues dans les imprimés et publications, à la différence des bureaux provinciaux d'Ottawa. Il est vrai, comme on l'a vu au chapitre premier, que le pourcentage de la population dont la langue maternelle n'est pas le français ou l'anglais atteint seulement 1,6 dans la partie québécoise de la zone métropolitaine d'Ottawa, comparativement à 8,1 dans la partie ontarienne, et que la proportion de ceux qui ne parlent ni le français ni l'anglais n'est que de 0,4 %, par rapport à 1,2 % en Ontario.

La langue interne du gouvernement du Québec est le français. Les dossiers sont tous classés dans cette langue, sauf au ministère des Finances, où le système de classement est bilingue. Excepté à ce ministère et à l'Hydro-Québec, les formules internes sont toutes en français. Les manuels et circulaires sont publiés exclusivement en français (étude de La Rivière). Comme l'indique le tableau n° 2.4, un très petit nombre de fonctionnaires utilisent l'anglais dans leurs rapports internes. En résumé, si l'administration québécoise a pour le public un caractère bilingue, sa langue interne est presque exclusivement le français.

Les fonctionnaires provinciaux

La fonction publique du Québec emploie quelque 47 000 personnes, dont 24 000 relèvent de la Commission de la fonction publique. En 1965, le salaire moyen de tous ces fonctionnaires était de $ 4 343. En 1964, 46,6 % travaillaient dans la zone métropolitaine de Québec, 23,2 % dans l'agglomération montréalaise et 30,2 % ailleurs dans la province. Au moment du recensement de 1961, il y avait à Hull 144 fonctionnaires provinciaux, soit 0,69 % du personnel des services administratifs du Québec. Leur nombre était de 69 en 1941 et 92 en 1951, soit respectivement 0,78 et 0,82 % du total.

Les chiffres du tableau nº 2.5 indiquent que les groupes dont la langue maternelle n'est pas le français ont, dans la fonction publique, une représentation inférieure à leur importance relative dans la population globale. Par voie de conséquence, le groupe de langue française a une représentation supérieure au pourcentage de la population correspondante.

TABLEAU 2.5 Répartition en pourcentage, selon la langue maternelle, de la population et des fonctionnaires provinciaux du Québec, en 1961.

Langue maternelle		Population*	Fonctionnaires**
Total	Nombre	5 259 211	22 155
	%	100	100
Anglais		13,3	3,4
Français		81,2	95,9
Autre		5,6	0,7

Sources : *Recensement du Canada de 1961, catalogue 92-549.
**Bande 2, tableau 1, p. 15.

Le tableau nº 2.6 donne la répartition des fonctionnaires québécois selon la langue officielle. Contrairement à la fonction publique de l'Ontario, fortement unilingue, celle du Québec est en grande majorité bilingue. En outre, aucun groupe linguistique ne fournit un nombre disproportionné de bilingues, même si l'on constate que le groupe de langue anglaise est, proportionnellement, le plus bilingue de la fonction publique québécoise. Évidemment, du fait de leur grande supériorité numérique, les fonctionnaires de langue française constituent la majeure partie du personnel bilingue.

En combinant les chiffres des colonnes « français seulement » et « anglais et français » du tableau nº 2.6, on constate, comme dans le cas de l'Ontario, que presque tous les fonctionnaires québécois sont en mesure de servir le public dans la langue majoritaire de l'administration, en l'occurrence le français. Près des deux tiers peuvent le faire aussi en anglais, comme l'indiquent les chiffres combinés des colonnes « anglais seulement » et « anglais et français[15] ».

Le pourcentage des fonctionnaires bilingues dans la région de Hull est supérieur à la moyenne provinciale : bien qu'on ne puisse fournir de chiffres précis, les réponses au questionnaire indiquent que 90 % sont en mesure de servir le public dans les deux langues. Ici encore, le pourcentage varie selon les bureaux.

Cinq bureaux déclarent que leur personnel est entièrement bilingue ; ce sont l'Agriculture (10 employés), le Commerce (2 employés), la Régie des alcools (on estime le personnel à 41), le Revenu (2) et le Travail (3). Dans trois autres bureaux, tout le personnel est bilingue, sauf une personne qui, dans chaque cas, ne possède que des rudiments de l'autre langue. Ce sont les bureaux des ministères de la Justice (11 personnes), de la Famille et du bien-être social (20) et des Transports (12).

TABLEAU 2.6 Connaissance des langues officielles, en nombre et en pourcentage, chez les fonctionnaires de la province de Québec, classés selon la langue maternelle, en 1961.

1. Nombre

Langue maternelle	Total	Langue officielle			
		Anglais seulement	Français seulement	Anglais et français	Ni l'une ni l'autre
Total	22 196	229	8 270	13 685	12
Anglais	757	205	–	552	–
Français	21 265	–	8 243	13 022	–
Autre	174	24	27	111	12

2. Pourcentage

	Total	Anglais seulement	Français seulement	Anglais et français	Ni l'une ni l'autre
Total	100	1,0	37,3	61,7	0,1
Anglais	100	27,1	–	72,9	–
Français	100	–	38,8	61,2	–
Autre	100	13,8	15,5	63,8	6,9

Source : Bande 2, tableau 1, p. 15.

Au ministère de la Santé, 20 employés sur 22 sont bilingues. Le Tourisme emploie 17 personnes ; une ou deux ne sont pas bilingues et les autres connaissent les deux langues à différents degrés. La Voirie compte environ 200 employés, dont 150 sont des manœuvres qui n'ont pas de rapports avec le public. Les 50 autres comprennent 10 administrateurs bilingues et 40 techniciens qui sont aussi presque tous bilingues.

Le bureau du ministère des Terres et forêts dessert une région qui s'étend sur environ 300 milles au nord de l'Outaouais. Il emploie 50 personnes (60 en été), mais seulement 15 (20 en hiver) s'occupent du territoire faisant partie de la région de la capitale nationale. Neuf d'entre elles travaillent au bureau de Hull. La plupart de ces 15 employés sont bilingues, quoiqu'à des degrés très différents.

Il est donc évident que le personnel des bureaux provinciaux de la région de Hull est bilingue dans une forte proportion. Toutefois, lorsqu'on sait que 49,1 % des citoyens de Hull ont déclaré en 1961 qu'ils savaient le français et l'anglais, on peut se demander dans quelle mesure cette forte proportion de bilingues dans les agences de l'administration est le fruit du hasard ou d'une intention arrêtée.

Politique en matière de personnel

Sur l'ensemble des fonctionnaires québécois, 38,1 % ont déclaré qu'il leur avait fallu être bilingues pour occuper leur poste. Parmi les fonctionnaires anglophones, la connaissance du français avait été exigée dans 69,5 % des cas, et 37,6 % des fonctionnaires francophones avaient été tenus de connaître l'anglais (étude de Lapointe). À l'échelon local, on constate une fois de plus une divergence entre les divers bureaux ministériels de la région de Hull.

Cinq bureaux ont déclaré que le bilinguisme est une condition requise pour accéder à un poste. Entrent dans cette catégorie : l'Agriculture, le Revenu, les Transports et la Régie des alcools. Le premier a ajouté qu'il éprouvait une certaine difficulté à recruter du personnel à la fois bilingue et compétent, tout en faisant observer que la province de Québec n'offre pas de prime au bilinguisme. Le cinquième bureau, celui de la Justice, exige qu'un nombre « suffisant » de ses agents de surveillance soient bilingues dans chaque section.

Trois bureaux – la Santé, les Terres et forêts et le Tourisme – n'attachent pas grande importance au bilinguisme, le deuxième l'estimant toutefois « utile ».

Quatre autres bureaux se situent entre ces extrêmes. Sans avoir de règlements officiels favorisant le bilinguisme, ils exigent d'une façon ou d'une autre la connaissance des deux langues. Au bureau du Commerce et de l'industrie, les employés doivent être bilingues « à cause des exigences ». Le ministère de la Famille et du bien-être social suit une ligne de conduite semblable : à compétence égale, on accorde la préférence au candidat bilingue « à cause des exigences de la fonction ». Ce ministère mentionne aussi qu'il fait subir une épreuve d'anglais aux candidats. À la Voirie, on déclare que la connaissance des deux langues n'est pas imposée aux techniciens ou aux manœuvres, « car ils n'ont pas ou peu affaire au public », mais qu'elle est nécessaire pour occuper un poste administratif. Cette exigence n'a d'ailleurs jamais soulevé de difficulté, aucun francophone unilingue n'ayant encore posé sa candidature à un poste de ce genre. Enfin, le ministère du Travail préfère engager des personnes bilingues « à cause de la région ».

De toute façon, l'absence, dans les ministères, d'une politique bien définie en matière de bilinguisme ne semble pas avoir grand effet sur la connaissance des langues chez le personnel. On a vu qu'en pratique, il y a, dans tous les bureaux, un fort pourcentage d'employés en mesure d'assurer leur service dans les deux langues. On peut attribuer ce fait à deux raisons : la nécessité reconnue du bilinguisme dans la région et la possibilité de recruter le personnel local parmi une population en grande partie bilingue.

3. Comparaison entre l'Ontario et le Québec

De toute évidence, il existe actuellement un écart assez net entre les usages linguistiques du Québec et de l'Ontario. Un résumé comparatif nous permettra de récapituler brièvement les principales différences.
a. En Ontario, la législation provinciale mentionne rarement la langue et ne reconnaît pas expressément le bilinguisme. Le Québec a fréquemment légiféré dans ce domaine et exigé l'usage des deux langues.

b. Les lois ontariennes ne sont publiées officiellement qu'en anglais; celles du Québec doivent être publiées en anglais et en français.
c. En Ontario, 13,5 % des fonctionnaires utilisent parfois dans leur travail une langue autre que l'anglais; au Québec, 33,1 % emploient une langue autre que le français.
d. Trois des onze bureaux de l'Ontario situés dans la région de la capitale fédérale offrent un service bilingue raisonnablement complet. Dans les 12 bureaux locaux du Québec, le service est presque toujours bilingue.
e. Les publications offertes dans les deux langues sont plus nombreuses au Québec qu'en Ontario, mais dans ce domaine aucune des deux provinces n'est entièrement bilingue.
f. La langue interne de travail est presque exclusivement l'anglais dans l'administration ontarienne, et le français au Québec.
g. Contrairement à ceux de Hull, les bureaux d'Ottawa utilisent parfois des langues autres que l'anglais et le français.
h. Les usages linguistiques varient considérablement à l'intérieur de chaque province. Quatre facteurs entrent en jeu : la situation géographique (dans les régions à population linguistiquement hétérogène, le service est plus bilingue qu'ailleurs); les ministères (en général, les ministères à fonctions sociales, tel celui de l'Éducation, semblent plus bilingues que les ministères techniques, comme celui de la Voirie); la clientèle (en Ontario du moins, le grand public obtient plus facilement un service bilingue que les entreprises commerciales); enfin, le mode de communication (la possibilité est plus grande dans le domaine des communications écrites que dans celui des communications orales, qu'elles s'entretiennent en anglais en Ontario et en français au Québec).
i. Dans la région de la capitale fédérale, le secteur ontarien compte environ deux fois plus de fonctionnaires provinciaux que le secteur québécois.
j. Dans la fonction publique des deux provinces, le groupe linguistique le plus important a une représentation supérieure à son pourcentage de la population provinciale. Par contrecoup, les groupes minoritaires sont défavorisés. En d'autres termes, la fonction publique de chaque province est plus représentative de la majorité culturelle de la province que de toute la population.
k. En Ontario, 8,2 % des fonctionnaires comprennent l'anglais et le français; au Québec, le pourcentage est de 61,7. Dans les régions d'Ottawa et de Hull, les pourcentages correspondants sont beaucoup plus élevés, soit environ 22 et 90 % respectivement.
l. Parmi les fonctionnaires ontariens, 40,7 % estiment que la connaissance du français leur serait utile dans leur travail; 67,2 % des fonctionnaires du Québec jugent utile la connaissance de l'anglais.
m. Dans la région de la capitale, les deux provinces engagent de préférence du personnel bilingue, mais de façon assez irrégulière toutefois dans le cas de l'Ontario.
n. Les deux provinces n'ont pas de politique linguistique bien définie dans la région de la capitale fédérale. La plupart des décisions dans ce domaine semblent prises par les chefs de bureaux locaux, selon les exigences des conditions de travail de leur ministère. Ce fait explique sans doute que nos enquêtes aient révélé de grands écarts d'un ministère à l'autre.

Les bureaux du secteur québécois de la région d'Ottawa-Hull sont nettement plus aptes que ceux du secteur ontarien à offrir un service bilingue. Les fonctionnaires québécois ne s'attendent pas que la population anglophone communique avec eux en français. L'un d'eux nous a fait part de sa surprise de trouver un anglophone désireux de lui parler en français. Il semble que, de leur côté, les anglophones du Québec s'attendent à être servis dans leur langue par le gouvernement provincial et qu'ils obtiennent presque toujours satisfaction.

En Ontario, par contre, on part du principe que les francophones parlent généralement l'anglais, et qu'en conséquence, il n'est guère nécessaire de leur offrir un service français. Bien que le gouvernement ontarien soit loin de former un monolithe unilingue comme on le croit parfois, il n'a reconnu, ni en théorie ni en pratique, les aspirations des francophones qui, même s'ils peuvent s'exprimer en anglais, désirent être servis dans leur langue. La province semble plutôt considérer que l'usage d'une autre langue est une pratique d'exception, justifiable seulement dans les cas de nécessité évidente. Lorsqu'il s'agit de déterminer la langue à utiliser dans la fonction publique, on a l'impression générale que l'efficacité administrative l'emporte sur les désirs du public.

Certes, l'Ontario n'est nullement tenu par la Constitution d'offrir des services administratifs en français, ni dans la région de la capitale fédérale, ni ailleurs. Mais le Québec n'est pas obligé non plus de fournir ces mêmes services dans une seconde langue, si l'on excepte l'obligation de publier ses lois en français et en anglais.

C. *Le gouvernement provincial et les municipalités*

Dans cette partie, nous étudierons les pouvoirs délégués aux municipalités par les gouvernements provinciaux, plutôt que ceux qu'ils exercent directement. C'est la province qui décide de l'étendue des pouvoirs qu'elle déléguera; elle peut déléguer, mais non abdiquer, une partie de ses pouvoirs. Il en découle qu'elle doit pouvoir rétablir sa compétence dans un domaine qui aurait été confié à un autre organisme, et que dans bien des cas, elle conservera un droit de regard.

Il est assez courant de confier l'exécution de programmes établis par la province à des institutions locales. Parmi celles-ci, on peut citer les commissions scolaires, les commissions de police, les offices de planification, les commissions d'hygiène et les régies d'hôpitaux.

Ces organismes peuvent avoir une certaine latitude sur le plan local, notamment lorsqu'ils sont composés en totalité ou en partie de personnes élues, ou nommées sur place. À l'égard du pouvoir provincial, ils jouissent d'une plus grande autonomie que les bureaux administratifs de l'Ontario et du Québec étudiés dans la section précédente. Néanmoins, ils doivent rester dans les limites des pouvoirs et attributions que leur fixent les provinces.

Les lois portant sur la langue des règlements, avis, formules et rapports de ces organismes sont essentiellement les mêmes que celles qui régissent les institutions municipales, et nous en ferons l'examen plus loin. Disons brièvement qu'au Québec on exige le bilinguisme dans certains cas, tandis qu'en Ontario, il n'en est pas fait mention.

La municipalité est évidemment la principale institution que la province utilise pour atteindre ses objectifs. On peut citer de nombreux exemples de fonctions imposées aux municipalités par les provinces : entretien des rues et des ponts, participation aux frais d'entretien des palais de justice et prisons, création et maintien d'une force de police.

Les municipalités canadiennes n'ont pas d'existence autonome. Leur création, leur extension, leur régime administratif dépendent de lois provinciales. (Les municipalités du Yukon et des Territoires du Nord-Ouest font exception, en ce sens qu'elles sont soumises aux ordonnances du gouvernement territorial et non à des lois provinciales.) Les seuls pouvoirs qu'elles exercent sont ceux que les provinces veulent bien leur déléguer. En outre, la complexité, le coût et les fonctions des administrations municipales ne cessant d'augmenter, celles-ci sont de plus en plus dépendantes des provinces.

Pourtant, ce serait une erreur de croire que les administrations municipales sont entièrement subordonnées aux gouvernements provinciaux. Dans les limites fixées par les provinces, les municipalités ont une grande liberté de manœuvre. C'est nécessaire, car une province ne peut pas gérer toutes ses affaires sans déléguer de nombreux pouvoirs. Cette liberté de manœuvre est souhaitable, car si les institutions municipales sont la force des peuples libres, selon Tocqueville, elles sont aussi, plus prosaïquement, les seules à avoir la connaissance des conditions locales qui est nécessaire à une bonne administration. Les besoins culturels et linguistiques des citoyens sont un élément important de ces conditions, en particulier dans la capitale fédérale où le public servi par l'administration ne comprend pas seulement les habitants de l'agglomération, mais aussi des visiteurs venant de toutes les régions du Canada.

Les lois régissant les municipalités

Dans les deux provinces, la structure et les pouvoirs des municipalités dépendent essentiellement d'une loi organique. En Ontario, le Municipal Act régit toutes les municipalités, mais quelques dispositions ne s'appliquent qu'aux localités d'une certaine importance; au Québec, il y a deux corps de lois : la Loi des cités et villes et le Code municipal. La première s'applique aux municipalités qui comptent au moins 4 000 habitants et dont les autorités ont expressément demandé au gouvernement d'être régies par cette loi plutôt que par le Code. Un bref résumé du contenu de ces trois textes législatifs permettra de faire ressortir le contrôle minutieux exercé par les provinces sur les municipalités.

Le Municipal Act de l'Ontario s'ouvre par un chapitre intitulé « Formation, Erection, Alteration of Boundaries, and Dissolution of Municipalities, etc. » (Formation, érection, modification des limites et dissolution des municipalités, etc.). On y traite ensuite de divers aspects des conseils municipaux : composition, éligibilité, vacances, règlements concernant les réunions, droit de vote et élections municipales. La loi ontarienne stipule que toutes les villes de plus de 100 000 habitants doivent avoir un Bureau des commissaires *(Board of Control)* et elle en fixe les fonctions. D'autres dispositions concernent les fonctionnaires municipaux (par exemple, le § 1 de l'article 215 stipule :

« The Council shall appoint a clerk » – Le conseil doit nommer un greffier municipal), l'adoption de règlements, les finances municipales et le droit d'acquérir des terrains. On précise également le rôle des autorités municipales dans le domaine de la police, de l'administration de la justice et de l'entretien des routes et des ponts.

L'article 243 stipule :

> Every council may pass such by-laws and make such regulations for the health, safety, morality and welfare of the inhabitants in matters not specifically provided for by this Act as may be deemed expedient and are not contrary to law, and for governing the proceedings of the council, the conduct of its members and the calling of meetings[16].

Les domaines où cette clause générale reconnaît la compétence des municipalités sont à souligner : « la santé, la sécurité, la moralité et le bien-être des habitants ». Les cas expressément visés par la loi se rangent dans ces quatre catégories. Exposés en détail dans quelque 30 chapitres couvrant 96 pages, ces champs de compétence, malgré leur longue énumération, revêtent rarement une grande importance[17]. En résumé, les municipalités de l'Ontario sont chargées de la réglementation de nombreuses activités d'importance mineure, mais néanmoins nécessaires, qui jouent un rôle dans la vie quotidienne des citoyens.

Parmi les huit municipalités du Québec situées dans la zone métropolitaine d'Ottawa, quatre (Aylmer, Hull, Gatineau et Pointe-Gatineau) sont régies par la Loi des cités et villes; Deschênes, Lucerne, Templeton et Templeton-Ouest relèvent du Code municipal.

Le Code répond aux besoins des petites municipalités et des localités rurales; c'est ce qui le différencie principalement de la Loi. Le droit d'adopter des règlements concernant les clôtures à bétail, accordé par le Code, ne présenterait pas grand intérêt pour la ville de Hull, par exemple. Malgré leurs différences, les administrations municipales – qu'elles soient régies par la Loi ou par le Code – ont sensiblement la même structure. C'est pourquoi nous ne nous arrêterons qu'à la Loi des cités et villes.

Lorsqu'on compare la Loi des cités et villes du Québec avec le Municipal Act de l'Ontario, on constate qu'ils se ressemblent dans les grandes lignes, mais certaines différences méritent d'être notées. Par exemple, seule la loi ontarienne exige la création d'un Bureau des commissaires, tandis qu'une cour municipale n'est prévue que dans la loi québécoise. Dans l'ensemble, la législation du Québec est plus détaillée que celle de l'Ontario, surtout dans le cas des dispositions relatives aux élections municipales. Les articles des deux lois portant sur les domaines où les municipalités ont le droit d'adopter des règlements, semblent similaires. Ils diffèrent toutefois par la clause générale, qui paraît moins limitative au Québec :

> Le conseil peut faire des règlements : pour assurer la paix, l'ordre, le bon gouvernement, la salubrité, le bien-être général et l'amélioration de la municipalité, pourvu que ces règlements ne soient pas contraires aux lois du Canada ou de la province, ni incompatibles avec quelque disposition spéciale de la présente loi ou de la charte (article 424, § 1).

Ce qui distingue vraiment les deux textes législatifs québécois de la loi ontarienne, c'est la question de la langue. Alors que le législateur ontarien n'en fait aucune mention, elle est l'objet de dispositions détaillées dans le cas du Québec. Il en est question dans au moins huit articles du Code municipal. L'article 15 précise qu'en cas de conflit entre les textes français et anglais du Code, « le texte le plus compatible avec les dispositions des lois existantes doit prévaloir. » L'article 127 autorise l'usage des deux langues aux réunions du conseil. À l'article suivant, on lit que l'utilisation du français ou de l'anglais est obligatoire pour tous les documents remis ou déposés au bureau de la municipalité. L'article 129 stipule qu'en règle générale, tous les avis publics doivent être publiés dans les deux langues, et l'article 339 que « tout avis spécial doit être ... donné dans la langue de la personne à laquelle il est adressé. » Si le destinataire ne parle ni l'anglais ni le français, on peut donner avis dans l'une ou l'autre langue.

L'article 130 prévoit des exceptions à l'article 129. Le ministre des Affaires municipales a le droit d'exempter une municipalité de l'obligation de publier dans les deux langues. À défaut de cette exemption, révocable par le ministre, seuls les règlements publiés en français et en anglais sont valides. Ainsi, en règle générale, toutes les municipalités régies par le Code sont bilingues, sauf si le ministre, après étude d'un cas particulier, en décide autrement — en tenant compte vraisemblablement de la composition linguistique de la population. Parmi les quatre municipalités de la zone métropolitaine d'Ottawa soumises au Code, seule Lucerne semble avoir été autorisée à publier ses règlements dans une seule langue — l'anglais —, mais en pratique, elle les publie également en français[18].

Si on les compare à celles du Code, les dispositions relatives à la langue sont assez différentes dans la Loi des cités et villes. On n'y fait pas mention, par exemple, de la langue à utiliser aux réunions du conseil. En outre, aucun article n'autorise le ministre des Affaires municipales à exempter une municipalité des dispositions de la loi concernant la langue. Les avis publics doivent, comme dans le cas des municipalités soumises au Code, être publiés en anglais et en français (art. 362). Si, au lieu d'afficher un avis public, on le publie dans les journaux, il doit paraître dans un journal français et dans un journal anglais diffusés dans la municipalité (art. 373). Les actes, arrêtés ou délibérations d'un conseil dont la loi ou le conseil exige la publication, ainsi que les règlements, sont soumis aux dispositions de l'article 362. Les cours municipales visées par la loi relèvent de l'article 133 de l'A. A. N. B.

Dans les trois lois organiques régissant les municipalités, certaines formules telles que les bulletins de vote font l'objet de prescriptions. Les deux lois du Québec en donnent la version anglaise et la version française, tandis que dans le Municipal Act, elles ne figurent qu'en anglais. La question se pose en Ontario de savoir si l'emploi du français seul ou en plus de l'anglais rendrait une formule non valide. On trouve un problème analogue dans le cas des panneaux de signalisation routière placés par les municipalités : on se demande encore, du moins dans l'administration de la ville d'Ottawa, si l'emploi du français en plus de l'anglais sur les panonceaux est maintenant légalement acceptable en Ontario (voir l'appendice C).

Par ailleurs, un juriste exprime l'avis suivant :
« There does not appear to exist any legal impediment to any municipality anywhere in Canada, no matter how small its linguistic minority, which desires to use a minority language in the conduct of its affairs[19]. »

C'est dire qu'une municipalité ontarienne, Ottawa par exemple, pourrait légalement offrir un service bilingue et que, s'il est vrai que la province peut imposer le bilinguisme à une municipalité, son silence sur cette question n'empêche pas une municipalité d'agir de sa propre initiative.

Les chartes municipales

On peut aussi insérer des clauses relatives à la langue dans la charte d'une municipalité. Une charte est un acte d'une assemblée législative, accordant à une ville certains pouvoirs qui remplacent ceux que prévoient les lois organiques, telle la Loi des cités et villes, dans la mesure où les pouvoirs coïncident avec les champs de compétence visés par la loi organique. Lorsque la charte est muette sur une question, c'est la loi organique qui s'applique.

Hull est la seule municipalité de la zone métropolitaine d'Ottawa dont la charte contient des dispositions expresses relatives à la langue. Accordée en 1893, la charte de Hull mentionne en plusieurs endroits les langues anglaise et française. Certaines dispositions ont été modifiées depuis, et les articles cités ci-dessous tiennent compte des modifications apportées jusqu'en 1965.

À Hull, les règlements peuvent être traduits en anglais, sur décision du conseil, mais en cas de conflit entre les deux versions, c'est le texte français qui fait foi (art. 72). La traduction des règlements en anglais était obligatoire jusqu'à la modification de cet article, il y a une dizaine d'années[20]. Un règlement entre en vigueur après publication dans un journal, en français et en anglais, et cet avis doit indiquer la nature et l'objet de ce règlement.

Les avis publics sont donnés au moyen d'une annonce, en français et en anglais, insérée au moins deux fois dans un journal publié dans un rayon de 25 milles de la ville (art. 401). À l'origine, il n'était pas fait mention de la langue dans cet article[21]. La publication des actes, arrêtés et délibérations du conseil doit se faire conformément à l'article 401 (art. 67). Dans trois autres articles portant sur la construction des routes, l'approvisionnement en eau et la perception des taxes municipales, on exige aussi la publication d'avis publics (art. 67, 311 et 442b).

L'article 21 stipule que l'avis concernant les élections municipales doit être publié en anglais et en français. Aux termes des articles 151d et 349, la municipalité doit publier dans la *Gazette officielle du Québec,* en français et en anglais, les avis concernant ses routes et la vente d'immeubles pour défaut de paiement des taxes.

D'une façon générale, les dispositions de la charte relatives à la langue rappellent celles de la Loi des cités et villes, mais elles peuvent aussi en différer, notamment en ce qui concerne la publication des règlements. Les chartes municipales permettent d'adapter les lois organiques aux besoins particuliers d'une région, et leur rôle à cet égard méritait d'être signalé.

Autres formes d'influence provinciale

Outre les lois organiques et chartes municipales, les provinces disposent de nombreux autres moyens, officiels ou non, d'exercer leur influence sur les municipalités. Nous en mentionnerons quelques-uns, brièvement toutefois, car leurs conséquences d'ordre linguistique sont moins évidentes que dans le cas des contrôles provinciaux étudiés précédemment.

Les provinces peuvent adopter des lois d'un caractère spécial. À titre d'exemple, la loi concernant la ville d'Ottawa, votée en 1952, porte sur des questions particulières à Ottawa que la ville ne pouvait régler sans une loi provinciale. Il s'agissait de problèmes soulevés par les décisions de l'Ontario Municipal Board : droit de réglementer la construction domiciliaire, la caisse de retraite des pompiers d'Ottawa, aspect extérieur de certains édifices; ces questions donnent un bon aperçu des points de détail qui sont soumis en première instance à l'autorité provinciale.

Beaucoup de règlements municipaux n'entrent en vigueur qu'après avoir reçu l'approbation du gouvernement provincial. En Ontario, par exemple, les règlements relatifs à l'hygiène publique et à la circulation doivent être soumis respectivement aux ministères de la Santé et de la Voirie. Cette province surveille aussi avec soin les finances municipales, au moyen de vérifications comptables, inspections et restrictions sur les emprunts. Le ministre des Affaires municipales peut, s'il le juge nécessaire, demander la création d'une commission d'enquête sur la situation financière des municipalités.

L'influence de la province peut aussi revêtir une forme moins officielle. La persuasion, les conseils, l'aide, les programmes de formation des employés municipaux, des services tels que le laboratoire de criminologie de la Sûreté provinciale de l'Ontario, toutes ces interventions font partie des relations entre le gouvernement et les municipalités.

De tous les contrôles exercés par le gouvernement provincial, le pouvoir de reviser toute la structure de l'administration locale dans une région donnée est probablement le plus fondamental. En Ontario, les problèmes créés par une urbanisation croissante et des institutions municipales dépassées ont amené le gouvernement provincial à examiner la situation dans plusieurs régions, y compris celles d'Ottawa, de Kitchener-Waterloo et de Port Arthur-Fort William. Dans le cas d'Ottawa, le gouvernement a chargé une commission (la commission Jones) d'enquêter sur l'administration locale d'Ottawa, d'Eastview et du comté de Carleton. Le rapport de la commission, publié en juin 1965, a été suivi, en février 1967, d'une proposition préliminaire du gouvernement provincial visant à établir un régime d'administration régionale dont la circonscription embrasserait *grosso modo* le secteur ontarien de la région de la capitale nationale. Ce projet prévoit le transfert de certains pouvoirs municipaux, actuellement exercés en propre par la ville d'Ottawa et seize autres municipalités ontariennes, à un « grand conseil » dont relèverait tout le secteur ontarien.

Pour résumer, disons que les municipalités ontariennes ne sont pas légalement tenues d'employer les deux langues mais aucune disposition officielle ne les empêche de le faire. De son côté, la législation québécoise contient des dispositions expresses quant à l'utilisation de la langue, et celles-ci portent sur un grand nombre de situations et d'activités municipales. Il semble qu'elles constituent aussi un minimum exigé par la loi, les municipalités ayant la faculté de faire davantage, si elles le jugent à propos.

Lorsqu'on envisage les affaires provinciales-municipales d'une façon plus générale, on constate qu'il existe des rapports complexes entre les deux échelons administratifs. Ceux-ci forment une association et, s'il ne fait pas de doute qu'il y a un associé principal, on aurait tort de voir en eux un maître et un serviteur. Pour des raisons de souplesse et d'efficacité, la municipalité remplit des fonctions nécessaires, indispensables même, dont la province ne pourrait aisément se charger à elle seule. Bref, si l'on ne peut concevoir, dans la présente répartition des pouvoirs au Canada, une municipalité hors du cadre provincial (ou, dans le cas du Yukon et des Territoires du Nord-Ouest, hors du cadre de l'administration territoriale), il est tout aussi difficile d'imaginer qu'une province aussi étendue que l'Ontario ou le Québec puisse s'administrer sans l'aide des autorités municipales. Elles sont interdépendantes et se complètent. Dans les deux chapitres suivants nous étudierons plus en détail la façon dont les municipalités de la région d'Ottawa fonctionnent dans le cadre que leur fournissent l'Ontario et le Québec.

D. Résumé

Les gouvernements de l'Ontario et du Québec exercent une influence très étendue dans la région de la capitale fédérale. Les écoles, les services administratifs qui jouent un si grand rôle dans la vie quotidienne d'un citoyen, les tribunaux devant lesquels il doit se présenter, tout porte la marque de l'une ou l'autre. Pour le citoyen, province est synonyme d'impôts, de lois, de règlements gênants; mais il doit admettre que, parfois, c'est aussi une source précieuse de services et de conseils.

On peut aborder la question sous un autre angle et se demander comment, de Toronto et de Québec, l'administration provinciale voit les habitants de la capitale fédérale. Il semble qu'elle les considère et les traite de la même façon que les millions d'autres Ontariens ou d'autres Québécois. Que la région soit le siège du gouvernement fédéral n'a pas eu d'effet perceptible sur le comportement des provinces. Dans une certaine mesure, la dualité linguistique de la région a nécessité des décisions administratives d'un caractère particulier, mais ces mesures ont été limitées, guidées par des considérations d'ordre pratique, notamment en Ontario. Au cours du premier siècle de la Confédération, aucune des deux provinces n'a apparemment envisagé sérieusement les besoins culturels et linguistiques particuliers à la région d'Ottawa en fonction de son rôle de capitale du Canada.

Chapitre III   **L'administration municipale d'Ottawa**

A. Introduction

Dans ce chapitre et le suivant, nous nous intéressons à deux questions principales : d'abord, l'emploi des langues dans les administrations municipales de la zone métropolitaine d'Ottawa – en particulier la langue de communication avec le public –, ensuite, la composition du personnel administratif et sa connaissance des langues. Cette deuxième question nous intéresse avant tout parce qu'elle procède de la première. En effet, si on adopte pour principe de servir le public en anglais et en français, il va de soi que le personnel administratif doit être en mesure de le faire. Cette considération en entraîne d'autres. Pour fournir des services dans les deux langues, une municipalité doit recruter en nombre suffisant du personnel bilingue, et l'affecter judicieusement à des postes comportant des rapports avec le public; de plus, afin d'attirer et de garder des personnes bilingues compétentes, elle doit leur offrir toutes les possibilités d'avancement, sinon elle s'expose à donner un service de qualité très inégale dans l'une ou l'autre langue. Nous mentionnons ces incidences uniquement pour montrer la complexité des problèmes d'administration publique que soulève automatiquement la question de services municipaux effectivement bilingues. Nous étudierons séparément chacune des principales municipalités, car elles ont des structures complexes et différentes. Nous commencerons par Ottawa, à laquelle nous consacrons tout ce chapitre. L'importance de cette ville suffirait à justifier notre choix. Mais nous avons également tenu compte de ce que cette ville représente pour le Canada. Pour beaucoup en effet, « ville d'Ottawa » et « capitale du Canada » semblent être des termes synonymes. En outre, au cours de notre étude sur Ottawa, nous nous sommes trouvés en face d'attitudes qui différaient nettement de celles que notre enquête a révélées dans les autres municipalités de la région. Pour recueillir les données nécessaires à notre étude, nous avons utilisé différentes méthodes de recherche; dans certains cas, les difficultés auxquelles nous nous sommes heurtés ne nous ont pas permis d'en tirer tout ce que nous espérions. Pour bien comprendre la description que nous allons faire de l'administration d'Ottawa, il semble essentiel d'énumérer et d'analyser ces différentes méthodes, de façon à en préciser la validité et les limites.

Interviews et dossiers du personnel

Lorsque, en février 1965, la Commission sollicita officiellement le concours des trois municipalités centrales – Ottawa, Hull et Eastview[1] –, on prévoyait que l'analyse des dossiers du personnel, complétée par des interviews avec certains employés municipaux, fournirait assez de renseignements sur l'emploi des langues et la composition de ces trois administrations. Cette supposition se trouva amplement justifiée dans le cas de Hull et d'Eastview, mais lorsque vint le moment d'étudier l'administration d'Ottawa selon les mêmes méthodes, la demande d'autorisation se heurta à de nombreux obstacles. Bien que le maire ait d'abord donné son assentiment verbal au projet de recherche, les deux hauts fonctionnaires auxquels il soumit l'affaire exigèrent une autorisation officielle du Bureau des commissaires avant d'aller plus avant. Le 8 mars 1965, l'équipe de recherche envoya donc au greffier de la ville, à sa demande, une brève description du projet d'étude. Ce projet fut débattu par le Bureau des commissaires le 9 mars, sa légalité mise en doute à la Commission ontarienne des droits de l'homme, puis il fut soumis au Conseil municipal, renvoyé au Bureau des commissaires (qui demanda alors à la Commission un « rapport complet et détaillé » sur l'étude); il fut alors renvoyé au Conseil avec une recommandation restrictive du Bureau, approuvé par le Conseil dans sa forme originale, le 5 avril, immédiatement contesté au Conseil par un membre du Bureau des commissaires, qui exigea un nouvel examen, puis finalement autorisé par le Conseil à sa réunion du 20 avril, soit sept semaines après la demande initiale (voir les documents reproduits à l'appendice D).

Dans la forme adoptée par le Conseil, l'autorisation permettait au personnel de la Commission de s'entretenir avec le greffier, le directeur du personnel et tous les conseillers et employés qui accepteraient d'être interrogés. Il n'était fait aucune mention explicite de la demande d'accès aux dossiers du personnel. Il devint vite évident que la Commission n'aurait accès à aucun dossier du personnel. Malgré l'autorisation générale du Conseil et l'assurance que les renseignements confidentiels seraient traités comme tels par la Commission, le directeur du personnel de la municipalité prétendit que l'autorisation de consulter ses dossiers constituerait une violation de ses obligations professionnelles[2].

Listes sélectives des salariés

Par suite de cette attitude, l'équipe de recherche s'est trouvée placée devant la perspective de procéder à une étude sans une documentation solide et à jour. Pour contourner cette difficulté, on a dressé pour tous les employés municipaux salariés des listes à partir de listes du personnel fournies par la ville. Ces listes, que rempliraient les services municipaux, devaient fournir des renseignements élémentaires sur la langue maternelle de chaque employé, sa connaissance de l'anglais, du français et d'autres langues, son genre de travail et la fréquence de ses rapports avec le public. Les listes ne devaient comprendre que les noms des employés recevant un salaire fixe; on a estimé, en effet, que ce groupe comptait environ 1 000 employés, ou 25 % de l'ensemble du personnel, évalué à 3 700, à l'emploi de la ville d'Ottawa.

Au cours de l'été de 1965, on a travaillé à partir de ces listes et par interviews. Mais on s'est peu à peu rendu compte que ces deux méthodes soulevaient certaines difficultés; les résultats obtenus, même en combinant les deux sources d'information, étaient certes utiles comme points de départ, mais nettement insuffisants. Si la majorité des services municipaux fournissaient tous les renseignements demandés, par contre quelques-uns renvoyaient des listes incomplètes ou remplies sans soin; en outre, la formulation d'une question se révéla ambiguë, et les chefs de deux services importants même s'ils ne comptaient pas un personnel très nombreux – ceux du greffier municipal et du secrétaire du Bureau des commissaires – refusèrent de communiquer le moindre renseignement sur leurs employés. Ces lacunes nous empêchaient de nous faire une idée précise de la situation. Par ailleurs, avec les listes on voulait avant tout savoir dans quelle mesure la municipalité était apte à servir le public en anglais et en français. En conséquence, la plupart des données recueillies concernaient la fréquence des rapports avec le public et les langues connues des employés. On n'a pas cherché, à l'aide de ces listes, à déterminer quelle était la demande actuelle de services bilingues, l'attitude des employés ou la langue de travail de l'administration, car on pensait traiter ces questions au cours des interviews.

Or, les interviews avec 29 hauts fonctionnaires municipaux n'avaient donné jusque-là que des résultats sans grande valeur documentaire et viciés par les contradictions. Peut-être le débat prolongé et parfois acrimonieux qui a précédé l'autorisation d'entreprendre l'étude a-t-il créé une atmosphère de méfiance et peu propre à favoriser une franche discussion. Quoi qu'il en soit, il y avait des divergences marquées dans les réponses – surtout entre celles des anglophones et celles des francophones –, notamment dans le cas de questions fondamentales, comme par exemple lorsqu'on demandait si la municipalité offrait au public un service satisfaisant en français ou si les employés francophones de l'Hôtel de ville avaient les même possibilités d'avancement que leurs collègues anglophones. Sur les 30 hauts fonctionnaires approchés durant cette première phase, un seul refusa de se prêter à une interview.

Questionnaire écrit

Les premières techniques s'étant révélées insuffisantes, la Commission décida à l'automne de 1965 d'utiliser un questionnaire détaillé, pour tenter de recueillir des renseignements plus précis. Grâce à cette méthode, l'équipe de recherche espérait obtenir un tableau plus exact et plus fidèle de l'administration municipale sous tous les aspects qui intéressaient la Commission, y compris les langues connues des employés, la politique et la pratique en matière de langue, la demande de services en anglais, en français et en d'autres langues, la représentation municipale, le régime d'avancement, la rémunération, le degré d'instruction et finalement l'attitude des employés à l'égard de la question des langues[3].

Au cours de l'hiver 1965-1966, nous avons rédigé et éprouvé le questionnaire, réuni le personnel spécialisé chargé de l'utiliser et fait approuver le texte définitif par les associations d'employés municipaux. Durant les derniers stades, une liaison étroite fut maintenue avec le directeur du personnel de la municipalité, et sur la recommandation de ce dernier, plusieurs changements furent même apportés au questionnaire. Il en approuva la version définitive, mais jugea qu'il ne pouvait autoriser personnellement son utilisation.

Le 25 avril 1966, la Commission écrivit donc de nouveau au Bureau des commissaires pour lui soumettre le texte du questionnaire et lui demander l'autorisation de l'utiliser le 10 mai. Six semaines passèrent sans réponse. Finalement, à la suite d'une autre lettre de la Commission, le Bureau répondit le 9 juin, refusant l'autorisation. C'est le seul cas au cours des 35 grandes enquêtes du programme de recherche de la Commission, où l'on ait refusé l'autorisation d'utiliser un questionnaire.

Le rejet du questionnaire portait un dur coup à l'équipe de recherche qui dut alors examiner s'il existait des solutions de rechange. Le 29 juin, la Commission proposa au Bureau des commissaires une rencontre pour discuter d'autres méthodes de recherche; elle suggéra, entre autres, la possibilité de faire, à l'aide d'un ordinateur, une compilation des renseignements dont pouvait disposer le Service du personnel. Le 18 juillet, le Bureau rejeta cette idée, écartant même la possibilité d'une rencontre pour examiner d'autres méthodes de recherche, tant qu'on ne lui aurait pas donné de précisions. On s'efforça alors de rendre l'étude plus précise en choisissant un échantillon plus important d'employés municipaux, mais il fallut bientôt renoncer en raison de la forte proportion des refus essuyés.

Specimens d'imprimés

Entre-temps et avant qu'on aboutisse à cette impasse, l'équipe de recherche avait demandé à 18 chefs de services municipaux de lui faire parvenir un spécimen de tous les imprimés normalement utilisés à l'intérieur de l'administration et dans les rapports avec le public. On pensait ainsi avoir un aperçu de la langue ou des langues des imprimés administratifs. Huit services répondirent, mais le directeur de l'un d'eux téléphona le lendemain pour demander qu'on lui retourne son envoi sans l'ouvrir. Dix ne répondirent pas. Dans ce cas encore, la documentation recueillie apporta des précisions sur les usages dans certains services, mais sans donner une idée nette de l'ensemble de la situation.

Enquête par téléphone

Étant donné qu'à ce stade de l'étude, on disposait de peu de données précises sur les communications orales, on décida d'approfondir cette question en procédant à une enquête par téléphone consistant à poser à différents services, en français, une série de questions semblables aux demandes de renseignements que la municipalité reçoit couramment[4]. L'aptitude des fonctionnaires municipaux à répondre en anglais n'ayant jamais été mise en doute, l'objectif était de vérifier si le public francophone pouvait obtenir les mêmes services dans sa langue et la qualité de la langue employée. Pendant quatre mois environ, plusieurs membres du personnel de la Commission téléphonèrent, au total 50 fois, à l'administration municipale, en utilisant le français[5]. L'échantillonnage était certes limité, mais les questions, soigneusement choisies, s'adressaient à un large éventail de services et organismes municipaux ayant affaire au public et, en pratique, chaque service fut touché au moins une fois.

Malgré ses limites indéniables, cette enquête par téléphone apporta des renseignements utiles et donna un aperçu général de la compétence des employés municipaux en matière de langue et de leur attitude. L'échantillonnage était trop restreint pour permettre de se faire une idée exacte d'un service donné, mais le tableau d'ensemble est probablement assez proche de la réalité.

Données du recensement de 1961

Enfin, la Commission s'était entendue, au début de son programme de recherche, avec le Bureau fédéral de la statistique en vue d'obtenir certains tableaux établis à partir du recensement de 1961. Les groupes choisis pour un examen attentif comprenaient les fonctionnaires du gouvernement fédéral et des gouvernements provinciaux, ainsi que les employés de certaines municipalités. Ainsi, pour la totalité des employés municipaux demeurant à Ottawa et à Hull en 1961, l'équipe de recherche disposait de tableaux portant sur l'origine ethnique, la langue maternelle, la langue officielle, l'âge, le sexe, le degré d'instruction, le revenu, le genre de travail et autres particularités. Même si ces chiffres dataient de 1961, ils prenaient une importance accrue du fait qu'il avait été impossible d'obtenir directement de la municipalité d'Ottawa des renseignements plus à jour[6].

Dans le cas de Hull, les chiffres se révélèrent moins utiles, surtout parce que le très fort pourcentage d'employés d'origine française (96,5 %) et le nombre très restreint de ceux qui déclarèrent l'anglais comme langue maternelle, rendaient douteuse la validité des comparaisons entre les deux groupes.

Au total, notre recherche est passée par sept phases différentes avant d'arriver à donner de l'administration municipale d'Ottawa le tableau d'ensemble qui suit. Toutes nos formes d'approche, pratiquement, ont révélé certaines limites et imperfections à mesure que l'étude progressait. Le personnel de recherche s'est montré aussi minutieux et ingénieux que possible avec les moyens à sa disposition, mais il ne fait aucun doute qu'on aurait pu brosser un tableau plus détaillé et peut-être plus convaincant si la Commission avait bénéficié d'une plus grande collaboration de la part du Bureau des commissaires et des hauts fonctionnaires de la municipalité. À vrai dire, cette partie de l'étude est la seule qui ait provoqué une forte opposition à l'idée même d'un examen de la situation linguistique dans la capitale. Néanmoins, les renseignements obtenus se recoupent et nous estimons que notre exposé sur la ville d'Ottawa est foncièrement exact, même s'il est incomplet dans le détail.

B. La langue de communication avec le public

Comme on doit s'y attendre dans une ville où 7 personnes sur 10 ont l'anglais pour langue maternelle, la majeure partie des rapports entre le public et la municipalité se font en anglais. On peut considérer qu'il s'agit là d'une règle établie ; au sens strict, l'anglais est aussi la langue de travail à l'intérieur des services municipaux. Dans la présente section, nous nous appliquerons donc à déterminer dans quelle mesure le public peut également se faire servir en français. Étant donné que notre champ d'étude est assez vaste, on établira une distinction entre la langue parlée, qui est celle des contacts directs entre personnes, et la langue écrite, qui fait entrer dans le processus de communication un élément intermédiaire : lettre, formule, circulaire ou autre imprimé. Notons tout de suite que l'emploi des langues varie considérablement d'un service à l'autre. Nous allons en présenter une image d'ensemble. Le lecteur trouvera à l'appendice E un exposé détaillé sur la situation dans certains services qui offrent un grand intérêt en raison de la fréquence de leurs rapports avec le public.

D'après les chefs de service interviewés, le pourcentage des affaires municipales traitées en français est très faible. Sur les 29 personnes interrogées, six seulement ont déclaré que plus de 15 % de leurs rapports avec le public se faisaient en français. À première vue, si l'on tient compte de l'importance proportionnelle de la communauté francophone d'Ottawa, ce fait étonne quelque peu ; c'est que la demande de services en français est relativement faible, comme l'ont confirmé les témoignages.

Communications orales

Les communications orales entre les employés municipaux et le public s'établissent soit par des contacts directs, mettant les personnes en présence l'une de l'autre, soit par téléphone. Malheureusement, nous possédons peu de données précises sur les contacts directs ; c'est un des points que devait élucider le questionnaire refusé par le Bureau des commissaires. Il existe par contre plus d'informations précises sur les contacts par téléphone.

On pourrait peut-être mentionner d'abord que la liste des services municipaux ne figure qu'en anglais[7] dans les annuaires téléphoniques de 1965, 1966 et 1967, sous la rubrique « City Hall Corp. of Ottawa ». Il semble donc qu'au départ, une connaissance minimale de l'anglais soit nécessaire pour communiquer par téléphone avec la municipalité.

En second lieu, sur les 29 cadres supérieurs interrogés, 26 ont répondu que la standardiste n'identifiait leur service qu'en anglais ; un a déclaré qu'on le faisait parfois en anglais et en français, et deux autres n'ont pas donné de réponse.

L'enquête par téléphone a donné des résultats sensiblement analogues. Sur 50 appels téléphoniques, 47, y compris ceux qui passèrent par le standard central, reçurent une première réponse en anglais seulement. Dans un cas, l'enquêteur n'a pas indiqué la langue de la réponse ; dans un autre, celle-ci n'a pu être identifiée ; dans la troisième, la salutation était en français. On n'a rapporté aucune réponse bilingue. Ainsi, aux deux stades qui précèdent la communication proprement dite — la recherche du service voulu dans l'annuaire du téléphone et la première réponse de la municipalité —, l'anglais est employé presque exclusivement.

Dès que la communication est établie, l'emploi du français augmente considérablement, moins toutefois que les interviews ne l'auraient laissé croire. Parmi les 29 fonctionnaires interrogés, 26 avaient répondu que leurs téléphonistes étaient bilingues ou que les appels en français étaient transmis à des employés bilingues. Sur les trois autres, deux n'avaient pas donné de réponse et un seulement avait déclaré que la téléphoniste de son service demandait à la personne qui téléphonait de parler anglais. Étant donné que les services de deux de ces fonctionnaires n'étaient pas compris dans l'enquête par téléphone et que le service du troisième n'a été appelé qu'une seule fois, il est clair que les réponses aux interviews présentent une situation nettement plus favorable que les résultats obtenus en pratique au cours de l'enquête téléphonique entreprise un an plus tard.

Le tableau n° 3.1 donne les résultats d'ensemble de cette enquête. Il est nécessaire de préciser plusieurs points concernant ce tableau. Dans 34 appels (soit 68 % des cas), on a pu obtenir des réponses en français avec plus ou moins de facilité. Cependant, ce pourcentage aurait été nettement plus faible si on s'en était tenu strictement à l'hypothèse de départ, à savoir que les enquêteurs étaient des francophones unilingues ne parlant pas du tout l'anglais. Étant donné que les téléphonistes du standard central de la municipalité ne parlaient que l'anglais, les enquêteurs ont dû, en sept occasions, employer quelques mots d'anglais avant d'atteindre les services ainsi abrités derrière un « rideau protecteur ». Si on avait tenu compte de ce fait, la proportion des appels où il a été possible d'obtenir une certaine forme de service en français n'aurait atteint que 54 % au lieu de 68 %.

TABLEAU 3.1 Rapidité du service fourni en français par la ville d'Ottawa, en 1966.

Total	100 (n = 50)
Service immédiat	20
Brève attente	22
Obligation d'insister	16
Longue attente ou difficultés de compréhension	10
Aucun service	32

Source : Enquête téléphonique.

Bien qu'on ait pu établir la communication en français dans environ les deux tiers des cas, il faut faire de grandes réserves sur la qualité du service donné. Si, pour un citoyen, avoir un service satisfaisant en français consiste à obtenir un service aussi bon qu'en anglais, sans attente indue, seuls les appels des deux premières catégories du tableau répondent à la norme, c'est-à-dire que le service en français pouvait être jugé satisfaisant dans 42 % des appels seulement.

Dans 26 % des appels, soit 13 sur 50, la qualité du service en français était nettement inférieure à celle qu'aurait obtenue un anglophone. Dans certains cas, l'employé tentait de persuader l'enquêteur de parler anglais, ce qui occasionnait une perte de temps; dans d'autres, le renseignement était fourni par bribes parce que l'employé ne pouvait s'exprimer avec facilité en français; dans quelques cas, il a fallu attendre jusqu'à cinq minutes parce qu'il n'y avait pas d'employé parlant français à proximité de l'appareil.

Malgré le manque de renseignements en français dans l'annuaire téléphonique et l'unilinguisme des standardistes, il faut reconnaître qu'à partir du moment où la communication est établie avec le service compétent, l'administration municipale est sans doute mieux en mesure que ne le croit le public, de fournir un service téléphonique satisfaisant en français. Par contre, dans environ 60 % des cas, l'équipe de recherche n'a pu obtenir, en français, le même service qu'en anglais. À cela s'ajoute un autre facteur. On a utilisé pour l'enquête par téléphone des questions simples, directes, comme celles auxquelles peuvent répondre la plupart des employés d'un service. On peut se demander si les résultats auraient été les mêmes avec des questions d'un caractère plus complexe ou d'ordre technique.

Communications écrites

Pour présenter les données avec le plus de précision possible, on les a groupées en trois catégories : correspondance, renseignements communiqués par les organes d'information et formules officielles. La correspondance diffère nettement des deux autres modes de communication, en ce sens que l'administration y joue souvent un rôle passif du point de vue de la langue; c'est généralement le citoyen, et non la municipalité, qui établit le premier contact.

D'après les interviews, la proportion de la correspondance que la municipalité reçoit en français est très faible. Les réponses fournies par les 29 fonctionnaires interrogés se répartissent de la façon suivante : réception de lettres en français chaque jour ou presque : 4; une par semaine : 2; une par mois : 3; « très rarement » : 19; jamais : 1. En dépit de cette faible proportion, il semble que certains services municipaux soient raisonnablement en mesure de répondre au courrier reçu en français. Sur les 29 services, il y en a 11 — y compris deux des quatre recevant une lettre en français tous les jours — qui répondent en français. Sept services, dont l'un reçoit une lettre par jour et un autre, une par semaine, déclarent que les lettres sont traduites sur place, mais ne précisent pas si la réponse est adressée en français. Sept autres ne répondent pas à la question ou indiquent qu'ils agissent selon les circonstances. Enfin, quatre services, dont l'un reçoit chaque jour des lettres en français, répondent en anglais aux lettres reçues en français.

Pour les avis communiqués au public par l'intermédiaire des organes d'information, on procède habituellement de la manière suivante : ces avis sont rédigés au bureau du greffier municipal ou soumis à son approbation; ils sont en anglais. On les transmet ensuite à la presse, à la radio ou à la télévision, en laissant aux organes de langue française le soin d'en faire la traduction. En règle générale, les avis parviennent donc au public dans les deux langues, mais cela tient surtout à la présence à Ottawa d'organes d'information de langue française bien organisés plutôt qu'à l'attitude de la municipalité. Toutefois, les porte-parole de six services ont déclaré que la traduction était parfois faite par leur personnel.

Dans le cas des imprimés tels que formules officielles, avis et dépliants publicitaires, on peut entretenir des doutes sérieux sur le degré de bilinguisme de l'administration municipale. Quatorze services sur 29 ont déclaré qu'au moins 5 % de leurs rapports avec le public étaient en français. Sur ces 14, six seulement ont indiqué qu'ils employaient des formules bilingues ou imprimées dans chacune des deux langues. Dans sept autres services, il ne semble y avoir que des formules en anglais. Le dernier cas — la section des Taxes municipales (Tax and Water Revenu Branch[8]) du service de la Trésorerie — est assez intéressant. Au moment de l'interview, en 1965, ce service n'employait que des formules anglaises. Son représentant a toutefois déclaré que jusqu'en 1958, les relevés de compte étaient imprimés en anglais et en français, mais qu'on avait abandonné le français faute d'espace, la facturation par cartes IBM ne permettant pas l'emploi des deux langues. En juin 1966, le Conseil municipal a adopté une résolution rendant bilingues, à partir de 1967, les relevés de taxe foncière et de taxe d'eau. Cette résolution est maintenant appliquée : on utilise les mêmes cartes perforées que précédemment, mais le français y a trouvé place[9].

Sur les 15 autres services, 5 utilisent quelques formules bilingues ou, quand elles existent, des versions françaises. Ainsi, sur les 29 services, 12 au moins disposent d'un certain nombre de formules en anglais et en français, tandis que 17 n'emploient que des formules en anglais. Toutefois, dans le cas des 12 services qui déclarent employer un certain nombre de formules bilingues, il reste à savoir ce que représente « un certain nombre ». Dans la plupart des cas, la quantité des imprimés anglais semble nettement supérieure à celle des imprimés disponibles en français.

Les interviews ont donné l'impression que les imprimés destinés au public ne sont qu'occasionnellement rédigés dans les deux langues, et l'analyse des échantillons soumis par les services municipaux confirme cette impression première. Il semble bien que dans aucun service, la gamme des imprimés à la disposition du public soit aussi large pour un francophone que pour un anglophone.

Les dépliants publicitaires semblent plus souvent bilingues que les formules officielles et avis. Mais là encore, le français est loin d'occuper la même place que l'anglais. On en trouve un exemple au service de Prévention des incendies (the Fire Prevention Branch of the Fire Department), dont l'une des principales tâches est la diffusion de prospectus sur les mesures de sécurité contre le feu. C'est un des services municipaux où le bilinguisme est le plus à l'honneur; et pourtant, d'après la liste des publications qu'il a présentée, la variété des sujets traités en français est environ deux fois moins grande qu'en anglais.

Le plan touristique d'Ottawa caractérise assez bien la position relative des deux langues. Ce plan, qui est distribué gratuitement dans les kiosques d'accueil de l'Office du tourisme, porte un titre en anglais et en français, mais les renseignements y sont presque exclusivement en anglais.

L'administration municipale utilise d'autres imprimés que les siens. Au cours des interviews, plusieurs services ont indiqué qu'ils se servaient de documentation provenant du gouvernement provincial ou du gouvernement fédéral. La municipalité semble subir deux sortes d'influences assez peu marquées, mais que l'on peut néanmoins déceler : tandis qu'on ne signale qu'un seul imprimé en langue française émanant du gouvernement de l'Ontario, les publications des services fédéraux semblent en majorité bilingues. Dans au moins deux services municipaux, les seules formules bilingues mentionnées avaient été fournies par les autorités fédérales.

En résumé, le français et l'anglais ne sont sur le même pied que dans le cas des communiqués et nouvelles diffusés par les organes d'information, et encore grâce à la presse, la radio et la télévision de langue française. Dans tous les autres domaines de communication orale ou écrite, il semble impossible à un francophone d'obtenir dans sa langue la même gamme de services que son concitoyen anglophone.

Situation des langues autres que l'anglais et le français

Au début de notre étude, nous avons mentionné que l'anglais et le français occupaient, à cause du nombre d'anglophones et de francophones, une place prépondérante parmi les langues parlées à Ottawa (voir p. 8). Mais il existe d'autres langues, dont certaines assez couramment employées. Au cours des interviews, les fonctionnaires ont déclaré qu'il leur était arrivé d'avoir des contacts avec le public dans dix langues autres que l'anglais et le français. Par ordre de fréquence, ces langues se répartissaient ainsi : italien, 15 fois; allemand, 6 fois; grec, polonais, espagnol, ukrainien et slave (*sic*), 2 fois; arabe, russe et juif (*sic*), 1 fois.

Ces cas semblent assez rares; néanmoins, quatre services municipaux [10] ont précisé que leurs contacts avec ces autres groupes linguistiques, en particulier avec les membres de la communauté italienne, pouvaient représenter jusqu'à 15 % de leur travail. La plupart des services estiment apparemment que la manière de faire habituelle permet de répondre aux besoins de ces communautés, mais certains font vraiment beaucoup pour servir ces communautés dans leur langue. Les porte-parole de la Section des taxes municipales et de la Section d'urbanisme, de conservation et de logement (the Tax and Water Revenue Branch et the Urban Redevelopment, Conservation and Housing Branch) ont déclaré que leurs bureaux avaient spécialement engagé des employés de langue italienne pour répondre aux demandes dans cette langue.

Le Service d'hygiène, en réponse à notre demande de documentation, a fourni des exemplaires de formules rédigées en italien et en néerlandais (les formules en néerlandais, de même que l'un des trois imprimés en italien, provenaient de toute évidence d'un organisme fédéral). Le directeur de ce service précisait que quelques publications concernant les mesures d'hygiène dans les cuisines de restaurants étaient aussi rédigées en arabe, en cantonais et en grec; il ajoutait que son service avait fait imprimer « une assez grande quantité de documentation en hongrois » (produced quite an amount of material in Hungarian[11]) pour les personnes arrivées à Ottawa au lendemain du soulèvement hongrois de 1956. Dans un ordre d'idées légèrement différent, un fonctionnaire de l'Office du tourisme a mentionné qu'à l'occasion, son service avait retenu les services d'interprètes pour des groupes de touristes ne parlant ni l'anglais ni le français.

S'il est évident que les quatre services passés en revue s'efforcent de répondre aux besoins des autres groupes linguistiques, les renseignements recueillis ne nous permettent pas de faire état de cas semblables dans d'autres services; peut-être estiment-ils que la demande est trop faible pour justifier une telle politique.

La langue de travail

Il nous reste maintenant à parler de la langue de travail et de communication à l'intérieur de l'administration. Aucune de nos sources d'information n'a révélé l'existence de formules ou imprimés d'utilisation interne rédigés en français ou dans les deux langues. Cette constatation s'applique aussi bien aux services qu'aux rapports entre services, qu'ils soient dirigés par un francophone ou par un anglophone.

La position du français comme langue de travail semble aussi faible dans le secteur de la langue parlée que dans celui de la langue écrite. Dans 3 interviews seulement sur 29, le français a été cité comme langue de communication orale entre les employés municipaux. Dans les rapports entre fonctionnaires anglophones et francophones, il est d'usage que la personne de langue française parle anglais, et non que la personne de langue anglaise parle français. Sur la foi des renseignements limités dont nous disposons, force nous est de conclure que la langue de travail de l'administration municipale d'Ottawa est presque exclusivement l'anglais.

C. Les dispositions à l'égard des services fournis dans les deux langues

On ne peut donner une image fidèle de l'administration municipale d'Ottawa sans parler des attitudes observées au cours de notre enquête. L'étude qui suit s'inspire principalement, cela va de soi, des entrevues avec les directeurs des différents organismes et services municipaux. Ces cadres exercent sur l'orientation et les attitudes générales de l'administration une influence beaucoup plus grande que ne le laisserait supposer leur seule force numérique. Fait significatif, sur les 30 chefs de service que nous nous étions proposé d'interviewer, quatre seulement avaient le français pour langue maternelle. À vrai dire, et c'est sans doute ce qui nous a le plus frappés, les chefs de service francophones interviewés — et un ou deux de langue anglaise — ont eu des réactions fort différentes de celles que nous avons observées généralement.

Pour la plupart des anglophones, les services que la municipalité offre en français étaient dans l'ensemble satisfaisants, et très peu voyaient la nécessité d'y apporter des améliorations. Certains ont fait allusion — de façon voilée ou ouvertement — à l'activité passée de certains chefs de service [12] réputés antifrançais ou anticatholiques ou les deux, mais en ajoutant que c'était chose du passé.

Par contre, pour les francophones interviewés, appuyés par une petite minorité d'anglophones, la même situation laissait à désirer. Ce groupe s'accordait à dire que l'on avait fait des efforts isolés en faveur des francophones, mais que les services fournis étaient encore foncièrement insuffisants. À plusieurs reprises, on a laissé entendre qu'un citoyen francophone devait parler anglais pour obtenir un aussi bon service que son concitoyen anglophone.

Ce qu'il est essentiel de noter, c'est que les deux groupes ne conçoivent pas de la même façon un service « satisfaisant ». La plupart des chefs de service anglophones interviewés semblent considérer qu'ils font partie de l'administration d'une municipalité ontarienne à prédominance anglophone. Pour eux, il va de soi que les services doivent être fournis en anglais, les autres langues, y compris le français, ayant tout au plus un statut secondaire. Étant donné que les citoyens de langue française forment le groupe non anglophone le plus nombreux, on accorde au français une plus large place qu'à toute autre langue, hormis l'anglais. Si l'on considère le français comme langue de deuxième zone, sans statut officiel, on comprend facilement que, pour tant de hauts fonctionnaires, la proportion des services actuellement fournis en français soit satisfaisante, ou même généreuse.

Les chefs de service francophones et quelques-uns de leurs collègues anglophones semblent partir d'un critère tout à fait différent. Pour eux, le citoyen, dans ses rapports avec les autorités municipales, devrait pouvoir exercer un choix véritable entre l'anglais et le français. Dans cette perspective, les services en français décrits plus haut sont évidemment loin d'être satisfaisants.

Ces différences de perspective entre les deux groupes ne suffisent pas à expliquer complètement un autre aspect des attitudes observées. Dans plusieurs cas, tous relevés chez les anglophones, les interviewers se sont heurtés à une hostilité latente ou manifeste. Nous avons déjà mentionné qu'un chef de service avait tout simplement refusé de se prêter à une interview. Dans plusieurs autres cas, les interviewers ont eu l'impression très nette que les personnes interrogées étaient opposées à l'idée même d'une enquête. Parfois, on répondait presque avec agressivité, que *jusqu'ici* tel service n'avait connu aucun problème de bilinguisme; parfois même on a insinué que la Commission, en menant une enquête dans ce domaine, perdait son temps et soulevait même une tempête (stirring up a storm) à propos d'une situation dans son ensemble satisfaisante. En se comportant ainsi, certains dirigeants municipaux semblaient montrer qu'ils répugnaient à envisager tout changement d'ordre linguistique; c'était peut-être aussi reconnaître tacitement que tous ne considéraient pas la situation comme satisfaisante.

Pour savoir quelle place les cadres administratifs assignaient au bilinguisme, on a demandé aux 29 chefs de service s'ils estimaient important que certains de leurs employés soient bilingues; si oui, pourquoi, et, plus précisément, dans quelles catégories d'emploi la connaissance des deux langues leur paraissait importante. Pour trois d'entre eux, la présence d'employés bilingues n'avait manifestement qu'une importance négligeable. Trois autres la jugeaient utile, mais ne précisaient pas quels emplois devaient être confiés à des personnes bilingues. Les 23 autres estimaient important d'avoir un certain nombre d'employés bilingues dans leur service et indiquaient les catégories d'emploi où leur présence serait utile.

Les fonctions indiquées au cours des entrevues sont énumérées au tableau n° 3.2, par ordre de fréquence. On remarquera que quelques postes communs à toute l'administration sont mentionnés plusieurs fois; dans la majorité des cas, il s'agit d'emplois plutôt spécialisés, propres souvent à un ou deux services seulement. En outre, les chefs de service interrogés n'ont pas toujours déclaré que tous les employés de ces catégories devraient être bilingues; le plus souvent ils répondaient qu'il serait souhaitable d'avoir « certains » ou « quelques » employés bilingues dans telle catégorie.

Mais ce tableau fait encore ressortir des tendances qu'il convient de souligner. La fréquence avec laquelle les emplois de standardistes et des commis préposés aux relations avec le public ont été mentionnés laisse supposer que l'on est généralement conscient d'un besoin de personnel bilingue à ces postes. On ne peut en dire autant des catégories d'emplois exigeant une formation professionnelle : au total, ces emplois ont été mentionnés deux fois moins souvent que ceux de standardistes et de commis.

À un autre échelon, celui des cadres administratifs eux-mêmes, on semble attacher très peu d'importance à la présence ou à l'absence de personnel bilingue. Un seul chef de service estime que son poste devrait être occupé par une personne bilingue. Les autres pensent apparemment que la connaissance du français n'ajouterait rien à leur efficacité administrative.

TABLEAU 3.2 Postes à confier de préférence à des employés bilingues dans l'administration municipale d'Ottawa, d'après les chefs de service.

Postes	Nombre de mentions
Standardiste	8
Employé de bureau ayant affaire au public	7
Inspecteur	6
Contremaître (dans certains quartiers)	3
Employé chargé de préparer les programmes de loisirs	1
Employé chargé d'interviewer les candidats	1
Responsable de la formation du personnel d'hygiène	1
Personnel du service des aliments	1
Personnel infirmier	1
Enquêteur social	1
Travailleur social	1
Acheteur	1
Urbaniste	1
Ingénieur	1
Avocat	1
Chef de bureau	1

Source : Interviews des chefs de service.

En résumé, si environ 80 % des chefs de service interviewés attachent une certaine importance au bilinguisme dans l'administration municipale, les emplois qu'ils citent le plus souvent, tels ceux de standardistes et de commis de bureau, appartiennent aux catégories inférieures et peu rémunérées. Ces chefs de service semblent ne pas attacher beaucoup d'importance à la langue utilisée par les fonctionnaires à statut professionnel et ne font presque aucun cas du bilinguisme à l'échelon des cadres — celui où ils se situent. Comme on le verra au chapitre suivant, cette échelle d'appréciation ne correspond guère à la conception d'un service bilingue telle qu'on l'envisage à Hull et ailleurs.

D. *Composition du personnel et connaissance des langues*

La variété et la qualité des services qu'une institution peut fournir sont directement fonction de la compétence du personnel et une étude sur les services d'une municipalité serait incomplète si elle n'en tenait pas compte. Dans les pages qui suivent, nous nous intéressons aux fonctionnaires municipaux d'Ottawa, et essentiellement sous les deux aspects suivants : la composition et la structure du personnel en fonction des groupes linguistiques, l'incidence du bilinguisme sur l'administration et le rôle qu'y jouent les employés bilingues.

Faute de pouvoir utiliser les questionnaires, qui nous auraient procuré, en une seule fois, tous les renseignements nécessaires à notre étude, nous avons eu recours à diverses sources d'information, dont les trois suivantes :

1. Une liste du personnel à l'emploi de la municipalité d'Ottawa au printemps de 1965. Cette liste comprend les 3 742 personnes au service de la ville à cette époque et distingue les employés salariés des employés payés à l'heure. Les noms figurant sur cette liste ont permis d'établir de façon approximative l'origine ethnique du personnel administratif. On a également utilisé une liste distincte groupant les personnes d'un traitement annuel supérieur à $ 9 600.

2. Les listes sélectives préparées durant l'été de 1965. Ces listes ont été remplies pour quelque 900 employés recevant un traitement, ce qui représente le noyau administratif du personnel de l'Hôtel de ville. Elles ne comprennent pas les Services de police et d'incendie, ni le personnel employé directement par les services judiciaires, ni un petit groupe d'employés aux fonctions imprécises. On n'a pu obtenir aucun renseignement du bureau du greffier municipal ni du secrétariat du Bureau des commissaires; d'autres services ont fourni des renseignements incomplets ou n'ont pas répondu : au total, les réponses couvrent 90 % du groupe visé. Ces listes ne renseignent que sur quatre points : catégorie d'emploi, fréquence des rapports avec le public, langue maternelle et degré de connaissance du français.

3. Recensement de 1961. Le Bureau fédéral de la statistique nous a fourni des données du recensement pour tous les fonctionnaires municipaux demeurant à Ottawa (voir la note 6 à la page 282). Ces données, qui portent sur quelque 2 700 employés, concernent l'origine ethnique, la langue officielle, la langue maternelle, le degré d'instruction, l'occupation, l'âge, le sexe, le revenu et un certain nombre d'autres facteurs.

La répartition linguistique

Le tableau n° 3.3 compare la répartition des habitants et des fonctionnaires municipaux d'Ottawa en fonction de la langue maternelle. On remarquera que le groupe

TABLEAU 3.3 Répartition en nombre et en pourcentage, selon la langue maternelle, de la population et des employés municipaux d'Ottawa, en 1961.

Langue maternelle	Population		Employés municipaux	
	Nombre	%	Nombre	%
Total	268 206	100	2 676	100
Anglais	188 072	70,1	1 780	66,5
Français	56 882	21,2	791	29,6
Autre	23 252	8,7	105	3,9

Sources : Population : Recensement du Canada de 1961, catalogue 95-528.
         Employés : bande 2, tableau 1, p. 42.

de langue française occupe dans l'administration une place plus grande que dans la population de la ville. La représentation du groupe de langue anglaise est légèrement inférieure à son importance numérique, et celle du groupe d'autres langues, considérablement.

On ne possède pas de données plus récentes sur la répartition du personnel administratif d'après la langue maternelle. Une analyse des noms patronymiques permet toutefois d'établir la répartition par origine ethnique probable au printemps de 1965 : c'est ce que donne le tableau n° 3.4. Au même tableau figurent aussi les chiffres du recensement de 1961 concernant l'origine ethnique; on verra que les deux séries de pourcentages correspondent étroitement, même si l'analyse des noms comporte quelques cas douteux[13]. Ce faible écart de la répartition ethnique entre 1961 et 1965 dénote une grande stabilité linguistique, et on peut en déduire que les chiffres relatifs à la langue maternelle ont peu changé au cours de cette période.

TABLEAU 3.4 Répartition en pourcentage, selon l'origine ethnique, des employés municipaux d'Ottawa, en 1961 et 1965.

Origine ethnique	1961	1965
Total	100	100
Britanniques	54,7	54,1
Français	33,1	32,9
Autres	12,2	10,2
Cas douteux	–	2,8

Sources : 1961 : Bande 2, tableau 1, p. 42.
1965 : Analyse des noms figurant sur la liste du personnel de la ville d'Ottawa.

S'il est évident que la municipalité compte un pourcentage relativement élevé d'employés d'origine et de langue françaises, il est tout aussi important de noter que ces employés ne sont pas également répartis dans l'administration; au contraire, comme l'indique le tableau n° 3.5, ils sont très nettement groupés aux échelons inférieurs de la hiérarchie.

TABLEAU 3.5 Répartition en nombre et en pourcentage, selon l'origine ethnique, des employés municipaux d'Ottawa classés d'après diverses catégories de rémunération, en 1965.

Origine ethnique	Total		À l'heure		À traitement		À haut traitement	
	Nombre	%	Nombre	%	Nombre	%	Nombre	%
Total	3 742	100	1 702	100	1 991	100	49	100
Britanniques	2 024	54,1	745	43,8	1 244	62,5	38	77,6
Français	1 232	32,9	787	46,2	441	22,1	4	8,2
Autres	382	10,2	156	9,2	219	10,9	3	6,1
Cas douteux	104	2,8	14	0,8	87	4,4	4	8,2

Source : Analyse des noms figurant sur la liste du personnel de la ville d'Ottawa et des fonctionnaires municipaux recevant un traitement annuel de $ 9 600 et plus.

Lorsqu'on compare les deux principaux groupes ethniques, on fait la constatation suivante : les fonctionnaires d'origine britannique, qui représentent environ 55 % des effectifs, constituent moins de 45 % des ouvriers rémunérés à l'heure, plus de 60 % des employés recevant un traitement et plus de 75 % de ceux qui gagnent $ 9 600 ou plus par an. Par contre, les fonctionnaires d'origine française, bien qu'ils constituent presque le tiers du personnel municipal, comptent plus de 45 % des ouvriers payés à l'heure, 22 % des employés à traitement et moins de 10 % des employés les mieux rémunérés.

Les données du recensement permettent de préciser davantage la répartition des revenus. Les résultats, présentés au tableau n° 3.6, se comparent à ceux du tableau n° 3.5. Dans les catégories de revenu inférieur à $ 5 000, les employés d'origine britannique sont proportionnellement moins nombreux que les employés d'origine française; dans les catégories supérieures, c'est le contraire. Il est important de noter qu'en 1961, un employé d'origine britannique sur cinq gagnait $ 5 000 ou plus, tandis que seulement un sur dix d'origine française et un sur sept d'autre origine se classaient dans cette échelle de revenus.

TABLEAU 3.6 Répartition en pourcentage, selon l'échelle des salaires, des employés municipaux d'Ottawa classés d'après l'origine ethnique, en 1961.

Origine ethnique	Total		Salaires			
	Nombre	%	Moins de $ 3 000	$ 3 000 – 4 999	$ 5 000 – 9 999	$ 10 000 et plus
Total	2 677	100	24,8	59,0	15,1	1,1
Britanniques	1 465	100	21,9	57,7	19,0	1,4
Français	885	100	29,6	60,5	9,4	0,6
Autres	327	100	25,1	60,9	13,1	0,9

Source : Bande 2, tableau 9.

Le nombre disproportionné des employés d'origine britannique occupant les hauts postes apparaît de nouveau dans l'organigramme des services administratifs de la municipalité d'Ottawa où figurent les noms de 76 personnes gagnant $ 6 500 ou plus. Ce groupe, qui comprend les chefs de service, représente assez bien l'élite administrative de la municipalité; il comprend sans aucun doute les cadres supérieurs de qui émanent les directives. Comme l'indique le tableau n° 3.7, la composition de ce groupe en fonction de l'origine ethnique apporte une autre preuve de la prédominance des fonctionnaires d'origine britannique aux niveaux où se prennent les décisions. La répartition des 18 chefs de service inscrits sur l'organigramme en 1965 se compare à celle des hauts fonctionnaires pris dans leur ensemble. Depuis décembre 1967, les trois chefs de service d'origine non britannique ont pris leur retraite ou démissionné; ainsi, la ville d'Ottawa ne compterait plus aucun chef de service ayant comme langue maternelle le français ou une langue autre que l'anglais.

TABLEAU 3.7 Répartition en nombre et en pourcentage, selon l'origine ethnique, des employés municipaux d'Ottawa figurant sur l'organigramme et gagnant $ 6 500 et plus, en 1965.

Origine ethnique	Échelons supérieurs		Chefs de service seulement	
	Nombre	%	Nombre	%
Total	76	100	18	100
Britanniques	63	82,9	14	77,7
Français	8	10,5	2	11,1
Autres	2	2,6	1	5,6
Cas douteux	3	3,9	1	5,6

Source : Analyse des noms figurant sur l'organigramme de la ville d'Ottawa.

La concentration des employés d'origine britannique au sommet de la hiérachie et des employés d'origine française aux échelons inférieurs est encore mise en évidence par la répartition du personnel municipal en fonction des catégories d'emploi. Le tableau n° 3.8 donne cette répartition d'après le recensement de 1961.

TABLEAU 3.8 Répartition en pourcentage, selon les catégories d'emploi, des employés municipaux d'Ottawa classés d'après l'origine ethnique, en 1961.

Catégorie d'emploi		Total	Origine ethnique		
			Britanniques	Français	Autres
Total	Nombre	2 673	1 462	885	326
	%	100	100	100	100
Administration		5,3	6,4	3,7	4,6
Professions libérales et techniciens		11,1	13,3	5,8	16,0
Emplois de bureau		14,4	16,4	11,4	13,5
Services et activités récréatives		31,7	37,5	24,4	25,8
Transports et communications		4,1	3,4	5,5	3,4
Ouvriers de métiers		15,4	13,1	19,1	16,0
Manœuvres		15,4	7,7	27,3	17,5
Autres professions*		2,5	2,3	2,6	3,4

Source : Bande 2, tableau 7, 1re et 2e parties, p. 36.
*Groupant les catégories « Vente », « Agriculture » et « Non déclarées » du recensement.

Environ 20 % des emplois des deux premières catégories — ceux qui correspondent à des postes assez élevés — sont occupés par des employés d'origine britannique et autant par des employés d'autres origines ethniques, comparativement à 10 % à peine par des employés d'origine française. Par contre, à l'autre extrémité de l'échelle, dans les catégories « ouvriers de métier » et « manœuvres », 46 % des employés sont d'origine française et seulement 21 % d'origine britannique, ceux ayant une autre origine se situant entre les deux, à 33,5 %. Ainsi, bien que les employés municipaux d'origine française soient moins nombreux que ceux d'origine britannique (dans le rapport de 6 à 10), ils dépassent ces derniers en chiffres absolus (411 contre 304) dans ces catégories d'emploi de niveau inférieur.

Le bilinguisme

En 1961, 36,3 % des employés municipaux d'Ottawa étaient bilingues, pourcentage qui se compare favorablement à celui de l'ensemble de la population bilingue, évalué à 25 %. Parallèlement, le nombre des personnes ne parlant que l'anglais, que le français ou aucune des deux langues officielles, était plus faible dans l'administration municipale (respectivement 62,1, et 0 %) que parmi la population d'Ottawa (70,3 et 1 %).

Au sein de l'administration, toutefois, les fonctionnaires bilingues ne sont pas répartis également, surtout parce que la plupart d'entre eux ont le français pour langue maternelle et que, comme nous l'avons vu, la majorité du personnel francophone occupe des emplois subalternes. Au tableau nº 3.9, on a établi la corrélation entre la langue maternelle et la langue officielle des fonctionnaires municipaux d'Ottawa en 1961. Deux points ressortent clairement. D'abord, un employé anglophone seulement sur neuf était bilingue, comparativement à 19 sur 20 parmi les francophones. Le haut degré de bilinguisme du groupe francophone confirme une constatation déjà faite, à savoir que l'anglais est la langue de travail de l'administration d'Ottawa. En second lieu, c'est le personnel de langue française qui fournit la grande majorité (78 %) des employés bilingues, bien que sa force numérique soit à peine la moitié de celle des groupes non francophones.

TABLEAU 3.9   Répartition en pourcentage, selon la langue officielle, des employés municipaux d'Ottawa classés d'après la langue maternelle, en 1961.

Langue maternelle	Total		Langue officielle		
	Nombre	%	Anglais seulement	Français seulement	Anglais et français
Total	2 644	100	62,5	1,2	36,3
Anglais	1 772	100	89,1	–	10,9
Français	783	100	–	4,0	96,0
Autre	89	100	83,1	–	16,9

Source : Bande 2, tableau 4, pp. 177-180.

Dans ces conditions, il n'est pas surprenant de trouver une étroite corrélation entre la répartition des emplois en fonction de l'origine ethnique (tableau nº 3.8) et en fonction de la langue officielle (tableau nº 3.10). La comparaison des deux tableaux révèle que les quatre catégories (transports, ouvriers de métier, manœuvres et autres professions) où le pourcentage des employés d'origine française est plus élevé que celui des employés d'origine britannique sont aussi celles où le degré de bilinguisme est supérieur à la moyenne. Inversement, les quatre catégories dont le degré de bilinguisme est inférieur à la moyenne générale (administrateurs, professions libérales, employés de bureau et services et activités récréatives) sont celles où les employés d'origine britannique sont proportionnellement en plus grand nombre que ceux d'origine française.

TABLEAU 3.10   Répartition en pourcentage, selon la langue officielle, des employés municipaux d'Ottawa classés d'après les catégories d'emploi, en 1961.

Catégorie d'emploi	Total		Langue officielle			
	Nombre	%	Anglais seulement	Français seulement	Anglais et français	Ni l'une ni l'autre
Total	2 673	100	62,2	1,2	36,5	0,1
Administration	142	100	69,0	–	31,0	–
Professions libérales et techniciens	297	100	74,1	1,0	24,9	–
Emplois de bureau	386	100	71,2	0,3	28,5	–
Services et activités récréatives	848	100	71,7	0,6	27,7	–
Transports et communications	109	100	48,6	0,9	50,5	–
Ouvriers de métier	412	100	54,1	1,0	44,9	–
Manœuvres	412	100	36,9	3,9	58,7	0,5
Autres professions*	67	100	50,7	4,5	44,8	–

Source : Bande 2, tableau 7, 1re et 2e parties, p. 36.
*Groupant les catégories « Vente », « Agriculture » et « Non déclarées » du recensement.

Poursuivant l'analyse, on a indiqué au tableau n° 3.11 le degré de bilinguisme en fonction de l'occupation et de l'origine ethnique. Au lieu de distinguer quatre catégories de connaissance des langues officielles, comme au tableau précédent, on n'a retenu que le pourcentage des bilingues. Les chiffres du tableau nous révèlent deux choses. D'une part, il est clair que, parmi les employés d'origine britannique, le degré de bilinguisme n'a pas tendance à augmenter en remontant l'échelle hiérarchique. D'autre part, dans le cas des employés d'origine française, les variations de pourcentages nous renseignent sur la situation de deux groupes peu considérables, mais intéressants : les employés municipaux d'origine française qui ne parlent que l'anglais et ceux qui ne parlent que le français. Ces derniers sont très peu nombreux — 31 seulement — et ils se concentrent dans les catégories de « manœuvres » et « autres professions ». L'autre groupe, les anglophones d'origine française, comprend 87 employés, dont 60 dans les catégories « professions libérales et techniciens », « employés de bureau » et « services et activités récréatives » (bande 2, tableau 2); c'est leur présence qui explique pourquoi les pourcentages de bilingues d'origine française sont inférieurs à la moyenne dans ces trois catégories.

TABLEAU 3.11 Répartition en nombre et en pourcentage des employés municipaux bilingues d'Ottawa, classés d'après l'origine ethnique et les catégories d'emploi, en 1961.

Catégorie d'emploi	Total		Origine ethnique					
			Britanniques		Français		Autres	
	Nombre total d'employés	% bil.	Nombre total d'employés	% bil.	Nombre total d'employés	% bil.	Nombre total d'employés	% bil.
Total	2 661	36,6	1 462	9,5	885	86,7	314	21,7
Administration	142	31,0	94	7,4	33	100,0	15	26,7
Professions libérales et techniciens	294	25,2	193	11,9	51	78,4	50	22,0
Emplois de bureau	386	28,5	241	8,7	102	81,4	43	14,0
Services et loisirs	843	27,6	548	6,8	216	82,4	79	22,8
Transports et communications	109	50,5	49	10,2	49	93,9	11	36,4
Ouvriers de métiers	412	45,4	191	11,5	170	91,8	51	17,6
Manœuvres	409	58,9	113	16,8	242	87,6	54	18,5
Autres professions*	66	45,5	33	15,2	22	86,4	11	54,5

Source : Bande 2, tableau 2, p. 210.
*Groupant les catégories « Vente », « Agriculture » et « Non déclarées ».

Il est clair que, dans les services administratifs d'Ottawa, on a plus de chances de trouver le bilinguisme aux échelons inférieurs qu'au sommet de la hiérarchie. On peut trouver une autre confirmation de ce fait en consultant les listes, qui ne comprennent que les salariés, c'est-à-dire le noyau administratif de la municipalité. Pour ce dernier groupe, le degré de bilinguisme tombe de 36 à environ 29 %.

Ces listes ont permis de déterminer le degré de connaissance des langues par une méthode plus simple que celle du recensement. On a admis que la municipalité était en mesure de servir le public en anglais; aussi a-t-on demandé aux salariés d'indiquer seulement leur degré de connaissance du français. Nous avons pris pour acquis que, pour un employé municipal, avoir une connaissance « excellente » ou « très bonne » de la langue seconde signifiait pouvoir faire le travail courant en utilisant cette langue.

Le tableau n° 3.12 indique le degré de connaissance du français parmi les salariés, d'après la langue maternelle. On remarque immédiatement l'importance qu'occupe le groupe de langue française dans le personnel bilingue. D'après le critère adopté plus haut, 9 % seulement des employés de langue anglaise peuvent être considérés comme effectivement bilingues. Même en ajoutant le groupe des autres langues maternelles, le degré de bilinguisme des fonctionnaires non francophones n'atteint que 10 %. Le groupe de langue française – qui constitue 22 % du personnel salarié – fournit à lui seul 204 des 276 fonctionnaires municipaux bilingues, soit 74 %.

TABLEAU 3.12 Répartition en pourcentage, selon la connaissance du français, des employés salariés de la ville d'Ottawa classés d'après la langue maternelle, en 1965.

Langue maternelle	Total		Connaissance du français			
	Nombre	%	Nulle	Rudi-mentaire	Très bonne	Excellente
Total*	935	100	63,7	6,7	4,6	24,9
Anglais	679	100	82,6	8,2	5,9	3,2
Français	204	100	–	–	–	100**
Autre	52	100	67,3	13,5	5,8	13,5

Source : Listes sélectives.
*A l'exclusion des réponses incomplètes et absences de réponse.
**Certaines listes contenant des renseignements ambigus, on n'a pas pu utiliser les réponses pour établir le degré de connaissance du français chez les employés francophones. Il a donc fallu, dans ce tableau et les suivants, supposer de façon assez arbitraire que les employés dont la langue maternelle était le français parlaient couramment cette langue. C'est un des points que le questionnaire devait permettre de préciser.

Étant donné que les fonctionnaires bilingues ne représentent qu'une proportion relativement faible du personnel salarié, il convient d'étudier avec attention dans quels services administratifs ils sont affectés. Jouent-ils un rôle particulier dans les rapports entre les citoyens et la municipalité ?

Le premier aspect de cette question est la répartition des employés salariés par services, analysée au tableau n° 3.13. On constate qu'il y a dans chaque service au moins une personne parlant couramment le français, mais la proportion des fonctionnaires qui ont une connaissance nulle ou rudimentaire de cette langue est rarement inférieure à 60 %. Trois services seulement – Hygiène, Centre pour personnes âgées (Island Lodge and Geriatric Centre), Immeubles – comptaient au moins deux employés sur cinq en mesure de répondre au public en français.

Les employés salariés n'ont pas tous affaire au public. D'après les listes sélectives, 12 % n'ont aucun rapport avec le public et plus de 20 % ont en moyenne moins d'un rapport par jour. Toutefois, comme l'indique le tableau n° 3.14, il ne semble pas y avoir de corrélation entre le nombre de rapports et la connaissance du français. On constate, en effet, que le pourcentage total des employés ayant une connaissance du français excellente et très bonne est sensiblement le même que celui des employés qui n'ont aucun rapport avec le public (29,5 %) et de ceux ayant plus d'un rapport par jour (30,2 %). En d'autres termes, d'après les statistiques, l'administration d'Ottawa ne semble avoir aucune politique visant à affecter le personnel bilingue à des postes comportant des rapports avec le public. À preuve, si l'on ne considère que la colonne « excellente », la connaissance du français décroît à mesure qu'augmentent les rapports avec le public.

On peut aussi étudier la répartition des employés bilingues dans l'administration en fonction des emplois qu'ils occupent. Sur les listes sélectives, les employés étaient divisés en six catégories d'emploi : ouvriers (il s'agissait en fait d'employés salariés, mais la plupart remplissaient apparemment des fonctions normalement associées à un emploi payé à l'heure), secrétaires, employés de bureau, techniciens, professions libérales et cadres subalternes. Ces catégories d'emplois qui diffèrent peu des groupes professionnels du recensement, ont été choisies de façon à correspondre à la structure du personnel municipal.

TABLEAU 3.13 Répartition en pourcentage, selon la connaissance du français, des employés salariés de la ville d'Ottawa classés d'après les services, en 1965.

Service	Total		Connaissance du français				
	Nombre	%	Excel-lente	Très bonne	Rudi-mentaire	Nulle	Sans réponse
Total	990	100	23,5	4,3	6,4	60,2	5,6
Évaluation	50	100	14,0	10,0	–	74,0	2,0
Rénovation urbaine	10	100	10,0	10,0	40,0	40,0	–
Hygiène	85	100	28,2	12,9	5,9	52,9	–
Island Lodge*	103	100	39,8	1,9	2,9	55,3	–
Contentieux	17	100	11,8	11,8	23,5	41,2	11,8
Personnel	15	100	20,0	20,0	–	60,0	–
Urbanisme et travaux	288	100	17,4	4,2	5,9	64,6	8,0
Immeubles	24	100	33,3	–	4,2	54,2	8,3
Bien-être social	66	100	21,2	1,5	3,0	72,7	1,5
Activités récréatives et parcs	43	100	27,9	2,3	11,6	48,8	9,3
Tourisme	4	100	50,0	–	–	50,0	–
Circulation	20	100	30,0	–	5,0	65,0	–
Trésorerie	132	100	20,5	2,3	15,9	45,5	15,9
Eaux	133	100	27,1	1,5	–	70,7	0,8

Source : Listes sélectives. On ne dispose pas de renseignements sur le bureau du greffier municipal ni sur le Secrétariat du Bureau des commissaires.
*Centre pour personnes âgées.

TABLEAU 3.14 Répartition en pourcentage, selon la connaissance du français, des employés salariés de la ville d'Ottawa classés d'après la fréquence des rapports avec le public, en 1965.

Rapport avec le public	Total		Connaissance du français				
	Nombre	%	Excel-lente	Très bonne	Rudi-mentaire	Nulle	Sans réponse
Total	990	100	23,5	4,3	6,4	60,2	5,6
Aucun	122	100	28,7	0,8	4,9	64,8	0,8
Moins d'un par jour	195	100	24,6	2,1	4,1	69,2	–
Plus d'un par jour	599	100	24,2	6,0	7,5	61,8	0,5
Sans réponse	74	100	6,8	2,7	5,4	16,2	68,9

Source : Listes sélectives.

La répartition des catégories d'emplois d'après le degré de connaissance du français est analysée au tableau n° 3.15. La première chose à noter est que, si l'on additionne les pourcentages des colonnes « excellente » et « très bonne », les résultats sont sensiblement les mêmes d'une catégorie d'emploi à l'autre. L'écart entre le groupe qui compte la plus forte proportion d'employés ayant une connaissance du français « excellente » — les salariés — et celui qui en compte proportionnellement le moins — les secrétaires — est d'environ 10 %. Cette situation diffère donc de celle qu'on avait constatée pour l'ensemble du personnel municipal : il existait dans ce cas une très nette tendance à un groupement du personnel bilingue dans les emplois subalternes (tableau n° 3.10).

TABLEAU 3.15 Répartition en pourcentage, selon la connaissance du français, des employés salariés de la ville d'Ottawa classés d'après le genre de travail, en 1965.

Genre de travail	Total		Connaissance du français				
	Nombre	%	Excellente	Très bonne	Rudimentaire	Nulle	Sans réponse
Total	990	100	23,5	4,3	6,4	60,2	5,6
Ouvriers	72	100	33,3	–	1,4	65,3	–
Secrétaires	66	100	18,2	4,5	3,0	74,2	–
Employés de bureau	180	100	26,1	4,4	5,6	62,8	1,1
Techniciens	300	100	26,3	2,7	6,3	64,3	0,3
Professions libérales	149	100	18,8	11,4	8,1	59,7	2,0
Cadres subalternes	174	100	24,7	4,0	10,9	59,8	0,6
Sans réponse	49	100	–	–	–	2,0	98,0

Source : Listes sélectives.

Ces renseignements sur la répartition du personnel en mesure de parler français — d'après les services, les rapports avec le public et le genre de travail — conduisent tous à la même conclusion : les employés appointés qui parlent français ne sont concentrés dans aucun secteur particulier. Notre analyse statistique n'indique pas qu'il y ait une volonté bien arrêtée d'employer le personnel bilingue à des postes clefs. Au contraire, la répartition relativement uniforme du personnel bilingue laisse supposer qu'on ne tient aucunement compte du degré de bilinguisme dans l'affectation du personnel.

Il faut pourtant apporter quelques réserves à cette dernière affirmation. Plusieurs services se sont efforcés de rechercher du personnel bilingue pour certains postes, notamment des préposées à la réception et des infirmières du Service d'hygiène. Dans ces cas, le service intéressé indique habituellement dans l'offre d'emploi qu'il accordera la préférence à des candidats bilingues. À signaler deux cas où on a exigé la connaissance des deux langues : pour le poste de secrétaire du Comité du centenaire d'Ottawa et pour celui de préposée à la réception au Service du personnel. Mais il s'agit plutôt d'exceptions. Dans la grande majorité des cas, on semble simplement demander au candidat de connaître l'anglais suffisamment pour travailler dans cette langue.

En dernier lieu, nous avons demandé si la municipalité avait établi des programmes pour permettre à ses employés d'apprendre l'autre langue officielle et améliorer leurs connaissances. On nous a signalé l'existence d'un programme de formation spécialisée au Service de la police (voir l'appendice F), mais en 1967, l'administration municipale proprement dite n'avait encore organisé aucun cours de langue.

E. Résumé

De l'étude sur Ottawa, on peut retenir les principaux points suivants :

1. La plupart des communications entre l'administration municipale d'Ottawa et le public se font en anglais, la demande de services en français étant relativement faible.

2. En ce qui concerne les communications orales, l'enquête téléphonique a révélé qu'on peut obtenir un service satisfaisant en français dans deux cas sur cinq.

3. Pour la correspondance, la langue dans laquelle l'administration répond à une lettre reçue en français varie apparemment selon les services. Certains ont pour règle de répondre en français, d'autres n'utilisent que l'anglais, d'autres, enfin, se laissent guider par les circonstances.

4. Les communiqués de presse sont diffusés dans les deux langues par l'intermédiaire des organes d'information, ceux-ci se chargeant habituellement de les traduire en français.

5. Les avis publics, formules et imprimés publicitaires sont parfois rédigés en français aussi bien qu'en anglais. Ils sont rarement bilingues.

6. Quatre services estiment nécessaire de prévoir traiter avec le public dans des langues autres que le français et l'anglais.

7. La langue de travail dans l'administration est exclusivement l'anglais, si l'on en juge par les renseignements recueillis.

8. La proportion des fonctionnaires de langue française dans l'administration est supérieure au pourcentage de la population francophone d'Ottawa. Inversement, le groupe de langue anglaise et celui d'autres langues maternelles ont une représentation proportionnellement inférieure.

9. Par contre, si l'on examine la répartition des employés payés à l'heure et des salariés, l'échelle des traitements, les postes de direction et les groupes professionnels, on constate une prédominance des fonctionnaires francophones aux échelons inférieurs. Les fonctionnaires anglophones, de leur côté, détiennent un nombre disproportionné de postes à haut traitement.

10. Environ 36 % des employés recensés sont bilingues, mais ils ne sont pas répartis également dans l'administration. Si l'on ne considère que le groupe des employés salariés, la proportion des bilingues n'atteint que 29 %.

11. La langue maternelle d'environ les trois quarts du personnel bilingue est le français.

12. Il ne semble pas que le pourcentage des bilingues parmi les employés de langue anglaise et de langue maternelle autre que le français soit plus élevé dans les catégories professionnelles les mieux rémunérées.

13. Les listes sélectives n'ont pas permis de discerner dans l'administration une affectation rationnelle du personnel bilingue, que ce soit par service, fréquence des rapports avec le public ou genre de travail. Néanmoins, dans certains cas, la connaissance des deux langues est un avantage – rarement une condition requise – pour occuper certains postes.

14. Dans l'ensemble, la situation du bilinguisme à l'Hôtel de ville d'Ottawa est caractérisée par un manque d'uniformité. En l'absence de politique, chaque organisme dispose d'une grande latitude pour décider dans quelle mesure il doit offrir ses services en français aussi bien qu'en anglais.

À la lumière des constatations rapportées dans ce chapitre, nous devons conclure que, pour un citoyen ayant affaire à l'administration, le français n'a pas du tout la même valeur que l'anglais. Il n'y a probablement pas corrélation entre la faible demande de services en français et l'insuffisance apparente des moyens actuellement mis en œuvre par l'administration pour fournir ces services.

Chez les chefs de service, deux points de vue très différents semblent se dégager. Un groupe, qui comprend la plupart des chefs de service anglophones, voit en Ottawa une municipalité ontarienne qui traite de façon assez généreuse l'une des minorités linguistiques de la province. L'autre groupe, moins nombreux, et constitué surtout de francophones, estime que la situation laisse beaucoup à désirer.

Ottawa est une municipalité ontarienne, on ne saurait trop insister sur cet aspect de la question. Dans le chapitre précédent, nous avons fait ressortir la grande influence qu'exerce la province sur l'administration locale. L'impression la plus forte qui se dégage d'une étude sur l'administration municipale d'Ottawa est que les questions linguistiques et culturelles sont envisagées dans une perspective essentiellement provinciale. Nulle part, au cours de notre étude, nous n'avons eu vraiment l'impression que le fait pour Ottawa d'être la capitale fédérale devrait influer sur la politique linguistique de la municipalité.

Chapitre IV   L'administration des autres municipalités
de la région de la capitale nationale

A. Introduction

Dans le chapitre précédent, nous avons examiné en détail l'administration d'Ottawa. Mais, si Ottawa est la principale ville de la région de la capitale nationale, il ne faut pas oublier que la zone métropolitaine comprend 12 autres municipalités. On trouvera au tableau A de l'appendice G une comparaison entre les populations de ces municipalités et d'Ottawa et leur composition linguistique.

Quatre de ces municipalités se trouvent sur la rive ontarienne de l'Outaouais : Eastview, Gloucester, Nepean et Rockcliffe Park. Avec la ville d'Ottawa et plusieurs municipalités rurales, elles sont toutes situées à l'intérieur du territoire qui relèverait d'une seule autorité régionale, selon un projet annoncé par le gouvernement de l'Ontario en février 1967. De même, les huit municipalités du Québec – Aylmer, Deschênes, Gatineau, Hull, Lucerne, Pointe-Gatineau, Templeton et Templeton-Ouest – sont comprises dans le projet de création d'une Commission de la région de la capitale nationale, soumis au gouvernement du Québec par le Conseil économique régional de l'Ouest du Québec. Dans les analyses du recensement de 1961, ces 12 municipalités étaient incluses dans la zone métropolitaine d'Ottawa.

Nous avons étudié Ottawa séparément à cause de l'importance de son administration et aussi pour des raisons d'ordre pratique. On a vu que les différentes méthodes d'approche du problème de la zone métropolitaine n'avaient pas donné entière satisfaction. Dans le cas des autres municipalités, par contre, une administration moins importante et un plus grand désir de collaborer sans trop de formalisme nous ont permis de recueillir plus facilement les données nécessaires à notre étude. On remplissait d'abord, à partir des réponses obtenues par téléphone, un questionnaire[1] sur la langue. Pour obtenir les renseignements nécessaires, nous avons eu recours à différentes méthodes, dont aucune n'a donné entière satisfaction (voir chapitre III, pp. 71-75). Ce questionnaire était ensuite envoyé à la municipalité, qui pouvait le vérifier et y ajouter des remarques, en même temps que des listes de contrôle semblables à celles qui avaient servi à Ottawa pour déterminer la connaissance des langues chez les fonctionnaires municipaux[2]. En outre, à Hull et à Eastview, nos enquêteurs ont interrogé la plupart des chefs de service municipaux.

Chaque municipalité a rempli elle-même les listes de contrôle du personnel, de sorte que les critères de connaissance des langues peuvent varier légèrement d'une municipalité à l'autre. Nous avons tenté de réduire ces écarts accidentels en donnant du bilinguisme une définition très fonctionnelle, à savoir l'aptitude d'un employé à servir le public en français et en anglais. Dans nos statistiques, nous avons donc classé comme bilingues ceux qui déclaraient avoir une connaissance « excellente » ou « très bonne » des deux langues, et exclu du groupe ceux qui en avaient une connaissance « rudimentaire » ou « nulle ».

B. La ville de Hull

Hull est une municipalité de la province de Québec. Comme telle, et contrairement à Ottawa, elle est dans de nombreux cas légalement tenue de fournir au public un service bilingue. Elle doit respecter les dispositions relatives à la langue contenues dans sa charte aussi bien que dans la Loi des cités et villes (voir chap. II, pp. 66-68). Nous verrons cependant que, dans ce domaine, la municipalité de Hull va plus loin que ne le prescrit la loi.

L'emploi des langues dans l'administration

À Hull, la demande de services en anglais est faible, même si elle n'est pas négligeable. En décembre 1966, un haut fonctionnaire de la ville estimait qu'environ 14 % des lettres reçues par l'administration étaient en anglais, 85 % en français et 1 % en d'autres langues. Il déclarait également que les lettres envoyées au public par l'administration se répartissaient suivant les mêmes pourcentages, et qu'il en était ainsi pour les appels téléphoniques et les entrevues entre fonctionnaires municipaux et citoyens.

Même si la demande de services en langue anglaise est relativement faible, l'administration a pour principe de toujours offrir un service bilingue. Tout citoyen peut présenter une demande, verbalement ou par écrit, dans l'une des deux langues officielles, en étant assuré de recevoir une réponse dans la même langue. Dans les services, toutefois, une demande adressée dans une langue peut être étudiée dans l'autre. Prenons le cas d'un citoyen anglophone qui écrit en anglais à la municipalité pour contester l'évaluation foncière de sa propriété : le service des Estimations étudiera le cas en français, sans traduire la lettre, et répondra directement en anglais.

À notre connaissance, les standardistes de Hull sont suffisamment bilingues pour donner des renseignements dans les deux langues et transmettre un appel au service compétent. Habituellement, elles répondent aux appels en français seulement, par exemple « Hôtel de ville », « Bureau du greffier », etc. Dans les différents services, le personnel qui répond aux visiteurs doit être bilingue. En général, toute personne qui désire un renseignement peut l'obtenir dans la langue de son choix.

Délaissons maintenant les rapports de la municipalité avec les particuliers pour passer aux communications d'intérêt général; celles-ci font l'objet de l'article 401 de la charte de Hull, qui se lit comme suit:

> Quand il est ordonné de donner un avis public, en vertu de quelque disposition de cette loi ou d'un statut concernant la Cité, sans prescription quant à la forme ou à la manière dont cet avis doit être publié, tel avis doit, dans ce cas, être donné par une annonce insérée deux fois, au moins, en anglais et en français, dans un journal publié et imprimé dans un rayon de 25 milles de la Cité.

Tous les services municipaux semblent suivre la loi à la lettre. Le Bureau du greffier publie, en français et en anglais, les règlements adoptés par le Conseil, et il en est de même des avis d'expropriation et des avis d'emprunt émanant respectivement du service des Estimations et du service des Finances.

Hull utilise également les deux langues officielles pour tous les actes officiels, comptes de taxes, contraventions et sommations, signaux routiers, règlements de sécurité (par exemple « Défense de fumer » et « *No Smoking* »), demandes de permis de construire et autres autorisations.

Les appels d'offres sont publiés seulement en français dans le journal *Le Droit*, lorsqu'il s'agit de travaux publics d'intérêt local confiés à des entrepreneurs de la région. Pour les travaux de plus grande envergure, on publie des avis dans les journaux français et anglais. Les rapports annuels des services ne sont pas tous bilingues; celui du service de la Police, en particulier, n'est rédigé qu'en français.

Chaque service fait lui-même ses traductions. Il n'y a pas de bureau de traduction et on n'en ressent pas le besoin pour le moment. Si l'interprétation d'un texte rédigé en anglais et en français prête à confusion, c'est la version française qui fait autorité.

Au sein de l'administration, la langue de travail est le français. La plupart des pièces, formules et dossiers d'utilisation interne (directives de travail, bordereaux, rapports d'incendie, rapports d'évaluation, etc.) sont imprimés en français. Pour leur classement, les divers services utilisent le français (titre des dossiers, indications sur les fichiers, en-têtes de lettre, etc.). Les rapports soumis par les employés ainsi que les communications écrites à l'intérieur d'un service ou avec les autres services sont en français, et le personnel actuel ne se souvient pas qu'il en ait jamais été autrement. Néanmoins, il est intéressant de noter que deux agents de police sont autorisés à rédiger leurs rapports quotidiens en anglais; tous deux anglophones, ils parlent les deux langues, mais s'expriment sans doute avec plus de facilité en anglais. Les formules-réponses envoyées par le gouvernement du Québec sont souvent bilingues, chaque version figurant sur un côté de l'imprimé.

La composition du personnel et la connaissance des langues

Le français étant la langue de travail au sein de l'administration, la connaissance de cette langue est évidemment essentielle pour obtenir un emploi dans les services municipaux de Hull. En ce qui concerne la connaissance de l'anglais, il n'y a pas de règle bien précise; l'usage a été établi de façon empirique et il diffère d'un service à l'autre. On tient compte aussi de la nature et de l'importance du poste offert. En principe, tous les services exigent des candidats qu'ils fassent leur demande par écrit, en français et en anglais, et qu'ils exposent les raisons de leur candidature en indiquant leur compétence et leur expérience. À moins qu'on ne lui fasse subir un examen oral ou écrit plus détaillé, c'est cette demande écrite qui sert à évaluer la compétence linguistique du candidat.

Le service de la Police est sans conteste celui où l'on attache le plus d'importance à la connaissance des langues : les candidats doivent passer un examen écrit qui comprend des épreuves de culture générale, d'orthographe, de vocabulaire et d'arithmétique; sans être très difficiles, ces épreuves exigent quand même une bonne connaissance du français et de l'anglais. Quant à l'examen oral, il est particulièrement sévère.

Le service des Estimations et celui des Finances paraissent moins stricts. On estime qu'un employé francophone peut améliorer son anglais au cours de son travail; néanmoins, à compétence égale, on accorde la préférence — pour l'embauche et l'avancement — aux personnes ayant le plus de facilité à parler les deux langues.

Dans d'autres services (Incendies ou Loisirs, par exemple), les normes d'engagement sont moins précises et plus difficiles à définir. On demande au candidat d'avoir « une certaine connaissance » de l'anglais, un « minimum » qui lui permette de combler ses lacunes par la suite. Dans cette troisième catégorie de services municipaux, la connaissance de l'anglais n'est qu'une condition secondaire, alors que celle du français est indispensable.

Même dans ce dernier cas, la connaissance de l'anglais n'est pas sans importance. On pourrait croire que le simple employé qui a rarement affaire au public peut se contenter d'une connaissance restreinte de l'anglais. Pourtant, comme l'a fait observer un fonctionnaire municipal, pour un employé de bureau qui n'a pas de contact avec le public, il n'est sans doute pas important d'être bilingue, mais, en réalité, il doit l'être s'il veut obtenir de l'avancement. En outre, le personnel administratif d'une petite ville comme Hull doit être capable de remplir des fonctions différentes; en raison des absences, maladies, congés, un employé est souvent appelé à en remplacer provisoirement un autre ou à prendre sa place.

En 1965, les services administratifs de Hull employaient 225 personnes à temps plein. Les listes de contrôle envoyées au début de 1967 ont fourni des renseignements sur 147 employés municipaux[3]. Ce sont ces données qui ont servi de base à notre analyse. Ces employés se répartissaient entre les différents services municipaux de la façon suivante :

Bureau du greffier	7	Finances	11
Bureau du maire	1	Bibliothèque	14
Directeur des services municipaux	2	Entretien	6
Estimations	10	Tourisme	3
Loisirs	5	Incendies	5
Bureau de l'ingénieur	7	Police	76

Lorsqu'on compare la répartition de la population et celle de l'administration de Hull d'après la langue (voir le tableau n° 4.1), on constate que la proportion des francophones dans l'administration est légèrement supérieure au pourcentage de la population correspondante. Le personnel des services administratifs est donc en très grande majorité de langue française. La population dont la langue maternelle est l'anglais ou une autre langue n'a pas, à l'Hôtel de ville, une représentation proportionnelle à son importance.

TABLEAU 4.1   Répartition en nombre et en pourcentage de la population (en 1961) et des employés municipaux (en 1967) de Hull, selon la langue maternelle.

Langue maternelle	Population (1961)		Employés municipaux (1967)	
	Nombre	%	Nombre	%
Total	56 929	100	147	100
Anglais	4 648	8,2	5	3,4
Français	51 370	90,2	139	94,5
Autre	911	1,6	1	0,7
Sans réponse	–	–	2	1,4

Source : Recensement du Canada de 1961, catalogue 95-528. Listes de contrôle du personnel en 1967.

Malgré la prépondérance du personnel de langue maternelle française, la ville peut facilement servir le public dans les deux langues. Si, pour évaluer l'aptitude des employés à servir le public dans l'une ou l'autre langue, on se base sur les pourcentages de ceux qui ont une connaissance « excellente » ou « très bonne » (voir le tableau n° 4.2), on peut conclure que plus de 90 % des employés municipaux de Hull sont en mesure de remplir leurs fonctions en anglais; pour le français, la proportion est un peu plus forte.

TABLEAU 4.2   Répartition en nombre et en pourcentage des employés municipaux de Hull, selon la connaissance de l'anglais et du français.

Connaissance de l'anglais		Degré de connaissance	Connaissance du français	
Nombre	%		Nombre	%
147	100		147	100
107	72,8	Excellente	137	93,2
27	18,4	Très bonne	2	1,4
12	8,2	Rudimentaire	7	4,8
–	–	Nulle	1	0,6
1	0.6	Sans réponse	–	–

Source : Listes de contrôle du personnel en 1967.

Pour évaluer le degré de bilinguisme des employés municipaux, nous avons supposé qu'ils étaient tous en mesure de servir le public dans leur langue maternelle et qu'il suffisait de tenir compte de leur connaissance de la langue seconde. Les résultats de ce calcul indiquent que 90 % des employés municipaux de Hull ont une connaissance « excellente » ou « très bonne » de la langue seconde; on peut donc les classer comme bilingues. Comme il ressort du tableau n° 4.3, l'unilinguisme est manifestement un cas d'exception.

TABLEAU 4.3   Répartition en nombre et en pourcentage des employés municipaux de Hull, selon la connaissance de la langue seconde.

Connaissance de la langue seconde	Nombre	%
Total	147	100
Excellente	107	72,8
Très bonne	25	17,0
Rudimentaire	11	7,5
Nulle	1	0,7
Sans réponse	3	2,0

Source : Listes de contrôle du personnel en 1967.

Même si le français est la langue de travail au sein des services administratifs de Hull, il n'en résulte pas nécessairement que tous les fonctionnaires municipaux de langue maternelle autre que le français soient bilingues. En fait, quatre sur six des employés entrant dans cette catégorie avaient une connaissance « rudimentaire » ou « nulle » du français.

Dans 7 des 12 services, ce qui représente 71 % du personnel administratif de Hull, chaque employé avait une connaissance au moins « très bonne » de la langue seconde. Dans quatre autres services, la majorité du personnel était bilingue.

En dernier lieu, nous avons tenté de préciser la répartition du personnel bilingue et non bilingue dans l'administration de Hull en appréciant le degré de connaissance de la langue seconde selon les catégories professionnelles (ouvriers, secrétaires, employés de bureau, techniciens, professions libérales et cadres subalternes) et la fréquence des rapports avec le public. On n'a pas tenu compte, dans cette analyse, du service des Incendies et de celui de la Police, car il a été impossible dans leur cas d'analyser de façon précise les catégories professionnelles et les rapports avec le public. Reste donc un groupe de 66 employés.

TABLEAU 4.4   Répartition, selon la connaissance de la langue seconde, des employés municipaux de Hull classés d'après les catégories professionnelles.

Connaissance de la langue seconde	Total	Catégories professionnelles					
		Ouvr.	Sec.	Bur.	Tech.	Prof.	Cadres sub.
Total	66	10	9	26	6	4	11
Excellente	26	–	1	11	1	3	10
Très bonne	25	4	3	13	4	1	–
Rudimentaire	11	5	4	1	1	–	–
Nulle	1	1	–	–	–	–	–
Sans réponse	3	–	1	1	–	–	1

Source : Listes de contrôle du personnel en 1967.

Le tableau n° 4.4 indique la répartition du personnel bilingue et unilingue par catégorie professionnelle. On peut voir que la connaissance de la langue seconde est moins étendue aux échelons inférieurs. Selon leurs déclarations, moins de la moitié des ouvriers et secrétaires ont une connaissance « excellente » ou « très bonne » de la langue seconde. Par contre, tous les cadres subalternes et membres des professions libérales, et presque tous les employés de bureau et techniciens sont bilingues, ce qui tendrait à démontrer que le bilinguisme est une condition d'avancement dans l'administration municipale de Hull.

TABLEAU 4.5 Répartition, selon la connaissance de la langue seconde, des employés municipaux de Hull classés d'après la fréquence des rapports avec le public.

Connaissance de la langue seconde	Total	Rapports avec le public			
		Aucun	Moins d'un par jour	Plus d'un par jour	Sans réponse
Total	66	3	8	54	1
Excellente	26	–	–	26	–
Très bonne	25	–	3	22	–
Rudimentaire	11	3	4	4	–
Nulle	1	–	1	–	–
Sans réponse	3	–	–	2	1

Source : Listes de contrôle du personnel en 1967.

En lisant le tableau n° 4.5 dans le sens horizontal, on remarque que les employés dont la connaissance des deux langues est « excellente » de même que ceux qui ont une « très bonne » connaissance de leur langue seconde ont plus d'un contact par jour avec le public. Les employés municipaux qui ont une connaissance « rudimentaire » ou « nulle » de la langue seconde se répartissent entre les trois degrés de rapports avec le public. Si on lit le tableau dans le sens vertical, on constate que les employés n'ayant aucun contact avec le public (tous des ouvriers) ne possèdent qu'une connaissance rudimentaire de leur langue seconde. Parmi les huit personnes ayant moins d'un contact par jour avec le public, cinq (trois ouvriers et deux secrétaires) ne peuvent être considérées comme bilingues. Au contraire, presque tous ceux qui ont plus d'un contact par jour peuvent servir le public en anglais et en français (il y a quatre exceptions : deux secrétaires, un employé de bureau et un technicien).

Le public ne risque donc guère de se trouver en présence d'un employé municipal unilingue. Même si le cas se présentait, il ne faut pas oublier qu'il y a dans tous les services, sauf un, une majorité d'employés en mesure de répondre dans les deux langues. Bref, le degré de bilinguisme de l'administration municipale est tel qu'on peut facilement se faire servir en français et en anglais dans tous les bureaux de l'Hôtel de ville.

En résumé, on peut dire que l'administration municipale de Hull est foncièrement française : la langue utilisée à l'intérieur des services (langue de travail et langue de communication entre les employés) est le français; les formules et imprimés destinés au personnel sont presque toujours en français seulement. Les employés municipaux dont la langue maternelle est l'anglais ne forment qu'une faible minorité. Néanmoins, ces faits n'empêchent pas la municipalité d'être pour le public une entité bilingue. En principe, tout citoyen peut s'adresser aux autorités municipales en français ou en anglais, et on lui répondra, verbalement ou par écrit, dans la langue qu'il aura employée.

Pour éviter tout malentendu sur cette question du bilinguisme au sein de l'administration municipale de Hull, précisons qu'il s'agit d'un bilinguisme fonctionnel et non d'une connaissance parfaite des deux langues. En outre, le degré de bilinguisme varie d'un service à l'autre, selon l'étendue des responsabilités et l'importance des rapports avec le public. C'est un bilinguisme *ad hoc*, souple mais qui existe réellement. À cet égard, nous n'avons eu vent d'aucune plainte de la population anglophone de Hull laissant croire à un traitement injuste de la part des autorités municipales. On trouve à Hull une situation où l'emploi des deux langues ne pose aucun problème; l'administration municipale sert la population en français et en anglais sans conflit ni heurts et, semble-t-il, avec des complications administratives réduites au minimum.

C. La ville d'Eastview

À bien des égards, Eastview est une municipalité ontarienne unique en son genre. Fonctionnant dans le même cadre provincial qu'Ottawa, elle a néanmoins réussi à servir sa population en anglais et en français sans grandes difficultés apparentes, juridiques ou autres. Deux facteurs sont à l'origine de ce bilinguisme administratif : d'une part, les besoins de la population (en 1961, 61 % des habitants étaient de langue maternelle française), d'autre part, la situation géographique et politique d'Eastview dans une province à prédominance anglophone.

L'emploi des langues dans l'administration

En assurant un service bilingue, l'administration d'Eastview répond à un besoin évident. On estime que le français et l'anglais ont une part à peu près égale dans les échanges de lettres entre la municipalité et le public de même que dans les entrevues entre employés municipaux et citoyens. Cette proportion varie dans le cas des échanges téléphoniques : on estime qu'ils sont en français dans 60 à 75 % des cas. Les communications orales, qui se font le plus souvent par téléphone, semblent l'emporter de beaucoup sur les communications écrites. Les particuliers s'adressent habituellement en français, les entreprises, organismes et institutions le feraient plutôt en anglais.

L'administration est donc appelée à servir le public en français et en anglais, et cette nécessité guide effectivement son attitude. Le bilinguisme semble de règle pour les communications orales et aussi, dans la mesure où le permettent les institutions établies, pour les communications écrites.

Toutes les standardistes de la municipalité sont bilingues; elles répondent aux appels téléphoniques par la formule « Hôtel de ville – City Hall ». La plupart des services s'identifient aussi dans les deux langues et tous sont en mesure de répondre en français ou en anglais. Il est extrêmement rare qu'un employé municipal soit obligé de transmettre la communication à une autre personne parce qu'il ne comprend pas la langue de son interlocuteur. Dans la grande majorité des cas, on obtient immédiatement la réponse.

La situation est sensiblement la même dans le domaine de la correspondance. Les huit chefs de service interrogés ont déclaré qu'on respectait la langue de l'expéditeur; autrement dit, les réponses sont rédigées en français ou en anglais selon la langue utilisée par le correspondant.

Lorsque c'est la municipalité qui entre en communication avec un citoyen, elle suit la même politique. Au cours des entrevues, deux chefs de service seulement ont donné des précisions sur la langue des communications orales. L'un a déclaré que la prise de contact se faisait généralement en anglais; l'autre a affirmé que ses employés cherchaient d'abord à connaître la langue de la personne à qui ils s'adressaient.

Les lettres envoyées par l'administration sont toujours écrites dans la langue du destinataire. Lorsque celle-ci n'est pas connue, plusieurs services font un effort réel pour la découvrir. Quand on n'y arrive pas, on semble avoir légèrement tendance à utiliser l'anglais de préférence au français. Ceci s'explique sans doute par l'impression, très répandue à Eastview, que la plupart des citoyens francophones sont bilingues, tandis que les anglophones qui comprennent le français sont beaucoup moins nombreux.

Il en va différemment pour les formules et documents officiels. L'anglais y est beaucoup plus utilisé que le français. S'il est vrai que la plupart des documents sont bilingues, un grand nombre de formules ne sont imprimées qu'en anglais; par contre, on ne signale pas de documents destinés au public qui soient en français seulement.

En général, les formules et documents provenant de la municipalité sont bilingues ou imprimés dans chaque langue séparément. C'est ainsi que l'on trouve dans les deux langues tous les avis publics (tels ceux qui concernent les élections), les comptes de taxes et autres formules officielles, les contraventions, les panneaux de signalisation (on projette toutefois de remplacer les indications écrites par les symboles internationaux), les panneaux de sécurité, les permis de construire et licences, les appels d'offres.

Ne sont pas bilingues les formules concernant les tribunaux ontariens et les rapports entre la municipalité et la province. Les assignations de témoins et autres pièces juridiques ne sont imprimées qu'en anglais. En raison du contexte provincial, les règlements et arrêtés municipaux sont rédigés en anglais, mais ils sont traduits en français avant publication.

Signalons que ce n'est que récemment que le français a été mis sur le même pied que l'anglais dans les documents et formules de la municipalité. Avant 1953, le rapport du commissaire aux évaluations n'était publié qu'en anglais. C'est depuis 1957-1958 seulement que les avis d'évaluation foncière et formules d'imposition sont bilingues. Il semble donc y avoir eu une amélioration du statut de la langue française à Eastview au cours des 15 dernières années. En 1966, une résolution du conseil municipal a, en quelque sorte, codifié, à partir de l'usage, l'emploi des langues dans l'administration; désormais, tout individu s'adressant à un service municipal devrait obtenir une réponse en anglais ou en français, suivant le cas, et toute communication destinée au public devrait être rédigée dans les deux langues (procès-verbal du Conseil municipal, motion 66-241, du 6 avril 1966).

À l'intérieur de ses services, l'administration municipale d'Eastview utilise les deux langues de façon à peu près égale. Il faut cependant faire quelques distinctions. Comme nous le verrons plus bas, la grande majorité des employés municipaux sont de langue maternelle française et, de ce fait, utilisent principalement le français dans leurs communications orales. On emploie toutefois l'anglais dans les conversations à caractère technique ou qui se tiennent en présence d'une personne ne connaissant pas bien le français. Pour les communications écrites, l'anglais semble le plus fréquemment utilisé. Sur huit chefs de service, cinq étaient de cet avis; des trois autres, l'un estimait que c'était le français le plus employé, l'autre que les deux langues étaient sensiblement à égalité, et le troisième n'a pas avancé d'opinion.

La composition du personnel et la connaissance des langues

Il est manifeste que, pour remplir convenablement ses fonctions, un employé municipal d'Eastview doit pouvoir communiquer en anglais et en français. Pourtant, il ne semble pas y avoir de politique précise en matière de recrutement et de connaissance des langues, peut-être parce que la municipalité n'a pas de service du personnel. Sous réserve de l'approbation du Conseil, l'engagement de nouveaux employés relève principalement des chefs de service.

Parmi les six chefs de service qui ont abordé la question de la langue et de l'embauche au cours des entrevues, quatre ont manifesté une préférence marquée pour les candidats bilingues. Trois d'entre eux ont laissé entendre que le bilinguisme était une condition préalable à un emploi, du moins pour les personnes ayant affaire au public; le quatrième a simplement déclaré qu'il préférait en général engager du personnel bilingue. Un cinquième, dont le service emploie un grand nombre de membres des professions libérales, a expliqué qu'il s'efforçait de maintenir un équilibre entre le personnel francophone et anglophone, mais que ce n'était pas toujours possible, vu la rareté des candidats ayant la formation nécessaire. Le sixième chef de service, sans répondre directement à la question, a laissé entendre qu'il y avait une certaine préférence en faveur des candidats francophones. Les deux chefs de service qui n'ont pas répondu à la question dirigeaient chacun un service dont tout le personnel était bilingue au moment de l'entrevue.

En résumé, on peut dire que malgré l'absence d'un service de recrutement centralisé, le bilinguisme est une condition importante pour obtenir un emploi dans les services municipaux d'Eastview.

Les services administratifs d'Eastview employaient 110 personnes en 1964; en 1966, on en comptait 131. À la suite de notre envoi, en décembre 1966, de listes de contrôle, nous avons reçu des réponses portant sur 107 employés, répartis de la façon suivante entre les différents services :

Greffier municipal	4	Bien-être	4
Trésorerie	7	Loisirs	3
Estimations	5	Incendies	24
Travaux publics	27	Police	33

C'est la répartition et la connaissance des langues de ce groupe de 107 employés municipaux que nous allons analyser.

Lorsqu'on compare la répartition de la population et de l'administration d'Eastview d'après la langue maternelle (voir le tableau n° 4.6), on constate que les groupes dont la langue maternelle n'est pas le français ont dans l'administration une représentation nettement inférieure à leur pourcentage de la population. Cette situation rappelle celle qui existe à Hull.

TABLEAU 4.6 Répartition en nombre et en pourcentage de la population (en 1961) et des employés municipaux (en 1966) d'Eastview, selon la langue maternelle.

Langue maternelle	Population (1961)		Employés municipaux (1966)	
	Nombre	%	Nombre	%
Total	24 555	100	107	100
Anglais	8 355	34,0	13	12,1
Français	14 976	61,0	93	86,9
Autre	1 224	5,0	1	0,9

Sources : Recensement du Canada de 1961, catalogue 95-528. Listes de contrôle du personnel en 1966.

Dans trois services, le personnel est exclusivement de langue maternelle française. Le service des Incendies et celui de la Police ont chacun quatre employés anglophones. À l'exclusion de ces huit personnes, les autres employés dont la langue maternelle n'est pas le français — six au total — occupent tous des postes relativement élevés : deux chefs de bureau, deux membres des professions libérales et deux techniciens; il n'y a ni ouvriers, ni secrétaires, ni commis.

La plupart des employés municipaux d'Eastview comprennent les deux langues officielles (voir le tableau n° 4.7). La connaissance « excellente » ou « très bonne » d'une langue peut de nouveau servir à mesurer l'aptitude d'un employé à servir convenablement le public. On constate ainsi que plus de quatre employés municipaux sur cinq (81,3 %) peuvent exercer leur activité en anglais, et presque tous (93,4 %) en français.

TABLEAU 4.7 Répartition en nombre et en pourcentage des employés municipaux d'Eastview, selon la connaissance de l'anglais du français.

Connaissance de l'anglais		Degré de connaissance	Connaissance du français	
Nombre	%		Nombre	%
107	100		107	100
56	52,3	Excellente	96	89,7
31	29,0	Très bonne	4	3,7
19	17,8	Rudimentaire	5	4,7
–	–	Nulle	1	0,9
1	0,9	Sans réponse	1	0,9

Source : Listes de contrôle du personnel en 1966.

En ce qui concerne le bilinguisme, trois employés d'Eastview sur quatre (soit 74,8 %) ont une connaissance « excellente » ou « très bonne » de l'autre langue (voir le tableau n⁰ 4.8). Les employés de langue maternelle française forment la majeure partie de ce groupe bilingue et leur prépondérance dans les services municipaux explique le haut degré de bilinguisme de l'administration d'Eastview. Signalons cependant que 50 % des employés dont la langue maternelle est l'anglais ou une autre langue, ont aussi une « excellente » ou « très bonne » connaissance du français, soit une proportion beaucoup plus forte que pour les mêmes groupes pris dans l'ensemble de la main-d'œuvre de la zone métropolitaine (voir le tableau n⁰ 1.28).

TABLEAU 4.8 Répartition en nombre et en pourcentage des employés municipaux d'Eastview, selon la connaissance de la langue seconde.

Connaissance de la langue seconde	Nombre	%
Total	107	100
Excellente	46	43,0
Très bonne	34	31,8
Rudimentaire	24	22,4
Nulle	1	0,9
Sans réponse	2	1,9

Source : Listes de contrôle du personnel en 1966.

En dernier lieu, nous avons tenté de préciser comment le personnel bilingue se répartissait dans les services administratifs d'Eastview, en tenant compte du degré de connaissance de la langue seconde, selon le genre de travail et la fréquence des rapports avec le public. En excluant les services de protection, comme nous l'avons fait dans le cas de Hull, le groupe d'employés est ramené à 50. À Eastview, la grande majorité (22 sur 24) des secrétaires, employés de bureau, membres des professions libérales et cadres subalternes ont une connaissance « excellente » ou « très bonne » de la langue seconde. Deux ouvriers seulement sur 13 et cinq des 13 techniciens peuvent être considérés comme bilingues. D'autre part, on constate qu'aucun des ouvriers unilingues n'a de rapports avec le public et qu'il en va de même pour les techniciens unilingues sauf un (voir le tableau n⁰ 4.9).

Revenons à des considérations plus générales. Si l'on exclut maintenant les catégories d'emploi, en ne tenant compte que des rapports avec le public et du degré de bilinguisme, on note une corrélation marquée entre ces deux derniers facteurs (voir le tableau n⁰ 4.10). Presque tous les employés bilingues ont affaire au public plus d'une fois par jour, tandis que ceux qui n'ont qu'une connaissance rudimentaire de la langue seconde sont rarement appelés à communiquer avec le public au cours de leur travail. On peut déduire de cette corrélation que l'administration d'Eastview s'efforce de répartir son personnel bilingue et unilingue de façon à assurer au public, conformément à la politique de la municipalité, un service effectivement bilingue.

TABLEAU 4.9 Répartition, selon la connaissance de la langue seconde, des ouvriers et techniciens à l'emploi d'Eastview, classés d'après la fréquence des rapports avec le public.

Connaissance de la langue seconde	Ouvriers		Techniciens	
	Sans rapports	Avec rapports	Sans rapports	Avec rapports
Bilingues*	2	–	1	4
Unilingues**	11	–	7	1

Source : Listes de contrôle du personnel en 1966.
*Classés comme ayant une connaissance « excellente » ou « très bonne » de la langue seconde.
**Classés comme ayant une connaissance « rudimentaire » ou « nulle » de la langue seconde (y compris les cas « sans réponse »).

TABLEAU 4.10 Répartition, selon la connaissance de la langue seconde, des employés municipaux d'Eastview classés d'après la fréquence des rapports avec le public.

Connaissance de la langue seconde	Total	Rapports avec le public		
		Aucun	Moins d'un par jour	Plus d'un par jour
Total	50	21	1	28
Excellente	14	–	–	14
Très bonne	14	2	–	12
Rudimentaire	20	18	1	1
Nulle	–	–	–	–
Sans réponse	2	1	–	1

Source : Listes de contrôle du personnel en 1966.

Trois constatations ressortent de cette étude sur Eastview. Tout d'abord, il semble y avoir dans les services administratifs une certaine disposition d'esprit favorisant le bilinguisme, considéré non pas comme une nécessité déplaisante, mais comme un bien souhaitable : à la connaissance des deux langues s'ajoute la volonté de les utiliser. Au cours de nos entrevues, on nous a souvent déclaré qu'il y avait peu de frictions à Eastview, parce qu'on y respectait les droits des deux groupes linguistiques.

En second lieu, la situation géographique d'Eastview influe fortement sur la position respective des deux langues. L'anglais est certes la langue de la minorité dans les limites de la ville, mais celle-ci ne couvre qu'un territoire d'un mille carré. Dans les municipalités avoisinantes, l'anglais est la langue de la majorité.

Enfin, les rapports de la municipalité avec la province d'Ontario jouent un rôle au moins aussi important. Les huit chefs de service interrogés ont tous déclaré ou laissé entendre que ce facteur contribuait considérablement à promouvoir l'usage de l'anglais dans l'administration. Tous les rapports directs avec la province se font en anglais et, au moins dans un service, les questions que le chef de service croit susceptibles d'être portées à la connaissance des autorités provinciales sont également traitées en anglais.

D. *Les autres municipalités*

Il nous reste à étudier les dix autres municipalités de la zone métropolitaine d'Ottawa. Ce sont, du côté ontarien, Gloucester, Nepean et Rockcliffe Park; du côté québécois, Aylmer, Deschênes, Gatineau, Lucerne, Pointe-Gatineau, Templeton et Templeton-Ouest. En ce qui concerne l'usage des langues, les trois municipalités ontariennes présentent une situation identique : en règle générale, leur activité s'exerce en anglais. Les sept municipalités québécoises peuvent servir le public en français et en anglais, mais en pratique, l'usage des deux langues est plus fréquent dans certaines localités. La principale différence existant entre les municipalités tient au facteur provincial; c'est pourquoi nous les étudierons séparément selon la province.

L'emploi des langues dans les trois municipalités ontariennes

La demande de service en langue française, dans la correspondance, par téléphone ou dans les entrevues, est à peu près inexistante dans les trois municipalités. D'après les réponses aux questionnaires, elle est nulle à Nepean, tandis qu'à Gloucester et à Rockcliffe Park, moins de 1 % des lettres reçues sont en français. Toutefois, si les conversations téléphoniques et les entrevues sont presque toujours en anglais à Gloucester, on utilise parfois le français au Service des contributions (Tax Department), dont le chef est bilingue.

Le français étant peu en demande, la langue des municipalités est presque exclusivement l'anglais. C'est dans cette langue qu'on répond à toutes les lettres. La municipalité de Nepean signale qu'elle n'a jamais reçu de lettre en français, mais qu'elle répondrait probablement en français si elle en recevait. Les règlements des trois municipalités sont rédigés et publiés en anglais seulement. Les avis publics, formules officielles, contraventions et sommations[4], panneaux de signalisation, panneaux de sécurité, permis d'exploitation commerciale et appels d'offres ne sont rédigés généralement qu'en anglais. À Gloucester, les avis distribués ou affichés sont toujours en anglais, mais la municipalité envoie tant au journal *Le Droit* qu'à l'*Ottawa Citizen* et à l'*Ottawa Journal* les avis et appels d'offres qu'elle veut faire connaître par voie de presse. Nepean a déjà publié aussi des appels d'offres dans *Le Droit*. À Rockcliffe Park, la municipalité tend à remplacer les signaux routiers unilingues par les symboles de la signalisation internationale.

Aucune des municipalités n'emploie de traducteurs attitrés. Les avis publiés dans *Le Droit* sont traduits par le personnel de ce journal. Fait peu surprenant, la langue de travail des trois administrations municipales est l'anglais.

Les municipalités ne sont portées à offrir un service dans une langue que dans la mesure où elles en sentent le besoin. Or, à Rockcliffe Park, la personne répondant au questionnaire a déclaré que le français n'était pas nécessaire, ajoutant qu'elle ne se souvenait pas d'avoir eu affaire à un francophone unilingue. Pour sa part, la municipalité de Gloucester estime que ses services répondent aux besoins linguistiques du public. Apparemment, les municipalités ontariennes ne ressentent pas le besoin de fournir des services dans les deux langues et, par conséquent, elles ne le font qu'en anglais.

L'emploi des langues dans les sept municipalités québécoises

La demande de services en anglais et en français varie considérablement d'une municipalité à l'autre. Le tableau n° 4.11 indique le pourcentage, évalué par les fonctionnaires de chaque municipalité, de la demande de services en langue anglaise pour la correspondance, les appels téléphoniques et les entrevues. On remarque que, dans deux municipalités, l'anglais est plus demandé que le français, que dans quatre autres, c'est le français et que dans la septième (Aylmer) les deux langues sont aussi demandées l'une que l'autre : en outre, dans chaque municipalité, les pourcentages sont sensiblement les mêmes pour les trois modes de communication avec le public.

TABLEAU 4.11 Pourcentage, par type de communication, de la demande de services en anglais, dans sept municipalités québecoises de la zone métropolitaine d'Ottawa.

Municipalité	Type de communication		
	Lettres reçues	Appels téléphoniques	Entrevues
Templeton-Ouest	*	70	70
Lucerne	60	51	55
Aylmer	50	50	35
Deschênes	25	10	25
Gatineau	15	15	15
Templeton	10	10	10
Pointe-Gatineau	1	1	1

Source : Questionnaires envoyés aux municipalités en 1966.
*Cette municipalité reçoit peu de lettres.

On a vu au chapitre II que les municipalités du Québec sont, dans certains cas, légalement tenues de fournir leurs services dans les deux langues, en vertu du Code municipal ou de la Loi des cités et villes, et que le ministre des Affaires municipales du Québec peut toutefois autoriser une dérogation aux dispositions du Code municipal (voir pp. 66-67). Parmi les quatre municipalités de la zone métropolitaine d'Ottawa qui relèvent du Code (Lucerne, Deschênes, Templeton et Templeton-Ouest), seule Lucerne a bénéficié d'une telle dérogation et, depuis 1923, cette municipalité a le droit de n'utiliser que l'anglais. Son conseil a néanmoins décidé en 1962, sans doute par suite de l'accroissement de la population francophone, d'employer les deux langues.

Même si les sept municipalités du Québec n'ont pas à répondre à la même demande de service dans les deux langues et sont soumises à des régimes juridiques différents, elles mettent toutes à la disposition du public des services bilingues. Elles répondent aux lettres dans la langue de l'expéditeur, et il semble que les employés utilisent au téléphone et dans les entrevues la langue de leur interlocuteur. Templeton ne publie apparemment ses règlements qu'en français, mais les six autres municipalités le font dans les deux langues, soit en versions juxtaposées (Gatineau et Templeton-Ouest), soit séparément (Aylmer, Deschênes, Lucerne et Pointe-Gatineau). Les règlements de Gatineau et de Pointe-Gatineau sont d'abord rédigés en français, comme évidemment ceux de Templeton. Aylmer ne suit pas de règle fixe, et Deschênes rédige ses règlements en anglais et en français. Lucerne et Templeton-Ouest rédigent les leurs seulement en anglais (alors qu'en Ontario, la municipalité d'Eastview se sent tenue de rédiger ses règlements en anglais à cause des institutions établies).

Les documents officiels sont presque tous bilingues. Les avis publics, formules officielles, contraventions et sommations, panneaux de signalisation et de sécurité, permis divers et appels d'offres sont généralement publiés en anglais et en français. On ne compte que deux exceptions à cette règle : Pointe-Gatineau ne délivre les permis de construire qu'en français et Templeton ne publie ses appels d'offres que dans cette langue[5].

Lorsqu'il est nécessaire de traduire un texte, on le confie habituellement à un employé municipal : le secrétaire-trésorier à Aylmer, Deschênes et Templeton, le greffier à Pointe-Gatineau. Lucerne a recours aux services de son conseiller juridique ou de traducteurs. Templeton-Ouest n'a jamais eu de textes à faire traduire; Gatineau estime qu'un traducteur officiel n'est pas nécessaire, car la Loi des cités et villes contient des formules officielles dans les deux langues et les journaux font traduire par leur personnel les avis qu'on leur envoie.

En cas de conflit entre les versions française et anglaise d'un texte officiel, un règlement de Pointe-Gatineau donne la priorité au français, tandis qu'à Lucerne, c'est le texte anglais qui fait autorité. Les autres municipalités ne signalent pas l'existence de règlements semblables.

La langue de travail de l'administration municipale est le français à Aylmer, Deschênes, Pointe-Gatineau, Gatineau et Templeton, et principalement l'anglais à Lucerne. À Templeton-Ouest, on emploie à peu près également les deux langues.

Il semble que dans les sept municipalités québécoises, l'administration et la population entretiennent de bons rapports sur le plan des langues. Le questionnaire rempli par la ville d'Aylmer mentionne qu'en de rares occasions, des personnes à nom canadien-français, mais anglophones, s'étaient plaintes de recevoir une lettre en français, ou vice versa. Ceci illustre l'attitude que paraissent partager les employés municipaux et le public, à savoir que le citoyen considère qu'il a le droit d'être servi dans sa langue. L'importance de la minorité linguistique d'une population municipale ne semble pas influer sur cette attitude; en effet, les services sont bilingues à Pointe-Gatineau, dont 3 % de la population est anglophone, aussi bien qu'à Lucerne qui compte 45 % de francophones.

La composition du personnel et la connaissance des langues dans les dix administrations

Lorsqu'elles recrutent leur personnel, les municipalités n'attachent pas toutes la même importance au bilinguisme. En Ontario, Nepean déclare ne suivre aucune règle dans ce domaine. À Gloucester, il n'y a pas de politique officielle, mais on considère que le bilinguisme est un atout pour certaines catégories professionnelles – les assistants sociaux, par exemple – et dans les services de l'Impôt, de la Police et des Incendies. Rockcliffe Park n'a pas non plus de politique officielle : l'anglais est évidemment obligatoire et on accueille favorablement la candidature des personnes bilingues.

Au Québec, Gatineau et Lucerne exigent que le candidat à un poste dans les services administratifs ou la Police soit bilingue. Deschênes et Aylmer engagent des personnes bilingues lorsque c'est possible, mais, dans le cas d'Aylmer, on ajoute que c'est le candidat le plus compétent qui est accepté, même s'il est unilingue. Tout en n'ayant aucune politique en matière de bilinguisme, Pointe-Gatineau tient à ce que tous ses employés soient capables de parler français; quant à Templeton, elle n'a aucune politique en ce domaine. Comme Templeton-Ouest n'a pas de personnel permanent, la question ne la concernait pas; pour cette même raison, la municipalité ne figure que rarement dans l'analyse qui suit.

Aussi modeste soit-elle, cette importance attachée au bilinguisme d'un candidat mérite d'être mentionnée. En effet, il s'agit de petites municipalités qui éprouvent sans doute de la difficulté à recruter du personnel. Dans ces conditions, la moindre exigence en matière de bilinguisme semblerait indiquer que, pour ces municipalités, l'aptitude à servir le public en français et en anglais est une exigence de la fonction d'employé municipal.

Le tableau n⁰ 4.12 donne les chiffres de la population et du personnel administratif des treize municipalités de la zone métropolitaine d'Ottawa, par ordre d'importance. On remarque qu'il existe une certaine corrélation entre le nombre d'habitants et le nombre d'employés municipaux, mais le rapport n'est nullement constant. Les différences s'expliquent en partie par le fait que souvent les petites municipalités se rendent mutuellement certains services. Par exemple, Lucerne fait appel, dans certains cas, au service des Incendies d'Aylmer; son personnel administratif se trouve ainsi proportionnellement moins nombreux que celui d'Aylmer. Dans une certaine mesure, on peut expliquer de la même façon l'importance disproportionnée du personnel administratif d'Ottawa par rapport à la population de cette ville.

À notre connaissance, aucun service municipal (à l'exception des lignes d'autobus) ne franchit la frontière provinciale. On peut donc comparer le nombre des employés des municipalités de l'Ontario et celui de leurs homologues du Québec. En Ontario, il y a un employé municipal pour 93 habitants, tandis qu'au Québec le rapport est de 1 à 203.

La répartition du personnel administratif en fonction de la langue maternelle (voir le tableau A, appendice G) indique clairement que, dans la plupart des cas, il y a un groupe prépondérant. À Gloucester, les employés anglophones représentent 74 % du personnel administratif; à Nepean et à Rockcliffe Park, ce chiffre est de 85 %. À Aylmer, Gatineau et Pointe-Gatineau, 88, 97 et 98 % respectivement des employés municipaux sont francophones. Deschênes et Lucerne sont les seules municipalités sans groupe nettement majoritaire. En comparant la répartition de la population et du personnel administratif d'après la langue maternelle, on constate que la représentation du groupe anglophone est supérieure au pourcentage correspondant de la population dans une seule municipalité; celle du groupe francophone, dans six municipalités.

TABLEAU 4.12 Chiffres comparatifs de la population et des employés des municipalités de la zone métropolitaine d'Ottawa, en 1966.

Municipalité	Population	Employés municipaux
Total	489 392	4 632
Ottawa	288 735	3 742*
Hull	58 902	147**
Nepean	43 420	165
Eastview	24 047	107
Gloucester	23 002	74
Gatineau	17 434	73
Pointe-Gatineau	10 903	43
Lucerne	8 042	17
Aylmer	7 150	34
Templeton	3 219	5
Rockcliffe Park	2 155	13
Deschênes	1 772	4
Templeton-Ouest	611	0
Total – Ontario	381 359	4 101
Total – Québec	108 033	531

Sources : Pour la population : compilations préliminaires du recensement de 1966.
        Pour les employés municipaux : listes de contrôle.
*D'après la liste du personnel établie par la ville en 1965.
**À l'exclusion des pompiers. Voir la note 3 à la page 283.

Si l'on s'intéresse maintenant au pourcentage des employés municipaux en mesure de servir le public en français ou en anglais, on relève des différences entre les municipalités des deux provinces. Comme l'indique le tableau n° 4.13, dans toutes les municipalités québécoises de la zone métropolitaine d'Ottawa, sauf une, plus de la moitié des employés peuvent servir le public en anglais. Par contre, le quart, ou moins, des employés des trois municipalités ontariennes sont en mesure de servir le public en français, alors que du côté québécois, la question ne se pose pas. Le total de chaque province fait ressortir qu'environ un sixième des employés municipaux ontariens peuvent servir le public en français, tandis que près des deux tiers des employés québécois sont en mesure de le faire en anglais.

Le total des huit municipalités confirme encore davantage l'écart qui existe entre la situation des deux langues dans la région de la capitale. Dans les municipalités de banlieue, alors que près de cinq employés sur six peuvent servir le public en anglais, on en compte à peine trois en mesure d'offrir les mêmes services en français. Si l'on ajoute les villes d'Ottawa, de Hull et d'Eastview, le pourcentage atteint 96 pour l'anglais et seulement 42 pour le français (voir le tableau B, appendice G).

TABLEAU 4.13 Répartition en pourcentage, selon l'aptitude à servir le public en anglais ou en français, des employés* de huit municipalités de la zone métropolitaine d'Ottawa.

Municipalité	Service en	
	Anglais	Français
Les 8 municipalités	82	48
Gloucester	94	26
Nepean	95	11
Rockcliffe Park	92	23
Les 3 municipalités de l'Ontario	95	16
Aylmer	100	94
Deschênes	100	50
Gatineau	46	98
Lucerne	94	71
Pointe-Gatineau	56	100
Les 5 municipalités du Québec	65	94

Source : Listes de contrôle du personnel en 1966.
*Classés comme ayant une connaissance « excellente » ou « très bonne » de la langue.

Dans une municipalité, un grand nombre de fonctionnaires qui parlent la langue de la minorité (par exemple, le français à Nepean ou l'anglais à Gatineau) sont bilingues. Le tableau C de l'appendice G indique le degré de connaissance de la langue seconde chez les fonctionnaires municipaux de chaque municipalité. Incontestablement, le pourcentage des employés bilingues est beaucoup plus élevé dans les municipalités du Québec que dans celles de l'Ontario. Cet écart est sans doute dû à la préférence que certaines municipalités du Québec accordent officiellement aux candidats bilingues, et aussi au fait que les municipalités recrutent une bonne partie de leur personnel dans une population locale comptant généralement une forte proportion de bilingues. En 1961, environ 40 % de la population totale des cinq municipalités québécoises parlaient les deux langues officielles. Les municipalités ontariennes de Nepean, Rockcliffe Park et Gloucester comptaient respectivement 8,7, 29,6 et 32,8 % de personnes bilingues, soit une moyenne générale de 20,7 %.

Sur les 140 fonctionnaires bilingues employés par les huit municipalités considérées, 125 – soit environ les neuf dixièmes – sont de langue maternelle française. Il ne faudrait pas en conclure que « canadien-français » et « bilingue » sont synonymes. Néanmoins, en se reportant au tableau n° 4.14, on peut dire que dans les huit municipalités, les deux tiers des employés francophones sont effectivement bilingues, ce qui n'est vrai que de 7 % des employés dont la langue maternelle est autre que le français.

Les comparaisons entre les deux provinces sont intéressantes. Les employés de langue maternelle française sont plus bilingues en Ontario qu'au Québec; ceux de langue maternelle anglaise ou autre sont plus bilingues au Québec qu'en Ontario. De toute évidence, pour travailler dans une municipalité ontarienne il faut connaître l'anglais, tandis que du côté québécois, la connaissance du français est un atout, mais non une condition indispensable.

TABLEAU 4.14 Répartition en nombre et en pourcentage des employés bilingues* de huit municipalités de la zone métropolitaine d'Ottawa, classés d'après la langue maternelle.

Municipalité	Langue maternelle					
	Anglais et autre			Français		
	Nombre d'employés	Employés bilingues		Nombre d'employés	Employés bilingues	
		Nombre	%		Nombre	%
Les 8 municipalités	225	15	7	188	125	67
Gloucester	57	4	7	15	13	87
Nepean	143	5	4	12	12	100
Rockcliffe Park	11	1	9	2	1	50
Les 3 municipalités de l'Ontario	211	10	5	29	26	90
Aylmer	4	2	50	30	30	100
Deschênes	2	0	0	2	2	100
Gatineau	–	–	–	75	35	47
Lucerne	7	2	29	10	9	90
Pointe-Gatineau	1	1	100	42	23	55
Les 5 municipalités du Québec	14	5	36	159	99	62

Source: Listes de contrôle du personnel en 1966.
*Classés comme ayant une connaissance « excellente » ou « très bonne » de la langue seconde.

On peut aussi tenir compte de la répartition du personnel bilingue dans les huit administrations municipales selon les catégories professionnelles et la fréquence des rapports avec le public. Comme il est difficile de faire entrer les services de protection dans les catégories professionnelles que nous avons établies et de les classer selon la fréquence de leurs rapports avec le public, nous les avons exclus de l'analyse qui suit.

Le tableau no 4.15 fournit une comparaison de trois municipalités ontariennes et de cinq municipalités québécoises en fonction des catégories professionnelles. Du côté ontarien, la concentration des bilingues dans la catégorie des ouvriers semble supérieure à la moyenne, les employés de bureau sont près de la moyenne, tandis que les autres catégories sont au-dessous. Au Québec, par contre, ce ne sont pas les ouvriers, mais les autres catégories professionnelles, qui comptent proportionnellement le plus de bilingues. Il y a un pourcentage très élevé de bilingues dans les catégories « cadres subalternes », « professions libérales » et « secrétaires ».

TABLEAU 4.15 Pourcentage des employés bilingues* classés par profession, dans huit municipalités de la zone métropolitaine d'Ottawa**

Profession	Municipalités		
	8	3 ontariennes[a]	5 québécoises[b]
Toutes professions	28	13	47
Ouvriers	22	18	27
Secrétaires	39	7	100
Employés de bureau	44	14	65
Techniciens	27	0	62
Professions libérales	29	9	100
Cadres subalternes	31	11	75

Source : Listes de contrôle du personnel en 1966.
*Classés comme ayant une connaissance « excellente » ou « très bonne » de la langue seconde.
**Le personnel des services de protection n'est pas inclus dans ce tableau.
    a. Gloucester, Nepean, Rockliffe Park.
    b. Aylmer, Deschênes, Gatineau, Lucerne, Pointe-Gatineau.

TABLEAU 4.16 Pourcentage des employés bilingues* ayant des rapports avec le public dans huit municipalités de la zone métropolitaine d'Ottawa**

Rapports avec le public	Municipalités		
	8	3 ontariennes[a]	5 québécoises[b]
Total	28	13	47
Aucun	34	21	38
Moins d'un par jour	20	14	30
Plus d'un par jour	32	12	67

Source : Listes de contrôle du personnel en 1966.
*Classés comme ayant une connaissance « excellente » ou « très bonne » de la langue seconde.
**Le personnel des services de protection n'est pas inclus dans ce tableau.
    a. Gloucester, Nepean, Rockliffe Park.
    b. Aylmer, Deschênes, Gatineau, Lucerne, Pointe-Gatineau.

Le tableau n° 4.16, où figure le pourcentage du personnel bilingue dans chacune des trois catégories de rapports avec le public, fait ressortir une autre différence frappante entre les municipalités du Québec et celles de l'Ontario. Reflétant la volonté des municipalités du Québec d'offrir un service bilingue, le pourcentage du personnel bilingue ayant des rapports fréquents avec le public est nettement plus élevé que celui des employés qui n'en ont pas, ou en ont très peu. Dans le cas des municipalités ontariennes, le bilinguisme est plus répandu parmi les employés qui n'ont aucun rapport avec le public. Ces deux facteurs (catégories professionnelles et rapports avec le public), discutés ici de façon globale, sont présentés sous forme de tableaux à l'appendice G (tableaux D et E pour chacune des 13 municipalités de la zone métropolitaine d'Ottawa.

E. Résumé

Nous pouvons résumer en quelques points cette étude consacrée à douze municipalités de la zone métropolitaine d'Ottawa :

1. Le cadre provincial a une importance évidente. Le Québec encourage et oblige ses municipalités à être bilingues; l'Ontario ne le fait pas. L'exemple d'Eastview prouve pourtant qu'une municipalité ontarienne peut se servir des deux langues.

2. À l'exception d'Eastview, les municipalités ontariennes attachent relativement peu d'importance à la nécessité de fournir des services en français et en anglais. Eastview et les municipalités québécoises ont une attitude diamétralement opposée.

3. Ces attitudes se reflètent sur le service fourni au public. En Ontario, hors d'Eastview, le service est rarement bilingue; il l'est presque toujours dans les municipalités québécoises.

4. À Eastview et dans les municipalités québécoises, les pièces officielles sont en grande partie bilingues, ce qui n'est pas le cas ailleurs.

5. D'une façon générale, la langue de travail est l'anglais à Gloucester, Nepean, Rockcliffe Part et Lucerne, l'anglais et le français à Eastview et à Templeton-Ouest, et le français dans les six autres municipalités.

6. Seules les municipalités de Hull, Eastview, Gatineau et Lucerne exigent d'un candidat à un poste qu'il soit bilingue. La plupart des autres municipalités accordent, à compétence égale, la préférence à un candidat bilingue.

7. À l'exception de Lucerne et Deschênes, municipalités dont les employés se répartissent également d'après la langue maternelle, le groupe majoritaire occupe une position plus forte dans l'administration que dans l'ensemble de la population.

8. La majorité du personnel administratif est bilingue dans toutes les municipalités, sauf à Gloucester, Nepean, Rockcliffe Park et Gatineau.

9. La langue maternelle du personnel bilingue est généralement le français. Parmi les employés dont la langue maternelle est l'anglais, le pourcentage des bilingues est plus élevé au Québec qu'en Ontario.

10. En Ontario, à l'exception d'Eastview, c'est dans les postes de niveau inférieur et comportant peu de rapports avec le public que l'on trouve le plus haut pourcentage d'employés bilingues; dans les municipalités du Québec et à Eastview, on note une tendance contraire.

Après cette étude, il est maintenant possible de situer la ville d'Ottawa dans l'ensemble des municipalités de la région de la capitale fédérale. En ce qui concerne l'usage des langues, on peut établir une nette distinction entre Ottawa, Nepean, Gloucester et Rockcliffe Park, d'une part, Eastview et les huit municipalités québécoises, d'autre part. La présence d'Eastview dans ce dernier groupe démontre l'importance et aussi les limites de l'influence provinciale dans le domaine de l'emploi des langues. Bien qu'elle soit incontestablement forte, cette influence n'explique pas tout; l'attitude des autorités municipales compte également. Dans les municipalités qui font partie du deuxième groupe, le bilinguisme est pratique courante, non pas pour la simple ou principale raison qu'il est nécessaire, mais plutôt parce que certains facteurs psychologiques jouent en sa faveur. Ces facteurs – on ne s'attend pas que les anglophones comprennent le français, on est convaincu que le bilinguisme ne s'oppose pas mais contribue plutôt à l'efficacité du service, et on présume que ce n'est pas un but impossible à atteindre – ont amené les municipalités à offrir des services bilingues bien au delà des exigences d'un simple pragmatisme. Il faut signaler enfin qu'aucune des municipalités « unilingues » ou « bilingues » n'a indiqué qu'elle basait sa politique linguistique sur les besoins particuliers qui pouvaient exister dans la région de la capitale fédérale.

Chapitre V   Le gouvernement fédéral et la capitale

A. La présence fédérale dans la région d'Ottawa

Nous l'avons vu dans les chapitres précédents, la région de la capitale nationale occupe une partie du territoire de deux provinces — l'Ontario et le Québec — qui exercent leurs compétences dans cette région sensiblement de la même façon que partout ailleurs sur leur territoire. À l'échelon local, la région est administrée par une multitude de municipalités qui relèvent, comme toutes les municipalités, de la province qui les a créées. Ce qui distingue la région Ottawa-Hull des autres régions métropolitaines, c'est sa fonction de capitale nationale et, par voie de conséquence, l'intérêt du gouvernement fédéral pour cette région.

Malgré cet intérêt, le gouvernement canadien diffère de ceux des autres pays fédératifs, tels l'Australie et les États-Unis, en ce qu'il ne possède aucun pouvoir constitutionnel explicite concernant l'administration de la région de la capitale[1]. On notera cependant, que les tribunaux ont maintenu certaines mesures prises par le gouvernement fédéral pour aménager la capitale.

Toutefois, malgré l'absence d'un statut consacré par la constitution et d'une ligne d'action définie, le gouvernement fédéral a exercé, par sa seule existence, une influence appréciable sur l'aménagement et le caractère de la région Ottawa-Hull. Pour nous en faire une idée, voyons une énumération partielle de ses tâches dans la région :

> Ainsi par l'entremise des ministères ou des sociétés de la Couronne, le gouvernement fédéral produit des films, imprime des brochures, exploite des sociétés de transport, produit des isotopes radio-actifs, exploite un réseau immense de radiodiffusion et de télévision, fabrique des explosifs, maintient un salon des formes utiles, contrôle des sociétés de pipe-lines, l'énergie atomique et les mines d'uranium, établit le tracé de routes de plaisance, patronne les arts, maintient des édifices historiques, administre les Territoires du Nord-Ouest, exploite des lignes aériennes, imprime des revues et exploite des librairies[2].

Bien sûr, ces tâches n'affectent pas toutes directement la capitale nationale. Mais, ensemble, elles confèrent par leur masse un caractère particulier à toute la région.

La place qu'occupe le gouvernement fédéral sur le marché du travail témoigne aussi de son importance dans la région. En 1961, comme nous l'avons vu au chapitre premier, il était le plus important employeur, occupant 30 % de la main-d'œuvre locale. Ou, selon une autre perspective, la Couronne occupait environ trois fois plus de personnes que tout le secteur manufacturier de la région (voir le tableau nº 1.10, p. 15).

Une forte proportion des sommes versées aux employés d'une aussi large partie de la population active est dépensée dans la région Ottawa-Hull. Le gouvernement fédéral se trouve ainsi soutenir, quoique de façon indirecte, les entreprises locales. Il en a déterminé, pour une bonne part, le taux d'expansion : si la croissance du gouvernement provient de facteurs extérieurs à la région, en revanche, les entreprises locales doivent leur développement à la présence du gouvernement qui attire dans la capitale un nombre croissant de personnes.

L'économie régionale dépend tellement du gouvernement qu'elle en semble artificielle. L'importance présente et le développement probable de la région sont fondés non sur des richesses naturelles ou une situation géographique avantageuse, mais bien sur la présence et le dynamisme dont fera preuve le gouvernement canadien. Bref, si d'aventure le gouvernement fédéral cessait tout à coup de payer des salaires, le tiers de la main-d'œuvre serait directement atteint, et un autre tiers de la population active verrait ses moyens de subsistance menacés.

Principal employeur de la région, le gouvernement fédéral en est aussi le plus important propriétaire foncier. En mettant en œuvre deux de ses projets les plus notoires — le parc de la Gatineau et la zone verte —, la Couronne a acheté près de 100 000 acres de terre. Et elle en achète encore. Une fois achevées, les deux entreprises engloberont quelque 130 000 acres (pour une analyse plus complète de cette question, voir p. 129).

Dans les deux principales municipalités de la région, l'étendue des propriétés fédérales est pour le moins imposante. Quelque 28 % de la superficie de la municipalité d'Ottawa appartiennent au gouvernement fédéral; pour Hull, la proportion est d'à peu près 25 % (chiffres de la Commission de la capitale nationale).

Ces chiffres mettent bien en évidence l'étendue considérable des propriétés fédérales. Tout aussi remarquables sont les usages auxquels le gouvernement les affecte : une partie importante de ces propriétés consiste en parcs et zones de détente; en outre, la Couronne possède ou loue un grand nombre d'immeubles. Comme nous le verrons plus bas, cet état de choses et la répartition géographique de ces propriétés ont de profondes répercussions sur les relations fédérales-municipales.

La présence du gouvernement fédéral dans la région de la capitale nationale influence également les budgets des municipalités locales. Les nombreux immeubles appartenant au gouvernement fédéral ont besoin des services municipaux habituels : protection contre les incendies, adduction d'eau, égouts... Pour assurer ces services, les municipalités perçoivent normalement des impôts fonciers et autres. Toutefois, elles ne peuvent le faire dans le cas des biens du gouvernement, car l'article 125 de l'A. A. N. B. le leur interdit dans les termes suivants : « Les immeubles et les biens appartenant au Canada ou l'une des provinces ne seront pas imposables. » Or, bien qu'il n'y soit pas tenu, le gouvernement accorde aux municipalités certaines indemnités (pour une étude plus détaillée de cette question, voir plus bas, pp. 134-136).

Autre aspect à noter : nombre d'institutions gouvernementales sont établies à Ottawa parce que c'est la capitale. Les immeubles qui les abritent, dont ceux du Parlement sont les plus connus, ont une importance touristique évidente. Pour la population locale, les institutions culturelles présentent peut-être plus d'intérêt; même si elles ont été créées pour l'ensemble des Canadiens, ce sont les habitants de la région qui en profitent avant tout le plus directement et le plus constamment. La Galerie nationale, le Musée national, la Bibliothèque nationale et le Centre national des arts, dont la construction n'est pas terminée, comptent parmi les plus importantes réalisations matérielles du gouvernement pour promouvoir la culture.

Le gouvernement est donc à la fois le principal employeur et le principal propriétaire foncier de la région. C'est d'abord à titre de propriétaire qu'il occupe une place considérable dans les affaires municipales de la région. Il est aussi le premier responsable des institutions culturelles et autres dont jouit la capitale. Toutes ces activités, cependant, entrent tout normalement dans le cadre des tâches quotidiennes du gouvernement fédéral.

Ceci ne signifie pas que le gouvernement fédéral ait assisté passivement au développement de la capitale. Au contraire, et malgré l'absence d'un statut constitutionnel précis sur ses rapports avec la capitale et son souci de ne pas empiéter sur les droits provinciaux, il s'occupe activement de la région depuis longtemps. Dans les pages suivantes, nous en étudierons les conséquences en nous efforçant de répondre à deux questions principales :

1. Quel rôle le gouvernement fédéral joue-t-il dans l'administration de la région de la capitale, ou plus précisément, de la « région de la capitale nationale » ?

2. Quelles dispositions le gouvernement fédéral prend-il pour satisfaire les besoins culturels et linguistiques de la capitale du Canada ?

Nous nous intéresserons principalement aux institutions, examinant tour à tour les divers organismes du gouvernement ainsi que leur fonction et leur rôle dans la capitale. Nombre d'organismes s'intéressent à celle-ci, mais au même titre qu'à toutes les villes et régions du Canada; nous ne leur accorderons donc pas d'attention spéciale. Certains autres ont été, à l'occasion, appelés à jouer un rôle particulier dans les affaires de la capitale; d'autres, enfin, s'y intéressent de façon permanente, en plus de s'occuper de leurs diverses tâches. La Commission de la capitale nationale est le seul organisme gouvernemental qui se consacre exclusivement à la région. Abordons immédiatement l'étude de cette Commission et des organismes qui l'ont précédée à la fin du dix-neuvième siècle.

B. *La Commission de la capitale nationale*

Historique

Il convient peut-être, en abordant l'histoire des organismes qui œuvrent dans la capitale, de mettre un premier point en relief : par ses activités, la C. C. N. (Commission de la capitale nationale) ne diffère pas radicalement des organismes qu'elle a remplacés. Elle dispose, certes, de ressources plus grandes et de pouvoirs plus étendus, mais dans son action sur le cadre physique de la capitale canadienne, elle applique une politique fédérale qui remonte à plus d'un demi-siècle. On rapporte que, déjà en 1893, sir Wilfrid Laurier, qui devint plus tard premier ministre du Canada, voulait faire d'Ottawa « le centre intellectuel du pays et ... la Washington du Nord » (Eggleston, *op. cit.*, p. 165).

Créée en décembre 1899, la Commission d'embellissement d'Ottawa, qui comptait quatre membres, a été le premier organisme à s'occuper d'urbanisme dans la région. Elle consacra une bonne partie de son travail à faire disparaître d'Ottawa les vestiges les plus tenaces de son passé de « sub-arctic lumber village » (village de bûcherons). Ses membres s'intéressaient à la question, mais ce n'était pas des spécialistes de l'urbanisme. La Commission, ne disposant que d'un budget annuel de $ 60 000^3, n'a guère pu effectuer d'améliorations importantes, mais elle a quand même mené à bien d'heureuses initiatives. Les promenades actuelles, qui comptent parmi les principaux agréments de la ville, ont été ébauchées à cette époque.

Le territoire de la capitale s'est agrandi au rythme de l'intérêt que le gouvernement fédéral lui portait. À ses débuts, la Commission d'embellissement limitait son action à peu près uniquement à la ville d'Ottawa, mais des événements ultérieurs nous autorisent à croire que le gouvernement fédéral s'est peu à peu intéressé à Hull. Ainsi, la Commission du plan fédéral, créée en 1913, avait mission de

> prendre toutes les mesures nécessaires pour dresser et mener à bien un projet ou plan d'ensemble par lequel seraient assurés la croissance et le progrès futurs de la cité d'Ottawa et de la cité de Hull, comme de leurs environs... (Eggleston, *op. cit.*, p. 178)

La composition de l'organisme atteste que l'attention du gouvernement se portait au delà de l'Outaouais. Les maires d'Ottawa et de Hull en faisaient partie d'office, outre le président et trois autres membres.

Considéré par une autorité comme « l'un des documents officiels les plus remarquables de toute l'histoire du Canada » (Eggleston, *op. cit.*, p. 179), le rapport Holt (ainsi qu'on a communément désigné les recommandations de la Commission du plan fédéral) révèle une grande perspicacité à bien des égards. Il semble toutefois n'avoir guère influé dans l'immédiat sur l'élaboration des plans fédéraux d'aménagement de la région. Les sommes d'argent et d'énergie qu'exigèrent la Grande Guerre et la reconstruction des immeubles du Parlement après l'incendie de 1916, ont fait reléguer au second plan ce projet d'ensemble. Aussi, la Commission d'embellissement n'a-t-elle subi à peu près aucun changement jusqu'à 1927, année où elle fut remplacée par un organisme plus puissant : la Commission du district fédéral.

C'est surtout par l'intermédiaire de celle-ci que le gouvernement a manifesté, par la suite, tout son intérêt pour la région de la capitale. Reconstituée en 1959, elle devint la Commission de la capitale nationale. En créant la Commission du district fédéral, le gouvernement d'alors établissait formellement que son intérêt s'étendait bien au-delà des limites de la ville d'Ottawa. « L'intention, déclarait MacKenzie King aux Communes, est de ne pas restreindre le champ d'action de la Commission à la seule ville d'Ottawa, mais, d'inclure la banlieue et la ville de Hull de l'autre côté du fleuve » (Chambre des communes, *Débats,* 6 avril 1927, p. 1971). Aux termes des pouvoirs accrus qui lui furent accordés en 1934, « elle était chargée de l'aménagement et de l'entretien des terrains de tous les édifices du gouvernement fédéral dans la région de la capitale » (Eggleston, *op.*

cit., p. 188). Le nombre des membres fut fixé à dix, dont un devait résider à Hull; c'était là une des conséquences de l'élargissement du champ d'action de l'organisme.

La Commission du district fédéral se mit à l'œuvre en 1927, forte d'une subvention annuelle de $ 250 000, soit $ 100 000 de plus que n'avait reçu la Commission d'embellissement d'Ottawa. Un an après sa création, le montant était réduit à $ 200 000, mais un capital de $ 3 millions lui était immédiatement affecté (Eggleston, *op. cit.*, p. 184). Plus de la moitié de cette somme a servi à l'achat de l'emplacement où devait être aménagée la Place de la Confédération; quant au reste, on l'a utilisé pour agrandir le réseau des promenades.

Les tensions de la deuxième guerre mondiale, le besoin de locaux administratifs, l'inaptitude de la Commission à faire face à la conjoncture et surtout l'état de plus en plus confus des relations financières entre le gouvernement fédéral et la ville d'Ottawa créèrent de nouveaux problèmes. Au cours de la guerre, on avait érigé un certain nombre d'immeubles fédéraux « temporaires » (quelques-uns subsistaient encore en 1967) et plusieurs immeubles permanents. Comme la ville d'Ottawa devait assurer les services nécessaires, elle se trouva dans une situation financière de plus en plus difficile du fait qu'elle ne pouvait, selon la constitution, percevoir d'impôts sur ces immeubles. Il en résulta la mise sur pied en 1944, d'un comité parlementaire mixte d'enquête. Ses principales conclusions avaient trait non pas à l'urbanisme, mais aux relations fédérales-municipales sur le plan financier. Après avoir entendu les arguments pour et contre une augmentation de l'assistance fédérale à la ville d'Ottawa, le comité recommanda que la subvention annuelle pour les services municipaux soit portée de $ 100 000 à $ 300 000 pour cinq ans. Il proposa, en outre, que la question soit réexaminée au terme de cette période. Puis, en 1951, fut promulguée la Loi sur les subventions aux municipalités, qui avait pour objet de réglementer de façon plus méthodique les ententes financières entre le gouvernement et les municipalités, telle Ottawa, où les propriétés fédérales étaient nombreuses.

Certes, le comité mixte s'occupait au premier chef de questions financières, mais il a quand même suscité d'autres changements qui ont influé sur le développement de la Commission du district fédéral. En 1945, se dessina la zone qu'on devait appeler communément District de la capitale nationale. Dans ses limites d'alors, elle couvrait quelque 900 milles carrés, dont 536 au Québec et 364 en Ontario. Elle embrassait, en totalité ou en partie, les territoires de 28 municipalités (Perry, *op. cit.*, p. 20).

L'année suivante on apporta plusieurs changements radicaux aux pouvoirs et à la structure de la Commission du district fédéral. Cette zone nouvellement définie fut incorporée dans le champ de compétence de la Commission. Et celle-ci se vit confier le droit de coordonner la construction et les aménagements des terrains du district appartenant à la Couronne. De plus, la subvention annuelle de la Commission fut portée à $ 300 000 et des immobilisations furent autorisées à concurrence de $ 30 000 000 (Perry, *op. cit.*, p. 20). Et deux ans après, en 1948, les moyens financiers de la Commission furent renforcés de nouveau par la création du Fonds de la capitale nationale, grâce auquel la Commission allait disposer d'une somme globale de $ 25 millions, répartie en dix subventions annuelles (Eggleston, *op. cit.*, p. 264).

D'importants changements de structure ont aussi été apportés à la Commission. En 1944, le Comité parlementaire mixte avait recommandé:

> que les pouvoirs de la Commission du district fédéral soient augmentés et que les membres de cet organisme soient plus nombreux et comprennent, non seulement des représentants de la région d'Ottawa, mais aussi des représentants de tous les Canadiens (Eggleston, *op. cit.,* p. 195).

Aussi, en 1946, a-t-on élevé le nombre des membres de la Commission à 19 et stipulé que toutes les provinces devaient y être représentées.

Finalement, on créa en 1946 un organisme officiel : le comité d'aménagement de la capitale nationale, avec mission de « tracer un plan directeur du district de la capitale nationale » (Eggleston, *op. cit.,* p. 197). Ce comité, conçu pour travailler en liaison avec la Commission du district fédéral, comprenait 23 membres, dont 12 nommés par la Commission. Le président de celle-ci en faisait partie d'office (Eggleston, *op. cit.,* p. 197). M. Jacques Gréber fut désigné comme conseiller.

En 1950, paraissait le plan directeur de la capitale nationale, ou plan Gréber; ce fait et les changements survenus au cours des cinq années précédentes ont étendu considérablement le champ d'action de la Commission du district fédéral. En effet, dépassant son rôle de commission des parcs, elle devint vite l'organisme responsable du plan directeur et le principal artisan de sa mise en œuvre progressive. Et elle allait bientôt subir une autre transformation.

L'année 1956 fut celle de la création, au Parlement, d'un deuxième comité mixte d'enquête. Issue des délibérations de ce comité, la Loi sur la capitale nationale fut sanctionnée le 6 septembre 1958 et promulguée le 6 février 1959. Elle créait la Commission de la capitale nationale, nouvelle version, financièrement renforcée, de la Commission du district fédéral. En outre, le District de la capitale nationale, rebaptisé « Région de la capitale nationale », vit sa superficie passer de 900 à 1 800 milles carrés, la plus grande partie (1 050 milles carrés) se trouvant, cette fois, en Ontario.

Le cabinet nomme les 20 commissaires de la C.C.N., et ceux-ci occupent leur poste amovible durant au maximum deux mandats consécutifs de quatre ans. Le choix des commissaires se fait selon une méthode bien définie. La C.C.N. comprend au moins un membre de chacune des dix provinces, deux d'Ottawa, un de Hull, un d'une autre municipalité ontarienne et un d'une autre municipalité québécoise de la région. Le président et le vice-président ne sont pas élus par les membres, mais désignés par le cabinet.

À propos du choix des commissaires, notons que les liens officiels entre l'organisme fédéral et les municipalités sont moins manifestes qu'avant 1959. Depuis l'époque de la Commission d'embellissement d'Ottawa, cette ville pouvait désigner un membre de la Commission. En 1946, on avait accordé le même droit à Hull. Dans la pratique, les deux maires représentaient leur ville respective. Toutefois, la Loi sur la capitale nationale a supprimé ce droit, stipulant seulement que la ville d'Ottawa serait représentée par au moins deux membres et la ville de Hull par au moins un (Loi sur la Capitale nationale, article 3, § 3).

Les buts et pouvoirs de la Commission de la capitale nationale

La C.C.N. a pour objet premier l'aménagement de la capitale fédérale. Plus précisément, selon l'article 10, § 1 de la Loi sur la capitale nationale :

> La Commission a pour buts et objets de préparer des plans d'aménagement, de conservation et d'embellissement de la région de la Capitale nationale, et d'y aider, afin que la nature et le caractère du siège du gouvernement du Canada puissent être en harmonie avec son importance nationale.

L'énumération de ses pouvoirs (article 10, § 2) fait ressortir plus clairement les activités auxquelles participe la C.C.N. Ainsi, pour réaliser les objectifs prévus par la loi, elle est habilitée à acquérir des propriétés, à les conserver, à les administrer ou à les aménager, et, enfin, à les aliéner; outre ses propres biens, la C.C.N. peut gérer d'autres propriétés du gouvernement à la demande du ministre ou de l'autorité compétente. En certains cas, ce droit d'acquisition et d'aliénation est subordonné à l'approbation du gouverneur général en conseil. La C.C.N. peut aménager, entretenir et exploiter des parcs, des routes, des ponts, des immeubles et divers ouvrages, ainsi que des lieux d'intérêt public ou de service tels que les restaurants et lieux de plaisance. Elle peut aussi administrer des lieux historiques et diriger des recherches touchant l'élaboration de plans pour la région de la capitale nationale. Enfin, elle peut « en général, accomplir et autoriser les choses qui se rattachent ou contribuent à la réalisation des objets et fins de la Commission, ainsi qu'à l'exercice de ses pouvoirs ».

La Commission de la capitale nationale fait œuvre de coordination dans l'aménagement du domaine public. Si chaque organisme du gouvernement faisait cavalier seul dans l'aménagement des propriétés, il en résulterait évidemment une capitale pour le moins inharmonieuse. Pour prévenir ce risque, la Loi sur la capitale nationale exige que tous les projets des ministères relatifs à un immeuble ou un ouvrage quelconque – choix de l'emplacement, érection, transformation ou agrandissement – soient soumis à la C.C.N. et approuvés par elle avant le début des travaux. De même, les organismes non gouvernementaux et les particuliers qui se proposent d'ériger, de transformer ou d'agrandir un immeuble ou un ouvrage quelconque sur un terrain de la Couronne situé dans les limites de la région de la capitale nationale doivent, eux aussi, obtenir au préalable l'autorisation de la C.C.N. Le gouverneur général en conseil annulera éventuellement une décision de la Commission, si celle-ci a refusé son approbation à un projet, mais les propriétés du gouvernement fédéral dans la capitale sont assujetties à la discipline du plan d'ensemble.

Toutefois, le gouvernement fédéral ne possède ni la totalité, ni même la plus grande partie du sol, dans la région de la capitale nationale. Si le Parlement peut recourir à la C.C.N. pour harmoniser la mise en valeur de ses terrains, il n'a pas pu lui conférer l'autorité nécessaire à l'élaboration des plans d'ensemble de la région.

Rappelons qu'en vertu de la Constitution, l'urbanisme est, de façon générale, du ressort des provinces. N'importe qui et n'importe quel organisme peuvent bien élaborer des plans, leur réalisation, s'il s'agit du domaine public, exigera des autorisations que seuls peuvent accorder les pouvoirs provinciaux. Le plan de la capitale nationale, bien qu'accepté par le Parlement canadien, n'a pas de caractère officiel dans le cas de la région. Voici ce qu'a dit le juge Gibson à ce sujet :

The adoption of the Master (Greber) Plan by the National Capital Commission has no legal effect on lands in the National Capital Region...

But, in contrast to this, such is not the case when a municipality enacts an « official plan » under *The Planning Act* [of Ontario]. For example, section 20 of that Act provides that no re-development... shall be approved by the Municipal Board unless it conforms with the Official Plan. It is also provided in section 15(1) that where an official plan is in effect in a municipality no public work shall be undertaken that does not conform therewith[4].

Tout le problème provient de ce que la Commission de la capitale nationale n'a autorité pour réaliser ses projets que sur les terrains lui appartenant ou appartenant au gouvernement fédéral. Elle peut entrer en contact avec les municipalités, chercher à les convaincre, leur offrir un concours financier, voire de l'aide, pour arrêter les règlements de zonage très techniques, mais, sans leur accord, elle ne peut agir de son chef, sauf si elle est propriétaire du terrain où le projet doit être exécuté[5].

Nous avons étudié plus haut le rôle du gouvernement fédéral en tant que propriétaire foncier le plus important de la région. Voici la raison pour laquelle il possède tant de biens : dans l'état de choses actuel, c'est, semble-t-il, la seule façon pour le gouvernement central, isolé des municipalités qui l'entourent, d'exercer quelque autorité sur l'utilisation du territoire de la région de la capitale nationale. Faute d'autorité juridique dans les affaires touchant la réalisation du plan directeur, notamment pour ce qui est du zonage, le gouvernement fédéral a dû acheter de vastes étendues de terrain par l'entremise de la C.C.N. Cette méthode n'allait pas sans entraîner de lourdes dépenses.

La C.C.N. dispose de ressources considérables, comparativement à la subvention annuelle de $ 60 000 que recevait la Commission d'embellissement d'Ottawa. À titre d'exemple, ses dépenses globales pour l'année terminée le 31 mars 1967 se sont élevées à $38,2 millions[6]. Du 1er avril 1947 au 31 mars 1967, soit pour une période de 20 années, la Commission de la capitale nationale et, précédemment, la Commission du district fédéral, ont dépensé $ 189 millions pour aménager et embellir la région de la capitale nationale. Quelque 59 % ($ 111,6 millions) ont servi à l'achat de propriétés et au paiement d'intérêts sur les emprunts nécessaires à l'achat de propriétés. Par contraste, pendant cette même période, les dépenses de la C.C.N. pour l'aide aux municipalités, la participation financière à des entreprises de construction, les subventions pour égouts et adduction d'eau, ne se sont élevées qu'à $ 14,6 millions (*Rapport annuel*, 1966-1967, pp. 19-20; pour un état plus détaillé des dépenses de la Commission du district fédéral et de la C.C.N., voir l'appendice H).

Une bonne partie de ces sommes a été affectée à des travaux qui nécessitent normalement l'achat de biens privés, tels les terrains du Queensway — une autoroute traversant Ottawa d'est en ouest — ou de terrains qui seront plus tard utilisés par le gouvernement. Une somme importante a toutefois servi à des travaux dont l'objet premier était en quelque sorte préventif. On a acheté nombre de propriétés parce que c'était là le seul moyen de maintenir de vastes terrains à l'état naturel, comme le prescrit le plan directeur.

Considérons un instant deux grandes réalisations de ce type : le parc de la Gatineau (88 000 acres) et la zone verte (41 000 acres). De 1947 à 1967, la C.C.N. a consacré quelque $ 41 millions à l'acquisition de terrains pour ces deux projets. On voit ainsi comment elle a employé ses ressources financières pour compenser son manque de pouvoir juridique sur l'utilisation du sol dans la région de la capitale nationale.

Finalement, il est à prévoir que cette politique d'acquisition de propriétés continuera quelque temps encore à peser lourdement sur le budget de la C.C.N., bien que le point culminant des achats soit maintenant franchi. Sur les quelque 88 000 acres que comprend le parc de la Gatineau, 68 000 appartiennent à la C.C.N.. Sur les 20 000 acres qui restent, quelque 10 500 font partie du domaine provincial québécois et 9 500, du domaine privé. D'autre part, la propriété fédérale couvre 33 000 acres dans la zone verte, qui doit éventuellement en comprendre 41 000 (ces chiffres, fournis par la C.C.N., sont ceux de mai 1967).

Si la C.C.N. est autorisée à acheter des terrains, elle peut en outre recourir à l'expropriation. Selon l'article 13 de la Loi sur la capitale nationale, « la Commission peut avec l'approbation du gouverneur en conseil, prendre ou acquérir des terrains pour les objets de la présente loi sans le consentement du propriétaire [...] ». La suite du texte prévoit une indemnisation des expropriés.

Quand elle ne pouvait acquérir de nouveaux terrains par d'autres moyens, la C.C.N. a exercé son droit d'expropriation, mais ce faisant, elle a vu sa cote de popularité baisser d'une façon difficile à apprécier, mais bien réelle. Si on lui sait gré des magnifiques ouvrages qui ont enrichi la région, on éprouve le sentiment, à tort ou à raison, qu'elle obéit en quelque sorte à sa propre loi et qu'elle se soucie davantage des monuments que de l'humain[7]. Ce sont les expropriations qui, dans une bonne mesure, ont provoqué ce sentiment. La validité de ce droit d'expropriation vient de traverser une épreuve de taille devant les tribunaux (procès Munro c. la Commission de la capitale nationale), et la décision de la Cour suprême pourrait revêtir de l'importance. Le 28 juin 1966, la Cour suprême a confirmé le jugement rendu le 28 avril 1965 en faveur de la Commission par la Cour de l'Échiquier.

Les tribunaux étaient appelés à décider si le Parlement avait les pouvoirs nécessaires pour autoriser la création d'une zone verte dans la région de la capitale nationale. Munro prétendait que cette autorisation relevait exclusivement de l'assemblée législative provinciale, étant donné qu'en vertu de l'A. A. N. B., le droit de légiférer en matière de propriété et de droits civils est de compétence provinciale. Selon la décision de la Cour suprême, la Loi sur la capitale nationale ne touche qu'accessoirement la propriété et les droits civils, mais son objet premier, l'aménagement de la région de la capitale, relève de la compétence législative du Parlement fédéral. La Cour a statué que le législateur n'avait pas outrepassé ses droits en octroyant à la C.C.N. le pouvoir d'expropriation. Parlant au nom de la Cour, le juge Cartwright déclara :

> I find it difficult to suggest a subject matter of legislation which more clearly goes beyond local or provincial interests and is the concern of Canada as a whole than the development, conservation and improvement of the National Capital Region in accordance with a coherent plan in order that the nature and character of the seat of the Government of Canada may be in accordance with its national significance[8].

Cette décision peut avoir des répercussions considérables, certes, mais la conséquence immédiate du jugement rendu par la Cour suprême se limite, semble-t-il, à la ratification du droit d'expropriation. Toutefois, ce pouvoir, et celui qu'a la C.C.N. d'acquérir des propriétés par d'autres moyens, correspondent, fondamentalement, à un effort du gouvernement fédéral pour tourner les difficultés tenant au partage des compétences. À l'heure actuelle, la C.C.N., dans ses tentatives pour construire une capitale digne du Canada, doit intervenir dans des domaines où le Parlement fédéral ne peut s'engager qu'indirectement.

Bien qu'un pouvoir d'expropriation – assujetti à la sanction du cabinet, – appartienne en droit à la C.C.N., des considérations politiques en ont restreint l'exercice. La Commission du district fédéral, en son temps, hésitait bien davantage à exproprier au Québec qu'en Ontario, en bonne partie à cause de l'opinion qui prévalait au Québec – au temps où l'hon. Maurice Duplessis en était le premier ministre – et selon laquelle le pouvoir d'expropriation de la C.C.N., admis pour les routes et les immeubles, ne s'étendait pas aux parcs. Devant cet état d'esprit et cette opposition[9], l'organisme qui avait précédé la C.C.N. avait opté pour le parti de la discrétion. On y fait allusion dans le mémoire présenté au comité parlementaire d'enquête de 1956 par la Commission du district fédéral : « On a recours à l'expropriation en Ontario, mais la Commission n'a exproprié aucune propriété dans la province de Québec depuis 1949[10]. »

À compter de 1956, on procède aux expropriations du côté québécois, mais la même susceptibilité subsiste. Au début de 1966, le député d'une circonscription de la région demandait si la C.C.N. avait reçu ordre d'interrompre les expropriations au Québec. La réponse, lue en Chambre le 2 février 1966, illustre à la fois cette susceptibilité et les liens entre la Commission et le cabinet. Elle était ainsi conçue :

> Le 23 août 1963, en l'absence du président de la Commission de la Capitale nationale, une requête non formelle a été faite de la part du ministre à la Commission, lui demandant de suspendre temporairement toute requête additionnelle relativement à l'expropriation dans la province de Québec, jusqu'à nouvel ordre. Le 16 avril 1964, des directives ont été données autorisant de nouveau la Commission de la Capitale nationale d'exproprier des propriétés dans la province de Québec selon les besoins (*Débats de la Chambre des communes*, 1966, vol. I, p. 575).

Dans les conditions présentes, le pouvoir d'exproprier des terrains appartenant à des particuliers demeure un instrument important pour l'aménagement de la capitale fédérale, comme le montrent les statistiques suivantes. De février 1959 à août 1967, la C.C.N. a acquis, par expropriation ou par achat, quelque 2 413 parcelles, dont 1 538, ou 64 %, par voie d'expropriation. Il y a lieu de mentionner que le recours à l'expropriation territoriale dépend largement de la nature des projets. Dans le cas des terres nécessaires à l'aménagement du parc de la Gatineau et de la zone verte, on a surtout procédé par voie d'achat, alors qu'on a eu recours à l'expropriation pour les abords du pont Cartier-Macdonald et pour le projet des « LeBreton Flats ». Près des cinq sixièmes des terrains acquis durant cette période se trouvaient en Ontario et les expropriations étaient proportionnellement plus nombreuses en Ontario (65 % des terrains acquis) qu'au Québec (57 %)[11]. Rappelons, toutefois, que l'expropriation n'est pas une mesure populaire et qu'une bonne part de la méfiance envers la C.C.N. et de l'impopularité dont elle souffre est probablement due au fait qu'elle détient et exerce ce pouvoir. Ceci nous ramène au centre de la difficulté à laquelle le gouvernement fédéral se heurte dans la région de la capitale : le manque d'autorité pour mettre à exécution son programme d'aménagement et d'embellissement. Il ne peut mener à bien le programme que sur les terrains qui lui appartiennent et, pour les acquérir, il doit fréquemment avoir recours à l'expropriation. Il ne semble y avoir qu'une alternative à ce régime plutôt impopulaire : soit une autorité fédérale à peu près sans pouvoir sur le propre siège de son gouvernement, soit la création d'un nouveau statut entre le gouvernement fédéral et la région de la capitale.

L'emploi des langues

La Commission de la capitale nationale — nous l'avons montré dans les paragraphes précédents — est étroitement mêlée à la vie quotidienne de la région de la capitale. En conséquence, le régime linguistique de la C.C.N. conférera à la région un caractère unilingue ou bilingue, suivant le cas, et c'est ce caractère que retiendront les habitants et les visiteurs.

Pour mieux comprendre la situation présente, considérons brièvement la politique suivie en ce domaine par l'organisme antérieur à la commission actuelle. Il se dégage de cet examen l'impression que la Commission du district fédéral ne se rendait pas très bien compte des répercussions que son activité dans la capitale pouvait avoir en matière de langues. Selon le témoignage du président de cet organisme devant le comité parlementaire mixte d'enquête (1956), la Commission à cette époque commençait seulement à employer la signalisation routière bilingue. Cette politique n'était d'ailleurs mise en pratique que du côté québécois de la région de la capitale, et encore pour harmoniser ces panneaux avec ceux des municipalités avoisinantes[12].

Tous les membres du Comité parlementaire s'opposèrent à cette politique et se déclarèrent favorables à un traitement égal des deux langues officielles dans toute la région de la capitale. Dans leur rapport au Parlement, ils recommandèrent finalement ce qui suit : « D'accord avec le caractère du Canada [...] que les imprimés, affiches et textes publicitaires de la Commission du district fédéral soient bilingues. » (*Procès-verbaux et témoignages,* fascicule n° 20, p. 12).

La C.C.N. accepta cette recommandation et l'adopta comme ligne de conduite, mais, pour ce qui est de la signalisation, il s'écoula huit ans environ avant que cela se traduise vraiment dans les faits. Le 16 septembre 1964 paraissait dans l'*Ottawa Journal* un article dont voici un extrait : « The National Capital Commission started last week to implement a new written policy which will ultimately result in all its signs being posted in French and English[13] ».

À l'heure actuelle[14], pour ce qui est de l'emploi des langues, la C.C.N. semble avoir beaucoup plus conscience des besoins de la capitale que l'organisme qui l'a précédée il y a une décennie. Elle répond aux lettres en anglais ou en français, selon la langue du correspondant. Ses avis au public sont donnés dans les deux langues. À son bureau d'Ottawa sur les quatre formulaires destinés au public, trois sont en anglais ou en français, ou bilingues. De même, il semble que toutes ses publications soient bilingues ou rédigées séparément dans chacune des deux langues officielles[15].

Les deux langues sont également reconnues en ce qui concerne la signalisation. D'après les renseignements que nous a fournis la C.C.N., les panneaux portent des indications en anglais et en français[16]. L'aspect bilingue que présente maintenant au promeneur le secteur ontarien de la région de la capitale nationale est dû dans une grande mesure aux efforts de la C.C.N.

Dans ses rapports directs avec le public, la Commission peut employer une langue ou l'autre, mais à l'occasion, il se produira des retards au détriment des francophones (entre une demande de renseignements et la réponse, par exemple) à cause de la présente répartition du personnel bilingue. Sur les 28 employés classés en 1965 par la C.C.N. comme étant « en contact avec le public », 12 parlaient les deux langues officielles. Les 16 autres ne parlaient que l'anglais, la C.C.N. ne comptant pas d'unilingues francophones dans cette catégorie.

Dans les contacts entre la C.C.N. et les municipalités de la région, c'est la langue anglaise qui prédomine. La C.C.N. dispose toutefois d'un service d'interprétation *ad hoc* pour ses entretiens avec les représentants francophones des municipalités. Au cours de l'été 1965, un de ses fonctionnaires déclarait ce qui suit : « At meetings with representatives of surrounding municipalities, the secretary acts as interpreter for those participants who wish to express themselves in French and this arrangement seems to be satisfactory[17]. »

Les francophones ne partageraient pas tous cette opinion. Lors d'une interview donnée à la fin de 1965, un homme politique en vue de la région s'est élevé contre l'obligation d'employer l'anglais lors des réunions avec les fonctionnaires de la C.C.N.

L'emploi des langues à l'intérieur des services de la C.C.N. nous a paru entièrement différent de celui esquissé plus haut. On répond en français aux lettres écrites en français, mais sauf exception, il s'agit de traduction, les réponses étant d'abord rédigées en anglais. De plus, avant d'être classés, les documents et le courrier reçus en français sont traduits en anglais. On procède de la même manière dans le cas des formulaires destinés à être employés à l'intérieur des services. L'anglais est manifestement la langue prioritaire : sur 22 pièces rangées au nombre de ces formulaires (par définition, « any form which must be filled in by a civil servant » — tout formulaire à remplir par un fonctionnaire), trois seulement étaient bilingues ou rédigées séparément dans chacune des deux langues. Les 19 autres n'étaient qu'en anglais. On ne nous a pas signalé de pièce rédigée uniquement en français.

C. *Les autres organismes fédéraux*

Outre la C.C.N., deux autres organismes jouent un rôle important dans la région Ottawa-Hull. Ce sont le ministère des Travaux publics et le ministère des Finances. Ils diffèrent de la C.C.N. en ce que leur activité ne concerne pas spécialement la capitale. Le ministère des Travaux publics, par exemple, participe à la construction de routes, de ponts et d'ouvrages maritimes dans tout le Canada. Il peut s'occuper de travaux de ce genre dans la région d'Ottawa, mais il ne limite pas son action à cette zone. Toutefois, on trouve dans les deux ministères des directions qui remplissent une fonction spéciale dans les affaires de la région d'Ottawa.

Le ministère des Travaux publics

Ce ministère est chargé de fournir à l'administration fédérale les locaux dont elle a besoin. Comme une bonne partie des installations du gouvernement fédéral se trouvent dans la région d'Ottawa, son rôle y est fort important. En 1966, le ministère a été réorganisé sur une base géographique comprenant six nouvelles divisions territoriales. Depuis avril 1967, l'une d'elles se consacre exclusivement aux affaires de la région de la capitale; les cinq autres sont les divisions de l'Atlantique, du Québec, de l'Ontario, de l'Ouest et du Pacifique. Pour le ministère, la région de la capitale couvre un territoire beaucoup plus étendu que celui assigné à la C.C.N. : elle comprend onze comtés ou circonscriptions électorales dans l'est de l'Ontario et quatre dans l'ouest du Québec[18]. Le gros de son activité toutefois s'exerce à Ottawa et à Hull.

Sa tâche la plus importante — du moins en ce qui concerne l'aménagement de la région de la capitale — a trait à la construction des bâtiments administratifs. De façon générale, c'est le ministère des Travaux publics qui élabore les plans, choisit l'emplacement et finance la construction des immeubles fédéraux. Le choix de l'emplacement est soumis à l'approbation de la C.C.N. On consulte en outre l'organisme intéressé, mais, en cas de désaccord, c'est ordinairement le cabinet qui décide[19].

Le rôle du ministère des Travaux publics ne consiste pas seulement à faire construire des immeubles pour le gouvernement; par la suite, il veille aussi à leur gestion et à leur entretien. Alors que les soins à donner aux terrains qui entourent les immeubles incombent à la C.C.N., l'entretien des bâtiments relève des Travaux publics, qui doivent assurer les services nécessaires. Ainsi, les liftiers des immeubles fédéraux sont des employés des Travaux publics.

Dans la région de la capitale, cette double responsabilité occasionne des dépenses considérables au gouvernement. Pour l'exercice 1967-1968, on prévoyait que la construction, les réparations et les améliorations des édifices publics situés à Ottawa et à Hull seulement, coûteraient quelque $ 26 millions soit 54 % du total des dépenses prévues à ce titre pour le Canada ($ 48 millions). De plus, la somme que le gouvernement devait affecter à l'entretien et à la gestion des bâtiments publics en 1967-1968 se montait à quelque $ 36 millions, sur un total de $ 85 millions pour l'ensemble du Canada. Sur ces $ 36 millions, $ 14 600 000 devaient servir à payer le loyer de locaux situés dans la région Ottawa-Hull.

Troisième aspect de l'activité du ministère dans la région de la capitale : celui-ci contribue, de concert avec les provinces et les municipalités, à des travaux communs n'intéressant pas au premier chef le caractère gouvernemental de la région, tels le Queensway et le pont Cartier-Macdonald entre Hull et Ottawa.

Notons que dans le cadre des entreprises tripartites (échelons fédéral, provincial et municipal) et des projets fédéraux de construction, des liens très étroits de collaboration unissent la Commission de la capitale nationale, dans son rôle de coordonnateur du programme fédéral d'aménagement, et le ministère des Travaux publics, qui érige les installations du gouvernement. Bien qu'ayant des optiques différentes, du fait de leurs rôles, et malgré qu'ils soient indépendants l'un de l'autre sur le plan administratif, ces deux organismes sont comptables envers le Parlement par l'entremise du même ministre. De ce fait, le ministre des Travaux publics occupe une place importante en ce qui a trait au territoire, et dans les relations du gouvernement fédéral avec les citoyens et les institutions de la région.

La Division des subventions aux municipalités

Dans l'aménagement de la capitale, la Division des subventions aux municipalités du ministère des Finances joue un rôle plus spécialisé que le ministère des Travaux publics. En réalité, cette Division qui, à l'origine, constituait une entité distincte, relève maintenant de la Division des relations fédérales-provinciales du ministère des Finances. La Division des subventions applique le régime des subventions annuelles qui remplacent celui de l'exonération des impôts sur les propriétés fédérales sises dans les municipalités canadiennes.

Rappelons qu'en vertu de l'article 125 de l'A. A. N. B., les propriétés fédérales ne sont pas imposables. Depuis 1950, toutefois, le gouvernement fédéral verse des subventions aux municipalités où se trouvent beaucoup d'immeubles fédéraux, au lieu de pratiquer la politique de l'exemption d'impôts. Auparavant, le gouvernement fédéral donnait de petites subventions à la ville d'Ottawa en vertu du Ottawa Agreement Act de 1944; ce sont les seuls paiements que le gouvernement fédéral ait jamais consentis à une municipalité pour la dédommager de la perte de revenus résultant de la présence de propriétés fédérales sur son territoire. Le gouvernement fédéral a déjà versé des montants à la ville d'Ottawa, mais cela remonte à 1877, et c'était pour des fins spécifiques, telle l'adduction d'eau aux propriétés fédérales.

La Loi sur les subventions aux municipalités, première loi générale sur cette question, fut adoptée en 1951; elle était conçue pour les municipalités renfermant d'importantes concentrations d'immeubles fédéraux, plutôt que pour celles qui n'en comptaient qu'un petit nombre. Il y était stipulé que les subventions ne seraient versées qu'aux municipalités où les immeubles du gouvernement fédéral représentaient au moins 4 % de tous les biens fonciers imposables (y compris ceux du fédéral). En 1955, une modification a accru le nombre des municipalités ayant droit à une subvention en réduisant le rapport ci-dessus à 2 % des biens fonciers imposables (y compris ceux du fédéral). Finalement, en 1957, l'adoption d'un nouvel amendement faisait disparaître toutes les restrictions : toute municipalité renfermant des immeubles fédéraux pouvait demander une subvention.

Plusieurs points de la Loi sur les subventions aux municipalités valent qu'on s'y arrête. Premièrement, la loi autorise bien les subventions remplaçant les taxes sur les propriétés fédérales, mais ces dispositions ne s'appliquent pas à toutes les propriétés. Les sociétés de la Couronne, bureaux, commissions et régies, tels que le Canadien national, la Banque du Canada, la Société centrale d'hypothèques et de logement, Radio-Canada, la Commission de la capitale nationale et l'Énergie atomique du Canada sont exclus de la loi. Ces organismes versent leur argent directement aux municipalités; les montants équivalent à ce qui serait versé en vertu de la Loi sur les subventions aux municipalités. Toutefois, certaines sociétés de la Couronne, tels que le Canadien national et la Banque du Canada, paient en fait des impôts municipaux, y compris la taxe d'affaires, au lieu de verser des subventions remplaçant les impôts.

Des subventions ne peuvent être réclamées pour certaines propriétés fédérales, telles que les parcs, lieux historiques, monuments, musées, bibliothèques publiques et galeries d'art. Il en est de même pour les immeubles du Parlement, mais ajoute la loi, « une subvention peut être accordée à la ville d'Ottawa pour un montant qui, d'après le

Ministre [des Finances], constitue une compensation raisonnable des frais occasionnés à ladite ville pour la fourniture de services aux biens mentionnés dans le sous-alinéa (vii) de l'alinéa c) de l'article 2. » (Loi sur les subventions aux municipalités, article 9). D'autre part, les subventions sont versées, en vertu de la loi, pour certains immeubles qui ne seraient pas assujettis à l'impôt municipal s'ils appartenaient à un organisme autre que la Couronne, comme les hôpitaux militaires, écoles, chapelles, casernes de pompiers, installations et usines d'épuration.

Signalons aussi le caractère discrétionnaire des subventions accordées aux termes de la loi ci-dessus. Celle-ci définit assez nettement les modalités d'octroi, mais elle écarte d'avance de façon explicite le principe selon lequel les municipalités auraient droit à des subventions en compensation des impôts qu'elles ne peuvent percevoir sur les propriétés du gouvernement. L'article 4 (§ 2) est catégorique : « la présente loi ne confère aucun droit à subvention ». De plus, c'est le ministre des Finances qui fixe en dernier ressort la valeur imposable des immeubles fédéraux et le taux d'imposition à partir desquels on déterminera le montant de la subvention. Le système semble fonctionner sans trop de heurts, bien qu'il n'en ait pas toujours été ainsi. En règle générale, les subventions sont calculées d'après la méthode d'évaluation de la municipalité et le taux d'imposition municipal en vigueur. Il existe des cas de refus de subvention à une municipalité[20], mais ils sont très rares.

TABLEAU 5.1 Subventions fédérales (en millions de dollars) versées à quelques municipalités, de 1957 à 1966, pour les propriétés fédérales non imposables.

Année	Ottawa	Halifax	Toronto	Montréal
1957	3,6	1,4	0,8	1,4 (1957-58)*
1958	3,8	1,5	0,9	1,3 (1958-59)
1959	4,3	1,5	1,0	1,5 (1959-60)
1960	4,9	1,5	1,3	1,5 (1960-61)
1961	5,4	1,5	1,5	1,6 (1961-62)
1962	5,7	1,6	1,6	1,6 (1962-63)
1963	5,9	1,6	1,7	1,6 (1963-64)
1964	6,3	1,6	1,8	1,8 (1964-65)
1965	6,7	1,6	1,9	2,0 (1965-66)
1966	7,3	1,6	2,1	2,2 (1966-67)

Source : Chiffres fournis par la Division des subventions aux municipalités du ministère des Finances.
*L'exercice de Montréal va du 1er mai au 30 avril.

Certes, le gouvernement fédéral verse des subventions pour toutes ses propriétés situées sur le territoire canadien, mais celles-ci sont tellement concentrées dans la région de la capitale que la ville d'Ottawa reçoit, et de loin, la subvention la plus forte. On peut voir au tableau n° 5.1 la répartition des quatre subventions les plus importantes effectuées au cours des dernières années en vertu de la loi. Il ressort de ce tableau que la subvention à la ville d'Ottawa est aujourd'hui légèrement supérieure à la somme des trois autres villes, alors qu'il y a une dizaine d'années, elle était à peu près la même. Évidemment, la subvention fédérale compte pour beaucoup dans le budget de la ville d'Ottawa. On estime que 10 à 15 % du revenu de la ville proviennent des subventions versées à différents titres en vertu de cette loi[21].

Les autres voies de l'influence fédérale

Si la Commission de la capitale nationale, le ministère des Travaux publics et le ministère des Finances jouent un rôle important dans la région, plusieurs autres institutions participent également à la vie de la capitale, contribuant ainsi à créer l'impression d'ensemble que ressent le résident ou le visiteur dans la capitale. Par exemple, la Gendarmerie royale du Canada assure la protection des propriétés fédérales; le Secrétariat d'État s'occupe des nombreux lieux affectés à la culture; le ministère des Transports administre l'aéroport international d'Ottawa et le canal Rideau.

Il convient de s'arrêter plus spécialement au cas de la Société centrale d'hypothèques et de logement. L'activité qu'elle déploie dans la région paraît sensiblement la même qu'ailleurs. Toutefois, il est arrivé au gouvernement fédéral de se servir de cette Société (ou de profiter de son activité dans la région) pour mettre en œuvre sa politique d'aménagement de la capitale.

Il l'a fait notamment dans le cas de la zone verte. Au début des années 50, des lotisseurs et des propriétaires particuliers ont commencé d'acheter des terrains dans un secteur au sud d'Ottawa qui, d'après le plan Gréber, ne comprendrait pas de constructions. Comme de grands ensembles domiciliaires eussent rendu impossible l'aménagement de la zone verte, en 1956, le gouvernement donna instruction à la Société de ne pas accorder de prêts aux particuliers qui voudraient construire des maisons dans le secteur (*Procès-verbaux et témoignages*, fascicule nº 5, 1956, pp. 13 et 14). Cette mesure a sûrement empêché la construction d'habitations dans des espaces auxquels on voulait garder leur état naturel, mais qui n'appartenaient pas encore au gouvernement fédéral.

La participation de la Société centrale d'hypothèques et de logement à l'aménagement de la zone verte était reliée directement aux projets fédéraux pour la capitale. Ces liens étaient moins évidents dans le cas de la lutte contre la pollution des eaux de l'Outaouais, mais ils ne démontrent pas moins comment, à l'occasion, la Société sert les fins générales du gouvernement dans le système compliqué de compétences qui caractérise la région[22].

Au début des années 60, la province d'Ontario exerçait des pressions sur la ville d'Ottawa — qui depuis des années déversait ses égouts directement dans la rivière — pour qu'elle construise une usine d'épuration. Les autorités municipales n'en tenant pas compte, l'Ontario refusa à la ville la permission d'agrandir ses systèmes d'égout et d'adduction d'eau. Comme Ottawa était alors en pleine expansion, les lotisseurs locaux intervinrent avec énergie. De son côté, le gouvernement fédéral, agissant par l'entremise de la C.C.N., accorda une subvention de $ 5 millions et offrit par l'intermédiaire de la Société centrale d'hypothèques et de logement un prêt à faible intérêt, dont une somme de $ 2,5 millions serait considérée comme subvention si l'usine était construite dans les délais prescrits. Grâce à la fois à la pression de la province et à l'intérêt de la proposition fédérale, l'usine fut construite, ce qui élimina un important facteur de pollution.

Outre les organismes mentionnés plus haut, dont les pouvoirs et les tâches sont définis dans des textes de loi ou ailleurs, deux institutions, le cabinet et la chambre des communes, doivent retenir notre attention. Leurs champs d'intérêt sont très vastes, mais ils s'occupent aussi, à l'occasion, de la capitale fédérale et selon les points de vue qu'ils jugent à propos.

La région de la capitale nationale, normalement, ne retient pas l'attention de tout le cabinet; les points d'intérêt varient selon les ministres et selon les postes. Les deux principaux postes intéressés par la question de la région de la capitale semblent être ceux du premier ministre et du ministre des Travaux publics. Le premier ministre joue un rôle important, non seulement en raison de la place qu'il occupe au sein du cabinet, mais du fait aussi des liens historiques entre sa charge, la Commission d'embellissement d'Ottawa et, par la suite, la Commission du district fédéral. Jusqu'à l'enquête parlementaire mixte de 1956, c'est par l'intermédiaire du premier ministre que l'organisme fédéral de planification rendait compte de son activité au Parlement.

Le cabinet peut agir par l'intermédiaire des sociétés de la Couronne. Nous avons vu plus haut comment la Commission de la capitale nationale exerce son pouvoir d'expropriation et comment la Société centrale d'hypothèques et de logement protège la zone verte au sud d'Ottawa.

Le cabinet peut aussi influer directement sur l'activité des institutions locales. Témoin, le projet d'un centre municipal à Ottawa. En 1965, les autorités de la ville demandèrent au gouvernement fédéral si elles pouvaient escompter une aide financière. M. Pearson, alors premier ministre, promit le concours du gouvernement, mais sous réserve d'une subvention provinciale et à condition qu'on respecte le calendrier fédéral des mises en chantier. Le gouvernement posait cette condition afin de combattre les pressions inflationnistes dans le secteur du bâtiment. On se mit ensuite d'accord sur les priorités aux échelons fédéral et municipal : le projet pouvait être exécuté plus rapidement si d'autres de même importance étaient différés. Le gouvernement provincial octroya alors la subvention demandée pour compléter la base financière du projet. Grâce au cabinet fédéral et au premier ministre, une aide considérable a ainsi été accordée pour la réalisation d'un projet d'une grande importance locale[23].

Le Parlement a aussi exercé une influence sur l'évolution de la capitale. Ses comités mixtes d'enquête ont joué un rôle de toute première importance dans l'élaboration des rapports fédéraux-municipaux. La Loi sur les subventions aux municipalités découle, dans une large mesure, de l'enquête de 1944. Quant à la Commission de la capitale nationale dans sa forme actuelle, elle doit en grande partie son existence à l'enquête de 1956.

Mis à part ceux de la région, peu de députés témoignent d'un intérêt soutenu pour Ottawa. L'*Ottawa Citizen* du 18 juillet 1966 rapportait les paroles suivantes de M. Lloyd Francis, ancien député de Carleton : « There is not really that much interest with most MPs on what goes on in the city » (La plupart des députés ne s'intéressent guère à ce qui se passe en ville). Sans doute, les députés se plaignent souvent de l'état des rues de la capitale, mais la plupart du temps sur un ton d'exaspération plutôt qu'avec l'espoir d'y remédier. On n'aborde guère les problèmes à long terme, plus délicats, que posent les relations fédérales-municipales; peut-être les députés se sentent-ils bridés par le peu de pouvoirs d'intervention dont dispose le gouvernement fédéral, ou encore leurs électeurs ne leur demandent-ils pas de s'occuper de cette question. Depuis quelques années, certains députés québécois ont exprimé à l'occasion, mais à titre individuel, leur inquiétude devant la prédominance de l'anglais dans la capitale — tant au sein des organismes fédéraux que dans la ville en général — mais ces interventions étant plutôt sporadiques, on ne saurait dire que l'opinion publique a été sensibilisée à la question.

D. L'emploi des langues dans les organismes fédéraux de la capitale

Vu le rôle important du gouvernement fédéral dans la vie de la capitale, les usages et les principes dont s'inspirent ses organismes en matière de langue influeront largement sur l'idée qu'on se fera d'Ottawa : grâce à eux, Ottawa apparaîtra comme une ville unilingue ou bilingue, selon le cas; ils peuvent en outre servir de modèles aux autres organismes[24]. Pour observer ce qui se fait, on peut se placer sur différents plans. Dans certains domaines de l'activité gouvernementale, les contacts directs avec le public sont si habituels qu'ils se rattachent essentiellement aux usages linguistiques de la région; dans d'autres, la conduite des organismes gouvernementaux n'aura guère d'effet, voire pas du tout, en dehors des organismes mêmes.

Commençons par un domaine où l'emploi de la langue se remarque le plus facilement et a valeur de symbole, celui des panneaux dans les rues, sur les places publiques et sur les édifices gouvernementaux; cette question est évidemment de première importance. L'installation des panneaux indicateurs sur les terrains du gouvernement, les routes de promenade et dans les parcs fédéraux incombe à la Commission de la capitale nationale, dont nous avons étudié la politique. Les indications sur les immeubles fédéraux sont importantes à la fois pour leur utilité et pour leur valeur symbolique. En 1960, le Conseil de la vie française a fait une étude de l'emploi du français et de l'anglais sur les immeubles du gouvernement à Ottawa; sur les 76 édifices qu'il a observés, 10 portaient des inscriptions généralement bilingues, 28 faisaient une certaine place au français et 38 se limitaient à l'anglais. On n'a trouvé aucun immeuble n'utilisant que des indications en français. Mis au courant de cette situation, les ministres de qui relevaient les édifices sans panneaux bilingues donnèrent l'assurance que la situation serait améliorée.

Quatre ans plus tard, le Conseil fit de nouveau l'examen des 38 immeubles qui, lors de sa première étude, ne portaient que des inscriptions en anglais : un seul avait des inscriptions entièrement bilingues, et sur trois autres, on constatait quelque amélioration[25].

L'installation des panneaux indicateurs sur les immeubles du gouvernement incombe au ministère des Travaux publics. Jusqu'à ces derniers temps, ce n'est pas lui qui décidait quelle langue employer, mais les occupants. Il n'en est plus ainsi; le gouvernement a adopté une politique d'après laquelle toutes les inscriptions sur les nouveaux immeubles fédéraux, dans tout le Canada, doivent être bilingues[26]. Il suit la même politique lorsqu'il remplace les panneaux sur les immeubles en cours de rénovation; pour les panneaux en place, il n'y a pas de changement, à moins que l'organisme intéressé n'en fasse formellement la demande. Cette politique est la même pour la région de la capitale que pour le reste du Canada.

Les ministères s'estimaient eux-mêmes largement bilingues dans les autres domaines où les communications se font par écrit. Les 19 organismes choisis pour l'influence qu'ils peuvent avoir sur la capitale (voir le tableau n° 5.2) ont tous déclaré qu'à Ottawa, leur personnel répondait aux lettres en anglais ou en français, selon la langue du correspondant. Quant aux formules destinées à l'extérieur, avis au public et publications, l'usage variait d'un ministère à l'autre, mais, de façon générale, le bilinguisme était moins répandu dans ces sphères que dans la correspondance.

TABLEAU 5.2 Répartition en pourcentage, selon l'aptitude à exercer leurs fonctions dans l'une des langues officielles ou dans les deux, des fonctionnaires fédéraux travaillant à Ottawa dans différents organismes, en 1965.

Organisme	Fonctionnaires en contact fréquent avec le public		Connaissance des langues en %		
	Nombre	%	Anglais seulement	Français seulement	Anglais et français
Chambre des communes	110	100	52	3	45
Sénat	27	100	26	–	74
Commission de la fonction publique	9	100	22	–	78
Bibliothèque du Parlement	28	100	43	–	57
Radio-Canada	49	100	8	–	92
Commission du Centenaire	64	100	37	–	62
Galerie nationale	77	100	60	–	40
Bibliothèque nationale et Archives	274	100	64	–	36
Santé et bien-être	141	100	73	–	27
Service national de placement	56	100	59	–	41
Revenu national – Impôt	265	100	67	–	33
Postes	349	100	54	–	46
Travaux publics	451	100	68	–	32
Commission de la capitale nationale	28	100	57	–	43
Gendarmerie royale	264	100	84	–	16
Transports	27	100	67	–	33
Air Canada	118	100	58	–	42
C. N.	271	100	50	–	50
Anciens combattants	117	100	75	1	24

Source : Questionnaires remplis par les organismes pour l'étude de J. LaRivière, « La traduction dans la fonction publique », étude faite pour la Commission royale d'enquête sur le bilinguisme et le biculturalisme.

Pour déterminer dans quelle mesure les communications orales avec le public peuvent s'établir dans l'une et l'autre langue officielle, nous avons demandé aux organismes de nous indiquer le nombre des employés unilingues et bilingues qui, dans diverses villes à travers le pays, ont des contacts fréquents avec le public. On voit au tableau n° 5.2

comment se répartissent, dans les bureaux de la capitale, les fonctionnaires de ces organismes qui ont déclaré pouvoir remplir leurs tâches convenablement en anglais seulement, en français seulement, ou dans les deux langues.

À signaler que le nombre des fonctionnaires francophones ne pouvant employer que leur langue est infime. Au moins dans ces 19 organismes, seuls les fonctionnaires dont la langue maternelle est l'anglais ont la faculté de travailler exclusivement dans leur propre langue.

De ces organismes, la Gendarmerie royale est celui qui, dans la région d'Ottawa, a le plus faible pourcentage d'employés bilingues en contact avec le public; pourtant, elle a régulièrement des rapports directs avec les gens, car c'est elle qui s'occupe de la police des propriétés et des promenades fédérales. De nombreux francophones de la région semblent la considérer comme une institution éminemment « English » (anglaise), confirmant les chiffres qui nous ont été communiqués. Leurs plaintes, selon lesquelles les membres de la G. R. C. patrouillant le parc de la Gatineau au Québec ne peuvent s'exprimer en français, n'ont pas été contestées par le porte-parole de la Gendarmerie au Parlement (*Ottawa Citizen*, les 6 et 20 juillet 1966). Cette situation fut mise en pleine lumière en 1965; un député francophone qui avait refusé d'obtempérer à une sommation en anglais, fut arrêté et incarcéré par la Gendarmerie[27]. Dans une lettre adressée à la Commission le 20 juillet 1965, le commissaire suppléant à l'administration de la Gendarmerie déclarait que celle-ci avait conscience des besoins linguistiques de la capitale et ne se refusait pas à assurer son service dans les deux langues. La difficulté tenait uniquement à la pénurie d'effectifs bilingues pour remplir des fonctions courantes, telles que la protection et la patrouille des terrains de la Couronne.

Trois groupes professionnels — liftiers, commissionnaires et téléphonistes — retiendront tout spécialement notre attention, même si les deux derniers ne sont pas employés directement par le gouvernement fédéral, car tous trois sont, par fonction, en contact constant avec le public. En effet, c'est souvent aux employés de ces groupes que s'adresse d'abord le visiteur ou la personne qui appelle un service du gouvernement. Aussi contribuent-ils grandement à modeler l'idée que se fait la population de la politique gouvernementale en matière de bilinguisme.

C'est le ministère des Travaux publics qui assure le service des liftiers dans les immeubles appartenant au gouvernement. En 1965, sur 181 liftiers, un peu plus de la moitié étaient bilingues. Il ne semblait y avoir aucune ligne de conduite quant à leur affectation, mais un organisme pouvait obtenir des liftiers bilingues, à condition de le demander expressément. À cette époque, de tous les organismes gouvernementaux, seuls la Chambre des communes, la Galerie nationale et le Musée national avaient présenté une telle demande. Il n'existe aucun règlement ministériel touchant la langue des liftiers employés dans les immeubles loués.

Les organismes fédéraux ne semblent pas avoir de politique uniforme quant aux qualités requises des commissionnaires appelés à travailler dans la région de la capitale. D'après le commandant régional du Corps canadien des commissionnaires, on demande très rarement des bilingues sauf à l'Imprimerie du gouvernement, à la Galerie nationale et au Musée national. Là où le personnel était bilingue, c'était par un effet du hasard plutôt que par suite d'une politique établie.

TABLEAU 5.3 Répartition en pourcentage, selon la connaissance des langues officielles, des commissionnaires employés par différents organismes, dans des immeubles fédéraux d'Ottawa, en 1965.

Organisme	Total		Connaissance des langues* en%	
	Nombre	%	Anglais seulement	Anglais et français
Total	537	100	70	30
Défense – Ottawa	176	100	81	19
Chômage – Ottawa	1	100	–	100
Service national de placement	1	100	100	–
Secrétariat d'État	38	100	68	32
Anciens combattants	16	100	75	25
Gendarmerie royale	61	100	67	33
Conseil national de recherches	57	100	51	49
Affaires extérieures	8	100	75	25
Conseil de recherche (Défense)	3	100	100	–
Archives	13	100	54	46
Justice	8	100	62	38
Commerce	12	100	67	33
Transports	5	100	40	60
Travaux publics	20	100	85	15
Industrie	2	100	100	–
Revenu	12	100	67	33
Citoyenneté	5	100	80	20
Mines	26	100	77	23
Santé	19	100	74	26
Finances	5	100	60	40
Forêts	2	100	50	50
S. C. H. L.	2	100	100	–
Radio-Canada	8	100	50	50
Postes	6	100	67	33
Agriculture	11	100	64	36
Travail	3	100	100	–
Directeur général des élections	2	100	–	100
Château Laurier	3	100	33	67
Défense – Hull	1	100	–	100
Imprimerie	10	100	20	80
Chômage – Hull	1	100	–	100

Source : J. LaRivière, « La traduction dans la fonction publique », étude faite pour la Commission royale d'enquête sur le bilinguisme et le biculturalisme.
*On n'a signalé aucun cas d'unilinguisme français chez les commissionnaires.

Au tableau n° 5.3, les commissionnaires en service en 1965 dans la région de la capitale sont répartis selon leur connaissance des langues officielles. On y constate que dans certains organismes, tous les commissionnaires étaient bilingues, et que dans d'autres, il n'y en avait aucun. Environ 30 % des commissionnaires étaient bilingues et leur recrutement se faisait sans difficulté, car il y avait suffisamment de candidats pour répondre à la demande (étude de LaRivière).

La compagnie de téléphone Bell, qui fournit les standardistes au gouvernement, a pour politique de recruter du personnel bilingue si possible. En 1965, dans la région Ottawa-Hull, quelque 45 % de ces standardistes étaient bilingues. De plus, il existe une règle de conduite bien définie pour les employées anglophones unilingues auxquelles on demande une communication en français.

Enfin, on notera que les services auxiliaires — comme les annuaires et les indications sur l'utilisation des services téléphoniques du gouvernement — sont généralement offerts en anglais et en français. Il y a toutefois une exception bizarre : le répertoire du gouvernement fédéral ne figure en français, ni dans les pages blanches, ni dans les pages jaunes de l'annuaire de 1966 pour Ottawa-Hull. Ainsi, une personne désirant entrer en contact avec un ministère se trouvera désavantagée au départ si elle ne comprend pas l'anglais.

Bref, le gouvernement fédéral présente, de l'extérieur, l'image d'un bilinguisme morcelé. Dans de nombreux domaines, ce sont les organismes eux-mêmes qui semblent encore décider de la politique à suivre : aussi, certains sont-ils très en avance pour ce qui est des services bilingues. Le gouvernement n'a pas encore montré qu'il avait une politique définie et efficace pour mettre les deux langues sur un pied d'égalité. Aussi, l'exemple qu'il donne aux gouvernements provinciaux et aux municipalités n'est-il pas exempt de contradictions et d'ambiguïtés.

E. Le cadre physique des activités fédérales

Les activités du gouvernement fédéral dans la région de la capitale nationale sont très inégalement réparties : en fait, les édifices fédéraux sont fortement concentrés dans la seule municipalité d'Ottawa. Pour une municipalité, la présence d'immeubles de la Couronne a trois répercussions importantes. D'abord, l'emplacement de ces édifices, leur architecture (en hauteur ou horizontale), et la manière dont ils s'harmonisent avec le « paysage » urbain d'aujourd'hui et de demain, sont d'une importance primordiale pour la forme et l'orientation du développement urbain de la région, — bref, pour l'urbanisme. Ensuite, les propriétés de la Couronne étant exemptes des taxes ordinaires, les sommes versées aux termes de la Loi sur les subventions aux municipalités peuvent former une part importante du budget municipal. Enfin, la présence de ministères est une source d'emplois pour les citoyens de la localité, en même temps qu'elle entraîne un essor des industries de services correspondant à l'accroissement de la population; en somme, elle suscite l'expansion économique.

L'inégale répartition des édifices fédéraux entre les municipalités de la région a fait naître des griefs, notamment de la part de Hull. On en examinera les fondements dans le détail, mais, auparavant, il convient d'étudier l'implantation des immeubles fédéraux aux premiers temps de la capitale.

Vers 1867, toute l'administration fédérale était installée dans le voisinage immédiat de la colline du Parlement. La construction de la Bibliothèque du Parlement et l'agrandissement de l'édifice de l'Ouest permirent de loger la fonction publique dans les limites de la colline du Parlement jusqu'en 1880, année où le Service géologique, qui était à Montréal, fut installé promenade Sussex, à l'est du canal Rideau. En 1883, le manque d'espace obligea le gouvernement à exproprier des immeubles commerciaux au sud de la colline, rue Wellington, où fut achevée, en 1885, la construction de l'édifice Langevin.

Vers 1900, les édifices du gouvernement commencèrent à se multiplier. À la fin du XIXe siècle, on avait amorcé l'aménagement des terrains de la Ferme expérimentale, situés à plus de deux milles au sud-ouest de la colline du Parlement, près de l'actuel lac Dow (et à l'extérieur des limites d'alors de la ville); dans les 17 années qui précédèrent la première guerre mondiale, on y construisit nombre de laboratoires, l'Observatoire et l'édifice de la Géodésie. Ces bâtiments, à fonction scientifique plutôt qu'administrative, faisaient exception à la règle générale, qui était de grouper les édifices du gouvernement près de la colline du Parlement. Le Musée national fut construit à environ un mille au sud des édifices du Parlement; mais, pour les Archives publiques, l'Hôtel de la monnaie, l'Imprimerie et l'édifice Connaught, on choisit la zone comprise entre la promenade Sussex et l'Outaouais, dans un rayon d'un demi-mille au nord-est de la colline du Parlement.

En 1915, la commission Holt recommanda que l'implantation des futurs édifices du gouvernement se fasse suivant deux axes traversant la colline en direction ouest (le long de la rue Wellington) et en direction nord-est (le long de la promenade Sussex). Jusqu'au début de la deuxième guerre mondiale, on s'est, d'une façon générale, conformé à ce plan. On construisit, promenade Sussex, les laboratoires et le centre administratif du Conseil national de recherches. En 1921, on acheta l'immeuble Daly, situé promenade Sussex également, et l'on agrandit l'Imprimerie. À l'ouest de la colline du Parlement, on éleva les immeubles de la Confédération, de la Justice, de la Cour suprême et de la Banque du Canada. Dans l'entre-deux-guerres, on érigea, sur le territoire de la Ferme expérimentale, d'autres laboratoires et des édifices administratifs, et l'on étendit les laboratoires du ministère des Mines jusqu'à la zone avoisinant la rue Booth, au nord-est de la Ferme expérimentale.

Pendant la deuxième guerre mondiale, on édifia plus de douze immeubles temporaires, dont quelques-uns sur les axes Wellington et Sussex, et d'autres au sud de l'avenue Laurier, dans la zone comprise entre la rue Elgin et le canal Rideau, ou vers la zone de la Ferme expérimentale.

Après la guerre, l'expansion fédérale prit deux formes : vaste décentralisation, assortie d'un aménagement intensif de la zone centrale, sur la partie ouest de l'axe Wellington. Dans cette zone, furent construits pendant les années 50 les immeubles jumelés du Commerce et des Affaires des anciens combattants ainsi que le nouvel immeuble de la Bibliothèque nationale et des Archives, tout juste achevé. On construisit également, au centre de la ville, rue Elgin, l'immeuble Lorne, où se trouve la Galerie nationale. Depuis quelques années, le gouvernement s'est également mis à louer, pour y installer des bureaux, de vastes espaces dans des édifices privés, le plus souvent au centre de la ville.

Tout en occupant le centre de la ville, on appliquait une politique de décentralisation entièrement nouvelle. En 1956, la Commission du district fédéral la définissait au comité parlementaire mixte dans les termes suivants :

> La décentralisation a été recommandée comme un moyen d'enrayer la congestion croissante dans le centre de la ville et de permettre aux fonctionnaires du gouvernement de demeurer dans des quartiers domiciliaires, non loin de leur bureau, sans oublier les raisons évidentes de défense civile (Eggleston, *op. cit.* p. 285).

La multiplication des immeubles dans la zone de la Ferme expérimentale et de la rue Booth a été accompagnée de la construction de nouveaux ensembles de bureaux à l'ouest, au sud et à l'est du centre de la ville. À plus de deux milles à l'ouest, près de l'Outaouais, on a aménagé le secteur appelé « Tunney's Pasture », où se dressent maintenant plus de douze immeubles. Plus loin encore, à quelque quatre milles au sud-ouest de la colline du Parlement, sur la rive est de la rivière Rideau, se trouve le vaste ensemble de « Confederation Heights ». Du même côté de la rivière, sont situés l'hôpital militaire, avec ses services pour chaque arme (Alta Vista) et le quartier général de la Gendarmerie royale (Overbrook). À la périphérie est d'Ottawa, à quatre milles environ du centre de la ville, sont installés les vastes laboratoires du Conseil national de recherches et, tout près, l'immeuble de la Société centrale d'hypothèques et de logement, ainsi que le Laboratoire des produits forestiers. Tout à fait à l'extérieur, vers l'ouest, à Shirley's Bay, sur l'Outaouais, est établi le Conseil de recherches pour la Défense.

En résumé, l'implantation fédérale dans la région d'Ottawa a pris deux formes : d'une part, aménagement intensif du centre de la ville, le long de deux axes s'étendant à l'ouest et au nord-est de la colline du Parlement, avec quelques immeubles épars au sud de la colline; d'autre part, établissement d'ensembles divers au sud, à l'ouest et à l'est de la partie centrale, en général dans un rayon de deux à quatre milles.

Au cours de cette expansion, on ne semble pas avoir considéré la ville d'Ottawa sous un autre angle que celui de siège du gouvernement. Aussi l'expansion a-t-elle eu tendance à s'effectuer à partir de la colline du Parlement, en hémicycles de plus en plus grands. Il se peut que les divergences d'ordre politique entre les gouvernements fédéral et québécois, l'insuffisance des ponts sur l'Outaouais et le sentiment qu'Ottawa, seule, doit être la capitale, aient contribué de façon générale à freiner l'essor des activités fédérales au nord de la colline du Parlement, et à tenir Hull passablement à l'écart de l'expansion. Construite au début des années 50, l'Imprimerie est le premier immeuble fédéral important du côté québécois. Pendant la décennie qui a suivi l'achèvement de l'Imprimerie (agrandie depuis), on n'a construit à Hull qu'un seul immeuble fédéral, le Laboratoire de pathologie animale; cependant, le gouvernement a loué quelques locaux dans cette ville pour y installer des bureaux.

On trouve au tableau n° 5.4 la répartition détaillée des immeubles appartenant au gouvernement fédéral ou loués par lui dans les trois principales municipalités de la région, au 31 mars 1967. On constatera qu'à Eastview, le gouvernement n'en possède pas et n'en loue qu'un petit nombre. Pour Hull et Ottawa, la proportion des bureaux que le gouvernement loue et possède varie selon qu'on considère le nombre des immeubles ou la superficie des locaux. Dans le premier cas, l'avantage d'Ottawa est dans un rapport de 25 à 1, et dans le second, de 10 à 1 seulement. Quoi qu'il en soit, la très grande partie des bureaux fédéraux sont situés à Ottawa. On notera aussi que les sociétés de la Couronne ont loué d'elles-mêmes, sans passer par l'intermédiaire du ministère des Travaux publics, quelque 86 000 pieds carrés de locaux à Ottawa.

TABLEAU 5.4 Répartition, en nombre et en pourcentage, des immeubles et terrains dont le gouvernement fédéral* était propriétaire ou locataire à Ottawa, Hull et Eastview le 31 mars 1967.

	Total		Ottawa		Hull		Eastview	
	Nombre	%	Nombre	%	Nombre	%	Nombre	%
Immeubles	320	100	296	92,5	12	3,8	12	3,8
en propriété	128	100	123	96,1	5	3,9	–	–
pris à bail	192	100	173	90,1	7	3,6	12	6,3
Terrains = superficie (en millions de pieds carrés)	14 120	100	12 803	90,8	1 228	8,7	89	0,6
en propriété	10 721	100	9 664	90,1	1 057	9,9	–	–
pris à bail	3 399	100	3 139	92,4	171	5,0	89	2,6

Source : Chiffres fournis par le ministère des Travaux publics.
*On ne mentionne ici que les immeubles gérés par le ministère des Travaux publics. Il n'est pas fait état, non plus, du nouvel immeuble Sir John Carling, situé à Ottawa et occupé en avril 1967 par le ministère de l'Agriculture.

En comparant les sommes (taxes et subventions) versées par le gouvernement fédéral et les sociétés de la Couronne aux municipalités de la région, nous obtenons une autre façon d'étudier la répartition géographique des activités fédérales. Il a fallu remonter à 1963 pour trouver des statistiques à peu près complètes sur ces versements, pour toutes les municipalités de la région. Nous les présentons au tableau n° 5.5.

La majeure partie des sommes versées à Hull et à Ottawa consiste en subventions tenant lieu d'impôts fonciers sur les immeubles fédéraux et en subventions supplémentaires pour les services publics. En 1963, ces subventions formaient 86 et 99,9 % des versements fédéraux à Ottawa et à Hull respectivement. Sur le total des versements à Ottawa, seulement 13 % consistaient en taxes directes sur les immeubles appartenant aux sociétés de la Couronne. Dans le cas de Rockcliffe Park, l'importance du versement par tête tient à ce que le gouvernement accorde des subventions remplaçant les impôts sur les propriétés des diplomates, car il n'y a pas à proprement parler d'immeuble fédéral à Rockcliffe. La majeure partie des sommes versées au canton de Gloucester provenait des paiements sur les propriétés des sociétés de la Couronne, notamment sur celles du Conseil national de recherches et de la Commission de la capitale nationale.

Parmi les petites municipalités de la rive nord, les principales bénéficiaires de subventions étaient Lucerne ($ 13 765), Hull-Ouest ($ 12 333) et Masham ($ 339). Sur le montant versé à l'ensemble des municipalités québécoises, sauf Hull, plus de 90 % ont été accordés par la Commission de la capitale nationale pour le parc de la Gatineau. Pour ce qui est des autres municipalités ontariennes, on notera qu'Eastview n'a reçu que $ 79.

TABLEAU 5.5 Répartition, en pourcentage et par tête, des taxes et subventions versées par le gouvernement fédéral et les sociétés de la Couronne, au lieu de taxes municipales, aux municipalités de la région de la capitale nationale pour l'exercice financier de 1963.

Municipalité	Total	Versement	
		En pourcentage	Par tête*
Total	$ 8 271 817	100	–
Ottawa	7 249 275	87,6	$ 27,03
Hull	433 660	5,2	7,62
Gloucester	316 284	3,8	17,28
Nepean	161 907	2,0	8,20
Rockcliffe Park	36 895	0,4	17,70
Autres municipalités québécoises	50 233	0,6	–
Autres municipalités ontariennes	23 563	0,3	–

Source : Chiffres fournis par le ministère des Finances.
*La colonne « par tête » a été établie d'après les statistiques du recensement de 1961.

Pour les versements postérieurs à l'année 1963, on ne dispose que de statistiques incomplètes. Il semblerait toutefois que, tandis que les sommes versées à la ville d'Ottawa augmentent régulièrement chaque année, pour Hull, elles accuseraient un léger fléchissement par rapport à 1963. Le tableau n° 5.6 illustre cette évolution jusqu'à 1966, dans la mesure où le permettent les statistiques dont nous disposons.

TABLEAU 5.6 Total des taxes et subventions (en milliers de dollars) versées à Ottawa et à Hull par le gouvernement fédéral et les sociétés de la Couronne pour les propriétés non imposables, de 1963 à 1966.

	1963	1964	1965	1966
Ottawa	7 249	8 010	8 717	9 182
Hull	434	356	412	407*

Source : Chiffres fournis par le ministère des Finances.
*À l'exclusion des versements effectués en 1966 par la Commission de la capitale nationale, versements dont les chiffres n'étaient pas disponibles.

Il ressort de ces chiffres qu'Ottawa a reçu le gros des sommes versées, à cause de la concentration en ses murs des immeubles appartenant au gouvernement. Mais, pour une municipalité, la présence de tels immeubles ne se traduit pas seulement sous forme de subventions. Entre autres, le gouvernement fédéral exerce une influence considérable sur l'orientation et l'ampleur de l'expansion urbaine, en choisissant l'emplacement de ses immeubles, en déterminant les secteurs des travaux publics et de l'expansion urbaine pour lesquels il accordera son aide aux gouvernements provinciaux et aux municipalités, et en décidant comment faire cadrer son programme de constructions avec les projets d'urbanisme existants[28].

Néanmoins, et c'est là un fait important pour l'ensemble de la région de la capitale nationale, sauf dans le cas de la zone verte, le gouvernement fédéral ne s'est guère servi de ses pouvoirs étendus pour promouvoir ou diriger l'aménagement urbain ailleurs qu'à Ottawa.

D'autre part, la présence du gouvernement fédéral a des conséquences économiques considérables pour les habitants des diverses municipalités de la région. Comment pourrait-il en être autrement, alors qu'il est, dans la région, au premier rang comme employeur, propriétaire foncier et dispensateur d'argent ? Hull et les autres municipalités du Québec se sont longtemps plaintes d'être tenues à l'écart des principales activités économiques de la capitale.

En 1964, la Chambre de commerce de Hull a rédigé un mémoire[29] où elle mettait l'accent sur la situation d'infériorité de la ville québécoise par rapport à Ottawa. Les auteurs y soutenaient que pendant une période de dix ans se terminant en septembre 1964, les trois principaux organismes fédéraux actifs dans la région — Commission de la capitale nationale, ministère des Travaux publics et ministère des Finances — avaient dépensé $ 211,2 millions à Ottawa contre $ 9,3 millions seulement à Hull. De ces sommes, la part du ministère des Travaux publics a été de $ 122,1 millions à Ottawa et de $ 1,8 million à Hull; celle du ministère des Finances de $ 41,5 millions à Ottawa et de $ 3,4 millions à Hull et celle de la Commission de la capitale nationale de $ 47,6 millions à Ottawa et de $4,1 millions à Hull (voir appendice L).

À noter que la période couverte par ces statistiques se termine immédiatement après l'achèvement de la grande Imprimerie, ce qui augmente le chiffre du ministère des Travaux publics au détriment de Hull. Mais, de quelque manière qu'on effectue les calculs, il subsiste un déséquilibre évident. Que les citoyens de Hull soient très mécontents de cette situation, c'est un fait *(Le Droit,* numéros des 4, 12 et 22 novembre 1966).

C'est surtout Hull qui demande au gouvernement fédéral de lui accorder une plus grande attention, mais son point de vue est partagé par d'autres municipalités québécoises, comme Lucerne, Aylmer, Deschênes. Dans deux municipalités ontariennes, Rockcliffe Park et Eastview, il n'y a pas d'immeuble qui appartienne au gouvernement; mais la première se veut entièrement résidentielle, et l'autre a une population si dense qu'il n'y a plus guère d'espace pour des constructions d'envergure.

Le 2 février 1967, le ministre des Travaux publics a fait savoir que le gouvernement accorderait plus d'importance à la rive nord de l'Outaouais dans son programme de construction : le ministère des Forêts et de l'Aménagement rural établira son bureau principal dans un nouvel immeuble immédiatement à l'ouest de l'Imprimerie; on construira à Lucerne un centre de recherches sur la forêt qui comprendra quatre ou cinq grands édifices. En même temps, le ministre a annoncé qu'on projetait de jeter deux ponts sur l'Outaouais : l'un passerait par l'île Lemieux, immédiatement en amont des chutes de la Chaudière, l'autre au-dessus des rapides de Deschênes, à l'extrémité est du lac de ce nom (*Le Droit,* 2 février 1967; *Ottawa Journal,* 2 février 1967).

Le programme de construction d'immeubles fédéraux sur la rive nord étant assorti de la construction de ponts, on ne pourra sans doute plus opposer à cette expansion le vieil argument de l'insuffisance des voies de communication sur l'Outaouais, d'autant plus que le centre urbain de la rive nord est beaucoup plus près de la colline du Parlement que les ensembles suburbains de Confederation Heights et du Conseil national de recherches, à la périphérie est d'Ottawa. Le premier mentionné, au reste, n'a été ouvert qu'une fois terminé le pont Dunbar, sur le Rideau, construit avec l'aide du gouvernement. En tout cas, le pont Cartier-Macdonald sur l'Outaouais, aujourd'hui terminé, facilitera l'accès aux immeubles fédéraux qui seront érigés sur la rive québécoise. L'amélioration des communications d'une rive à l'autre ne résout qu'une partie des problèmes d'urbanisme, car les ponts contribuent à accroître l'encombrement des voies où ils débouchent. Une autre question très importante se pose donc : l'aménagement de nouvelles artères et l'amélioration de celles qui existent dans les municipalités québécoises. Ce projet exige une coopération étroite entre les diverses administrations publiques en cause.

D'après l'esquisse que nous en avons tracée plus haut, l'implantation physique du gouvernement ne se serait pas circonscrite dans les limites de la ville d'Ottawa, et le serait peut-être moins encore à l'avenir. Avant la fin du XIXe siècle, la Ferme expérimentale était déjà en cours d'aménagement hors des limites de la ville, dans le canton de Nepean. Des immeubles du ministère de la Défense et de son Conseil de recherches sont situés aujourd'hui dans les cantons de Nepean et de Gloucester, où l'on construit également des locaux pour le ministère des Mines, des Ressources et de l'Énergie. Enfin, c'est dans le canton de Nepean qu'on propose d'installer la Division de recherches zootechniques. Le cas de l'Imprimerie et les projets de nouveaux immeubles à Hull et à Lucerne montrent que le siège actuel du gouvernement fédéral s'étend à une grande partie de la zone métropolitaine et même à la campagne avoisinante. Ainsi, c'est toute la région située autour de la capitale fédérale, et non seulement la ville d'Ottawa, que l'on doit de plus en plus considérer comme siège du gouvernement du Canada.

F. Résumé

Les principaux points de ce chapitre peuvent se résumer ainsi :

1. La constitution du Canada n'accorde pas de pouvoir particulier au gouvernement fédéral à l'égard du territoire où sa capitale est située.

2. Néanmoins, le gouvernement fédéral a joué un rôle important dans les affaires locales, à titre de principal employeur, de principal propriétaire foncier et de principal agent de culture, de divertissements et d'autres biens dans la région.

3. Sur le plan des institutions, l'intérêt du gouvernement fédéral se manifeste surtout par trois organismes : la Commission de la capitale nationale, le ministère des Travaux publics et, au ministère des Finances, la Division des subventions aux municipalités. Beaucoup d'autres organismes fédéraux jouent aussi un rôle, mais de façon sporadique ou d'une façon moins marquée.

4. Par l'entremise de la Commission de la capitale nationale et des organismes qui l'ont précédée, le gouvernement a rempli un rôle d'urbaniste dans la région. N'ayant pas les pouvoirs nécessaires pour mettre en œuvre ses projets, sauf sur les terrains appartenant à la Couronne, le gouvernement a acheté et, au besoin, exproprié de vastes terrains. La Commission a dépensé à cette fin plus de $ 111 millions depuis 1947.

5. Les décisions relatives au caractère et à l'emplacement des nouveaux édifices du gouvernement, qui incombent dans une large mesure au ministère des Travaux publics, influent sur le développement urbain de la région. Au chapitre de la construction et de l'entretien seulement, les prévisions du Ministère pour l'exercice 1967-1968 portaient sur une dépense de $ 62 millions dans la région d'Ottawa.

6. Les immeubles fédéraux sont exempts des taxes municipales. En compensation, la Division des subventions aux municipalités distribue chaque année aux municipalités de la région quelque $ 8 millions équivalant aux taxes. De plus, certaines sociétés de la Couronne paient des taxes ou versent des subventions directement aux municipalités et des taxes sont également payées sur les immeubles pris à bail par le gouvernement fédéral pour un montant additionnel d'environ $ 2,8 millions annuellement.

7. Pour ce qui est des langues, l'image que le gouvernement fédéral offre au public varie selon les services. Le bilinguisme semble assez répandu dans l'usage écrit, mais il l'est moins dans les communications verbales et dans les indications figurant sur les édifices. Il ne semble pas exister de politique définie en vue d'offrir des services complets dans les deux langues officielles.

8. L'espace occupé par la capitale et dans lequel le gouvernement a des immeubles, ne coïncide pas avec les limites de la ville d'Ottawa; au contraire, il s'étend aux municipalités ontariennes et québécoises avoisinantes. Toutefois, comme les propriétés fédérales sont fortement concentrées à Ottawa, cette ville reçoit de loin la plus large part des versements fédéraux effectués dans la région de la capitale.

9. Le secteur québécois de la région, et tout particulièrement la ville de Hull, sont fortement convaincus d'avoir été négligés par les autorités fédérales dans l'aménagement du secteur urbain de la région de la capitale.

Chapitre VI — L'organisation de la justice

A. Introduction

Il existe dans le monde occidental deux écoles de pensée sur la place du pouvoir judiciaire dans la structure gouvernementale. Pour l'une, la fonction judiciaire est partie intégrante de l'exécutif : l'exercice de la justice n'est alors qu'une fonction administrative et le pouvoir judiciaire ne jouit d'aucune autonomie. Pour l'autre, le pouvoir judiciaire est un tout à lui seul, indépendant des autres services gouvernementaux; son rôle consiste à assurer le respect de la loi et à sauvegarder les droits de l'individu contre les empiètements du pouvoir exécutif ou administratif. Il a alors valeur de symbole, et d'un symbole d'une importance capitale : on l'assimile intimement aux droits et libertés dont il est le défenseur. En somme, on estime qu'un pouvoir judiciaire vraiment indépendant est le premier indice de santé d'un État.

Le Canada a toujours fait partie de la deuxième école. En conséquence, on ne doit pas considérer les organisations judiciaires de la région de la capitale fédérale comme simples parties de rouages administratifs; on doit les étudier séparément et avec beaucoup d'attention. En effet, pour un individu, les décisions des tribunaux peuvent entraîner les conséquences les plus graves, telles la perte de biens ou de la liberté, et même quelquefois la mort. L'égalité de tous devant la loi et devant les tribunaux est donc de la plus haute importance.

Dans les États fédératifs comme le Canada, le pouvoir de légiférer se situe à au moins deux niveaux, le fédéral et le provincial. De tels États se trouvent ainsi, dans leur organisation judiciaire, placés devant une grande difficulté que ne connaissent pas les États unitaires; il leur faut tenir compte à la fois du besoin d'une justice uniforme dans tout le pays et des particularismes régionaux qui sont à l'origine du régime fédéral. Aux États-Unis, on a résolu la difficulté en créant deux organisations judiciaires distinctes ayant des compétences précises : l'une pour les causes relevant des lois de chaque État, l'autre pour les causes ressortissant aux lois fédérales ou portant sur des questions étrangères aux juridictions des États.

Le régime judiciaire canadien ressemble beaucoup plus, par sa structure, à une organisation hiérarchique formant un tout, qu'aux deux organisations parallèles des États-Unis (voir les organigrammes n⁰ˢ 6.1 et 6.2). Il n'existe pas au Canada de structures judiciaires comparables; toutefois, l'Acte de l'Amérique du Nord britannique offre la possibilité d'instaurer un tel régime. En effet, les assemblées législatives provinciales peuvent créer des cours ayant compétence dans leur province et définir leurs pouvoirs. Cependant, la nomination, la rétribution et la révocation des juges des tribunaux provinciaux (cours de comté, cours supérieures ou d'échelon encore plus élevé) relèvent des autorités fédérales. En outre, s'il le désire, le Parlement d'Ottawa peut créer un ensemble de tribunaux fédéraux pour faire observer les lois fédérales, en dehors des cours provinciales. Il a exercé ce pouvoir de façon limitée en créant la Cour de l'Échiquier du Canada qui a compétence dans certains domaines relevant de la législation fédérale, tels les brevets d'invention, marques de commerces et droit maritime. Dans l'ensemble, l'autorité centrale donne compétence aux cours provinciales en matière de droit fédéral, notamment dans l'important domaine du droit criminel. Il en résulte que presque toutes les affaires civiles et criminelles sont portées devant les cours provinciales. On peut ensuite en saisir les cours d'appel provinciales puis, à un échelon plus élevé, la Cour suprême du Canada, créée par la seule autorité centrale, qui en nomme les juges. Dès lors, bien que la Cour suprême et la Cour de l'Échiquier, qui sont fédérales, soient situées dans la capitale, les habitants de cette région ont surtout affaire aux cours provinciales ontariennes et québécoises de première instance et d'appel.

La région de la capitale fédérale chevauchant l'Ontario et le Québec, on y trouve les appareils judiciaires des deux provinces. Ceux-ci accusent des différences plus marquées qu'on ne serait porté à le croire, entre deux provinces canadiennes contiguës. Premièrement, l'A. A. N. B. permet d'utiliser le français et l'anglais dans toutes les cours du Québec[1]. Le régime québécois est donc constitutionnellement et officiellement bilingue, alors que les cours de l'Ontario, non assujetties à une telle disposition, sont essentiellement unilingues, du moins en ce qui concerne la reconnaissance officielle de la langue.

En second lieu, alors que les deux régimes comportent le même droit criminel, dans les affaires relevant du droit civil, les cours du Québec statuent selon le droit civil, et celles de l'Ontario, selon le droit coutumier. Le droit civil québécois est issu du droit français; le droit coutumier s'est développé en Angleterre. Le premier a eu cours au Canada jusqu'à 1792, l'année même où l'Assemblée du Haut-Canada a adopté le régime du droit coutumier. Aujourd'hui, le Québec est la seule province qui suive encore le droit civil. Il existe des différences profondes entre les deux systèmes, spécialement en ce qui touche aux affaires familiales.

Nous devons d'abord souligner les rapports entre les deux principales circonscriptions judiciaires de la région de la capitale fédérale — le district de Hull et le comté de Carleton — en tenant compte des régimes de leur province respective. Les districts et comtés, divisions territoriales de base des deux hiérarchies judiciaires, sont indépendants les uns des autres, mais dans une large mesure, ils relèvent des échelons supérieurs des régimes judiciaires du Québec ou de l'Ontario. Si les appareils judiciaires de la région de la capitale fédérale étaient tout à fait autonomes, ils pourraient facilement adapter leurs usages linguistiques aux exigences de la population locale et répondre à ce qu'on attend d'institutions situées dans la région de la capitale. Mais tel n'est pas le cas : il leur faut se conformer au régime en vigueur dans chaque province. Comme on le verra, cette dépendance vis-à-vis des régimes provinciaux a une influence considérable sur l'emploi de la langue dans les cours de la région de la capitale.

Nous allons examiner l'utilisation de la langue parlée et écrite dans les institutions judiciaires du comté de Carleton et du district de Hull. Nos donnéees proviennent d'interviews et de recherches effectuées de septembre à décembre 1965 et notre étude a trait au régime des tribunaux de l'Ontario et du Québec en vigueur en janvier 1966.

B. Le système judiciaire du secteur ontarien

Le système judiciaire dans la région ontarienne de la capitale fédérale ressemble à celui du reste de la province. Dans le comté de Carleton, quatre cours de district, la cour de comté et une cour des homologations *(Surrogate Court)* entendent les causes civiles, tandis que les affaires criminelles peuvent être portées devant l'une des deux cours de magistrat, devant la cour juvénile et familiale *(Juvenile and Family Court)*, la cour générale des sessions ou la cour de juridiction criminelle *(County Court Judge's Criminal Court)*. Quand elle siège pour des affaires locales, la haute cour de justice de l'Ontario connaît des procès civils et criminels. De plus, d'autres institutions sont au service de tout le comté de Carleton : le bureau régional de la Cour suprême de l'Ontario, qui s'occupe des poursuites entreprises dans le comté, la prison, les services locaux de certains corps administratifs provinciaux, les bureaux d'enregistrement (voir l'appendice M) et, bien sûr, le corps des hommes de loi.

Les cours locales de première instance

La cour de magistrat est essentiellement une cour criminelle; elle entend les poursuites intentées en vertu de règlements municipaux, de lois et règlements provinciaux (par exemple, le Highway Traffic Act and Regulations) et fédéraux (surtout les cas relevant du Code criminel). Il s'agit, la plupart du temps, de délits mineurs : état d'ébriété, infractions aux règlements de la circulation et vols simples peu importants; ces causes sont entendues par un seul magistrat, sans jury. Les personnes accusées de fautes plus graves sont soumises à l'enquête préliminaire devant un magistrat; elles peuvent, dans certains cas, demander que leur cause soit entendue par ce dernier, au lieu d'avoir à subir un procès devant le juge de la cour de comté ou devant juge et jury.

Il y a deux cours de magistrat : l'une pour la ville d'Ottawa, l'autre pour le reste du comté de Carleton. Au moment où nous faisions cette étude, la première se composait de trois magistrats (dont un bilingue) et d'un magistrat suppléant. Le personnel de la cour, dirigé par un greffier *(clerk)* bilingue, de langue maternelle française, comprenait des personnes pouvant remplir leurs fonctions en français et en anglais. Les diverses formules utilisées par la cour (assignations, contraventions, ordonnances, mandats d'arrestation, etc.) sont rédigées en anglais seulement; cependant, on peut traiter avec le personnel dans

L'organisation de la justice 154

ORGANIGRAMME 6.1 Cours civiles et criminelles du comté de Carleton, Ontario, en janvier 1966 (régime des appels).

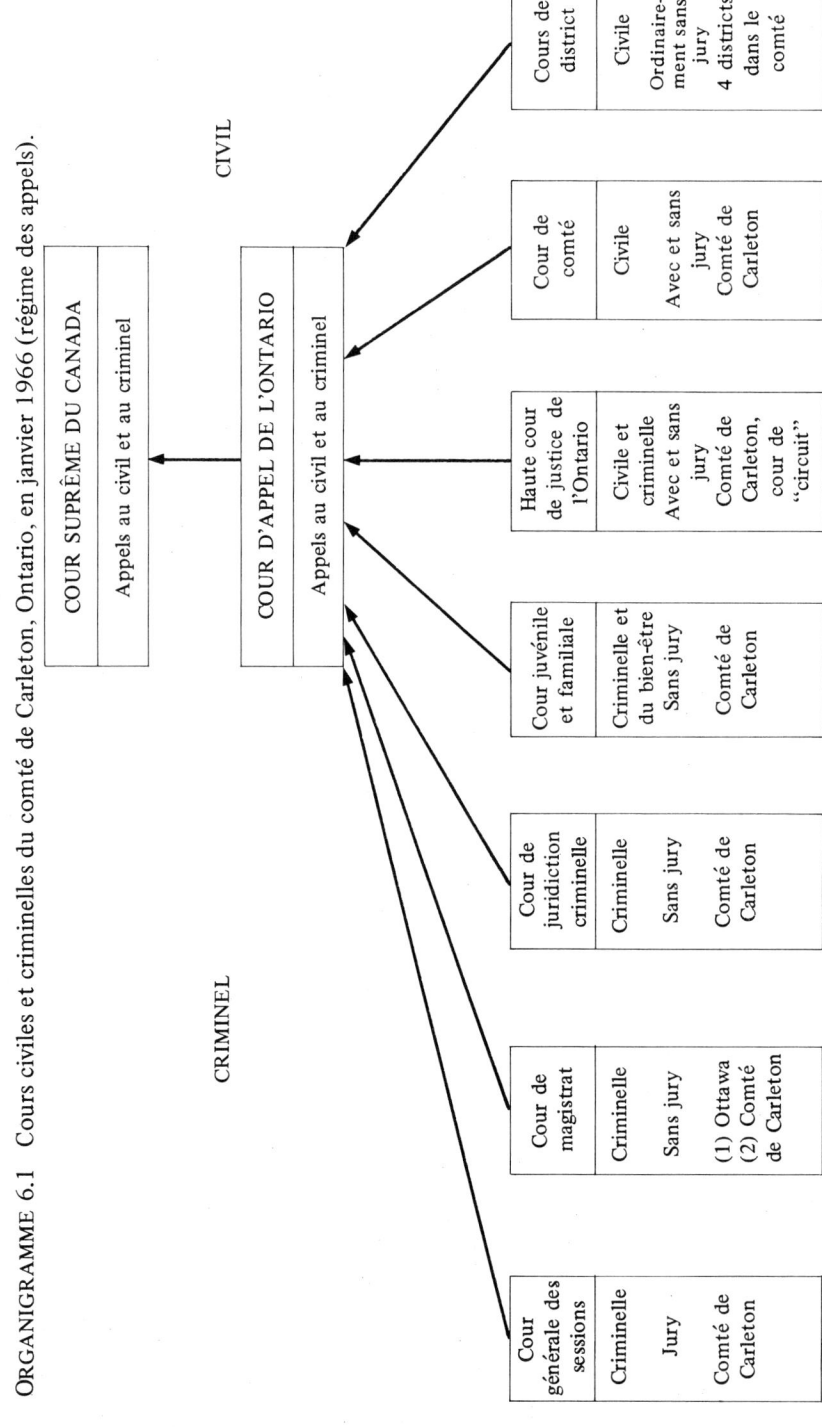

les deux langues et se faire donner des explications en français. Présentement, les procès à la cour sont instruits en anglais.

Le sténographe de la cour transcrit les témoignages en anglais seulement. Si le prévenu ou un témoin ne comprend pas l'anglais ou ne le parle pas, on demandera à l'agent de police qui représente le ministère public dans les cas de délits mineurs de faire office de traducteur. Cet agent de police est un sergent ou un membre de la police d'Ottawa appelé *Conducting Officer* ou *Prosecuting Officer*. Il est choisi dans ce but exprès et doit parler couramment les deux langues. Comme il est présent aux audiences de la cour de magistrat, il peut éventuellement faire office d'interprète à la demande de l'avocat de la défense ou du ministère public.

La cour de magistrat du comté de Carleton ne comprend qu'un magistrat. Bien qu'elle n'ait pas de bureaux propres, on peut demander au personnel administratif des diverses municipalités de fournir les formules, d'établir les rôles, etc. Par conséquent, l'usage quotidien de la langue dépend étroitement des connaissances des employés municipaux. Comme à Ottawa, les diverses formules sont en anglais seulement et les audiences se déroulent en anglais, mais on peut, au besoin, recourir aux services d'un interprète.

On a créé une cour juvénile et familiale pour tout le comté de Carleton, y compris Ottawa et Eastview. Cette cour, en vertu de sa juridiction criminelle, connaît des poursuites intentées contre des jeunes (moins de 16 ans) ou contre des adultes accusés de délits impliquant des jeunes. Elle s'occupe également de questions relatives au bien-être familial : pension alimentaire aux parents, à l'épouse et aux enfants, querelles de famille. Étant donné l'objet de cette cour — traiter des relations des jeunes et des familles dans un climat plus amical, plus intime et moins empreint de formalisme que celui des cours ordinaires[2] —, il est d'une importance capitale que les rapports entre la cour et ceux qui sont appelés à s'y présenter ne soient pas gênés par des questions de langue ou de culture. Aussi cette cour tient-elle davantage compte du bilinguisme que les cours de magistrat.

Les deux juges de la cour (un poste était vacant au moment où nous avons fait cette étude) étaient de langue maternelle anglaise, mais l'un d'eux s'exprimait assez couramment en français et parlait cette langue chaque fois qu'il fallait donner des explications à un francophone de moins de 16 ans. Le personnel de la cour était dirigé par un greffier bilingue, dont la langue maternelle était le français. Ce personnel comprenait des francophones et des anglophones et le travail de bureau se faisait, suivant le cas, en anglais ou en français.

Deux catégories de fonctionnaires méritent une mention spéciale : les conseillers en matière de questions matrimoniales (au nombre de deux), et les délégués à la liberté surveillée (au nombre de cinq). L'un des conseillers était bilingue, l'autre ne parlait que l'anglais. Deux délégués à la liberté surveillée s'occupent des filles et les trois autres des garçons. Les deux premiers parlaient convenablement le français; l'un était catholique, l'autre protestant; dans les causes impliquant des filles, on accordait, lors du choix des délégués, quelque considération à la croyance religieuse de l'intéressée. Aucun des trois délégués s'occupant des garçons ne parlait facilement le français; toutefois, au moment de l'interview, on avait commencé à rechercher un quatrième délégué, mais francophone. Dans les causes impliquant des garçons, on ne choisissait pas les délégués en fonction de la religion. Dans le cas des enfants, garçons et filles, confiés à une maison de correction ou à une famille d'accueil, il est tenu rigoureusement compte de l'appartenance religieuse de l'enfant.

Les actes, qui ressemblent en gros à ceux de la cour de magistrat, sont rédigés seulement en anglais. Cependant, avec l'assignation instituant des poursuites à la cour juvénile, on envoie aux parents un avis bilingue, les sommant de comparaître avec leur enfant. Les audiences se déroulent presque entièrement en anglais; mais une grande partie du travail se fait en dehors de la salle d'audience, et là, comme nous l'avons signalé, il est possible de s'entretenir en français. Lorsque la transcription des procès en anglais nécessite un long travail d'interprétation, on a généralement recours aux services du greffier lui-même, mais les personnes comparaissant en cour peuvent amener leur propre interprète. Cela se produit rarement, sauf dans le cas de gens ne parlant ni l'anglais ni le français.

Nous étudierons plus bas les deux autres cours de juridiction criminelle : la cour générale des sessions de la paix et la cour de juridiction criminelle.

La cour de district *(Division Court)* est de juridiction civile seulement. Le comté de Carleton compte quatre « districts », ayant chacun sa cour. Il existe une cour qui s'occupe des réclamations pour dettes ne dépassant pas $ 400. Il s'agit le plus souvent de comptes en souffrance, chèques sans provision, billets à ordre, légers accidents de la circulation et actions en dommages peu importantes. Les procès se déroulent toujours devant un seul juge, mais les parties ont le droit d'exiger un jury si le montant en jeu est d'au moins $ 50.

Ce sont les juges de la cour de comté qui président aux cours de district. On peut nommer des juges suppléants parmi les avocats d'expérience pour régler les réclamations ne dépassant pas $ 20. Dans ces causes, on ne conserve aucune transcription du procès, et le jugement est sans appel; dans les autres, on peut se pourvoir en cour d'appel de l'Ontario. Lors de notre étude, on nous a déclaré que le personnel des première et septième cours de district, situées à Ottawa, comprenait des bilingues et que le travail de bureau était exécuté dans la langue choisie par l'intéressé. Les deux autres cours de district (situées à Carp et à Galetta) n'avaient pour tout personnel que le greffier, et celui-ci ne parlait que l'anglais. Dans les quatre cours de district, les audiences se déroulent uniquement en anglais, la transcription, si on la conserve, et les divers documents des plaidoyers, assignations, citations à comparaître, saisie-arrêts, etc., se font également en anglais seulement. Les parties peuvent amener leur propre interprète, s'il y a lieu.

Les juges de la cour de comté président plusieurs tribunaux. Au civil, outre les cours de district mentionnées plus haut, ils siègent à la cour de comté, avec ou sans jury, pour statuer dans les causes où le montant en jeu ne dépasse ordinairement pas $ 3 000, et à la cour des homologations pour régler les affaires de succession ou de mineurs. Leur juridiction criminelle comprend la cour générale des sessions de la paix (procès avec jury) et la cour de juridiction criminelle (procès devant juge seulement). En vertu de nombreuses lois, ils peuvent aussi faire office d'arbitre – ou de *persona designata* – pour divers appels et requêtes. Les recours de la plupart des tribunaux présidés par des juges de la cour de comté sont portés devant la cour d'appel de l'Ontario, à Toronto.

Un seul bureau, dirigé par le greffier de la cour de comté, s'occupe de toutes les questions de procédure relatives à ces tribunaux. Au moment où nous étions en rapport avec ce bureau, aucun membre du personnel ne pouvait exercer ses fonctions en français. Quand on avait besoin d'un interprète, on faisait appel aux employés bilingues des bureaux voisins ou on recourait aux services d'avocats bilingues, s'il s'en trouvait alors aux bureaux de la cour. Les diverses formules ne se trouvent qu'en anglais et les audiences à la cour, au civil et au criminel, se déroulent uniquement en cette langue.

Dans les causes civiles, si l'une des parties exige la présence d'un interprète, c'est elle qui doit le trouver et le rétribuer. Cependant, le juge, en fixant les dépens, peut imputer une partie de ces frais à la partie perdante. Au criminel, l'usage varie selon que l'appel à l'interprète a été fait par le demandeur ou le défendeur. Quand la partie plaignante, dont les témoins sont toujours entendus les premiers, a employé un interprète, il est d'usage que la partie défenderesse puisse recourir aux services de cet interprète qui est alors rétribué à même les fonds de la cour, cela faisant partie des dépenses normales occasionnées par le procès. Si c'est l'accusé qui, le premier, demande un interprète, il devra le faire venir et le payer lui-même, à moins que, faute de ressources, il n'ait dû recourir à l'assistance judiciaire. Dans ce cas, la cour paie elle-même l'interprète, quelle que soit la partie qui en a requis les services.

Dans le comté de Carleton, un seul interprète était employé avec quelque régularité, à la fois par plaignants et défendeurs. On faisait appel à lui plusieurs fois par semaine, pour les instructions préliminaires et pour les procès. Quand il n'était pas libre, on avait parfois recours à des étudiants en droit de langue française. Les services d'un interprète coûtent environ cinq dollars l'heure et ils semblaient d'excellente qualité.

La haute cour de justice, section de première instance de la Cour suprême de l'Ontario, a une juridiction à la fois civile et criminelle. Elle peut connaître d'actions civiles mineures aussi bien que de causes importantes, mais, en réalité, à l'exception des cas très graves, toutes les causes passent d'abord devant des cours de juridiction inférieure. Cette cour n'entend que les procès au criminel les plus graves et elle peut rendre la justice avec ou sans jury. On se pourvoit en cour d'appel, à Toronto.

Le siège de la haute cour de justice est à Toronto, mais les juges se déplacent à travers la province, remplissant leurs fonctions dans les divers chefs-lieux. Apparemment, aucun critère de langue n'intervient dans le choix des juges qui siègent à Ottawa (chef-lieu du comté de Carleton).

C'est aux bureaux locaux de la cour que les poursuites sont entamées et se déroulent jusqu'au procès, que les décisions sont rendues et les jugements mis à exécution. À l'époque où nous avons fait notre étude, le personnel du bureau d'Ottawa était dirigé par un administrateur local *(Local Master)* pouvant remplir ses fonctions dans les deux langues. Il faut cependant noter que les parties n'ont à peu près jamais de rapports avec ce bureau, car elles confient presque toujours leurs intérêts à des avocats. On y utilise presque toujours l'anglais, même les avocats dont la langue maternelle est le français. Plaidoyers, procédures, assignations de témoins, se font en anglais, et c'est aussi en cette langue que la cour tient ses audiences[3].

Aujourd'hui, dans les cours de district, de comté et à la haute cour, les procès au civil et au criminel se déroulent rarement devant jury. Cependant, l'accusé, dans les poursuites importantes, et les deux parties, dans la plupart des causes civiles, peuvent le demander. Ce n'est que dans les provinces de Québec et du Manitoba qu'une des parties peut exiger un jury composé de membres parlant telle ou telle langue (voir p. 161). Ainsi, en Ontario, le défendeur ne peut demander d'être jugé par un jury de même langue maternelle que lui. Par contre, à Ottawa, on n'exclut pas au départ les francophones de la liste à partir de laquelle on forme les jurys. Cependant, en cour, un francophone unilingue serait identifié à la première séance du jury et, pour cette raison, exclu ou récusé[4].

Bref, dans toutes ses parties essentielles, l'appareil judiciaire de l'Ontario est foncièrement anglophone. Sans doute emploie-t-on, jusqu'à un certain point, le français dans des régions comme celle du comté de Carleton, où une bonne partie de la population est francophone, mais, dans la plupart des cas, cette pratique tient à divers accommodements de circonstance, et encore ceux-ci sont-ils limités par une organisation essentiellement unilingue. Que ces limites soient très réelles, on ne peut en douter. Par exemple pour se pourvoir à la cour d'appel de Toronto, cour où l'on n'utilise que l'anglais, il faudra transcrire en anglais toutes les pièces du procès original, ce qui influera déjà sur l'emploi de la langue lors du procès en première instance. De plus, les pressions en faveur de l'uniformité dans une province qui est officiellement unilingue, et qui l'est en fait dans de vastes parties de son territoire, ont abouti, dans tout l'Ontario, à l'emploi exclusif de l'anglais dans les formules et les actes judiciaires.

Il y a deux circonstances où l'on utilise le français. D'abord, quand on a recours à des interprètes; cette manière de procéder, pourtant longue et coûteuse, a permis à des personnes connaissant peu l'anglais de prendre une part plus active aux procès. Il ne s'agit pas là d'une liberté de choix quant à la langue, mais plutôt d'une exigence de la justice. Ensuite, hors de la salle d'audience, où la procédure est très stricte, le bilinguisme des fonctionnaires et du personnel de la cour a permis, dans une certaine mesure, l'utilisation des deux langues. Malgré de sérieux efforts pour recruter du personnel bilingue pour certains postes à Ottawa (comme celui de délégué à la liberté surveillée), dans l'ensemble, la présence d'employés bilingues tiendrait plus du hasard que de décisions prises sciemment. Il en résulte que les francophones ne peuvent communiquer dans leur langue avec la cour et son personnel que dans certaines circonstances seulement et au hasard des personnes avec qui ils traitent.

C. Le système judiciaire du secteur québécois

Il est le même dans la région de la capitale que dans le reste de la province, à l'exception de Québec et de Montréal. Certaines municipalités ont leur propre cour, mais pour l'ensemble de la région, il existe trois cours principales : la cour de magistrat, la cour du bien-être social et la cour supérieure du district judiciaire de Hull. Celui-ci comprend les tribunaux administratifs locaux, les bureaux locaux du tribunal provincial, un bureau d'enregistrement et le corps des hommes de loi (avocats et notaires).

Contrairement au comté de Carleton, ce district est à peu près autonome. Aucun juge ne vient de l'extérieur entendre des causes, de sorte que les seuls rapports avec les cours plus importantes se limitent aux pourvois devant la cour du banc de la Reine (section des appels), qui siège à Montréal et à Québec. Fait à signaler, à l'opposé de ce qui se passe en Ontario, un appel ne soulève au Québec aucune difficulté d'ordre linguistique. Les juges de la cour du banc de la Reine (section des appels) sont parfaitement bilingues et toute la procédure — constitution des dossiers et plaidoyers — se déroule indifféremment en français ou en anglais. Il n'est pas nécessaire de traduire le compte rendu des témoignages ou des jugements; on ne le fait pas non plus, sauf parfois au profit des avocats, et pour leur propre usage.

Les cours locales de première instance

Quatre villes du district de Hull — Aylmer, Gatineau, Pointe-Gatineau et Hull — ont leur propre cour municipale présidée par un juge choisi parmi les hommes de loi en activité. La cour juge les poursuites pour contraventions aux règlements municipaux et les causes relatives aux impôts et aux contrats de la municipalité.

La cour de magistrat a une juridiction à la fois criminelle, correspondant en gros à celle de la cour de magistrat et de la cour de comté en Ontario, et civile, cette dernière semblable à celle des cours de district ontariennes. Au criminel, la cour entend donc les poursuites intentées en vertu de lois provinciales et fédérales pour divers délits, tels les vols simples, l'état d'ébriété et les contraventions au Code de la route. La cour procède aussi aux instructions préliminaires et juge parfois des délits graves, si le prévenu le demande. En vertu de sa juridiction civile, la cour règle les poursuites en matière de contrat et de délit qui n'excèdent pas $ 599[5], les réclamations relatives aux taxes municipales et scolaires, les impôts pour les églises, les conflits entre propriétaires et locataires, etc.

Lors de notre étude, la cour de magistrat du district judiciaire de Hull comptait trois juges, tous de langue maternelle française, mais bilingues. Tout le personnel de la cour, dirigé par le greffier, était de langue maternelle française. Cependant, la politique en matière de langues veut que les services soient dispensés en anglais aussi bien qu'en français. En fait, à la cour, la plupart des affaires sont traitées en français, mais on peut, et on le fait dans une certaine mesure, utiliser l'anglais.

Les procès au criminel sont dirigés par le procureur de la Couronne; il n'y a pas, comme à la cour de magistrat à Ottawa, d'agent de police représentant le ministère public. Dans les actions civiles, chaque partie se fait généralement représenter par un avocat.

On a récemment créé une cour du bien-être social pour les districts judiciaires de Hull, Labelle et Pontiac. Elle juge les actions intentées contre des jeunes (moins de 18 ans) et contre les adultes accusés de délits impliquant des jeunes. C'est elle qui envoie les jeunes dans les « écoles de protection de la jeunesse », réglemente les demandes d'adoption et exerce le rôle de modérateur ou de conseiller dans les querelles de famille.

Comme la cour juvénile et familiale du comté de Carleton, elle est moins formaliste que les cours ordinaires et tend à remplir son rôle de façon plus discrète et dans les délais les plus courts. On a signalé que la représentation par un avocat y est moins fréquente que dans les autres tribunaux de Hull. Les formules, en français ou en anglais, sont remplies

L'organisation de la justice

ORGANIGRAMME 6.2 Cours du district judiciaire de Hull, Québec, en janvier 1966 (régime des appels).

```
                    COUR SUPRÊME DU CANADA
                    Appels au civil et au criminel
                              ▲
                              │
              COUR DU BANC DE LA REINE
                  (SECTION DES APPELS)
                  Appels au civil et au criminel
         ▲            ▲            ▲            ▲
         │            │            │            │
  COUR DE        COUR              COUR DU         COUR
  MAGISTRAT     SUPÉRIEURE         BIEN-          MUNICIPALE
                                   ÊTRE SOCIAL
  Civile et     Civile et          Criminelle     Civile et
  criminelle    criminelle         et du bien-    criminelle
                                   être
  Sans jury     Avec et sans       Sans jury      Sans jury
                jury
  District      District           District       Hull, Gatineau,
  de Hull       de Hull            de Hull        Pointe-Gatineau, Aylmer
```

dans la langue que l'on croit être celle de l'accusé ou des parties. Les actions ne mettent que très rarement en cause des anglophones. Quand, pour une raison de langue, un prévenu ne comprend pas ce que dit un témoin, le juge, le greffier de la cour ou encore le procureur de la Couronne le lui explique sans formalité, dans sa langue. Le juge, parfaitement bilingue, s'adresse aux jeunes dans leur propre langue. Au moment de la présente étude, six délégués à la liberté surveillée assumaient la même fonction importante que ceux de la cour juvénile et familiale du comté de Carleton. Tous étaient de langue maternelle française, bilingues et de religion catholique; aussi ne tenait-on pas compte de la langue ou de la religion des jeunes pour les leur confier.

La cour supérieure entend les causes outrepassant la compétence des autres cours de première instance du Québec. Elle compte, pour toute la province, 72 juges qui exercent leurs fonctions dans les divers districts judiciaires auxquels ils sont affectés. Trois d'entre eux, habitant Hull, siègent à tour de rôle dans les districts de Hull, Labelle et Pontiac. En vertu de sa juridiction civile, la cour entend les causes de $ 500 et plus; elle correspond, par conséquent, à la cour de comté et à la haute cour de justice de l'Ontario. Au criminel, comme cette dernière, elle juge certains appels de la cour de magistrat et statue sur les délits outrepassant la compétence de cette cour. On peut obtenir un procès devant jury aussi bien au civil qu'au criminel, mais, en pratique, on ne le demande que dans les causes criminelles. La composition du jury selon la langue (membres tous francophones ou tous anglophones, ou en nombre égal) est laissée au choix de l'accusé; dans le district de Hull, la proportion des jurys composés entièrement de francophones ou d'anglophones varie beaucoup d'une année à l'autre. On ne demande que très rarement un jury mixte[6].

Les prévenus ont presque toujours recours à des avocats, vu l'importance des questions et l'aspect technique de la procédure. Au moment où nous faisions cette étude, le personnel de la cour supérieure, dirigé par le protonotaire, se composait uniquement de membres ayant le français pour langue maternelle, même si, en principe et en pratique, on assure aussi les services en anglais.

L'emploi des langues

Dans le comté de Carleton, l'usage a tendance à varier selon les cours. Dans le district de Hull, au contraire, il est le même sous beaucoup d'aspects. Cela nous permet d'étudier de façon générale la langue employée dans les formules et au cours des procès.

Toutes les formules utilisées dans les instances criminelles existent, nous a-t-on déclaré, en français ou en anglais. Théoriquement, le plaignant ou le procureur peut, au moment où il engage une poursuite – lors de la rédaction de l'acte d'accusation, de l'assignation ou du mandat – choisir la langue qui sera utilisée au cours du procès. Toutefois, on s'attend à ce qu'il utilise la langue de celui qui fait l'objet de la poursuite. Jusqu'à un certain point, cela s'applique également à l'assignation dans les actions non pénales. Les plaidoyers peuvent alors se faire dans les deux langues, et il arrive parfois que demandeur et défendeur n'emploient pas la même langue. Dans le district de Hull, cependant, peu de plaidoyers se font en anglais. On accepte d'enregistrer, en français et en anglais, les actes relatifs à la propriété foncière et aux biens personnels.

On peut utiliser le français ou l'anglais à toutes les étapes d'un procès. Un témoin déposera dans l'une ou l'autre langue et sa déclaration sera transcrite dans la langue qu'il aura utilisée. Les témoins sont interrogés et contre-interrogés dans leur propre langue. Les plaidoyers peuvent se faire soit en français, soit en anglais, comme d'ailleurs les considérants et l'arrêt du juge.

Les tribunaux ne procèdent pas tous de la même manière quand ils ont besoin d'un traducteur. À la cour du bien-être social, ce sont les fonctionnaires eux-mêmes qui assument cette tâche. Aux procès criminels, à la cour de magistrat et à la cour supérieure, si l'accusé est représenté par un avocat, on présume que ce dernier est bilingue et qu'il servira d'interprète à son client. Mais à la cour supérieure, si l'accusé, même représenté par un avocat, exige les services d'un interprète, c'est la cour qui le lui fournira et le paiera[7]. À la cour de magistrat et à la cour supérieure, on fera appel à un interprète si l'accusé n'a pas d'avocat et s'il déclare ne pas comprendre la langue du procès, mais cela se produit rarement. On nous a dit qu'il arrive assez souvent, à la cour de magistrat, qu'au lieu d'avoir recours à un interprète, le juge explique lui-même au prévenu, lorsque celui-ci n'a pas d'avocat, le fond des accusations portées contre lui par les témoins; l'inculpé est ensuite appelé à interroger les témoins par l'intermédiaire du juge auquel il indique les questions à poser.

Au civil, à la cour de magistrat et à la cour supérieure, les deux parties sont presque toujours représentées par leurs avocats. Ces derniers sont censés être bilingues et dans les deux principaux groupes linguistiques, on se fait un point d'honneur de pouvoir enchaîner dans une langue ou l'autre, selon les besoins. Cependant, il arrive parfois qu'un avocat unilingue, qui n'est pas de Hull, indique de façon formelle qu'il préférerait plaider dans sa langue seulement. Dans ces circonstances, qui sont rares, la cour fournit un interprète et retarde la marche du procès pour permettre la traduction. C'est la cour qui engage l'interprète, mais la rétribution de ce dernier constitue des frais supplémentaires que le juge peut imputer à la partie perdante. En fait, cependant, on suppose au départ que tous les avocats sont bilingues et on compte sur eux pour veiller à ce que leurs clients comprennent bien la procédure et que les témoins soient interrogés dans leur propre langue.

Les avocats peuvent plaider indifféremment dans l'une ou l'autre langue, ce qui se produit d'ailleurs fréquemment. On nous a rapporté que, jusqu'à un certain point, les avocats anglophones s'efforçaient de prononcer leurs plaidoyers en français, croyant par là mieux faire valoir leur point de vue auprès du tribunal. Les avocats anglophones et francophones utiliseraient la langue de leurs clients pour permettre à ceux-ci de suivre et d'apprécier leur plaidoyer. À Hull, le rôle des avocats est important : si une partie n'a pas d'avocat, il peut se poser des difficultés de langue. Ainsi, une étude plus détaillée sur les réactions des accusés qui sont traduits à la cour de magistrat et à la cour du bien-être social et ne se font pas représenter par un avocat, mettrait peut-être en lumière certains désavantages pour les unilingues. Mais il faudrait, à ce propos, apporter deux précisions. Premièrement, ces tribunaux de juridiction inférieure statuent sur des affaires dont les conséquences sont moins graves pour les personnes et, en deuxième lieu, ceux qui ont le plus besoin d'un interprète — ceux qui ne parlent que l'anglais — trouvent important dans la plupart des cas de s'assurer les services d'un avocat, peut-être en raison de la situation linguistique. Ces cas exceptés, on peut dire, en guise de conclusion, que les cours du district de Hull donnent, dans l'ensemble, l'impression d'un bilinguisme général et authentique.

D. *La profession d'avocat dans les secteurs ontarien et québécois*

Dans toute organisation judiciaire, l'avocat fait office d'intermédiaire entre l'individu et l'appareil judiciaire. Dans la région de la capitale, comme on l'a vu plus haut, il peut également être appelé à jouer le rôle d'interprète, au sens premier du terme. Bien plus, les rapports entre l'avocat et son client exigent le maximum de confiance; bien qu'on ne doive pas en surestimer l'importance, le fait de parler la même langue et, dans une certaine mesure, celui d'avoir le même patrimoine culturel, contribuent sans aucun doute à créer cette confiance. Dans le vaste domaine des relations entre les conseillers juridiques et leurs clients, à propos, par exemple, de questions commerciales ou de biens immobiliers, les rapports peuvent être et sont, en fait, fondés uniquement sur des considérations d'ordre pratique. Le client choisit un conseiller pour sa réputation, son expérience et sa spécialité; la communauté de langue et de culture peut être un élément de moindre importance. Cependant, dans la région de la capitale fédérale, l'aptitude d'un conseiller à supprimer les obstacles d'ordre linguistique et à expliquer à ses clients les rouages d'un régime juridique qui ne leur est pas familier mérite sûrement d'être prise en considération. Passons, d'abord, au secteur ontarien.

En Ontario

Dans une étude publiée en 1964 à Toronto, dans le *Canada Legal Directory*, J. H. Wharton signale que le comté de Carleton compte 289 avocats. Ce nombre comprend les fonctionnaires et les professeurs. Sur l'ensemble neuf sont classés comme pouvant exercer au Québec aussi bien qu'en Ontario. D'après leurs noms, près des quatre cinquièmes seraient d'origine britannique. Plus précisément, 225 (77,9 %) semblent être d'origine britannique, 36 (12,5 %) d'origine française et 28 (9,7 %) d'autres origines. Il est intéressant de comparer ces chiffres à ceux relatifs à la répartition ethnique de la population pour le comté de Carleton en 1961 : les pourcentages étaient respectivement de 54,9, 26,9 et 18,2[8].

Le tableau n° 6.1 porte sur la répartition des cabinets d'avocats dans le comté de Carleton d'après leur composition et selon l'origine ethnique probable de leurs membres. Comme on s'en rend compte, la plupart de ces avocats, quelle que soit leur origine, sont groupés dans des cabinets comptant au moins deux associés. Cependant, les cabinets les plus importants comptent très peu d'avocats portant un nom à consonnance française : des 92 avocats exerçant dans des cabinets de six membres ou plus, 2 seulement seraient d'origine française. Les grand cabinets sont généralement reconnus comme étant plus à même de régler les affaires importantes; vu l'absence presque totale d'avocats d'origine française dans ces cabinets, la population francophone est peu portée à recourir aux services des avocats les plus spécialisés.

TABLEAU 6.1 Répartition des cabinets d'avocats dans le comté de Carleton, selon le nombre et l'origine ethnique probable de leurs membres, en 1964.

(1) Nombre d'avocats par cabinet	(2) Origine ethnique des avocats			(3)* Nombre de cabinets	(4)* Nombre total d'avocats par cabinets regroupés		
	Français	Britanniques	Autres		Français	Britanniques	Autres
22	1	20	1	1	1	20	1
11	0	6	5	1	0	6	5
10	0	10	0	1	0	10	0
9	0	9	0	1	0	9	0
8	1	7	0	1	1	7	0
	0	2	6	1	0	2	6
6	0	6	0	3	0	18	0
	0	5	1	1	0	5	1
5	0	5	0	2	0	10	0
	1	4	0	2	2	8	0
	4	0	1	1	4	0	1
	5	0	0	1	5	0	0
4	0	4	0	5	0	20	0
	1	3	0	1	1	3	0
	0	2	2	1	0	2	2
3	0	3	0	10	0	30	0
	0	2	1	1	0	2	1
	2	1	0	1	2	1	0
	0	1	2	1	0	1	2
	3	0	0	1	3	0	0
2	0	2	0	16	0	32	0
	2	0	0	3	6	0	0
	1	1	0	3	3	3	0
	0	0	2	1	0	0	2
	0	1	1	1	0	1	1
Avocats exerçant seuls				8	35		6
Total					36	225	28

Source : J. H. Wharton, *The Canada Legal Directory, 1964* (analyse d'après les noms patronymiques).

*En prenant pour critère de base l'origine ethnique des avocats formant chaque cabinet, on a regroupé les cabinets selon le nombre de leurs membres et leur répartition ethnique (colonne 3). Ainsi, des cabinets comptant le même nombre d'avocats et dont la répartition ethnique est identique sont regroupés sur une seule ligne, e.g. 3 cabinets de 6 avocats chacun, tous d'origine ethnique britannique; ensemble, ils forment un total de 18 avocats, d'origine ethnique britannique, total indiqué sous la rubrique « nombre total d'avocats par cabinets regroupés » (colonne 4).

On ne trouve pas de données précises sur la langue utilisée par les avocats du comté de Carleton; on ne peut tirer que des conclusions approximatives de l'étude des noms patronymiques et des origines ethniques. Toutefois, il est vraisemblable que tous ceux qui parlent français peuvent également exercer en anglais, car un avocat francophone unilingue ne saurait réussir dans l'organisation judiciaire de l'Ontario, essentiellement anglophone. Bien plus, pour exercer en Ontario, il faut avoir subi avec succès les examens d'entrée au barreau de la Law Society of Upper Canada; or, le cours préparant à ces examens ne se donne qu'en anglais, à Toronto.

Au Québec

Pour les districts de Hull, Pontiac et Labelle, le *Canada Legal Directory*, édition de 1964, dénombre 58 avocats dont 41 demeurent à Hull. Sept d'entre eux peuvent exercer en Ontario aussi bien qu'au Québec. D'après leurs noms, les trois quarts environ seraient d'origine française (43 sur 58, soit 74,1 %). On en compte 14 d'origine britannique, soit 24,1 %, et un « d'autre origine » soit 1,7 %. Pourtant, la population des comtés de Hull, Pontiac et Labelle se répartit comme suit : 81,3 % d'origine française, 15,2 % d'origine britannique et 3,5 % « d'autre origine[9] ».

Le tableau n⁰ 6.2 porte sur la répartition des cabinets d'avocats d'après leur composition et selon l'origine ethnique de leurs membres, dans les districts de Hull, Pontiac et Labelle. Il n'existe pas de grands cabinets d'avocats : à Hull, les avocats exercent seuls ou avec un associé.

TABLEAU 6.2 Répartition des cabinets d'avocats dans les districts de Hull, Pontiac et Labelle, selon l'origine ethnique probable de leurs membres, en 1964.

(1) Nombre d'avocats par cabinet	(2) Origine ethnique des avocats			(3)* Nombre de cabinets de ce type	(4)* Nombre total d'avocats par cabinets regroupés		
	Français	Britanniques	Autres		Français	Britanniques	Autres
4	1	3	0	1	1	3	0
2	1	1	0	1	1	1	0
	2	0	0	4	8	0	0
	0	2	0	2	0	4	0
Avocats exerçant seuls					33	6	1
Total					43	14	1

Source : J. H. Wharton, *The Canada Legal Directory 1964*, (analyse d'après les noms patronymiques).
*Voir la note du tableau 6.1.

Il ne semble pas y avoir d'avocat unilingue exerçant dans la région de Hull, mais la faculté de parler couramment les deux langues varie beaucoup d'un avocat à l'autre. On dit qu'un avocat unilingue, qu'il soit francophone ou anglophone, aurait de la difficulté à se maintenir. Cette observation s'appliquerait particulièrement aux anglophones, même si en dehors du procès, ils peuvent exercer leur profession en anglais, sans le moindre inconvénient.

Pour exercer au Québec, il faut avoir fait des études universitaires et avoir été reçu à l'examen du barreau, qu'on peut passer en français ou en anglais. Tant que seront reconnus les diplômes délivrés par la faculté de droit de McGill, les anglophones pourront, semble-t-il, exercer à Hull.

E. *Résumé*

À partir de ce qui précède, nous pouvons esquisser ainsi la situation en nous référant, bien sûr, à ce qu'elle était au moment de notre enquête.

1. Dans le district de Hull, tous les tribunaux dispensent les services dans les deux langues. Dans le comté de Carleton, les bureaux de la cour de comté et de deux des quatres cours de district n'offrent leurs services qu'en anglais, tandis que les autres peuvent le faire dans les deux langues.

2. Dans le district de Hull, les formules judiciaires sont disponibles dans les deux langues, et les tribunaux acceptent comme valides les actes rédigés soit en français, soit en anglais. Dans le comté de Carleton, il n'existe que des formules en anglais.

3. À Hull, on peut employer indistinctement les deux langues à tous les stades d'un procès — dépositions des témoins, interrogatoire et contre-interrogatoire, plaidoyers, considérants et décision du juge. Dans le comté de Carleton au contraire, on utilise rarement le français.

4. Dans les deux organisations judiciaires, on ne recourt qu'occasionnellement à l'interprétation mais, dans un cas comme dans l'autre, ce travail n'est ni complet, ni pleinement satisfaisant.

5. Au Québec on attache plus d'importance qu'en Ontario à la langue des jurés; aussi permet-on de fixer la composition du jury en fonction de la langue.

6. Dans les secteurs ontarien et québécois de la capitale fédérale, les avocats bilingues contribuent au fonctionnement de l'organisation judiciaire en servant d'interprète entre la cour et leurs clients.

7. Il y a des avocats d'origine française et britannique dans les deux secteurs de la région de la capitale, mais dans chaque cas, les avocats d'origine britannique représentent une proportion supérieure à la population de même origine.

8. Ce sont des facteurs extérieurs à la région de la capitale qui conditionnent pour une bonne part l'emploi des langues dans les tribunaux. Ainsi, en Ontario, c'est le pourvoi devant les cours d'appel, où l'on utilise presque uniquement l'anglais, qui a contraint les cours de première instance à employer également l'anglais tandis que, dans les cours régionales et d'appel du Québec, c'est en vertu de l'article 133 de l'A. A. N. B. qu'on est tenu d'employer les deux langues.

9. Bref, entre les deux organisations judiciaires, il y a des différences frappantes en ce qui a trait à l'emploi des langues : dans les cours du Québec, on est beaucoup plus libre qu'en Ontario d'utiliser les deux langues officielles.

Chapitre VII   **La représentation politique**

A. Introduction

Une étude sur la place des groupes linguistiques dans une communauté serait incomplète sans un examen de la représentation politique. En effet, montrer comment les besoins et les exigences d'un groupe sont reliés à la structure du pouvoir politique et se traduisent dans des actes de gouvernement, c'est illustrer jusqu'à un certain point comment ce groupe s'intègre à la communauté ou, au contraire, s'en isole.

Dans la région de la capitale nationale, le pouvoir politique s'exerce à trois échelons — le fédéral, le provincial et le municipal — où les communautés linguistiques peuvent être représentées. À l'échelon fédéral, lors des six élections générales précédant la redistribution des circonscriptions électorales qui fut effectuée en 1966, six de ces circonscriptions étaient comprises entièrement ou presque dans la région, et une partiellement. Depuis la redistribution, qui entrait en vigueur aux élections de juin 1968, la région comprend sept circonscriptions. Il en va de même à l'échelon provincial : au moment de notre enquête, cinq députés représentaient la population ontarienne de la région au parlement de Toronto. La redistribution de 1966 a porté ce nombre à six. Dans le secteur québécois de la région, on trouve quatre circonscriptions électorales provinciales. À l'échelon municipal, le nombre des administrations est élevé[1], et les structures des institutions représentatives sont très variées.

Les circonscriptions fédérales et provinciales de la région ne représentent qu'un faible pourcentage du nombre total des sièges aux assemblées législatives. En outre, les décisions de celles-ci sont de portée nationale ou provinciale, et il est rare qu'elles n'intéressent spécialement que la région. Toutefois, tel n'est pas le cas des conseils municipaux, dont la compétence et les intérêts sont strictement locaux. Nous nous occuperons, pour commencer, de ce troisième échelon, et plus particulièrement des trois villes de la région — Ottawa, Hull et Eastview — qui, à elles seules, englobent la plus grande partie de la population. Nous traiterons aussi, à l'occasion, des autres municipalités de la zone métropolitaine d'Ottawa.

Une étude sur la représentation des communautés linguistiques soulève au moins quatre questions distinctes :

1. Dans quelle mesure les systèmes électoraux actuels favorisent-ils la représentation directe de ces communautés ? ou, en d'autres termes, quel lien de corrélation y a-t-il entre la répartition linguistique de la population et les districts électoraux ?

2. Dans quelle mesure les membres des groupes linguistiques mettent-ils à profit le système électoral pour présenter et élire des candidats issus de leur propre groupe ?

3. Dans quelle mesure les candidats élus se comportent-ils et agissent-ils comme porte-parole et agents des électeurs d'un groupe minoritaire ?

4. Quel est l'emploi des langues dans le corps législatif ?

On peut aborder de plain-pied et sans trop de difficultés trois de ces questions : structure du système électoral, mise en candidature et élection des candidats, et emploi des langues au sein des corps législatifs. Toutefois, il est beaucoup plus délicat de déterminer comment les candidats cherchent à s'assurer l'appui de l'électorat et quelle attitude ils adoptent une fois élus à l'égard de leur communauté et des autres communautés linguistiques. Pour répondre à fond à ces questions, il aurait fallu effectuer des recherches très poussées sur les attitudes des candidats et celles du grand public, ce qui était impossible dans les cadres du présent travail. C'est donc indirectement que nous en avons abordé l'étude. Bien que nous ayons écarté l'hypothèse selon laquelle un groupe minoritaire ne saurait être bien représenté que par un de ses membres, nous avons toutefois tenté d'établir dans quelle mesure la minorité cherchait à élire un des siens et jusqu'à quel point elle pouvait s'accommoder de la représentation par des membres de la communauté majoritaire.

Pour recueillir les données de notre étude, nous avons eu recours à diverses méthodes. Dans le cas des trois villes – Ottawa, Hull et Eastview –, nous avons obtenu une bonne partie de notre documentation en interviewant des conseillers municipaux, en observant ce qui se passait dans les réunions des conseils et en étudiant les comptes rendus de journaux. Voulant esquisser un tableau historique de la représentation, nous n'aurions pu choisir meilleur critère de classification que la langue usuelle du conseiller ou encore son identification culturelle. Toutefois, pour la plus grande partie de la période sur laquelle portait notre étude, il n'était possible d'appliquer ni l'un ni l'autre de ces critères. Il a fallu plutôt partir de l'origine ethnique des conseillers, en nous appuyant principalement sur l'étude des noms, et quand c'était possible, sur des documents historiques et des souvenirs personnels. Il va de soi qu'une telle méthode laisse à désirer : d'abord, parce qu'elle ne permet pas d'appliquer, comme on l'eût souhaité, des critères d'ordre culturel et linguistique et, aussi, parce qu'une étude de noms entraîne inévitablement une certaine imprécision et une certaine marge d'erreur. Cette méthode permet néanmoins de se faire une idée générale du rôle qu'ont joué les deux grandes communautés linguistiques dans l'histoire politique de la région.

La plupart des données sur les autres conseils municipaux proviennent de réponses à notre questionnaire, fournies par les administrateurs municipaux eux-mêmes, de comptes rendus de journaux et de renseignements supplémentaires obtenus par téléphone.

B. La représentation aux conseils municipaux d'Ottawa, Hull et Eastview

Afin de bien comprendre comment les systèmes électoraux municipaux ont été conçus, puis mis à profit par les groupes linguistiques, nous avons étudié les grandes lignes de la représentation passée et actuelle aux conseils de ces trois villes. Ce qui distingue principalement ces trois villes des autres municipalités de la région, c'est que l'élection des conseillers s'y fait par quartier.

En Ontario, en vertu du Municipal Act, les municipalités élisent leurs conseillers par un scrutin général ou par un scrutin limité à l'arrondissement[2]. Des cinq administrations municipales se trouvant dans le secteur ontarien de la zone métropolitaine, seules celles d'Ottawa et d'Eastview ont adopté la seconde formule; les trois autres, soit Gloucester, Nepean et Rockcliffe Park, procèdent par scrutin général.

Les quatre municipalités du secteur québécois qui relèvent de la Loi des cités et villes (Hull, Aylmer, Gatineau et Pointe-Gatineau) peuvent élire leurs conseillers par arrondissement ou au scrutin général; dans ce dernier cas, les sièges sont désignés par des numéros[3]. De fait, ces quatre villes ont adopté le régime du scrutin par arrondissement. Le Code municipal régit les quatre autres municipalités du secteur québécois, c'est-à-dire Lucerne, Deschênes, Templeton et Templeton-Ouest; il stipule que les conseillers doivent être élus au scrutin général, pour des sièges désignés par numéros[4]. En vertu de ces dispositions, il peut arriver que deux candidats ou davantage briguent un seul et même siège, et que des conseillers soient élus par acclamation.

Le caractère du système électoral a des répercussions importantes sur la représentation politique. Ainsi, lorsqu'une minorité linguistique est groupée dans un ou plusieurs quartiers, il semble que le scrutin par arrondissement lui facilite davantage la représentation directe que le scrutin général, où une minorité risque fort de se voir submergée. Les conséquences du choix entre les deux régimes sont plus manifestes à Ottawa. En effet, celle-ci se distingue des autres villes de la région car, en plus d'élire ses conseillers par quartier, elle s'est dotée d'un Bureau de commissaires composé de quatre membres élus au scrutin général; ceux-ci forment avec le maire l'organe exécutif de l'administration municipale.

1. Ottawa

Depuis la constitution d'Ottawa en municipalité, en 1855, 48 personnes s'y sont succédé au poste de maire. Six d'entre elles étaient, semble-t-il, d'origine française; elles ont occupé leur fonction 12 années au total pendant une période de 112 ans. Les autres, au nombre de 42, étaient de souche britannique, à l'exception de l'un des premiers maires, dont l'origine n'a pu être déterminée.

Le petit nombre des maires francophones est d'autant plus remarquable que sur les six maires d'origine française, quatre ont occupé leur poste au XIXe siècle et que trois années d'exercice seulement sur douze se situent au XXe siècle. Il y a près de vingt ans qu'Ottawa n'a eu un maire francophone. Ces dernières années, aucun candidat francophone à la mairie n'a pu obtenir un appui important du corps électoral.

L'article 201 du Municipal Act de l'Ontario stipule que toute ville de plus de 100 000 âmes doit se doter d'un bureau de commissaires, formé du maire et de quatre membres, ceux-ci devant être élus par l'ensemble de la population, au scrutin général. Cependant, cette règle souffre au moins une exception. En effet, Windsor a décidé par référendum d'abolir le Bureau des commissaires et d'y substituer un chef des services municipaux; la ville a obtenu du parlement ontarien qu'il entérine cette décision par un décret. Celui-ci stipule que par dérogation aux dispositions du Municipal Act, le conseil de ville de Windsor se composera désormais d'un maire et de dix conseillers[5].

À Ottawa, la création d'un Bureau des commissaires remonte à 1908. Il ressort du tableau n° 7.1 que les commissaires d'origine britannique ont accumulé 69 % des années d'exercice, contre 21 % par les commissaires d'origine française. Les 10 % qui restent se répartissent entre des commissaires d'origine autre que française ou britannique; soulignons toutefois que, sur les 24 années que représente ce pourcentage, le même commissaire a occupé cette fonction pendant 18 ans.

TABLEAU 7.1 Répartition, en nombre et en pourcentage, des commissaires de la ville d'Ottawa selon l'origine ethnique et par décennies, de 1908 à 1967.

Décennie	Total		Origine ethnique					
			Britanniques		Français		Autres	
	N	%	N	%	N	%	N	%
Total	239	100	164	68,6	51	21,3	24	10,1
1908-17	40	100	30	75,0	10	25,0	–	–
1918-27	40	100	33	82,5	7	17,5	–	–
1928-37	40	100	25	62,5	8	20,0	7	17,5
1938-47	40	100	20	50,0	10	25,0	10	25,0
1948-57	39	100	28	71,8	10	25,6	1	2,6
1958-67	40	100	28	70,0	6	15,0	6	15,0

Sources : Analyse des patronymes, interviews et journaux

La proportion des commissaires francophones a accusé une baisse considérable ces dernières années. Et depuis 1960, aucun francophone n'a été élu au Bureau des commissaires. Le commissaire francophone qui y accéda en 1964 fut désigné par le conseil à un poste devenu vacant à la suite d'une démission; il n'a du reste point cherché à briguer les suffrages aux élections suivantes. Nous étudierons plus loin (pp. 174-178) les élections récentes au Bureau des commissaires; il convient toutefois de souligner dès maintenant que les commissaires étant élus par l'ensemble de la ville, les citoyens de langue maternelle française n'ont guère de chance de faire élire un des leurs sans un fort appui de la majorité anglophone, puisqu'ils ne forment que 21 % de la population d'Ottawa.

Quant aux conseillers élus depuis 1869, première année pour laquelle on dispose de données complètes, le tableau n° 7.2 indique que 74 % semblent avoir été de souche britannique, 23 % de souche française, et moins de 2 % d'autre origine; la fraction restante (un peu plus de 1 %) correspond aux premiers conseillers, dont l'origine n'a pu être déterminée avec certitude.

TABLEAU 7.2 Répartition, en nombre et en pourcentage, des conseillers municipaux d'Ottawa selon l'origine ethnique et par périodes quinquennales, de 1865 à 1967.

Années	Total		Origine ethnique							
			Britanniques		Français		Autres		Incertain	
	N	%	N	%	N	%	N	%	N	%
Total	1 926	100	1 419	73,7	451	23,4	29	1,5	27	1,4
1869-74	75	100	57	76,0	17	22,7	–	–	1	1,3
75-79	75	100	54	72,0	17	22,7	–	–	4	5,3
80-84	75	100	54	72,0	17	22,7	–	–	4	5,3
85-89	84	100	65	77,4	16	19,0	1	1,2	2	2,4
90-94	120	100	95	79,2	19	15,8	–	–	6	5,0
95-99	120	100	92	76,7	19	15,8	–	–	9	7,5
1900-04	120	100	87	72,5	26	21,7	3	2,5	4	3,3
05-09	104	100	71	68,3	28	26,9	5	4,8	–	–
10-14	90	100	66	73,3	24	26,7	–	–	–	–
15-19	90	100	65	72,2	25	27,8	–	–	–	–
20-24	90	100	62	68,9	27	30,0	1	1,1	–	–
25-29	90	100	56	62,2	31	34,5	3	3,3	–	–
30-34	110	100	80	72,7	30	27,3	–	–	–	–
35-39	110	100	80	72,7	30	27,3	–	–	–	–
40-44	110	100	80	72,7	30	27,3	–	–	–	–
45-49	110	100	82	74,5	28	25,5	–	–	–	–
50-54	119	100	96	80,7	23	19,3	–	–	–	–
55-59	92	100	74	80,4	15	16,3	3	3,3	–	–
60-65	100	100	71	71,0	20	20,0	9	9,0	–	–
66-67	42	100	32	77,3	9	20,4	1	2,3	–	–

Sources : Analyse des patronymes, interviews et journaux.

La répartition des sièges entre francophones et anglophones s'est montrée relativement stable au cours des années. C'est pour les années qui se situent entre 1920 et 1930 qu'on constate le plus fort pourcentage de conseillers de souche française; la fin du XIXe siècle et la fin de la décennie 1950-1960 ont accusé les pourcentages les plus bas. Comparant ces données aux chiffres du recensement pour l'ensemble de la ville (voir le tableau E à l'appendice A), on peut conclure que jusque vers 1920, la représentation de la communauté d'origine française était quelque peu insuffisante, légèrement supérieure au cours des années 20 et, dans des proportions variables, insuffisante depuis 1930. À tout prendre, cependant, ces variations ne sont pas très accusés. Le rapport numérique entre les conseillers d'origine britannique et ceux d'origine française est demeuré assez stable au cours des années; les secteurs élisant des conseillers d'origine française ont aussi montré une constance remarquable. Jusqu'à 1953, les conseillers francophones ont représenté surtout deux quartiers, soit Ottawa et By, situés dans la basse ville, traditionnellement francophone. La représentation de ces deux arrondissements, calculée en années d'exercice par conseiller, atteint le chiffre de 320, soit près de 80 % du total des 399 années d'exercice pour l'ensemble des conseillers francophones de toute la ville. Des conseillers des quartiers Victoria, Saint-Georges et Centre, situés dans un rayon de trois milles du Parlement, ont accumulé les 79 autres années.

La seule chute appréciable dans la représentation francophone, habituellement à peu près constante, s'est produite au début des années 50; on élargit alors le conseil municipal pour accueillir les conseillers des banlieues qu'Ottawa venait d'annexer et qui avaient fait partie des cantons de Gloucester et de Nepean, secteurs où prédominait l'élément anglophone. De plus, le remaniement de la carte électorale fit disparaître en 1953 deux arrondissements traditionnellement francophones : Victoria et Ottawa. La base territoriale de la représentation francophone se trouvait ainsi réduite, mais vers les années 60, la proportion des conseillers francophones était à peu près revenue à son niveau antérieur.

Pour saisir la géographie politique d'Ottawa, il faut une analyse plus détaillée des cinq élections municipales qui ont eu lieu de 1958 à 1966. Au moins pour cette période, il semblerait exister un rapport étroit entre la langue des électeurs et celle des conseillers municipaux qu'ils élisent.

Sur la carte n° 7.1, nous avons superposé les limites des arrondissements de la ville d'Ottawa, telles qu'elles existaient en 1966, à celles des secteurs de recensement de 1961 avec la répartition des groupes dont la langue maternelle était autre que l'anglais[6]. Ce rapprochement entre le vote et la langue n'est qu'un procédé d'illustration, car les secteurs de recensement et les arrondissements ne correspondent pas, et l'on ne peut en tirer des données quantitatives exactes. Néanmoins, il se dégage de ce parallèle un schème manifeste. Deux arrondissements, By et Saint-Georges, semblent compter une forte proportion de francophones. Celle-ci est un peu inférieure dans Rideau, et encore plus faible, mais appréciable quand même, dans Elmdale-Victoria et Dalhousie. On relève dans l'un de ces arrondissements, celui de Dalhousie, une forte concentration de citoyens de langue maternelle autre que le français ou l'anglais. Quant aux autres circonscriptions, elles renferment de très fortes majorités de citoyens de langue maternelle anglaise.

On trouvera au tableau n° 7.3 la répartition des candidats au conseil selon l'origine ethnique, pour tous les arrondissements, aux cinq dernières élections. Il en ressort que les candidats de langue française n'ont pu se faire élire que dans les arrondissements à forte densité francophone, sauf dans la nouvelle circonscription d'Alta Vista aux élections de 1966. Et même dans ce secteur, certains indices peuvent donner à penser que la population francophone est proportionnellement plus importante à l'heure actuelle qu'au recensement de 1961. Dans les rares occasions où des candidats de langue française ont brigué les suffrages dans des circonscriptions à prédominance anglophone, ils ont été non seulement défaits, mais généralement écrasés. D'autre part, aucun candidat d'origine britannique ne s'est présenté dans la circoncription de By, qui contient le plus grand nombre de francophones. De même, dans Saint-Georges, un candidat anglophone n'aurait guère de chance de réussite.

Par rapport aux autres arrondissements, Dalhousie présente un cas intéressant. En effet, de forts effectifs d'électeurs de langue autre que l'anglais ou le français — surtout de langue italienne — y ont joué un rôle essentiel dans l'élection en 1966 d'un conseiller d'origine italienne, apparemment le premier dans l'histoire de la ville.

TABLEAU 7.3 Répartition en nombre, selon l'origine ethnique et par arrondissement, des candidats aux postes de conseillers municipaux à Ottawa, dans cinq élections, de 1958 à 1966.

Arrondissement	Total		Origine ethnique					
			Britanniques		Français		Autres	
	Élus	Défaits	Élus	Défaits	Élus	Défaits	Élus	Défaits
Total	102	114	76	86	19	17	7	11
By	10	5	–	–	10	5	–	–
Rideau	10	15	8**	10	–	4	2	1
Saint-Georges	10	12	1	7	8	4	1	1
Wellington	10	17	10	16	–	–	–	1
Capital	10	12	10	11	–	1	–	–
Dalhousie	10	9	9	4	–	–	1	5
Elmdale-Victoria	10	10	10	8	–	2	–	–
Queensboro	10	10	10	10	–	–	–	–
Carleton	10	7	10	6	–	1	–	–
Gloucester	10	14	7	12	–	–	3	2
Alta Vista*	2	3	1	2	1	–	–	1

Sources : Analyse des patronymes, interviews et journaux.
*Alta Vista, érigé en circonscription en 1966, faisait auparavant partie de l'arrondissement de Gloucester.
**Y compris un conseiller d'origine franco-britannique, parfait bilingue, élu trois fois.

De notre étude sur ces élections et du bref historique qui précède, nous pouvons conclure, sans exagérer, que, dans la mesure du possible, à Ottawa, les francophones ont eu tendance à voter pour des candidats de langue française. Comme il ressort du tableau no 7.4, la proportion (19 %) de candidats d'origine française élus au conseil lors des élections récentes, correspond de très près à celle de la population de langue maternelle française à Ottawa au recensement de 1961 (21 %). On peut rapprocher de ces pourcentages une troisième donnée qui se dégage des élections de 1966, où 5 conseillers francophones sur un total de 22 ont été élus, ce qui correspond à 23 %.

Ainsi, les limites actuelles des circonscriptions semblent propres à assurer aux francophones une représentation au conseil municipal qui soit proportionnelle à leur importance. La communauté francophone des circonscriptions d'Elmdale-Victoria et de Dalhousie se trouve noyée dans une majorité de langue anglaise ou autre, et elle est dans l'impossibilité d'élire un conseiller francophone comme elle le faisait dans la circonscription de Victoria avant le remaniement de la carte électorale de 1953; il existe toutefois une compensation : les quartiers de By et de Saint-Georges ont une population moins nombreuse que certains quartiers largement anglophones de la banlieue.

Effectivement, lors du remaniement des circonscriptions, on a accordé toute la considération voulue à celle de By, foyer traditionnellement francophone d'Ottawa. Et, bien qu'on ait fréquemment proposé de délimiter les circonscriptions en se fondant sur une répartition démographique rigoureusement égale, la communauté anglophone dans son ensemble semble prête à accepter qu'on cherche à conserver intactes les circonscriptions francophones. Dans un éditorial favorable à la refonte de la carte électorale en fonction de la parité démographique, un journal de langue anglaise faisait les observations suivantes : « ... there should be one exception. Ottawa is ethnically a bilingual city [sic], and the predominantly French-speaking wards should be preserved as separate identities[7] » (*Ottawa Citizen*, 8 septembre 1966).

TABLEAU 7.4 Répartition, selon l'origine ethnique, des candidats élus et défaits, au conseil municipal d'Ottawa, de 1958 à 1966.

Origine ethnique	Total		Candidats			
			Élus		Défaits	
	N	%	N	%	N	%
Total	216	100	102	100	114	100
Britanniques	162	76,4	76	77,5	86	75,4
Français	36	16,7	19	18,6	17	14,9
Autres	18	6,9	7	3,9	11	9,6

Sources : Analyse des patronymes, interviews et journaux.

Mais, en ce qui concerne l'organe exécutif de l'administration municipale, les élections à la mairie et au Bureau des commissaires se font au scrutin général. Il n'est pas tenu compte alors des circonscriptions, ce qui explique que les citoyens de langue française ont moins d'influence sur l'issue des élections. Comme on l'a déjà fait remarquer, Ottawa ne s'est donné qu'un petit nombre de maires francophones au cours de son histoire.

Depuis que l'ex-commissaire M. Paul Tardif s'est retiré de la politique municipale et est passé à la politique fédérale en 1962, le Bureau des commissaires ne compte plus un seul membre élu de langue française. Toutefois, le principe voulant que la communauté francophone soit représentée à l'échelon exécutif est largement soutenu, et non seulement par les porte-parole de cette communauté, mais aussi par la presse et les administrateurs anglophones. Ainsi, lorsqu'en 1963 une vacance se produisit au Bureau des commissaires, le conseil désigna un conseiller francophone pour occuper le poste jusqu'à l'expiration du mandat; on allégua notamment à l'appui de cette décision que le conseiller précédent représentait effectivement l'élément francophone d'Ottawa.

Qu'on n'ait pas élu aux derniers scrutins un commissaire francophone s'explique difficilement. Il semble qu'un fossé sépare la presse et les hommes politiques d'une part, et l'électorat d'autre part; là où les premiers s'accordent pour favoriser la présence au Bureau d'un francophone, les électeurs suivent une tendance différente. Aux élections de 1962, 1964 et 1966, sept candidats d'expression française ont brigué un poste de commissaire.

En outre, en 1964, un huitième, M. David Dehler, bilingue lui aussi mais non d'origine française, fit campagne pour une plus grande reconnaissance du bilinguisme et des droits de la population francophone d'Ottawa. On trouvera au tableau n° 7.5 la proportion des voix, réparties selon les circonscriptions, recueillies par chacun de ces huits candidats. Rappelons que chaque électeur dispose de quatre voix pour élire les membres du Bureau; ainsi, 25 % des suffrages représentent le maximum qu'un candidat puisse obtenir dans une circonscription, à condition que tous les électeurs lui donnent leurs quatre voix. Si un candidat obtient plus de 25 %, c'est que certains électeurs n'ont pas déposé tous leurs votes.

Il existe évidemment un rapport direct entre la langue des électeurs et celle des candidats qu'ils appuient. Aussi est-ce dans les circonscriptions de By, de Saint-Georges et de Rideau qu'en général les candidats francophones recueillent le plus grand nombre de voix, et dans les circonscriptions largement anglophones (Carleton, Queensboro, Capital, Wellington et Gloucester, par exemple) qu'ils en obtiennent le moins.

La conclusion suivante se dégage toutefois de l'analyse qui précède : si, en général, les électeurs francophones ont tendance à voter pour des francophones compétents plutôt que pour des anglophones d'égal mérite, il n'est pas moins évident qu'un nom français ne suffit pas pour rallier de forts suffrages. En effet, lorsque l'ensemble de la population estime que des candidats francophones sont insuffisamment préparés ou ne disposent pas d'un appui suffisant, ces candidats obtiendront peut-être un nombre un peu plus grand de voix dans des secteurs où le français prédomine, mais, en chiffres absolus, ils ne remportent guère de succès quelle que soit la circonscription. Bref, l'électeur francophone ne tient pas uniquement compte de la langue et de l'origine ethnique du candidat. Toutefois, s'il a le choix entre des candidats francophones et anglophones d'égal mérite, l'électeur de langue française sera plutôt favorable aux siens.

Cette tendance à voter pour un candidat de son propre groupe ou, encore, comme dans le cas de M. Dehler, pour un candidat bilingue favorable aux intérêts du groupe, se manifeste dans les élections des conseillers. Mais, pour celles du maire et des commissaires, cette tendance est mise en échec par l'extension du scrutin à toute la ville. Sous ce rapport, les élections de 1966 sont particulièrement éloquentes.

En 1966, la communauté francophone d'Ottawa a cherché à s'unir derrière un seul candidat au Bureau des commissaires et à concerter ses efforts en sa faveur. Ce candidat jouissait à titre personnel non seulement de cet appui, mais aussi de celui d'importants secteurs de l'opinion anglophone; il a malgré tout subi la défaite. Il est bon d'examiner ces élections, car elles sont riches d'enseignements sur le jeu des forces politiques et linguistiques à Ottawa.

Quelques mois avant les élections de décembre 1966, la presse d'Ottawa consacrait divers articles à la campagne de la Ligue d'action civique, dirigée par M. Pierre Mercier, pour faire élire un francophone au Bureau des commissaires. Dans le but d'éviter la dispersion des suffrages, la Ligue exhortait le corps électoral francophone à ne présenter qu'un seul candidat. On convoqua un congrès, en espérant que ses participants seraient désignés par « tous les groupements représentatifs de la collectivité canadienne-française d'Ottawa[8]... ». On projetait en outre une campagne de souscription et la mise sur pied d'une bonne organisation électorale[9].

TABLEAU 7.5 Répartition, en pourcentage et par arrondissement, des votes obtenus par quelques candidats au Bureau des commissaires d'Ottawa, aux élections de 1962, 1964 et 1966.

Arrondissement	1966			1964			1962		
	L. Titley	J. L. Paradis	D. Dehler	S. Tardif	J. Villeneuve	H. Racine	S. Tardif	J. L. Paradis	
Total	13,2	3,8	10,0	5,2	1,3	10,3	5,0	2,2	
By	29,7	6,2	14,7	14,8	3,1	28,2	14,4	5,1	
Saint-Georges	19,0	5,0	12,9	8,4	1,9	18,1	6,1	2,9	
Rideau	17,5	5,4	11,3	7,1	1,8	13,1	7,2	3,4	
Wellington	10,4	3,5	8,9	4,1	1,3	8,2	4,0	1,9	
Capital	10,5	3,0	9,2	3,0	1,0	8,9	2,9	1,5	
Dalhousie	12,4	4,6	8,8	6,8	1,7	9,1	6,4	2,4	
Elmdale-Victoria	12,1	3,6	9,2	5,2	1,3	10,8	6,9	2,2	
Queensboro	9,9	3,1	7,8	3,5	0,9	9,4	4,7	2,4	
Carleton	10,0	2,9	9,3	3,0	0,9	8,9	4,0	2,0	
Gloucester	10,6	3,9	10,3	3,6	0,9	9,3	4,1	2,4	
Alta Vista	12,5	3,4							
Rang	5/7	7/7	5/11	9/11	11/11	6/10	8/10	10/10	

Source : Archives électorales d'Ottawa

TABLEAU 7.6 Répartition en pourcentage des votes obtenus dans chaque arrondissement par les candidats au Bureau des commissaires, aux élections municipales d'Ottawa, en 1966.

Arrondissement	Total	Candidats						
		K. Fogarty*	W. Webber*	M. Heit*	E. Jones*	L. Titley	I. Greenberg	J. L. Paradis
Total	100	23,2	18,5	17,4	17,2	13,2	6,8	3,8
Alta Vista	100	22,8	18,8	19,7	16,6	12,5	6,1	3,4
By	100	20,3	14,6	11,6	12,3	29,7	5,4	6,2
Capital	100	24,2	18,5	18,6	18,4	10,5	6,7	3,0
Carleton	100	23,5	19,7	18,5	18,5	10,0	7,0	2,9
Dalhousie	100	24,2	18,5	15,3	17,8	12,4	7,1	4,6
Elmdale-Victoria	100	24,3	18,0	17,2	18,0	12,1	6,7	3,6
Gloucester	100	22,4	19,3	19,7	16,7	10,6	7,3	3,9
Queensboro	100	24,1	19,2	17,8	19,2	9,9	6,7	3,1
Rideau	100	21,6	18,4	16,0	15,1	17,5	6,4	5,0
Saint-Georges	100	22,2	17,7	14,5	14,7	19,0	6,4	5,4
Wellington	100	23,9	18,3	17,3	17,4	10,4	9,1	3,5
Scrutin préalable	100	23,7	18,3	17,6	16,9	14,6	6,1	2,7

Source : Archives électorales d'Ottawa
*Candidats élus

La presse d'expression anglaise se montra assez favorable à cette initiative. Ainsi, on pouvait lire dans un éditorial : « The French-speaking community holds a special place not only because of its size, but also because it is symbolic of French Canada's presence in Confederation. It should, therefore, be represented in the executive arm of the national capital's administration[10] » *(Ottawa Citizen,* 5 octobre 1966).

Réunie en congrès, la Ligue désigna M. Louis Titley, homme d'affaires d'Ottawa. En plus de mettre l'accent sur le bilinguisme et les droits des francophones de la capitale, le programme de M. Titley abordait un certain nombre d'autres questions. Le concurrent évincé l'assurait d'un entier appui de sorte que l'unanimité semblait s'être faite au sein de la collectivité francophone.

De toutes parts, on prédisait la victoire de M. Titley, qui jouissait de l'appui d'une grande partie de la presse francophone et anglophone. Prédiction erronée, car M. Titley se classa péniblement cinquième, avec 9,000 voix de moins que le quatrième et 23,000 de moins que le candidat élu.

M. Mercier, président de la Ligue, attribua cette défaite à l'opposition des électeurs anglophones[11]. Quant à M. Titley, il insista sur la non-participation des francophones au scrutin, alléguant que leurs suffrages n'avaient pas été assez nombreux pour le faire passer dans les circonscriptions anglophones[12]. Un journal d'expression anglaise se déclara déçu du résultat du scrutin, niant toutefois qu'il fût attribuable aux préjugés[13]. Ce même journal prétendait toutefois dans ses colonnes d'information que le résultat illustrait le refus du bilinguisme et du critère de l'origine ethnique, au profit des réalisations de l'administration sortante, réélue en masse[14]. D'après le tableau n° 7.6, les quartiers les moins francophones furent les moins favorables à M. Titley. Il ne se classa parmi les quatre premiers candidats que dans les trois arrondissements les plus français (By, Saint-Georges et Rideau); seul, l'arrondissement de By lui accorda un appui considérable. Les arrondissements de banlieue et du centre, fortement anglophones, lui ont manifestement refusé leur appui.

Comme l'illustre le même tableau, si les trois arrondissements mentionnés ont placé M. Titley aux quatre premières places, pour le reste, ils ont suivi la tendance électorale que l'on constate généralement pour l'ensemble de la ville. Certes, dans ces trois circonscriptions, les candidats victorieux ont recueilli moins de suffrages qu'à l'ordinaire, car M. Titley y a fait meilleure figure que les candidats aux précédentes élections, mais tout compte fait, les positions des six autres candidats n'accusent guère de changement.

L'échec constant des candidats francophones au Bureau des commissaires comporte un aspect qu'on peut analyser un peu plus à fond : certains déplorent que les électeurs de langue française ne se rendent pas aux urnes en assez grand nombre pour appuyer les candidats issus de leur milieu, ce à quoi d'autres ajoutent qu'on en trouve la cause dans l'indifférence qu'éprouve la communauté francophone à l'égard d'un milieu politique essentiellement anglophone. Il est indispensable d'analyser cette question, si l'on veut comprendre la situation de la communauté francophone à Ottawa. Nous croyons possible une telle analyse, fût-elle incomplète. Le tableau n° 7.7 indique, en pourcentage, la participation des électeurs, selon les arrondissements, aux cinq dernières élections municipales. On a effectué le calcul de ces pourcentages en rapprochant des listes électorales officielles les suffrages accordés au maire. Il semble que ce soit le nombre des suffrages recueillis par les candidats à la mairie qui donne la meilleure indication sur la participation électorale, car on peut supposer que l'électeur votera presque certainement pour l'un ou l'autre des candidats à la mairie, même s'il laisse son bulletin incomplet en ne votant pas pour les commissaires. Comme il peut déposer jusqu'à quatre voix pour élire ces derniers, on ne saurait déterminer de façon exacte la participation au scrutin à partir de telles données.

TABLEAU 7.7 Répartition, en pourcentage et par arrondissement, de la participation électorale pour le choix du maire d'Ottawa, de 1958 à 1966.

Arrondissement	Moyenne des cinq élections	1958	1960	1962	1964	1966
Moyenne générale	53,9	42,2	63,9	58,5	59,2	45,7
Gloucester } Alta Vista }	61,2	49	73	67	70	55 / 53
Carleton	60,2	46	72	66	68	49
Capital	57,2	47	67	62	61	49
Elmdale-Victoria	55,2	45	64	60	59	48
Queensboro	55,0	42	68	60	59	46
By	53,0	51	64	56	51	43
Saint-Georges	52,2	41	62	56	56	46
Rideau	47,4	33	57	55	53	39
Dalhousie	45,2	39	56	50	46	35
Wellington	44,4	35	56	50	49	32

Source : Archives électorales de la ville d'Ottawa.

Ce même tableau confirme l'hypothèse selon laquelle la participation des francophones est moindre que celle des anglophones, car il montre que le suffrage exprimé dans les trois circonscriptions comptant les plus forts effectifs francophones (By, St-Georges et Rideau) tend à être inférieur à la moyenne générale de la ville. On peut également en conclure que la faible participation électorale dans Dalhousie indique que dans cet arrondissement, la collectivité dont la langue maternelle est l'italien partage l'indifférence des francophones. Mais ce ne sont pas des facteurs linguistiques ou culturels qui peuvent expliquer que la moyenne de participation du quartier Wellington aux cinq dernières élections soit la plus faible de la ville. Il se peut, cependant, que ces résultats médiocres tiennent à des facteurs économiques. Comme le démontrent des études de comportement électoral effectuées ailleurs[15], on trouve un plus grande indifférence à l'égard de la politique dans les zones à faible revenu que dans celles où les revenus sont élevés; en général, la participation électorale est plus basse dans les zones où les revenus sont modestes. Une telle hypothèse expliquerait peut-être la faible participation du quartier de Wellington, mais elle en contredirait une autre, celle de la désaffection de l'électorat francophone d'Ottawa.

La carte n° 7.2, obtenue par la superposition de deux plans différents d'Ottawa, établit une relation entre les circonscriptions municipales (limites de 1966) et les secteurs de recensement de 1961 où le revenu annuel moyen était inférieur à $ 4 000. Sous cet

GRAPHIQUE 7.1
POURCENTAGE DES SUFFRAGES EXPRIMÉS DANS QUELQUES ARRONDISSEMENTS MUNICIPAUX D'OTTAWA, POUR L'ÉLECTION DU MAIRE, DE 1958 À 1966

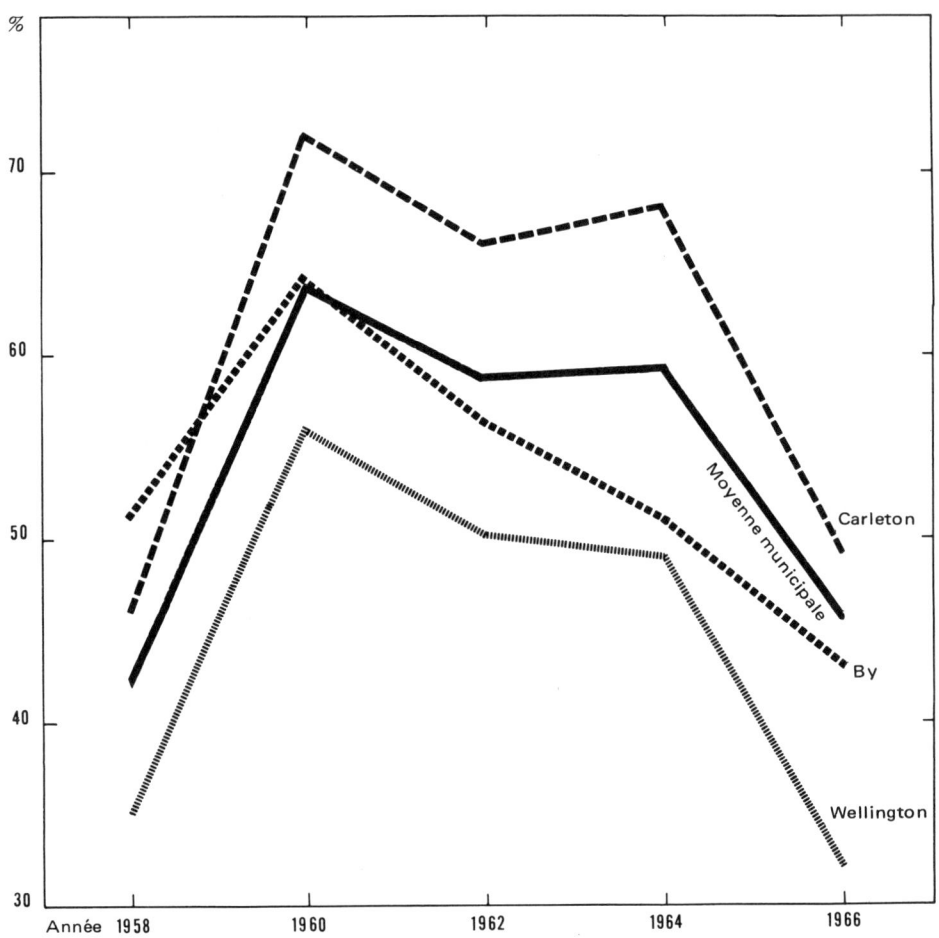

angle, la participation électorale dans les circonscriptions de By et St-Georges se révèle plus considérable qu'on ne pourrait le croire de quartiers à faible revenu. C'est particulièrement vrai de l'arrondissement By, dont la situation économique ne laisse pas prévoir une participation si grande. Sur le graphique n° 7.1, la participation de cet arrondissement aux cinq dernières élections municipales est comparée à la moyenne générale de la ville, au vote de la circonscription Carleton, où la population est surtout anglophone et le revenu annuel moyen élevé, et à celui de la circonscription de Wellington, également anglophone, mais de faible revenu moyen. Bien que la participation de By ait connu une baisse relative depuis 1958 (année où cet arrondissement avait la plus forte participation de toute la ville), elle n'en est pas moins demeurée plus élevée que celle de Wellington (ou même celle de Dalhousie, comme on l'a vu au tableau n° 7.7), et ce n'est pas la différence de revenus qui peut expliquer cet écart.

Il se peut que les intérêts linguistiques et culturels de la collectivité francophone d'Ottawa aient provoqué dans les arrondissements où elle est concentrée une participation électorale plus grande qu'on n'aurait pu le prévoir en se fondant sur l'échelle des revenus; il aurait cependant fallu pousser plus avant notre étude pour vérifier cette hypothèse. Quoi qu'il en soit, la participation électorale des trois quartiers francophones a été inférieure, ces dernières années, à la moyenne de la ville, mais supérieure, semble-t-il, à celle de certains autres arrondissements où le revenu moyen est sensiblement égal.

2. Hull

Anglophone et protestante à l'origine, Hull est devenue francophone et catholique au cours du siècle dernier[16]. Cette évolution se reflète d'ailleurs dans la représentation politique de ses citoyens. De 1875 à 1901, ceux-ci ont élu six anglophones à la mairie, mais, depuis, Hull ne s'est donné que des maires de langue française. Comme il ressort du tableau n° 7.8, l'élection des conseillers municipaux suit la même évolution.

Il y a eu décalage entre la baisse relative des effectifs anglophones de Hull et celle de leur représentation[17]; jusqu'à 1930, celle-ci est demeurée proportionnellement supérieure.

En 1881, alors que les citoyens de souche française formaient 86 % de la population de Hull[18] et ceux d'origine britannique 13 %, le maire ainsi que quatre conseillers sur dix étaient anglophones. Vers 1901, les citoyens d'ascendance britannique ne représentaient plus que 11 % de la population totale de Hull; néanmoins, un tiers des conseillers était de langue anglaise et un anglophone a été maire une partie de l'année. Même si en 1921 les citoyens d'origine britannique ne comptaient plus que pour 7.6 %, il y avait encore un anglophone parmi les six conseillers. La population anglophone eut l'avantage numérique au conseil jusque vers 1930, mais il s'est ensuite produit un renversement de situation, le pourcentage des anglophones demeurant uniformément supérieur à celui des conseillers anglophones.

Pour mieux suivre les changements survenus dans la composition ethnique du conseil de Hull au cours des années, on pourra examiner les données du tableau n° 7.8 présentées par tranches d'un quart de siècle. De 1875 à 1899, 62 % des conseillers sont d'origine française et 36 % d'origine britannique; pendant le premier quart du XXe siècle, la proportion des francophones est passée à 80 %, celle des anglophones tombant à 19 % ; de 1925 à 1949, la première atteignait 89 %, la seconde baissant à 6 % ; enfin, entre 1950 et 1967, celle des francophones s'est élevée à 97 %, celle des anglophones étant réduite à 3 %.

TABLEAU 7.8 Répartition, en nombre et en pourcentage, des conseillers municipaux de Hull, selon l'origine ethnique et par périodes quinquennales, de 1875 à 1967.

Années	Total		Origine ethnique							
			Britanniques		Français		Autres		Incertain	
	N	%	N	%	N	%	N	%	N	%
Total	1 128	100	172	15,2	929	82,4	4	0,4	23	2,0
1875-79	50	100	24	48,0	25	50,0	–	–	1	2,0
80-84	50	100	22	44,0	28	56,0	–	–	–	–
85-89	50	100	15	30,0	33	66,0	2	4,0	–	–
90-94	52	100	18	34,6	34	65,4	–	–	–	–
95-99	60	100	16	26,7	42	70,0	2	3,3	–	–
1900-04	60	100	16	26,7	43	71,7	–	–	1	1,7
05-09	60	100	12	20,0	47	78,3	–	–	1	1,7
10-14	60	100	10	16,7	50	83,3	–	–	–	–
15-19	50	100	6	12,0	44	88,0	–	–	–	–
20-24	36	100	6	16,7	28	77,8	–	–	2	5,6
25-29	68	100	8	11,8	52	76,5	–	–	8	11,8
30-34	70	100	3	4,3	62	88,6	–	–	5	7,1
35-39	70	100	5	7,1	65	92,9	–	–	–	–
40-44	70	100	4	5,7	63	90,0	–	–	3	4,3
45-49	70	100	–	–	68	97,1	–	–	2	2,9
50-54	70	100	–	–	70	100,0	–	–	–	–
55-59	70	100	2	2,9	68	97,1	–	–	–	–
60-64	70	100	5	7,1	65	92,9	–	–	–	–
65-67	42	100	–	–	42	100,0	–	–	–	–

Sources : Analyses des patronymes, interviews et journaux.

Des 172 années de fonction remplies par des conseillers de souche britannique à partir de 1875, 96 (soit 56 %) reviennent aux représentants de la seule circonscription no 1; jusqu'à sa disparition avec la refonte de la carte électorale en 1954, cette circonscription couvrait une grande partie du territoire comprenant aujourd'hui le quartier de Wright dans le centre-ouest de Hull. Jusqu'à 1914, cette circonscription n'avait élu que des candidats anglophones; par la suite, le nombre des anglophones élus ne cessa de diminuer; au moment de disparaître, cette circonscription n'avait élu aucun conseiller anglophone aux quatre dernières élections.

Aucun anglophone n'a siégé, semble-t-il, au conseil de Hull depuis 1964, et aux élections municipales de 1967, pas un seul anglophone n'a été désigné comme candidat au conseil.

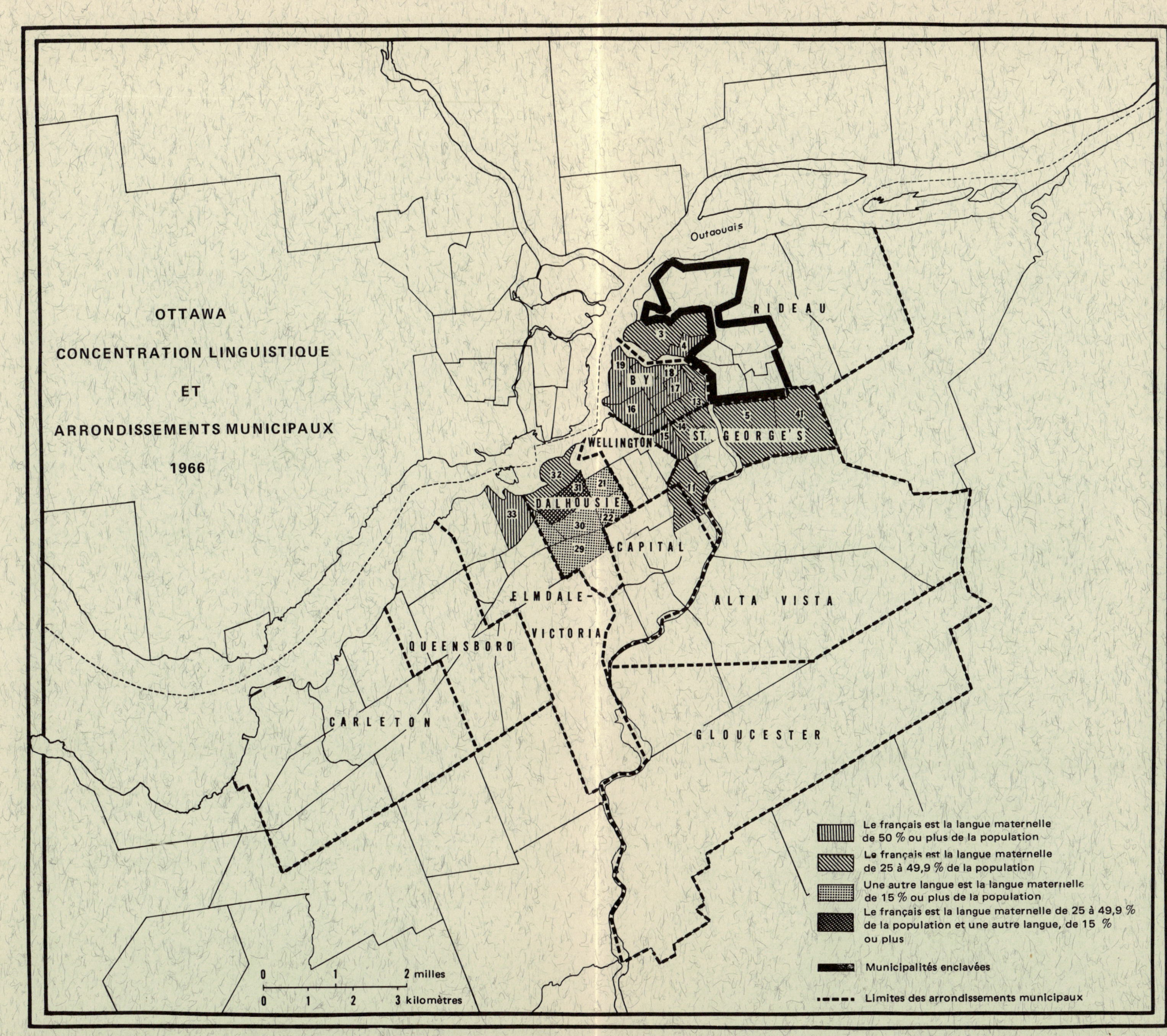

Carte 7.1 Ottawa, concentration linguistique et arrondissements municipaux, 1966

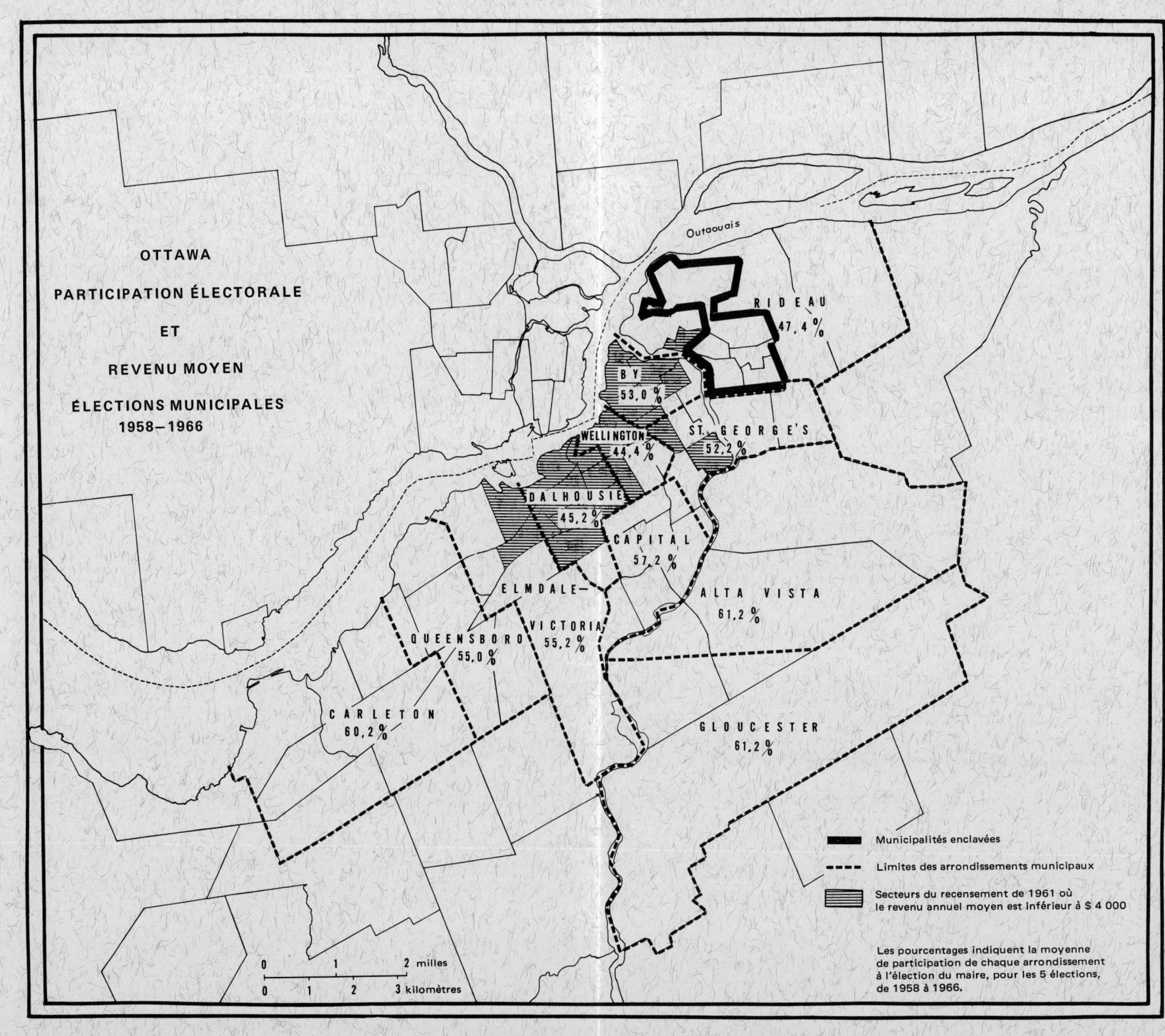

Carte 7.2 Ottawa, participation électorale et revenu moyen, 1958-1966

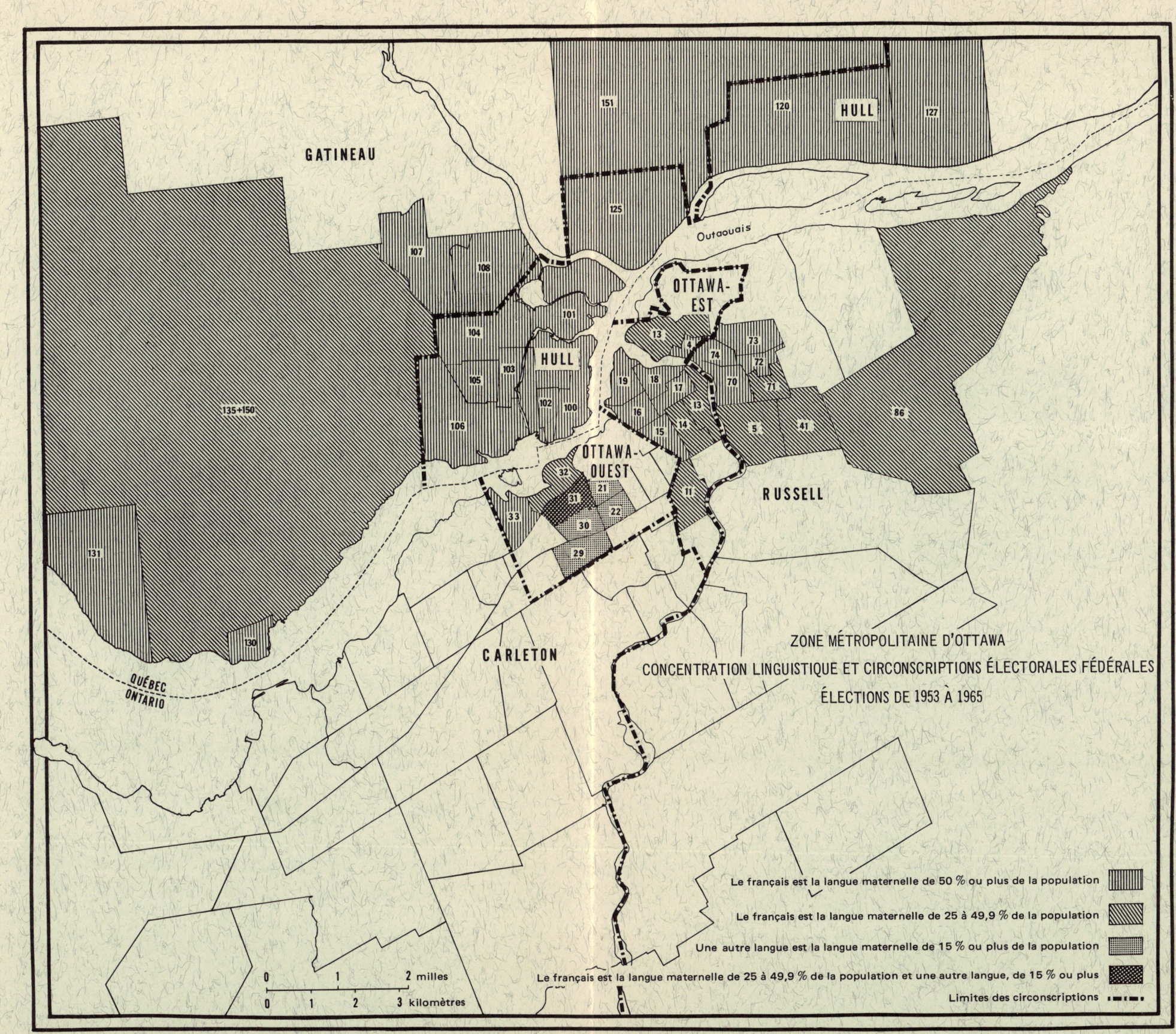

Carte 7.3a Zone métropolitaine d'Ottawa, concentration linguistique et circonscriptions électorales fédérales, 1953-1965

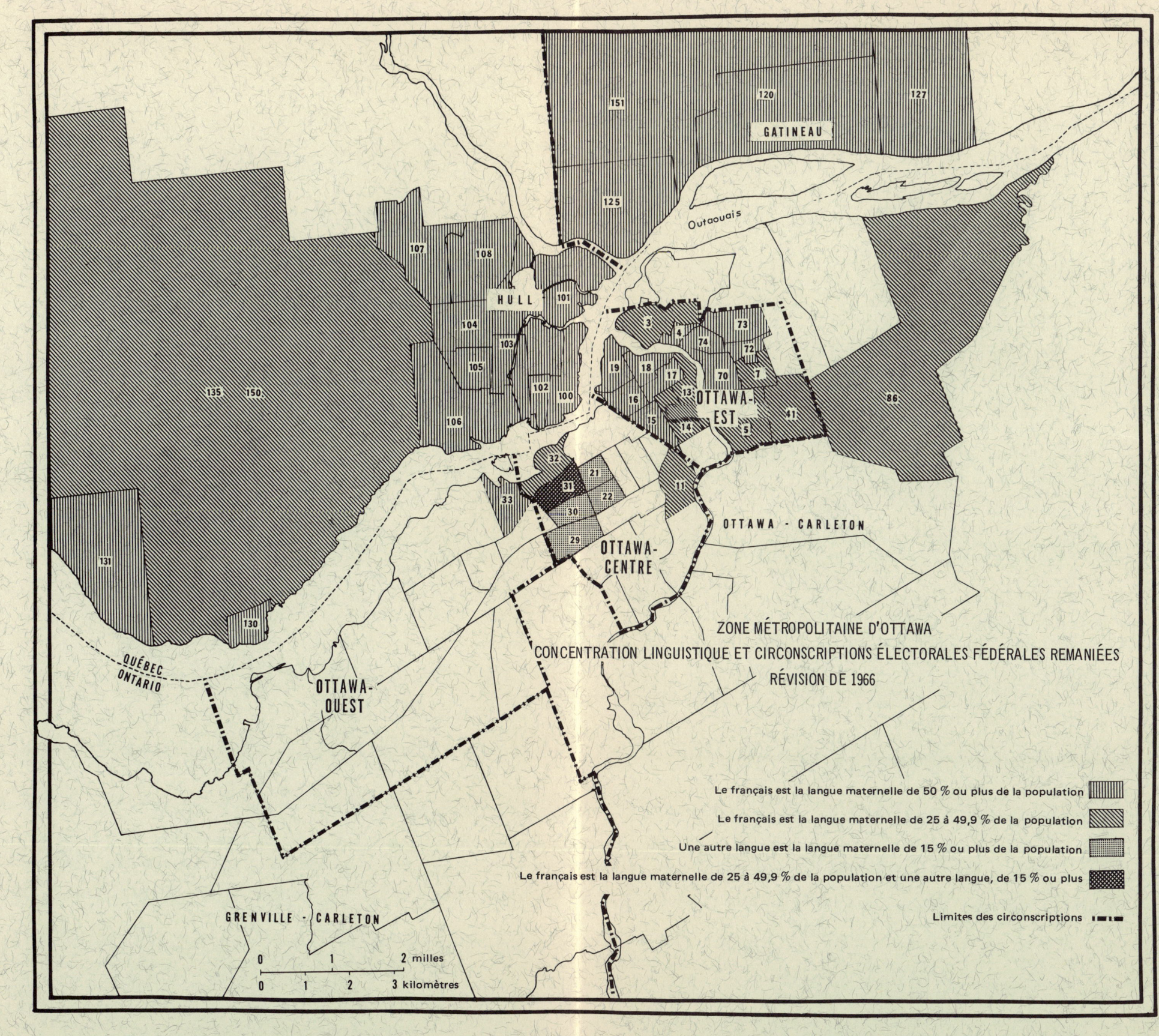

Carte 7.3b Zone métropolitaine d'Ottawa, concentration linguistique et circonscriptions électorales fédérales remaniées, 1966

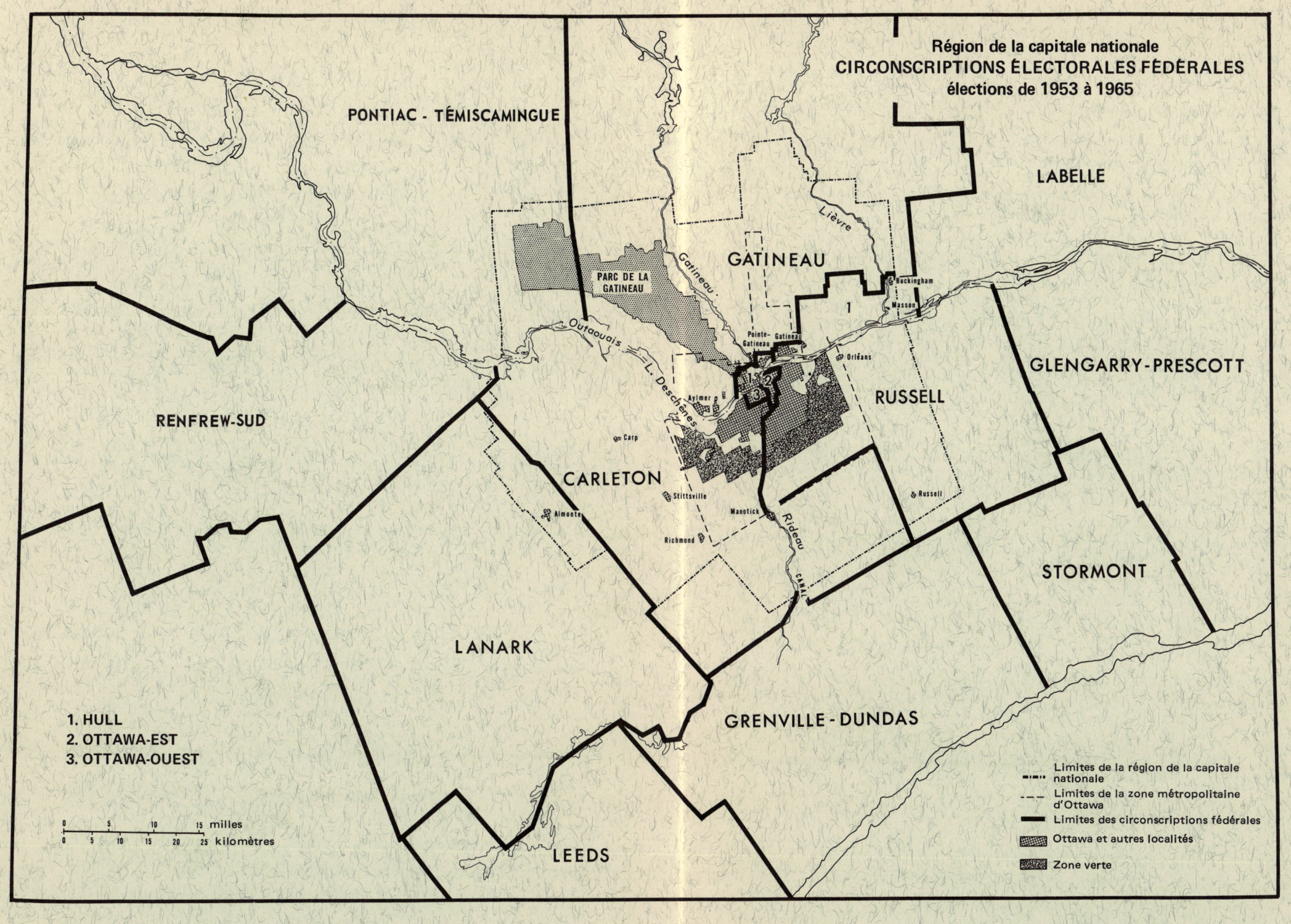

Carte 7.4a Région de la capitale nationale, circonscriptions électorales fédérales, 1953-1965

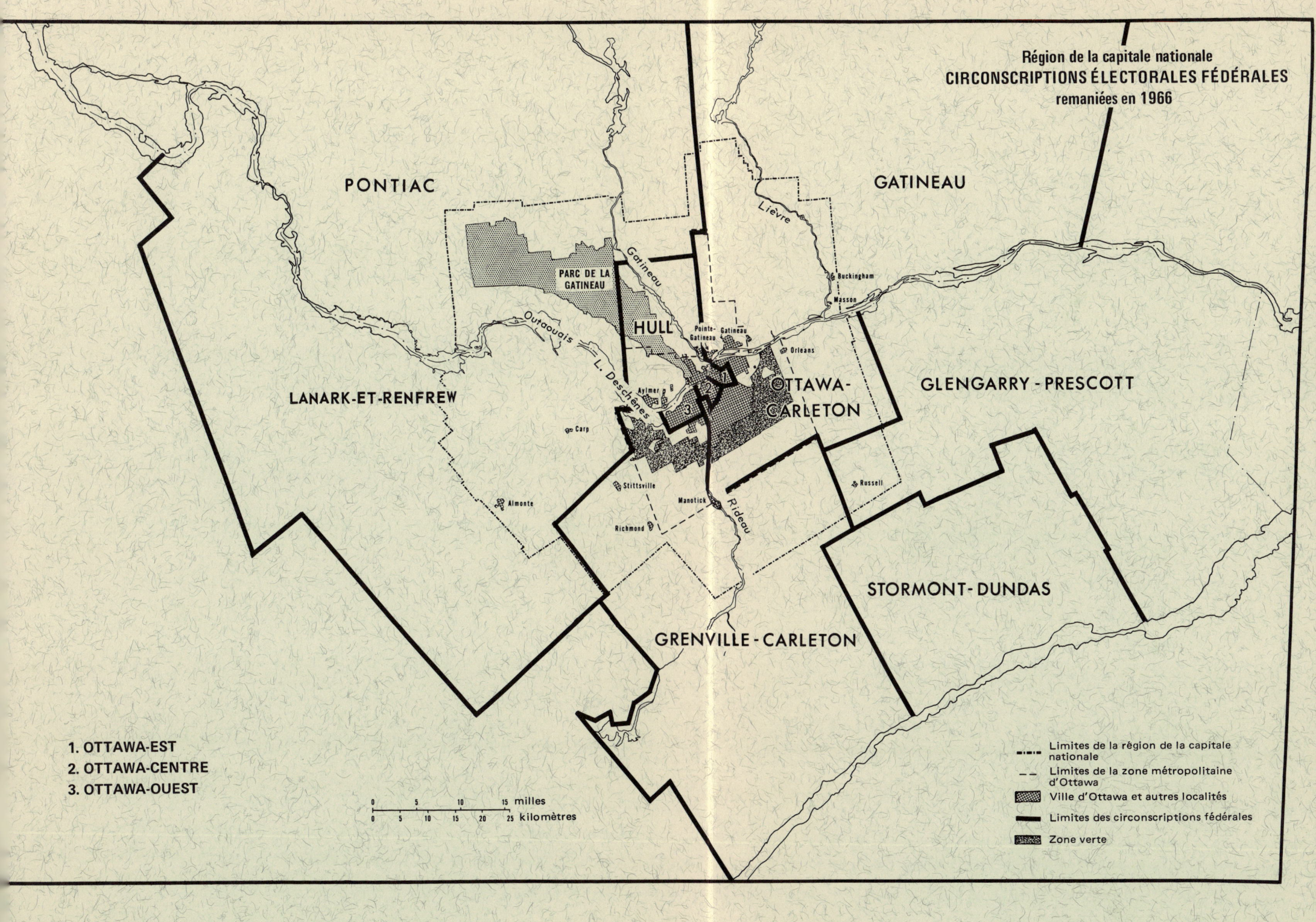

Carte 7.4b Région de la capitale nationale, circonscriptions électorales fédérales remaniées, 1966

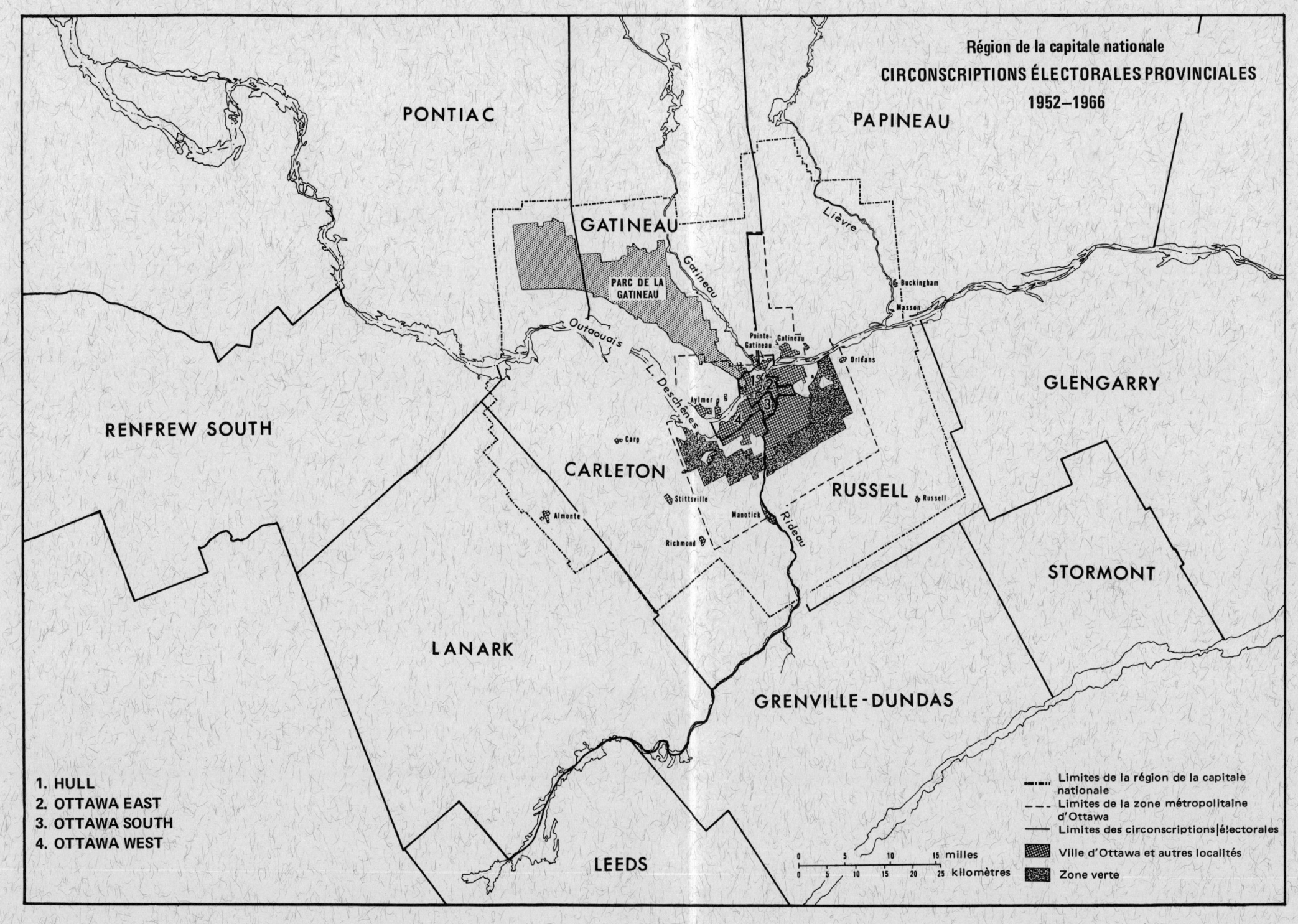

Carte 7.5a Région de la capitale nationale, circonscriptions électorales provinciales, 1952-1966

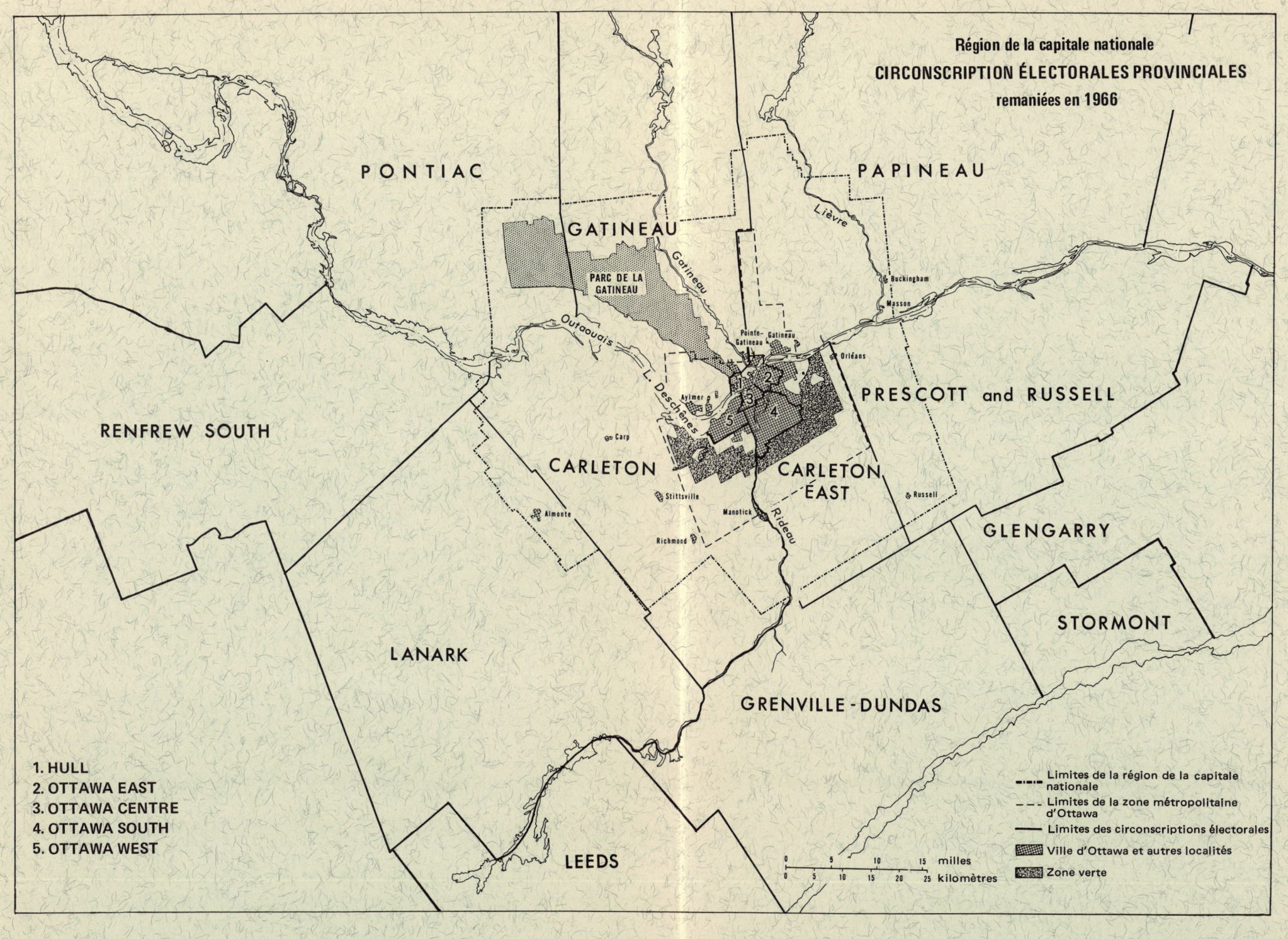

Carte 7.5b Région de la capitale nationale, circonscriptions électorales provinciales remaniées, 1966

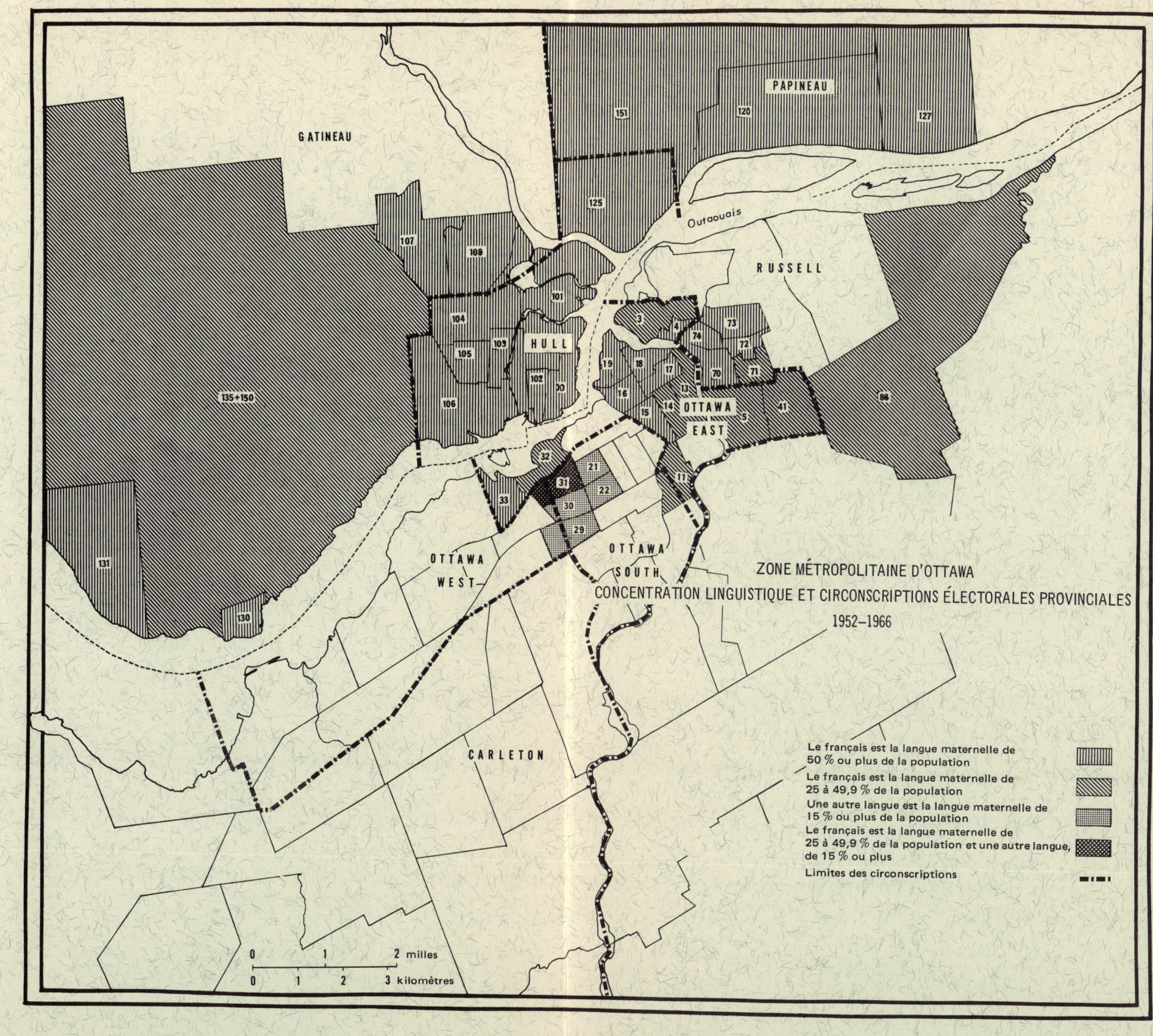

Carte 7.6a Zone métropolitaine d'Ottawa, concentration linguistique et circonscriptions électorales provinciales, 1952-1966

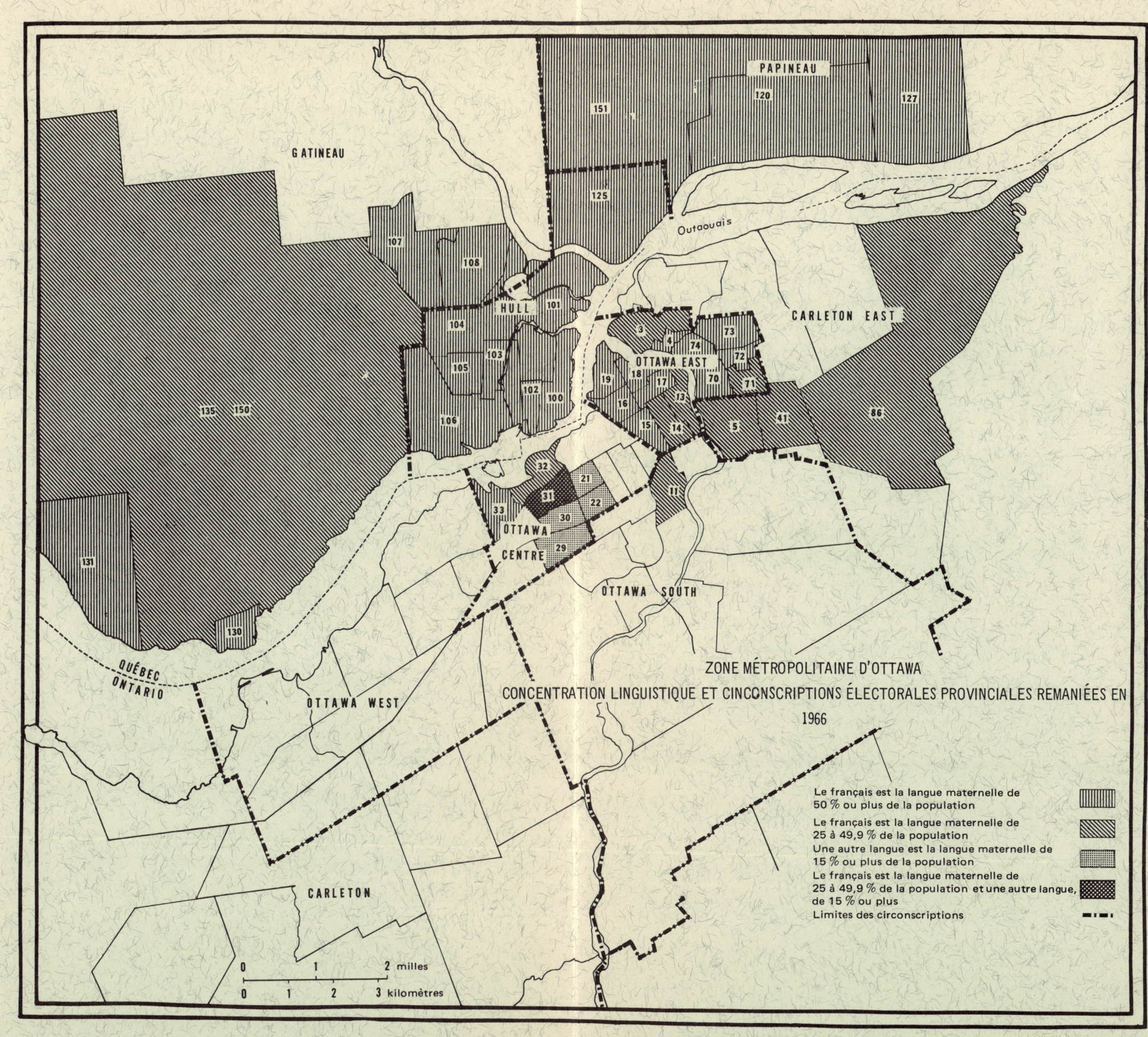

Carte 7.6b Zone métropolitaine d'Ottawa, concentration linguistique et circonscriptions électorales provinciales remaniées, 1966

3. Eastview

En 1961, la majorité (61 %) des citoyens de la ville étaient de langue maternelle française, mais la collectivité anglophone formait une minorité importante (34 %). Les données complètes sur la composition du conseil d'Eastview ne remontent qu'à 1927; nous étudierons donc la période allant de cette année-là à 1967.

Pendant ce laps de temps, Eastview a eu huit maires, dont un seul anglophone qui a occupé cette charge durant trois ans, de 1929 à 1931. Sept maires francophones ont été en fonction 36 ans sur 39, soit 92 % du temps.

Jusqu'à 1963, date d'érection d'Eastview en municipalité, les citoyens élisaient en outre un président et un vice-président au conseil du comté de Carleton. Pendant les 70 années d'exercice pour ces deux postes, aucun anglophone n'y a été élu; par contre, des francophones y ont siégé pendant 69 ans et un représentant d'origine autre que britannique et française en a été le président pour un an.

Le tableau no 7.9 indique la répartition des conseillers d'Eastview selon l'origine ethnique pour la période à l'étude. On y constate la prépondérance des conseillers d'origine française au cours des années d'exercice. On y voit, en outre, que leur proportion n'a cessé de croître de façon plus ou moins régulière à partir de 1927, alors qu'ils constituaient les trois quarts du conseil, jusqu'à aujourd'hui où ils sont tous francophones. Parallèlement, le nombre de conseillers d'origine britannique a diminué plus ou moins régulièrement, mais néanmoins de façon évidente.

TABLEAU 7.9 Répartition, en nombre et en pourcentage, des conseillers municipaux d'Eastview, selon l'origine ethnique et par périodes quinquennales de 1927 à 1966.

Années	Total		Origine ethnique					
			Britanniques		Français		Autres	
	N	%	N	%	N	%	N	%
Total	250	100	32	12,8	212	84,8	6	2,4
1927-31	30	100	2	6,7	23	76,7	5	16,7
32-36	30	100	6	20,0	23	76,7	1	3,3
37-41	30	100	6	20,0	24	80,0	–	–
42-46	30	100	6	20,0	24	80,0	–	–
47-51	30	100	6	20,0	24	80,0	–	–
52-56	30	100	2	6,7	28	93,3	–	–
57-61	30	100	4	13,3	26	86,7	–	–
62-66	40	100	–	–	40	100,0	–	–

Sources : Analyse des patronymes, interviews et journaux.

Comme à Ottawa et à Hull, la représentation du groupe de la minorité à Eastview a été assurée en grande partie par une ou deux circonscriptions. La première et la troisième circonscriptions d'Eastview ont élu 33 des 38 conseillers municipaux d'origine britannique ou étrangère. La deuxième circonscription, située dans le secteur sud-est de la ville, compte selon toute apparence une majorité anglophone, à moins que les deux collectivités linguistiques en présence n'y soient d'importance sensiblement égale[19], mais elle n'a élu aucun conseiller anglophone depuis plus de 30 ans. On n'a même proposé aucun candidat anglophone aux élections récentes dans cette circonscription, ni du reste dans une seule autre de la ville. Il aurait été intéressant de comparer la participation électorale dans la deuxième circonscription à celles des autres circonscriptions, mais la ville d'Eastview n'établit pas ce genre de statistiques.

En résumé, il y a eu un écart accusé entre l'importance relative de la minorité anglophone d'Eastview et la proportion des conseillers de souche britannique. Il semble que la population anglophone soit suffisamment satisfaite de se faire représenter par des conseillers francophones bilingues pour ne pas chercher à faire élire un de ses propres candidats.

C. L'emploi des langues dans les 13 conseils municipaux

L'emploi des langues aux conseils municipaux dépend de diverses conditions. Le cadre provincial joue un rôle important, que l'emploi des langues soit réglé par la loi ou qu'il découle simplement des coutumes et de certaines attitudes. La répartition des langues parlées dans la ville et ses environs a aussi son importance, car elle détermine la langue qui sera employée aux réunions du conseil. Il ne faut pas non plus minimiser le facteur de la connaissance des langues des conseillers eux-mêmes; il peut influencer l'attitude d'un conseil envers une minorité linguistique. L'ensemble de ces conditions, et d'autres encore, créent tant de différences entre les 13 municipalités de la région métropolitaine qu'il y a lieu de les étudier l'une après l'autre. Nous traiterons en premier lieu des trois villes de la région de la capitale fédérale.

1. Ottawa

Bien qu'Ottawa ait élu un nombre important de conseillers francophones au cours de son histoire, on est frappé du peu d'importance du français dans les délibérations du conseil. L'anglais tient pour ainsi dire toute la place aux séances, puisque les conseillers francophones doivent s'exprimer dans cette langue pour être compris. Et s'il leur arrive de parler français, ce n'est le plus souvent, semble-t-il, que dans des entretiens familiers entre francophones. Toutefois, de temps à autre, on reconnaît au français une certaine importance symbolique, par exemple lorsque la ville reçoit des visiteurs francophones de marque.

Les événements de la dernière séance du conseil en 1965 font ressortir le rôle prépondérant de l'anglais; à cette occasion, les conseillers félicitèrent le maire pour sa participation à l'administration de la ville. Le conseil exprima sa reconnaissance par deux discours, l'un prononcé en anglais par un conseiller anglophone, l'autre en français par un conseiller de langue française. Un discours en français à l'hôtel de ville d'Ottawa fut jugé assez singulier pour qu'on en fît état dans les deux quotidiens de langue anglaise de la capitale. En fait, l'un de ces journaux en fit le thème du compte rendu qu'il donna de l'événement, le qualifiant de « brèche[20] ».

Quant à écrire en français, on ne le fait pour ainsi dire jamais, car les documents du conseil, les ordres du jour et les comptes rendus ne paraissent qu'en anglais. Les quelques échanges par correspondance entre conseiller et chefs de services se font presque exclusivement en anglais. Cette situation existe même entre un conseiller municipal et un chef de service de langue française. Au dire d'un conseiller francophone, il serait inutile d'écrire une lettre en français, car si le chef de division ou de service est absent de son bureau, on risque qu'il n'y ait pas d'autre francophone pour s'occuper de l'affaire en question.

Même dans les rapports entre le conseil de ville et la population, le français tient peu de place à Ottawa. S'agit-il de distribuer certains renseignements par les moyens de diffusion courants, on laisse aux organes de langue française la tâche de traduire eux-mêmes les communiqués. Quelques-uns seulement des 25 membres du conseil en 1965, autant que nous ayons pu le vérifier, avaient pour principe de répondre en français aux lettres reçues en cette langue.

Une des raisons qui empêchent la reconnaissance officielle du français, au conseil municipal d'Ottawa, est l'incapacité des conseillers eux-mêmes à parler la langue. Il semble que la connaissance du français des conseillers ne diffère pas beaucoup de celle de la population en général. Depuis quelques années, les maires ne sont pas totalement unilingues, mais la ville n'en a pas connu un seul capable de s'exprimer couramment dans les deux langues dans l'exercice de ses fonctions, à l'exception de M. E. A. Bourque, de langue maternelle française, élu maire en 1949.

Des quatre commissaires actuels, aucun n'est parfaitement bilingue; cependant, l'un d'eux possède une certaine connaissance du français. Sur 22 conseillers, 6 (dont 5 francophones) seraient parfaitement bilingues et 2 posséderaient quelques notions de français. Autant qu'on sache, cette situation, par rapport à la langue, est à peu près la même qu'il y a quelques années. À notre connaissance, jamais un conseiller francophone unilingue n'a été élu au conseil d'Ottawa[21].

2. *Hull*

Le 1er octobre 1856, le conseil de comté de Hull adoptait une résolution renfermant le passage suivant : « ...the Council does consider that it will not be detrimental to the Inhabitants of the Municipality to publish any By-law or Resolution made passed [*sic*] by this Council in session in the English Language only[22]. » À cette époque, aucun francophone ne faisait partie du conseil, situation qui persista jusqu'à l'élection de Hercule Gravel en 1868. Cinq ans plus tard, le conseil comptait trois conseillers francophones; ceux-ci tentèrent, mais en vain, de faire adopter le français au conseil de comté. Ce n'est qu'après l'érection de Hull en ville en 1875 que le français a été utilisé dans les affaires municipales[23].

Tout ce qui reste aujourd'hui de l'ancienne prépondérance de l'anglais se résume à quelques règlements désuets qui n'ont jamais été abrogés. Actuellement, le français est pour ainsi dire la seule langue des débats aux séances du conseil, ainsi que des échanges entre le conseil et les services administratifs. Les documents du conseil, avis, ordres du jour et procès-verbaux ne sont rédigés qu'en français.

Le conseil de Hull, dont les travaux se déroulent en français, se présente sous une autre image au public. À Hull, les avis publics sont rédigés dans les deux langues[24], comme on l'a vu dans un chapitre précédent. Les conseillers auraient le plus souvent pour politique de répondre aux lettres dans la langue du correspondant. L'emploi exclusif du français aux séances du conseil souffre une exception, car les affaires dont on le saisit en anglais sont le plus souvent traitées en cette langue sans passer par la traduction. Bref, l'anglais occupe à Hull une position plus forte que le français à Ottawa.

La solidité de la position de l'anglais dépend pour une bonne part de ce que le bilinguisme est beaucoup plus fréquent parmi les conseillers municipaux de Hull. Bien que tous de langue française, ils sont bilingues dans l'exercice de leurs fonctions, c'est-à-dire capables de traiter les affaires du conseil aussi bien en anglais qu'en français.

3. Eastview

Sous le rapport du bilinguisme, le conseil d'Eastview est à mi-chemin entre Hull et Ottawa. Bien que tous les conseillers actuels soient d'origine française, la position de l'anglais est forte. Cela n'est guère étonnant, étant donné le cadre institutionnel ontarien.

En règle générale, l'anglais serait la langue des communications écrites et officielles, et le français celle des rapports oraux et non officiels. On rédige en anglais seulement les procès-verbaux des séances du conseil. Il arrivera qu'on présente une résolution en anglais au conseil, qu'on la débatte en français et que le texte définitif soit rédigé et approuvé en anglais. Cette situation se retrouve dans les échanges entre conseillers et chefs de service municipaux. Le courrier adressé au conseil est lu, en séance, en français ou en anglais, selon le cas, et on y répond dans la langue de l'expéditeur.

D'après certaines interviews, tous les membres du conseil d'Eastview, bien que francophones, ont une connaissance suffisante de l'anglais pour pouvoir traiter des affaires du conseil dans l'une ou l'autre langue. On rapporte en outre que même les conseillers anglophones élus ces dernières années sont bilingues. En fait, depuis près de vingt ans, Eastview n'a pas élu un seul conseiller unilingue; le dernier était un anglophone.

4. Les autres municipalités

Comme on l'a vu aux chapitres précédents, outre Ottawa, Hull et Eastview, dix municipalités sont comprises dans la région métropolitaine. Il y en a sept sur la rive nord de l'Outaouais et trois sur la rive sud, en territoire ontarien.

Considérons d'abord le secteur ontarien. Le canton de Nepean qui comptait 90 % de citoyens anglophones au recensement de 1961, a un conseil composé de sept membres; tous les conseillers sont unilingues et l'on ne parle que l'anglais aux séances du conseil. Vu la prédominance de l'anglais dans ce milieu, aucun conflit d'ordre linguistique n'a surgi à Nepean; d'ailleurs, selon un porte-parole de la municipalité, on ne se souvient pas d'avoir eu l'occasion d'utiliser le français au conseil.

De même, les autorités du village de Rockcliffe Park, où la plupart des citoyens sont anglophones, rapportaient pour leur part qu'il ne s'était présenté aucune occasion de se servir du français récemment dans les affaires municipales; certains conseillers seraient pourtant en mesure, le cas échéant, de traiter les affaires en français. Les cinq conseillers actuels sont de langue maternelle anglaise.

Le canton de Gloucester, qui compte quelque 40 % de citoyens de langue française, se distingue d'une certaine façon de Nepean et de Rockcliffe Park. On rapporte que sur les cinq conseillers, trois sont bilingues, dont l'un de langue maternelle française et deux de langue maternelle anglaise. Les deux autres conseillers ne parleraient que l'anglais. On traite en anglais la plupart des affaires du conseil et on rédige les procès-verbaux des séances en anglais seulement. Il arrive parfois qu'on s'exprime en français pour satisfaire un contribuable de langue française qui se présente au conseil; en pareil cas, l'un des conseillers qui sait le français joue le rôle d'interprète auprès de ses collèges unilingues.

Les municipalités du secteur québécois diffèrent considérablement les unes des autres par rapport à la composition des groupes linguistiques; ainsi, à Lucerne, la population se répartit à peu près également entre citoyens de langue maternelle française et de langue maternelle anglaise, alors qu'à Pointe-Gatineau, elle est presque exclusivement de langue maternelle française. Aylmer, dont la population comptait 41 % d'anglophones lors du recensement de 1961, reconnaît l'usage des deux langues dans les affaires municipales; on rédige les procès-verbaux des séances séparément dans les deux langues. L'emploi d'une langue plutôt que de l'autre dépendrait de la langue que parle le maire qui préside les séances. Pendant le mandat du maire sortant, qui ne savait que l'anglais, les débats du conseil se seraient déroulés en cette langue un peu moins des trois quarts du temps. Le maire actuel étant bilingue et le conseil se composant de quatre membres francophones, tous bilingues, et de trois membres anglophones, dont un bilingue, on utiliserait aux séances du conseil à peu près également les deux langues[25].

Tout comme à Aylmer, l'emploi des langues au conseil de Lucerne s'est récemment modifié. Il y a quelques années, paraît-il, on traitait les affaires du conseil en anglais seulement. Le français serait en voie de prendre une importance de plus en plus grande, puisqu'on estime qu'il est utilisé environ un quart du temps. Quatre des sept conseillers sont francophones et bilingues, alors que les trois conseillers anglophones sont à peu près unilingues. Les procès-verbaux des séances sont rédigés en anglais et en français.

À Deschênes, où les francophones sont en majorité, on se sert des deux langues aux séances du conseil, mais plus souvent du français que de l'anglais. Cinq des sept conseillers sont de langue maternelle française et un des deux conseillers anglophones est unilingue. Les procès-verbaux des séances du conseil ne sont rédigés qu'en français.

Occupons-nous maintenant de la rive est de la Gatineau. Dans les municipalités de Gatineau et de Pointe-Gatineau, dont la population est presque exclusivement francophone, toutes les séances du conseil se déroulent en français. À Pointe-Gatineau, les conseillers sont tous francophones depuis plusieurs années. À Gatineau, six des conseillers actuels sont francophones et le septième est de langue maternelle anglaise; mais la tradition veut que les conseillers anglophones s'expriment en français aux séances du conseil. On dit que tous les conseillers de ces deux villes sont bilingues. Les procès-verbaux des séances de ces deux conseils sont rédigés en français seulement.

À Templeton, autre municipalité à majorité francophone, le français est la langue des séances et des procès-verbaux du conseil. Sur sept conseillers actuels, tous de langue maternelle française, six sont bilingues. On rapporte en outre que, dans le passé, les conseillers d'origine britannique s'exprimaient toujours en français aux séances du conseil.

À Templeton-Ouest, où la population est largement francophone, mais compte tout de même une importante minorité de langue anglaise, on utilise les deux langues aux séances du conseil, mais plus souvent l'anglais. Sur les sept membres du conseil, trois, dont le maire, sont de langue maternelle française et quatre de langue maternelle anglaise; les trois francophones et deux des anglophones sont bilingues. Les procès-verbaux sont rédigés dans la langue des délibérations[26].

Il ressort de ce rapide examen que, dans les treize municipalités de la région métropolitaine, il y a correspondance entre la langue des représentants élus et celle de l'ensemble de la population. On peut sans doute s'y attendre, puisqu'il s'agit de corps représentatifs élus. Il en résulte, comme dans le cas de la masse de la population ouvrière[27], que dans l'exercice de leurs fonctions, la grande majorité des représentants de souche française sont bilingues, alors que ceux d'origine britannique ne le sont pas. La présence d'un unilingue au conseil semble avoir une très grande importance sur l'emploi des langues. Cela se remarque surtout dans les conseils plus restreints, où il suffit d'un ou deux conseillers unilingues pour faire pencher la balance.

Il suffit de comparer l'emploi des langues et la représentation aux conseils municipaux de la région métropolitaine pour que le paradoxe paraisse évident. Ainsi, là où l'on n'hésite pas à reconnaître les droits des minorités linguistiques, comme à Eastview et à Hull, les collectivités minoritaires ne manifestent aucune tendance marquée à se faire représenter par l'un des leurs; par contre, là où l'on accorde une reconnaissance insuffisante à la langue de la minorité, comme à Ottawa, celle-ci cherche opiniâtrement à se faire représenter. Cette tendance se manifeste tout particulièrement dans les municipalités où les conseillers sont élus par arrondissement; elle peut aussi s'affirmer dans les autres municipalités où les conseillers sont élus par l'ensemble de la population, mais il est alors plus difficile de s'en faire une idée bien nette. On peut étudier et définir cette tendance, non seulement en fonction des représentants élus, mais aussi en fonction des candidats désignés par la collectivité minoritaire et défaits aux élections et du nombre de voix qu'ils obtiennent. Une analyse des appels de chaque candidat au corps électoral projetterait vraisemblablement une lumière nouvelle sur ce phénomène, mais une telle analyse n'a pas été possible dans le cadre de la présente étude.

Toutefois, à y bien réfléchir, il se peut que ce décalage entre la représentation des collectivités linguistiques et la reconnaissance des droits linguistiques des minorités ne soit pas aussi paradoxal qu'il semble de prime abord. En effet, quand un groupe minoritaire constate qu'on ne fait pas à sa langue une place suffisante, il peut éprouver le besoin de se faire représenter par des porte-parole énergiques qui assureront la défense de ses intérêts. En revanche, lorsque sa langue est reconnue sans réserve et n'est jamais en péril, il peut arriver qu'une minorité se laisse influencer plus fortement par d'autres considérations dans le choix des candidats aux emplois publics et dans sa façon de voter.

D. *La représentation politique aux échelons fédéral et provincial*

1. L'échelon fédéral.

Depuis quatorze ans, la région de la capitale nationale est représentée à la Chambre des communes par six députés dont les circonscriptions sont situées entièrement ou en grande partie dans son territoire[28]. Trois d'entre elles sont urbaines et se trouvent au cœur de la région métropolitaine (Ottawa-Ouest, Ottawa-Est et Hull); les trois autres, périphériques, sont mi-urbaines, mi-rurales (Carleton, Russell et Gatineau). Environ les trois cinquièmes de la population de cette dernière habitent dans la région de la capitale, d'après le recensement de 1961. Le tableau n° 7.10 indique la composition de ces comtés selon la langue maternelle et l'origine ethnique[29]. Il y a eu six élections générales et une élection complémentaire sans que soit modifiée cette répartition des sièges; les données du recensement de 1961 sont particulièrement significatives, car cinq de ces six élections ont eu lieu dans les quatre années suivant ou précédant une année de recensement.

TABLEAU 7.10 Répartition en pourcentage, selon la langue maternelle et selon l'origine ethnique, de la population de chaque circonscription fédérale dans la région de la capitale nationale, en 1961.

A. Langue maternelle

Circonscription	Total		Anglais	Français	Autre
	N	%			
Carleton	130 497	100	87,4	6,1	6,4
Gatineau	58 771	100	27,5	70,4	2,2
Hull	86 563	100	9,0	89,7	1,3
Ottawa-Est	51 828	100	44,0	48,8	7,2
Ottawa-Ouest	67 131	100	65,1	20,1	14,8
Russell	124 368	100	54,4	40,4	5,2

B. Origine ethnique

Circonscription	Total		Britanniques	Français	Autres
	N	%			
Carleton	130 497	100	70,8	10,4	18,8
Gatineau	58 771	100	23,2	72,2	4,6
Hull	86 563	100	8,4	88,7	2,9
Ottawa-Est	51 828	100	33,7	51,6	14,7
Ottawa-Ouest	67 131	100	51,3	25,9	22,8
Russell	124 368	100	42,5	42,3	15,2

Source : Données du Bureau fédéral de la statistique.

Les données du tableau no 7.10 indiquent que deux de ces circonscriptions (Hull et Gatineau) ont une importante majorité francophone et deux (Carleton et Ottawa-Ouest) d'importantes majorités anglophones. Une circonscription, Ottawa-Est, compte un peu plus d'électeurs francophones que d'électeurs anglophones, alors que dans la dernière, Russell, les électeurs anglophones sont un peu plus nombreux.

Quant au vote, il n'a guère varié dans ces circonscriptions au cours de la période à l'étude. Quatre circonscriptions n'ont élu que des candidats francophones, et deux des candidats anglophones. Ce comportement n'a pas varié et il correspond d'assez près à la répartition d'après la langue maternelle. Toutefois, Russell fait exception, car le corps électoral, qui compte plus d'anglophones que de francophones, n'a jamais élu que des candidats de langue française. Si on tient compte de l'origine ethnique, les collectivités française et britannique de Russell sont d'importance à peu près égale.

Le tableau no 7.11 répartit, selon l'origine, les candidats aux six sièges de la région de la capitale nationale aux six dernières élections (1953, 1957, 1958, 1962, 1963 et 1965). Parmi les candidats désignés, les francophones sont légèrement majoritaires (78 sur 145). Cette majorité atteint 42 sur 74, soit 57 %, si l'on exclut les candidats ne se rattachant pas aux deux principaux partis. Il y a lieu de souligner ici que seuls des candidats des deux grands partis ont été élus pendant la période à l'étude. Les candidats indépendants ou appartenant à des tiers partis sont arrivés au second rang seulement dans 5 des 37 élections. Quant aux candidats élus des principaux partis, la proportion des candidats d'origine française, continuant de s'accroître, passe à 25 sur 37, soit 68 %. On observe alors un écart accusé entre ce pourcentage et celui de 42 % de la population de langue maternelle française des six circonscriptions. La liste des candidats élus ne reflète aucunement la présence des autres éléments linguistiques, qui forment 6 % de la population; en revanche, on peut mettre en regard la proportion anglophone de la population, qui s'établissait à 52 % en 1961, et celle des candidats élus, qui est de 32 %.

Les disparités qu'accusent l'importance des groupes linguistiques et le nombre de leurs élus peuvent s'expliquer, au moins en partie, par l'inégale répartition des électeurs entre les six circonscriptions. Celle de Carleton, dont la population de langue maternelle anglaise atteignait 87 % en 1961, comptait en 1965 presque 11 000 électeurs inscrits de plus que l'ensemble des électeurs des deux circonscriptions les plus françaises (Hull et Gatineau). Cet écart, du côté anglophone, se retrouve aussi à Russell qui, ainsi qu'on l'a déjà noté, n'a élu que des candidats francophones au cours de la période à l'étude, bien que les anglophones y constituent 54 % de la population.

Il faut dire que lors de ces élections, la circonscription de Russell englobait Eastview. Comme on l'a vu dans les pages de ce chapitre consacrées à la représentation à l'échelon municipal, la population de langue anglaise d'Eastview ne cherche pas à se faire représenter par des anglophones aux élections municipales, mais semble disposée à se choisir des représentants parmi les candidats francophones. Le même phénomène se serait produit, dans une certaine mesure, aux élections fédérales.

Ajoutons enfin que le comté de Russell, depuis quelque huit ans, n'a élu que des libéraux. Lors des sept élections à l'étude (y compris l'élection complémentaire de 1959) dont nous analysons les résultats, les libéraux n'ont désigné que des candidats francophones. Par contre, le parti conservateur a présenté cinq candidats anglophones et deux francophones seulement. Comme la désignation d'un candidat libéral est un gage presque assuré de son élection dans Russell, il est possible que la langue du candidat soit un élément secondaire.

On peut dire que la très grande fidélité à un parti semble être une caractéristique de la région métropolitaine. Au cours de la période à l'étude, seule la circonscription de Carleton a élu des candidats de plus d'un parti; et l'élection, par une infime majorité, d'un candidat libéral en 1963, était sans précédent dans l'histoire de cette circonscription depuis la Confédération. Cette victoire libérale devait rester sans lendemain, car, en 1965,

TABLEAU 7.11 Répartition en nombre, selon l'origine ethnique, des candidats élus et défaits aux élections fédérales pour les six circonscriptions de la région de la capitale nationale, en 1953, 1957, 1958, 1962, 1963 et 1965.

Circonscription	Origine ethnique	Candidats			
		Élus	Défaits		
		Principaux partis*	Principaux partis*	Autres partis*	Divers*
Total	Français	25	17	27	9
	Britanniques	12	18	32	–
	Autres	–	2	2	1
Carleton	Français	–	–	–	–
	Britanniques	6	6	11	–
	Autres	–	–	–	–
Russell**	Français	7	2	7	–
	Britanniques	–	5	5	–
	Autres	–	–	–	–
Ottawa-Est	Français	6	5	3	2
	Britanniques	–	1	6	–
	Autres	–	–	1	–
Ottawa-Ouest	Français	–	–	–	–
	Britanniques	6	6	9	–
	Autres	–	–	1	1
Hull	Français	6	6	10	5
	Britanniques	–	–	–	–
	Autres	–	–	–	–
Gatineau	Français	6	4	7	2
	Britanniques	–	–	1	–
	Autres	–	2	–	–

Sources : Analyse des patronymes et journaux
*Principaux partis : libéral et progressiste-conservateur. Autres partis : C. C. F., N. P. D., Crédit social et Ralliement des créditistes. Divers : candidats indépendants et de divers autres partis.
**Y compris l'élection complémentaire de 1959.

l'ancien député progressiste-conservateur fut réélu. Aucune autre circonscription de la région de la capitale n'a été infidèle à son parti (en l'occurrence le parti libéral, sauf dans le cas de Carleton) depuis les années 20, voire depuis plus longtemps dans certains cas.

En outre, les députés conservent longtemps la faveur du parti. Trois des circonscriptions sur lesquelles porte notre étude (Ottawa-Est, Ottawa-Ouest et Hull) ont respectivement élu le même candidat aux six élections. Russell a élu le même candidat trois fois et le représentant actuel quatre fois, si on tient compte des élections complémentaires de 1959. Les comtés de Gatineau et de Carleton ont respectivement élu le même candidat quatre fois et des candidats différents aux deux autres élections. Dans trois des cinq cas où l'on a changé de député, on l'a fait à la suite de la mort ou du retrait du représentant. Les seuls autres changements se sont produits dans Carleton, où le député sortant, défait en 1963, l'a emporté aux élections suivantes.

Bref, la région de la capitale n'a guère modifié son comportement électoral; la fidélité au parti, ainsi qu'au député, y a constamment exercé une très forte influence. Dans ces conditions, il n'y a pas lieu de s'étonner que ces circonscriptions fassent preuve d'un comportement électoral immuable tout en tenant compte de considérations de langue. À vrai dire, ces trois facteurs de constance, fidélité au candidat, fidélité au parti et fidélité à la collectivité linguistique, sont vraisemblablement liés et se renforcent mutuellement.

En 1965, on entreprit, à l'échelle nationale, une refonte de la carte électorale fédérale d'après le recensement de 1961, ce qui a profondément modifié la répartition géographique de l'électorat de la région métropolitaine.

Du côté québécois[30], on a transformé la circonscription de Hull de façon à en exclure les municipalités situées à l'est de la Gatineau, qui en faisaient auparavant partie, et à y rattacher Aylmer, Lucerne et Deschênes. Cela aura vraisemblablement pour effet de grossir les rangs de la minorité anglophone de cette circonscription. La bordure orientale de l'ancienne circonscription de Gatineau et la plus grande partie de l'ancienne circonscription de Labelle constituent la nouvelle circonscription de Gatineau qui comprend les municipalités de Gatineau, Pointe-Gatineau, Buckingham et Thurso. Une bonne partie de l'ancienne circonscription de Gatineau a été incorporée à la nouvelle circonscription de Pontiac, qui comprend surtout la partie orientale de l'ancienne circonscription de Pontiac-Témiscamingue. Ces transformations auront vraisemblablement pour effet de faire passer un groupe important d'électeurs anglophones dans la nouvelle circonscription de Pontiac. D'après le recensement de 1961, le comté de Pontiac comptait environ 55 % de citoyens de langue maternelle anglaise. Il est également révélateur que la circonscription provinciale de Pontiac n'ait élu que des candidats anglophones aux élections les plus récentes. Toutefois, bien qu'elle comprenne une portion plus importante de la région de la capitale nationale que l'ancienne circonscription, la nouvelle circonscription de Pontiac ne déborde que légèrement sur le territoire de la région.

Du côté ontarien, la refonte de 1965 semble indiquer une nouvelle délimitation plus importante des frontières politiques. On a doté la ville d'Ottawa d'un troisième siège. L'ancienne circonscription de Russell, rebaptisée Ottawa-Carleton, a perdu Eastview et certains secteurs d'Ottawa; l'ancienne circonscription de Carleton, nommée désormais Grenville-Carleton, se trouve réunie à une circonscription située plus au sud et on en a détaché toute la partie de la ville d'Ottawa qu'elle comprenait auparavant, en plus d'une importante partie du secteur rural et de la banlieue où elle s'étendait dans la partie sud-ouest de la région de la capitale. Cette partie est maintenant incorporée à la circonscription nouvellement créé de Lanark-et-Renfrew qui s'étend en amont dans la vallée de l'Outaouais.

Les répercussions de ces changements sont sensibles, si on compare les cartes nos 7.3A et 7.3B. De prime abord, il semble que la plupart des électeurs francophones, qui se répartissaient antérieurement entre Ottawa-Est et Russell, soient maintenant groupés dans la circonscription d'Ottawa-Est. La nouvelle circonscription d'Ottawa-Centre compterait une importante proportion d'anglophones. Par suite de ces multiples remaniements, une seule des cinq circonscriptions ontariennes comprendrait peut-être une majorité francophone. Certes, on ne saurait faire de prédictions sur le comportement de l'électorat, en se basant uniquement sur les nouvelles circonscriptions; toutefois à la suite de la refonte électorale, il sera sans doute plus difficile pour les électeurs francophones d'appuyer leurs candidats dans le secteur ontarien de la région de la capitale.

Le remaniement aura encore pour effet d'augmenter l'écart entre les limites des circonscriptions fédérales et celles de la région de la capitale nationale. Antérieurement, six circonscriptions étaient comprises, ou à peu près, dans la région et deux la chevauchaient à peine. Comme le montre la carte no 7.4B, on compte maintenant cinq circonscriptions dont toute la population, ou peu s'en faut, habite la région, quatre (Pontiac, Gatineau, Grenville-Carleton, Lanark-et-Renfrew) dont on ne saurait nettement affirmer qu'elles se rattachent à la région de la capitale, enfin une dixième (Glengarry-Prescott) qui empiète légèrement sur la région de la capitale nationale.

2. L'Ontario

À la suite des trois dernières élections provinciales (1955, 1959 et 1963), le secteur ontarien de la région de la capitale nationale a été représenté au parlement par les députés de cinq circonscriptions situées en tout ou en partie dans la région[31]. Au total, 46 candidats se sont présentés à ces élections. Le tableau no 7.12 indique leur répartition selon l'origine ethnique.

Sur un total de 46 candidats, 63 % étaient d'origine britannique et 28 % d'origine française. Les deux grands partis ont désigné 30 candidats dont 63 % d'origine britannique et 30 % d'origine française. Parmi les élus, on comptait une personne de souche française, pour deux de souche britannique. On n'a élu aucun candidat d'une autre origine.

Comme les circonscriptions provinciales ne correspondent pas aux secteurs de recensement, il n'existe pas de statistiques exactes sur la répartition de leur population selon la langue maternelle. Toutefois, un profil plus ou moins net se dégage des résultats des trois élections. La représentation francophone semble se concentrer dans la circonscription d'Ottawa-Est où tous les candidats des deux grands partis, tant élus que défaits, étaient de langue française et aussi, dans une certaine mesure, dans le comté de Russell, où deux des trois candidats élus étaient francophones et où cinq des neuf candidats désignés aux trois élections étaient de souche française. Dans Ottawa-Sud, Ottawa-Ouest et Carleton, on n'a présenté que des candidats d'origine britannique ou d'origine autre que française.

TABLEAU 7.12 Répartition en nombre, selon l'origine ethnique, des candidats élus et défaits aux élections provinciales dans le secteur ontarien de la région de la capitale nationale en 1955, 1959 et 1963.

Origine ethnique	Total	Candidats			
		Élus	Défaits		
		Principaux partis*	Principaux partis*	Autres partis*	Divers*
Britanniques	29	10	9	10	–
Français	13	5	4	3	1
Autres	4	–	2	2	–

Sources : Analyse des patronymes et journaux
*Principaux partis : libéral et progressiste-conservateur. Autres partis : C. C. F., N. P. D. et Crédit social.
Divers : candidats indépendants et de divers partis

Le Representation Act provincial de 1966 a modifié les circonscriptions de la région et en a créé une nouvelle; il en résulte que la région de la capitale nationale compte désormais six circonscriptions en Ontario. La nouvelle circonscription, l'une des quatre se trouvant dans la région métropolitaine, se compose de parties des anciennes circonscriptions d'Ottawa-Ouest et d'Ottawa-Est et porte le nom d'Ottawa-Centre. L'ancienne circonscription de Russell, devenue Carleton-Est, se trouve presque entièrement dans la région de la capitale nationale, de même que la circonscription de Carleton remaniée. Deux autres circonscriptions empiètent quelque peu sur la région : la circonscription de Prescott-Russell comprend une bande assez considérable dans l'est de la région; une bande un peu moins étendue fait partie, du côté ouest, de la circonscription de Lanark. Les cartes nos 7.5A et 7.5B indiquent les anciennes et nouvelles limites de ces circonscriptions.

D'après la carte no 7.6B, il semble qu'à la suite du remaniement de la carte électorale, Ottawa-Est continuera de compter la plus forte concentration d'électeurs francophones. La nouvelle circonscription d'Ottawa-Centre compterait moins d'électeurs francophones, mais renfermerait le plus fort groupe de citoyens de toute la ville dont la langue maternelle est autre que le français ou l'anglais. Carleton-Est aurait perdu un grand nombre des électeurs francophones de l'ancienne circonscription de Russell.

3. Le Québec

Aux cinq dernières élections québécoises (1952, 1956, 1960, 1962 et 1966), la partie de la région de la capitale située sur la rive nord couvrait quatre circonscriptions (voir les cartes nos 7.5A et 7.5B). Une seule de ces circonscriptions (Hull) est entièrement située dans les limites de la région métropolitaine, et des parties des trois autres s'étendent au-delà. Les circonscriptions de Gatineau et de Papineau la chevauchent suffisamment pour qu'il convienne de les étudier; quant au comté de Pontiac, il déborde à peine sur la région, et la manière de voter de ses électeurs ne semble pas présenter grand intérêt pour notre étude.

Si l'on exclut Pontiac de cette étude, le nombre des candidats aux cinq dernières élections s'est élevé à 42 dans la région. Le tableau no 7.13 les répartit selon l'origine ethnique. Il est manifeste que les candidats de souche française sont, en principe, assez nombreux pour écarter les autres. La minorité anglophone du secteur québécois estimerait donc vain ou impossible de désigner des candidats. Un candidat de souche britannique fut proposé, il y a quinze ans dans la circonscription de Papineau, mais il ne recueillit qu'une poignée de voix. On peut toutefois souligner que la circonscription de Pontiac, qui ne figure pas au tableau no 7.13 pour la raison mentionnée plus haut, est différente du point de vue électoral : tous les candidats désignés aux cinq dernières élections, à une exception près, étaient, semble-t-il, de souche britannique.

TABLEAU 7.13 Répartition en nombre, selon l'origine ethnique, des candidats élus et défaits aux élections provinciales, dans le secteur québécois de la capitale nationale, en 1952, 1956, 1960, 1962 et 1966.

Origine ethnique	Total	Candidats			
		Élus	Défaits		
		Principaux partis*	Principaux partis*	Autres partis*	Divers*
Français	41	15	15	7	4
Britanniques	1	–	–	1	–
Autres	–	–	–	–	–

Sources : Analyse des patronymes et journaux
*Principaux partis : libéral et Union nationale. Autres partis : Créditistes, C. C. F. et N. P. D. Divers : indépendants.

4. La représentation et l'emploi des langues

L'emploi des langues aux assemblées législatives étant relié à des conditions étrangères à la région de la capitale fédérale, il n'y a pas lieu de le définir ici. Toutefois, en étudiant la composition des conseils municipaux, nous avons remarqué un rapport inattendu entre la forme de la représentation et la reconnaissance de la langue de la minorité; la représentation des minorités se faisait sans la reconnaissance des droits linguistiques, et la reconnaissance de la langue sans la représentation. Il convient d'examiner brièvement l'usage des langues dans les assemblées législatives, afin de découvrir dans quelle mesure on peut y observer les mêmes tendances.

Au Québec comme nous l'avons déjà signalé, dans les circonscriptions provinciales de la région de la capitale nationale, presque tous les candidats et tous les élus sont depuis quelques années de langue française. Ils font partie d'une assemblée où le droit de s'exprimer en anglais ou en français est garanti par l'article 133 de l'A. A. N. B. En outre, lois, archives, procès-verbaux et comptes rendus des débats doivent être publiés dans les deux langues; quant aux interventions à l'assemblée, elles sont publiées directement dans la langue du député qui parle. Certes, les débats se déroulent dans une très large mesure en français; cependant, il arrive presque tous les jours que des députés s'expriment en anglais, pour des raisons de commodité.

Bien sûr, la population anglophone du secteur québécois de la région de la capitale est relativement peu importante. On conçoit qu'elle estime à peu près impossible de se faire représenter dans une des circonscriptions provinciales. Elle ne fait pas beaucoup d'efforts non plus pour l'être directement, et ne propose à peu près jamais de candidat anglophone.

Dans le secteur ontarien, où la population francophone est plus considérable, relativement et en chiffres absolus, que la minorité anglophone du secteur québécois, à peu près deux candidats sur sept proposés et un sur trois d'élus, étaient de souche française aux récentes élections. En comparant les chiffres, on peut dire que la population francophone a cherché à se faire représenter à Toronto selon son importance numérique et qu'elle y a réussi.

En revanche, l'emploi des langues au parlement ontarien ne repose pas sur les mêmes garanties constitutionnelles qu'au Québec. Les lois, les procès-verbaux et les comptes rendus de la chambre ne sont publiés qu'en anglais. L'anglais est la seule langue officielle des débats, mais l'usage s'est modifié officieusement ces dernières années. Les députés peuvent à l'occasion s'exprimer en français; les comptes rendus de leurs discours paraissent alors en français. Toutefois, la chose se produit assez rarement et sert sans doute des fins plus symboliques que pratiques.

Nous pouvons résumer comme suit nos conclusions quant au rapport entre la reconnaissance politique et celle des trois villes, on observe, d'une part, que la minorité tient davantage à être représentée quand sa langue n'est pas pleinement reconnue, d'autre part, que la minorité cherche moins à se faire représenter quand sa langue est pleinement reconnue. On constate le même phénomène à l'échelon provincial; toutefois, comme il s'agit de circonscriptions plus considérables, on peut se demander si en fait, les minorités anglophones des circonscriptions du Québec sont assez importantes pour en avoir le choix. À l'échelon fédéral, où des rouages perfectionnés rendent possible l'utilisation de l'une et l'autre langue, les structures permettent la reconnaissance des droits linguistiques et la représentation des deux groupes principaux.

E. Résumé

Voici les principales conclusions de notre étude sur la représentation politique dans la région de la capitale :

1. Dans les trois villes, Ottawa, Hull et Eastview, où les conseillers sont élus par arrondissement, les minorités éprouveraient moins de difficulté à se faire représenter. La plupart des conseillers des autres municipalités, de même que les membres du Bureau des commissaires d'Ottawa, sont élus par l'ensemble de l'électorat de la municipalité. Ce système rendrait plus difficile la représentation des minorités.

2. À Ottawa, la minorité de langue française a mis le système électoral pleinement à profit pour faire élire un nombre de conseillers presque proportionnel à son importance démographique. À Hull et à Eastview, les minorités anglophones ont de moins en moins tendance à accorder leurs suffrages à des candidats désignés par elles, voire à en proposer, et cela même si, dans certains quartiers d'Eastview pour le moins, l'égalité numérique leur permet de le faire.

3. Généralement, les conseillers de la ville d'Ottawa ne sont pas bilingues; aussi la langue des délibérations et des procès-verbaux est-elle l'anglais, sauf exception.

4. Au conseil de Hull, le français est la langue des délibérations et des comptes rendus, mais les affaires soumises en anglais peuvent être traitées dans cette langue.

5. Au conseil d'Eastview, on se sert largement de l'une et l'autre langue; cela tient à ce que les membres, en majorité francophones, exercent leurs fonctions dans le cadre d'institutions provinciales de langue anglaise.

6. Les trois autres municipalités du secteur ontarien de la région métropolitaine, Nepean, Gloucester et Rockcliffe Park, s'en tiennent au même régime qu'Ottawa, n'utilisant pour ainsi dire que l'anglais aux séances du conseil. Du côté québécois, on utilise le français à Gatineau, à Pointe-Gatineau et à Templeton, alors qu'à Aylmer, Lucerne, Deschênes et Templeton-Ouest, on a plutôt tendance à employer les deux langues.

7. Les conseils des huit municipalités situées en territoire québécois utiliseraient tous l'anglais et le français dans leurs rapports avec le public, tout comme le conseil d'Eastview en Ontario. Les conseils des quatre autres municipalités ontariennes n'accorderaient qu'une place relativement peu importante au français.

8. Les limites des circonscriptions fédérales et des circonscriptions provinciales ne sont pas établies de façon à coïncider exactement avec les limites de la région de la capitale, de quelque façon qu'on définisse cette dernière. Cela paraît particulièrement évident avec le récent remaniement de la carte électorale fédérale.

9. À l'échelon fédéral, l'analyse des six dernières élections dans les six circonscriptions de la région démontre qu'environ les deux tiers des candidats élus étaient de langue maternelle française, proportion bien supérieure à celle de la population de langue française des circonscriptions en question. Étant donné le remaniement de la carte électorale de 1965, il n'en sera peut-être plus ainsi aux futures élections.

10. À l'échelon provincial, le secteur québécois n'a élu que des représentants francophones à une assemblée législative où l'anglais et le français jouissent d'une reconnaissance officielle; du côté ontarien, on a élu des représentants francophones et anglophones à un parlement où l'usage du français n'a pas de caractère officiel et n'a qu'une valeur symbolique.

11. Le rapport le plus frappant entre la représentation politique et l'emploi des langues qui se dégage de la présente étude est en quelque sorte paradoxal. Si l'on ne reconnaît pas pleinement la langue d'une minorité, celle-ci cherche à se faire représenter par tous les moyens que met à sa disposition le système électoral; si la langue de la minorité bénéficie d'une reconnaissance totale, ceux qui la parlent ne cherchent pas à se faire représenter avec autant d'énergie. Cette tendance est très nette à l'échelon municipal et se retrouve à un degré moindre à l'échelon provincial.

Appendices

Appendice A (Chapitre premier)　　　　　　　　　　　　　　　　　Tableaux

TABLEAU A　Répartition de la population des secteurs ontarien et québécois de la zone métropolitaine d'Ottawa, classée selon la langue maternelle, en 1961.

Langue maternelle	Zone métropolitaine d'Ottawa	Secteur ontarien	Secteur québécois
Total	429 750	332 899	96 851
Anglais	239 287	225 845	13 442
Français	161 980	80 084	81 896
Autre	28 483	26 970	1 513

Source : Recensement du Canada de 1961, catalogue 92-549.

TABLEAU B   Répartition en pourcentage, par municipalité, de la population de la zone métropolitaine d'Ottawa, classée selon la langue maternelle, en 1961.

Langue maternelle	Zone métropolitaine d'Ottawa	Ottawa	Hull	Eastview	Nepean	Gloucester	Gatineau	Pointe-Gatineau	Aylmer	Lucerne	Templeton	Deschênes	Rockcliffe Park	Templeton-Ouest
Nombre	429 750	268 206	56 929	24 555	19 753	18 301	13 022	8 854	6 286	5 762	2 965	2 090	2 084	943
%	100	100	100	100	100	100	100	100	100	100	100	100	100	100
Anglais	55,7	70,1	8,2	34,0	89,5	54,4	11,7	3,0	41,3	52,2	14,3	30,0	85,0	37,2
Français	37,7	21,2	90,2	61,0	3,8	39,6	87,1	96,4	56,0	45,1	85,2	68,0	10,4	61,9
Autre	6,6	8,7	1,6	5,0	6,7	6,0	1,2	0,6	2,7	2,7	0,5	2,0	4,6	0,9
Allemand	1,4	1,7	0,2	1,3	2,3	2,3	0,2	**	**	**	**	**	**	**
Italien	1,6	2,4	0,2	0,4	0,4	0,2	0,2							
Néerlandais	0,6	0,6	0,1	0,5	2,0	1,2	0,0*							
Polonais	0,5	0,7	0,0*	0,4	0,4	0,6	0,0*							
Yiddish	0,3	0,4	0,2	0,3	0,1	0,1	0,0*							
Langues scandinaves	0,2	0,2	0,0*	0,1	0,2	0,3	0,0*							
Ukrainien	0,4	0,6	0,0*	0,4	0,5	0,4	0,0*							
Autre	1,6	2,1	0,6	1,5	0,8	0,7	0,7							

Source : Recensement du Canada de 1961, catalogue 92-549.
*Un peu moins de 0,05 %.
**Statistiques inexistantes.

TABLEAU C   Répartition en pourcentage, selon la connaissance des langues officielles, de la population de la zone métropolitaine d'Ottawa, classée d'après l'origine ethnique, en 1961.

Origine ethnique	Total		Connaissance des langues officielles			
	Nombre	%	Anglais seulement	Français seulement	Anglais et français	Ni l'une ni l'autre
Total	429 750	100	55,0	13,2	30,8	1,0
Britanniques	189 227	100	89,7	0,5	9,6	0,2
Français	175 374	100	8,6	31,0	60,1	0,3
Allemands	12 300	100	88,1	1,1	9,2	1,3
Italiens	9 094	100	63,0	2,9	13,6	20,4
Néerlandais	5 585	100	89,3	0,3	8,5	1,9
Polonais	4 243	100	84,4	0,8	12,3	2,4
Juifs	3 649	100	83,7	0,1	16,0	0,2
Scandinaves	3 318	100	90,2	0,6	8,9	0,4
Ukrainiens	2 985	100	86,8	0,6	10,3	2,3
Russes	1 449	100	81,7	1,1	16,0	1,2
Autres européens	8 715	100	72,2	3,2	17,0	7,5
Asiatiques	3 537	100	76,9	0,9	13,1	9,1
Autres	10 274	100	73,7	5,3	20,5	0,5

Source : Recensement du Canada de 1961, catalogue 92-561.

TABLEAU D   Répartition en pourcentage, selon la langue maternelle anglaise ou française, de la population de la zone métropolitaine d'Ottawa et des municipalités d'Ottawa et de Hull*, classée d'après l'origine ethnique britannique ou française, en 1961.

Zone ou municipalité	Origine ethnique	Population		Langue maternelle**	
		Nombre	%	Anglais	Français
Zone métropolitaine d'Ottawa	Britanniques	189 227	100	97,3	2,3
	Français	175 374	100	11,9	87,7
Ottawa	Britanniques	148 129	100	98,3	1,4
	Français	68 459	100	22,1	77,3
Hull	Britanniques	4 457	100	73,9	25,2
	Français	50 908	100	1,8	97,9

Source : Recensement du Canada de 1961, catalogue 92-561.
*Statistiques inexistantes pour Eastview.
**Le total des pourcentages ne donne pas 100, parce que les personnes d'origine ethnique britannique ou française dont la langue maternelle n'est ni l'anglais ni le français sont exclues de ce tableau.

TABLEAU E   Répartition en nombre et en pourcentage de la population de la ville d'Ottawa, classée selon l'origine ethnique, de 1871 à 1961.

Origine ethnique		1871	1881	1891	1901	1911	1921	1931	1941	1951	1961
Total	Nombre	21 545	27 412	37 269	59 928	87 062	107 843	126 872	154 951	202 045	268 206
	%	100	100	100	100	100	100	100	100	100	100
Britanniques	Nombre	14 064	17 440		37 335	52 734	68 215	78 512	94 112	121 716	148 129
	%	65,3	63,6		62,3	60,6	63,3	61,9	60,7	60,2	55,2
Français	Nombre	7 214	9 384	12 790*	19 495	26 732	30 442	37 465	48 081	57 399	68 459
	%	33,5	34,2	34,3*	32,5	30,7	28,2	29,5	31,0	28,4	25,5
Autres	Nombre	267	588		3 098	7 596	9 186	10 895	12 758	22 930	51 618
	%	1,2	2,2		5,2	8,7	8,5	8,6	8,3	11,4	19,2

Sources : Recensements du Canada de 1870-71 à 1961.
*Chiffres approchés. En 1891, la classification selon l'origine ethnique se limitait à deux groupes : « Canadiens français » et « autres ».

TABLEAU F Répartition en nombre et en pourcentage de la population de la ville de Hull, classée selon l'origine ethnique, de 1881 à 1961*.

Origine ethnique		1881	1891	1901	1911	1921	1931	1941	1951	1961
Total	Nombre	6 890	11 264	13 993	18 222	24 117	29 433	32 947	43 483	56 929
	%	100	100	100	100	100	100	100	100	100
Britanniques	Nombre	888		1 532	1 577	1 830	2 403	2 106	3 982	4 457
	%	12,9		10,9	8,7	7,6	8,2	6,4	9,2	7,8
Français	Nombre	5 933	10 062**	12 330	16 416	21 918	26 507	30 541	38 849	50 908
	%	86,1	89,3**	88,1	90,0	90,9	90,0	92,7	89,3	89,4
Autres	Nombre	69		131	229	369	523	300	652	1 564
	%	1,0		1,0	1,3	1,5	1,8	0,9	1,5	2,8

Source : voir Tableau E.
*Hull n'a été constituée en ville qu'en 1875.
**Chiffres approchés. En 1891, la classification selon l'origine ethnique se limitait à deux groupes : « Canadiens français » et « autres ».

TABLEAU G Répartition en pourcentage, selon la langue maternelle, de la population de la zone métropolitaine d'Ottawa, classée d'après l'origine ethnique, en 1961.

Origine ethnique	Total		Langue maternelle*		
	Nombre	%	Anglais	Français	Correspondant à l'origine ethnique
Total	429 750	100	55,7	37,7	6,6
Britanniques	189 227	100	97,3	2,3	0,1
Français	175 374	100	11,9	87,7	–
Allemands	12 300	100	57,4	3,5	38,4
Italiens	9 094	100	24,5	3,6	71,3
Néerlandais	5 585	100	55,0	1,2	42,6
Polonais	4 243	100	46,5	2,4	44,8
Juifs	3 649	100	74,8	0,1	21,0
Scandinaves	3 318	100	74,9	2,2	21,4
Ukrainiens	2 935	100	50,8	2,0	44,6
Russes	1 449	100	65,2	2,1	18,6
Autres européens	8 715	100	33,6	7,0	20,8
Asiatiques	3 537	100	34,1	2,9	25,4
Autres	10 274	100	79,3	18,7	4,5

Source : Recensement du Canada de 1961, catalogue 92-549.
*Le total des pourcentages ne donne pas 100, parce que les personnes dont la langue maternelle ne correspond pas à l'origine ethnique sont exclues de ce tableau.

TABLEAU H Répartition en pourcentage, selon le degré d'instruction* et l'origine ethnique, de la main-d'œuvre masculine de la zone métropolitaine d'Ottawa, classée d'après la profession, en 1961.

							Instruction/Origine ethnique						
Profession		Élémentaire			Secondaire (1-2 ans)			Secondaire (3-5 ans)			Universitaire (1 an et plus)		
		Brit.	Franç.	Autre	Brit.	Franç.	Autre	Brit.	Franç.	Autre	Brit.	Franç.	Autre
Total	Nombre	8 117	18 766	5 699	9 317	9 376	2 815	18 150	8 681	5 717	10 344	4 040	3 604
	%	100	100	100	100	100	100	100	100	100	100	100	100
Administrateurs		7,4	5,3	9,3	10,8	7,7	13,4	19,1	13,4	20,8	23,5	18,1	19,3
Professions libérales et techniciens		3,0	1,3	1,4	4,9	3,2	5,9	14,1	10,4	12,7	50,7	42,0	52,8
Employés de bureau		11,7	6,2	3,5	17,6	18,2	15,0	19,3	29,0	13,6	5,6	15,7	5,4
Vendeurs		4,9	4,3	3,3	8,1	7,2	5,3	7,8	8,7	7,9	3,9	5,9	4,4
Employés des transports et communications		13,1	13,7	6,2	9,3	12,5	6,7	3,6	4,0	2,9	0,6	1,4	0,4
Travailleurs des services et des activités récréatives		18,8	13,6	16,9	18,9	11,2	15,9	18,3	10,1	16,9	10,8	7,5	9,6
Ouvriers de métiers		30,4	38,5	42,7	23,9	30,1	27,1	13,4	20,0	20,3	1,9	7,3	4,7
Manœuvres		5,6	13,6	13,1	3,0	7,7	4,3	1,5	1,6	1,4	1,1	0,8	1,0
Agriculteurs		0,2	0,07	0,1	0,3	0,0	0,0	0,1	0,05	0,09	0,0	0,2	0,2
Autres professions primaires		2,6	1,6	1,6	0,8	0,3	2,5	0,4	0,3	1,2	0,5	0,2	0,3
Professions non déclarées		2,4	1,8	1,9	2,4	1,9	3,9	2,4	2,3	2,2	1,5	1,0	2,1

Source : Bande 3, tableau 8, 1re et 2e parties, pp. 19-34.
*Les personnes n'ayant aucune instruction sont exclues.

TABLEAU I Répartition en pourcentage, selon la langue maternelle, de la population de la zone métropolitaine d'Ottawa, classée par secteur de recensement, en 1961. Les secteurs sont classés dans l'ordre de progression de la moyenne des revenus de travail.

Secteur de recensement	Moyenne des revenus de travail* (en $)	Population	Langue maternelle		
			Anglais	Français	Autre
151 Templeton-Ouest	2 843	943	37,2	61,9	0,9
16 Ottawa	2 891	3 432	19,4	75,3	5,3
32 Ottawa	2 953	2 292	49,8	37,8	12,4
102 Hull	3 006	5 596	3,7	93,8	2,5
130 Deschênes	3 047	2 090	29,7	67,8	2,5
127 Templeton	3 087	2 965	14,4	85,2	0,4
103 Hull	3 099	5 208	4,8	93,5	1,7
101 Hull	3 104	7 958	3,4	95,7	0,9
30 Ottawa	3 182	6 255	51,4	20,5	28,0
31 Ottawa	3 209	7 053	50,4	26,8	22,8
100 Hull	3 214	7 762	3,2	95,0	1,8
18 Ottawa	3 219	7 645	17,9	77,5	4,6
19 Ottawa	3 246	5 099	17,2	79,6	3,2
33 Ottawa	3 293	5 967	39,3	56,5	4,2
23 Ottawa	3 308	4 254	72,9	14,1	13,0
21 Ottawa	3 351	5 532	68,4	15,3	16,3
22 Ottawa	3 352	5 404	69,6	10,2	20,2
125 Pointe-Gatineau	3 375	8 854	3,0	96,4	0,6
15 Ottawa	3 448	2 552	32,5	59,7	7,8
17 Ottawa	3 450	3 577	35,7	55,8	8,5
105 Hull	3 457	7 487	8,2	90,2	1,6
72 Eastview	3 501	4 353	21,6	73,9	4,5
108 Hull	3 517	2 471	7,6	91,4	1,0
29 Ottawa	3 527	4 462	56,9	20,8	22,3
74 Eastview	3 643	4 267	24,0	72,5	3,5
131 Aylmer	3 705	6 286	41,4	55,9	2,7
120 Gatineau	3 804	13 022	11,7	87,1	1,2
4 Ottawa	3 819	2 602	37,0	57,8	5,2
34 Ottawa	3 851	6 154	70,9	17,4	11,7
73 Eastview	3 857	6 753	23,0	74,0	3,0
106 Hull	3 890	7 277	11,1	86,9	2,0
12 Ottawa	3 926	2 277	80,0	17,2	2,8
20 Ottawa	3 926	3 257	76,7	15,4	7,9
104 Hull	3 935	9 287	12,3	86,7	1,0
27 Ottawa	4 025	5 669	84,1	5,9	1,0
1 Ottawa	4 052	4 684	77,4	19,9	2,7
11 Ottawa	4 053	4 171	62,9	30,0	7,1
14 Ottawa	4 053	7 479	51,6	36,9	11,5
70 Eastview	4 078	3 926	42,4	51,0	6,6
25 Ottawa	4 096	3 353	76,0	12,9	11,1
50 Ottawa	4 180	2 483	79,0	13,2	7,8
5 Ottawa	4 191	5 765	58,1	34,9	7,0
41 Ottawa	4 258	6 129	57,6	37,8	4,6
87 Gloucester	4 320	2 022	74,2	18,5	7,3

Tableau I (suite)

Secteur de recensement	Moyenne des revenus de travail* (en $)	Population	Langue maternelle		
			Anglais	Français	Autre
45 Ottawa	4 336	7 896	80,7	11,2	8,1
71 Eastview	4 345	5 256	60,4	32,7	6,9
24 Ottawa	4 459	7 112	79,2	12,4	8,4
135 et 150 Lucerne	4 496	5 762	52,3	45,1	2,6
37 Ottawa	4 557	7 794	80,7	11,2	8,1
13 Ottawa	4 571	4 824	53,1	32,7	14,2
9 Ottawa	4 596	4 958	88,1	4,8	7,1
44 Ottawa	4 718	4 089	75,2	12,1	12,7
38 Ottawa	4 770	9 370	86,9	6,7	6,4
84 Nepean	4 778	821	79,5	8,7	11,8
3 Ottawa	4 928	4 049	61,4	30,5	8,1
26 Ottawa	5 025	4 831	83,4	7,2	9,4
86 Gloucester	5 094	5 027	53,6	40,2	6,2
2 Ottawa	5 171	12 480	69,8	23,2	7,0
48 Ottawa	5 102	2 531	87,0	5,8	7,2
107 Hull	5 226	3 883	23,8	73,5	2,7
82 Nepean	5 253	2 143	86,3	4,2	9,5
83 Nepean	5 294	1 452	90,0	4,1	5,9
49 Ottawa	5 329	1 959	86,6	8,0	5,4
40 Ottawa	5 332	5 676	87,9	6,2	5,9
36 Ottawa	5 423	3 144	88,6	4,2	7,2
81 Nepean	5 427	5 920	92,2	3,1	4,7
28 Ottawa	5 618	5 044	87,3	4,7	8,0
42 Ottawa	5 633	6 982	78,1	17,5	4,4
7 Ottawa	5 678	2 528	84,6	8,9	6,5
8 Ottawa	5 758	2 351	94,2	2,7	3,1
80 Nepean	5 815	3 813	91,3	3,9	4,8
10 Ottawa	5 857	5 682	83,9	10,5	5,6
46 Ottawa	5 868	11 711	85,7	8,3	6,0
85 Nepean	5 895	2 846	88,5	3,7	7,8
43 Ottawa	6 211	5 077	84,4	9,5	6,1
35 Ottawa	6 657	4 786	88,5	4,8	6,7
47 Ottawa	6 678	4 752	89,8	4,7	5,5
6 Ottawa	6 756	12 886	85,2	10,0	4,8
39 Ottawa	6 865	8 147	93,1	2,9	4,0
79 Rockcliffe Park	8 326	2 084	85,0	10,4	4,6

Source : Recensement du Canada de 1961, catalogue 95-528.
*Pour la main-d'œuvre masculine seulement.

TABLEAU J   Répartition en nombre et en pourcentage, selon la langue maternelle, des fonctionnaires fédéraux de la zone métropolitaine d'Ottawa, classés par secteur géographique en 1961.

Secteur géographique		Total		Langue maternelle					
				Anglais		Français		Autre	
		Nombre	%	Nombre	%	Nombre	%	Nombre	%
Zone métropolitaine d'Ottawa		45 619	100	29 847	100	13 932	100	1 840	100
Ontario	Total	38 957	85,4	28 627	95,9	8 536	61,3	1 794	97,5
Ottawa		32 620	71,5	24 570	82,3	6 529	46,9	1 521	82,7
A. Est (secteurs 1-2)		1 609	3,5	1 160	3,9	334	2,4	115	6,3
B. Nord-Est (secteurs 3-4, 16-19)		3 424	7,5	1 261	4,2	2 058	14,8	105	5,7
C. Centre-Est (secteurs 11-15)		2 885	6,3	1 771	5,9	985	7,1	129	7,0
D. Sud-Est (secteurs 5-7, 41-43)		4 482	9,8	3 511	11,8	734	5,3	237	12,9
E. Centre (secteurs 20-25)		4 786	10,5	3 958	13,3	628	4,5	200	10,9
F. Centre-Ouest (secteurs 30-34)		2 705	5,9	1 781	6,0	813	5,8	111	6,0
G. Sud-Ouest (secteurs 8-10, 26-29, 44)		4 707	10,3	4 070	13,6	399	2,9	238	12,9
H. Ouest (secteurs 35-40, 45-50)		8 022	17,6	7 058	23,6	578	4,1	386	21,0
Eastview		2 903	6,4	1 237	4,1	1 558	11,2	108	5,9
Autres municipalités*		3 434	7,5	2 820	9,4	449	3,2	165	9,0
Québec	Total	6 662	14,6	1 220	4,1	5 396	38,7	46	2,5
Hull		4 525	9,9	553	1,9	3 948	28,3	24	1,3
Autres municipalités**		2 137	4,7	667	2,2	1 448	10,4	22	1,2

Source : Bande 1, tableau 3. Pour réduire le nombre de catégories, on a groupé en des unités plus vastes les secteurs de recensement d'Ottawa et des municipalités suburbaines. Il n'a pas été fait d'analyse détaillée pour chaque secteur de recensement.
*Gloucester, Nepean et Rockcliffe Park.
**Aylmer, Deschênes, Gatineau, Lucerne, Pointe-Gatineau, Templeton et Templeton-Ouest.

TABLEAU K Répartition en nombre et en pourcentage, selon la langue maternelle, des fonctionnaires fédéraux de la zone métropolitaine d'Ottawa gagnant plus de $10 000 et classés par secteur géographique en 1961.

Secteur géographique		Total		Langue maternelle					
				Anglais		Français		Autre	
		Nombre	%	Nombre	%	Nombre	%	Nombre	%
Zone métropolitaine d'Ottawa		2 017	100	1 728	100	182	100	107	100
Ontario	Total	1 942	96,2	1 695	98,1	143	78,6	104	97,1
Ottawa		1 685	83,5	1 473	85,2	127	69,8	85	79,4
A. Est (secteurs 1-2)		118	5,9	104	6,0	7	3,8	7	6,5
B. Nord-Est (secteurs 3-4, 16-19)		53	2,6	41	2,4	12	6,6	0	–
C. Centre-Est (secteurs 11-15)		98	4,9	67	3,9	27	14,8	4	3,7
D. Sud-Est (secteurs 5-7, 41-43)		398	19,7	349	20,2	27	14,8	22	20,6
E. Centre (secteurs 20-25)		105	5,2	91	5,3	10	5,5	4	3,7
F. Centre-Ouest (secteurs 30-34)		19	0,9	16	0,9	2	1,1	1	0,9
G. Sud-Ouest (secteurs 8-10, 26-29, 44)		315	15,6	276	16,0	27	14,8	12	11,2
H. Ouest (secteurs 35-40, 45-50)		579	28,7	529	30,6	15	8,2	35	32,7
Eastview		15	0,7	6	0,4	5	2,8	4	3,7
Autres municipalités*		242	12,0	216	12,5	11	6,0	15	14,0
Québec	Total	75	3,7	33	1,9	39	21,4	3	2,8
Hull		47	2,3	18	1,0	28	15,4	1	0,9
Autres municipalités**		28	1,4	15	0,9	11	6,0	2	1,9

Source : Bande 1, tableau 3. Pour réduire le nombre de catégories, on a groupé en des unités plus vastes les secteurs de recensement d'Ottawa et des municipalités suburbaines. Il n'a pas été fait d'analyse détaillée pour chaque secteur.
*Gloucester, Nepean et Rockcliffe Park.
**Aylmer, Deschênes, Gatineau, Lucerne, Pointe-Gatineau, Templeton et Templeton-Ouest.

TABLEAU L Nombre et proportion des bilingues dans quelques municipalités canadiennes (20 000 hab. et plus), en 1961.

Municipalité	Population	Bilingues	
		Nombre	%
Ottawa	268 206	66 972	25,0
Hull	56 929	27 944	49,1
Eastview	24,555	12 879	52,4
Sudbury	80 120	23 220	29,0
Sherbrooke	66 554	23 013	29,4
Moncton	43 840	14 160	32,3
Cornwall	43 639	18 996	43,5
Saint-Boniface	37 600	13 516	36,0
Chomedey	30 445	9 229	30,3
Timmins	29 270	11 445	39,1
Verdun	78 317	30 855	39,4
Lachine	38 630	15 309	39,6
Outremont	30 753	14 222	46,2
Westmount	25 012	10 167	40,6
Ville-Mont-Royal	21 182	9 016	42,6

Source : Recensement du Canada de 1961, catalogue 92-549.

TABLEAU M   Répartition en pourcentage, selon la connaissance des langues officielles, de la population de la zone métropolitaine d'Ottawa, classée par secteur de recensement, en 1961.

Secteur de recensement	Population	Connaissance des langues officielles			
		Anglais seulement	Français seulement	Anglais et français	Ni l'une ni l'autre
16 Ottawa	3 432	18,2	12,8	68,8	0,2
19 Ottawa	5 099	14,6	18,2	66,5	0,6
18 Ottawa	7 645	16,4	17,9	65,3	0,5
72 Eastview	4 353	19,0	16,5	62,7	1,8
74 Eastview	4 267	21,1	16,7	60,8	1,3
33 Ottawa	5 967	33,8	7,3	57,3	1,6
73 Eastview	6 735	21,1	20,6	57,4	1,1
15 Ottawa	2 552	31,0	12,1	55,6	1,3
17 Ottawa	3 577	34,6	9,6	55,3	0,6
4 Ottawa	2 602	33,1	11,3	55,2	0,4
130 Deschênes	2 090	25,0	20,3	54,4	0,3
100 Hull	7 762	2,1	44,2	53,0	0,7
106 Hull	7 277	8,2	39,7	51,4	0,7
107 Hull	3 883	19,4	28,4	51,4	0,8
102 Hull	5 596	2,1	46,0	50,8	1,0
104 Hull	9 287	8,3	41,3	50,4	0,1
105 Hull	7 487	5,0	44,0	50,3	0,8
70 Eastview	3 926	40,7	9,9	48,6	0,9
131 Aylmer	6 286	34,3	17,6	47,9	0,2
103 Hull	5 208	2,8	48,8	47,7	0,8
101 Hull	7 958	1,6	55,1	43,1	0,2
14 Ottawa	7 479	52,1	4,0	42,9	1,1
13 Ottawa	4 824	52,8	4,0	41,5	1,7
32 Ottawa	2 292	52,4	4,9	40,8	1,9
135 et 150 Lucerne	5 762	45,7	14,5	39,6	0,2
127 Templeton	2 965	9,0	51,4	39,5	0,1
120 Gatineau	13 022	8,1	52,7	39,1	0,1
125 Pointe-Gatineau	8 854	1,8	59,5	38,7	0,1
41 Ottawa	6 129	56,5	5,8	37,4	0,3
86 Gloucester	5 027	51,7	10,3	37,1	1,0
108 Hull	2 471	6,2	57,3	36,5	–
5 Ottawa	5 765	58,0	6,2	35,1	0,7
3 Ottawa	4 049	57,2	6,4	34,7	1,7
71 Eastview	5 256	59,1	6,6	33,9	0,5
11 Ottawa	4 171	62,7	5,4	31,2	0,7
79 Rockcliffe Park	2 084	68,8	1,5	29,6	0,1
31 Ottawa	7 053	58,9	4,5	29,2	7,4
151 Templeton-Ouest	943	31,9	40,0	28,0	0,1
30 Ottawa	6 255	63,1	2,6	26,6	7,8
29 Ottawa	4 462	66,2	2,2	26,2	5,5
2 Ottawa	12 480	68,4	4,8	26,0	0,7
20 Ottawa	3 257	75,6	0,8	23,0	0,6
34 Ottawa	6 154	72,7	2,2	22,8	2,3

Tableau M (suite)

Secteur de recensement	Population	Connaissance des langues officielles			
		Anglais seulement	Français seulement	Anglais et français	Ni l'une ni l'autre
1 Ottawa	4 684	75,7	2,3	22,0	0,0
24 Ottawa	7 112	77,1	1,0	21,5	0,4
12 Ottawa	2 277	76,5	2,0	21,3	0,1
42 Ottawa	6 982	75,8	3,0	21,0	0,2
23 Ottawa	4 254	76,9	0,9	20,8	1,3
21 Ottawa	5 532	75,5	1,8	19,8	2,9
25 Ottawa	3 353	78,5	0,8	19,5	1,1
87 Gloucester	2 022	77,3	3,0	19,4	0,3
10 Ottawa	5 682	80,5	1,0	18,1	0,4
44 Ottawa	4 089	79,9	1,8	17,1	1,3
50 Ottawa	2 483	81,2	1,7	16,5	0,6
37 Ottawa	7 794	81,1	1,2	16,3	1,4
6 Ottawa	12 886	82,6	1,4	15,8	0,3
45 Ottawa	7 896	82,4	1,1	15,7	0,8
22 Ottawa	5 404	78,3	1,1	15,3	5,3
26 Ottawa	4 831	82,8	0,7	15,2	1,3
43 Ottawa	5 077	83,3	1,3	14,9	0,6
7 Ottawa	2 528	84,8	1,1	14,0	0,2
46 Ottawa	11 711	85,1	0,8	13,7	0,4
35 Ottawa	4 786	85,8	0,6	13,3	0,3
84 Nepean	821	85,6	0,9	13,3	0,2
38 Ottawa	9 370	86,5	0,6	12,6	0,4
28 Ottawa	5 044	85,6	0,4	12,6	1,3
48 Ottawa	2 531	87,8	0,5	11,6	0,1
40 Ottawa	5 676	87,1	1,1	11,5	0,3
47 Ottawa	4 752	87,9	0,6	11,4	0,1
27 Ottawa	5 669	87,4	0,5	10,9	1,1
9 Ottawa	4 958	88,4	0,5	10,3	0,7
49 Ottawa	1 959	89,1	0,6	10,3	—
85 Nepean	2 846	88,8	0,5	10,3	0,5
36 Ottawa	3 144	89,9	0,3	9,7	0,2
83 Nepean	1 452	89,9	0,3	9,5	0,2
82 Nepean	2 143	91,1	0,2	8,5	0,1
80 Nepean	3 813	91,3	0,3	8,2	0,2
81 Nepean	5 920	91,4	0,3	8,2	0,1
39 Ottawa	8 147	91,1	0,4	8,1	0,5
8 Ottawa	2 351	91,7	0,2	7,8	0,3

Source : Recensement du Canada de 1961, catalogue 95-528.

TABLEAU N Répartition en nombre et revenu de travail annuel moyen, selon le degré d'instruction, de l'ensemble de la main-d'œuvre de la région métropolitaine d'Ottawa, classée d'après l'origine ethnique et la connaissance des langues officielles, en 1961.

Origine ethnique	Connaissance des langues officielles	Ensemble de la main-d'œuvre		Degré d'instruction								
				Sans instruction		Élémentaire		Secondaire (1-2 ans)		Secondaire (3-5 ans)		Universitaire	
		Nombre	Revenu moyen (en $)	Nombre	Revenu moyen (en $)	Nombre	Revenu moyen (en $)	Nombre	Revenu moyen (en $)	Nombre	Revenu moyen (en $)	Nombre	Revenu moyen (en $)
Total	Anglais	84 737	4 332	142	2 281	16 265	3 240	17 494	3 586	37 273	4 175	13 563	7 038
	Français	6 472	2 377	130	2 402	4 569	2 273	885	2 168	701	2 928	187	3 760
	Les deux	63 526	3 829	231	2 169	22 844	3 086	14 552	3 199	17 610	3 972	8 289	6 700
	Aucune	908	1 921	99	1 302	694	1 915	70	2 326	35	1 309*	10	7 250*
	Total	155 643	4 033	602	2 110	44 372	3 041	33 001	3 375	55 619	4 094	22 049	6 883
Britanniques	Anglais	61 335	4 511	67	2 167	9 707	3 422	12 990	3 701	28 422	4 260	10 149	7 302
	Français	88	3 487	—	—	29	3 125*	5	1 400*	54	3 875	—	—
	Les deux	8 676	4 879	16	3 138*	1 499	3 087	1 521	3 686	3 104	4 434	2 536	7 195
	Aucune	14	4 285*	5	3 277*	—	—	4	3 400*	—	—	5	6 000*
	Total	70 113	4 555	88	2 407	11 235	3 377	14 520	3 698	31 580	4 276	12 690	7 280
Français	Anglais	3 503	3 438	4	2 700*	719	2 658	1 092	3 087	1 435	3 713	253	5 530
	Français	6 125	2 348	130	2 402	4 364	2 262	862	2 175	607	2 873	162	3 511
	Les deux	50 220	3 567	186	2 141	20 220	3 068	12 355	3 145	12 934	3 770	4 525	6 403
	Aucune	46	2 048*	4	1 200*	21	2 067*	21	2 195*	—	—	—	—
	Total	59 894	3 435	324	2 236	25 324	2 917	14 330	3 081	14 976	3 728	4 940	6 263
Autres	Anglais	19 899	3 933	71	2 365	5 839	3 003	3 412	3 305	7 416	3 940	3 161	6 310
	Français	259	2 659	—	—	176	2 384	18	2 022*	40	2 424*	25	5 380*
	Les deux	4 630	4 704	29	1 764*	1 125	3 406	676	3 100	1 572	4 739	1 228	6 773
	Aucune	848	1 874	90	1 185	673	1 911	45	2 292*	35	1 309*	5	8 500*
	Total	25 636	3 993	190	1 740	7 813	2 954	4 151	3 254	9 063	4 061	4 419	6 436

Source : Bande 3, tableau 8, 1re et 2e parties.
*Négligeable dans un échantillon de 20 % comme celui-ci.

TABLEAU O — Répartition en nombre et revenu de travail annuel moyen, selon la profession, de l'ensemble de la main-d'œuvre de la région métropolitaine d'Ottawa, classée d'après l'origine ethnique et la connaissance des langues officielles, en 1961.

Origine ethnique	Connaissance des langues officielles	Ensemble de la main-d'œuvre		Profession								
				Administratives		Professions libérales et techniciens		Employés de bureau		Vendeurs		Travailleurs des services et activités récréatives	
		Nombre	Revenu moyen (en $)	Nombre	Revenu moyen (en $)	Nombre	Revenu moyen (en $)	Nombre	Revenu moyen (en $)	Nombre	Revenu moyen (en $)	Nombre	Revenu moyen (en $)
Total	Anglais	84 737	4 332	9 467	7 615	13 759	5 848	23 266	3 186	5 381	3 591	13 774	3 781
	Français	6 472	2 377	133	4 000	300	3 384	517	2 451	274	1 722	1 719	1 275
	Les deux	63 526	3 829	5 573	7 212	7 047	5 786	15 533	3 046	4 422	3 297	9 373	2 803
	Aucune	908	1 921	5	8 000*	5	6 000*	9	3 211*	5	2 000*	339	1 347
	Total	155 643	4 033	15 178	7 435	21 111	5 793	39 345	3 120	10 082	3 411	25 205	3 222
Britanniques	Anglais	61 335	4 511	6 931	7 895	10 459	6 000	18 321	3 239	3 957	3 681	9 493	4 145
	Français	88	3 487	4	2 000*	9	6 667	30	2 755*	—	—	5	1 125*
	Les deux	8 676	4 879	1 193	8 662	1 733	6 296	2 055	3 214	661	3 847	1 187	4 200
	Aucune	14	4 285*	—	—	5	6 000*	4	3 400*	—	—	—	—
	Total	70 113	4 555	8 128	8 004	12 206	6 043	20 410	3 236	4 168	3 705	10 685	4 150
Français	Anglais	3 503	3 438	262	6 934	383	4 681	1 112	3 000	260	3 219	577	2 713
	Français	6 125	2 348	112	3 937	276	2 990	467	2 470	263	1 706	1 648	1 256
	Les deux	50 220	3 567	3 602	6 568	4 361	5 533	12 714	3 021	3 448	3 110	7 500	2 525
	Aucune	46	2 048*	—	—	—	—	5	1 440*	5	2 000*	20	771*
	Total	59 894	3 435	3 976	6 517	5 020	5 333	14 298	3 000	3 976	3 022	9 745	2 321
Autres	Anglais	19 899	3 933	2 274	6 821	2 917	5 455	3 833	2 983	1 164	3 363	3 704	3 003
	Français	259	2 659	17	4 888*	15	8 333*	20	1 570*	11	2 101*	66	1 727
	Les deux	4 630	4 704	778	7 945	953	6 014	784	3 012	313	4 209	686	3 389
	Aucune	848	1 874	5	8 000*	—	—	—	—	—	—	319	1 376
	Total	25 636	3 993	3 074	7 099	3 885	5 604	4 637	2 982	1 488	3 528	4 775	2 941

Tableaux   217

TABLEAU O (suite)

Origine ethnique	Connaissance des langues officielles	Ensemble de la main-d'œuvre		Profession											
				Employés des transports et communications		Agriculteurs		Autres professions primaires		Ouvriers de métiers		Manœuvres		Professions non déclarées	
		Nombre	Revenu moyen (en $)	Nombre	Revenu moyen (en $)	Nombre	Revenu moyen (3n $)	Nombre	Revenu moyen (en $)	Nombre	Revenu moyen (en $)	Nombre	Revenu moyen (en $)	Nombre	Revenu moyen (en $)
Total	Anglais	84 737	4 332	3 518	3 656	92	3 917	596	2 547	11 188	3 861	1 770	2 294	1 926	3 664
	Français	6 472	2 377	314	2 735	—	—	105	3 428	1 873	3 035	975	2 242	262	2 937
	Les deux	63 526	3 829	4 563	3 204	33	3 961*	353	2 606	12 684	3 730	2 944	2 475	981	3 878
	Aucune	908	1 921	6	3 900*	—	—	5	1 500*	332	1 924	161	2 297	41	2 998*
	Total	155 643	4 033	8 401	3 376	125	3 929	1 059	2 650	26 077	3 713	5 850	2 377	3 210	3 662
Britanniques	Anglais	61 335	4 511	2 652	3 763	70	4 419	362	2 655	6 735	4 068	980	2 202	1 375	3 749
	Français	88	3 487	5	3 000*	—	—	—	—	30	4 320*	5	1 200*	—	—
	Les deux	8 676	4 879	441	3 062	—	—	67	2 259	1 028	3 976	179	2 660	132	7 315
	Aucune	14	4 285*	—	—	—	—	—	—	—	—	5	3 277*	—	—
	Total	70 113	4 555	3 098	3 662	70	4 419	429	2 592	7 793	4 056	1 169	2 273	1 507	4 030
Français	Anglais	3 503	3 438	207	2 546	17	894*	36	1 743*	560	3 282	50	2 455	39	3 348*
	Français	6 125	2 348	304	2 739	—	—	100	3 534	1 753	3 022	940	2 278	262	2 937
	Les deux	50 220	3 567	3 960	3 220	22	4 641*	251	2 698	10 958	3 716	2 635	2 472	769	3 200
	Aucune	46	2 048*	6	3 900*	—	—	—	—	10	3 050*	—	—	—	—
	Total	59 895	3 435	4 477	3 157	39	3 008*	387	2 827	13 281	3 606	3 625	2 421	1 070	3 140
Autres	Anglais	19 899	3 933	659	3 573	5	8 160*	198	2 497	3 893	3 585	740	2 405	512	3 438
	Français	259	2 659	5	2 224*	—	—	5	1 300*	90	2 852	30	1 290*	—	—
	Les deux	4 630	4 704	162	3 207	11	2 600*	35	2 624*	698	3 577	130	2 298	80	4 888
	Aucune	848	1 874	—	—	—	—	5	1 500*	322	1 889	156	2 266	41	2 998*
	Total	25 636	3 993	826	3 493	16	4 338*	243	2 470	5 003	3 461	1 056	2 339	633	3 593

Source : Bande 3, tableau 8, 1re et 2e parties.
*Négligeable dans un échantillon de 20% comme celui-ci.

Appendice B (Chapitre premier) **Influence de certains facteurs sur la disparité des revenus de travail**

Ce travail a pour but d'étudier dans quelle mesure la disparité des revenus de travail de la main-d'œuvre masculine est influencée par le degré d'instruction, la structure occupationnelle, la structure industrielle et l'âge. La méthode utilisée est une méthode d'analyse itérative**.

1. La méthode utilisée

On se propose d'utiliser une formule qui permette de mesurer l'influence d'un facteur spécifique sur l'écart entre les revenus moyens de travail de la population masculine d'origines britannique et française.

Soit un ensemble J de n facteurs (j = 1, ..., n). Chaque facteur j peut être classifié selon un ensemble Ij de m_j catégories (i = 1, ..., m) dans lesquelles la main-d'œuvre de chaque groupe ethnique est répartie en fonction de ce facteur.

Soit :

Y^B : le revenu moyen de travail de la main-d'œuvre masculine d'origine britannique

Y^F : le revenu moyen de travail de la main-d'œuvre masculine d'origine française

$Y_{i,j}$: le revenu moyen des personnes appartenant à la catégorie i du facteur j.

$N_{i,j}$: la proportion de la main-d'œuvre appartenant à la catégorie i du facteur j.

Les indices supérieurs B et F attachés à un symbole désignent la main-d'œuvre masculine d'origines britannique et française respectivement $Y^B_{i,j}$, $Y^F_{i,j}$, $N^B_{i,j}$ et $N^F_{i,j}$.

---

*La compilation a été faite par André Barsony sous la direction du professeur André Raynauld, de l'Université de Montréal.

**Cette méthode a été utilisée pour analyser la disparité des revenus entre les différents groupes ethniques de la région métropolitaine de Montréal. Voir A. Raynauld, G. Marion et R. Béland : « La répartition des revenus selon les groupes ethniques au Canada », étude faite pour la Commission royale d'enquête sur le bilinguisme et le biculturalisme.

On a les relations évidentes :

$$\sum_{i=1}^{m_j} N_{i,j} = 1 \qquad \text{pour chaque facteur j}$$

$$Y^B = \sum_{i=1}^{m_j} Y_{i,j}^B \, N_{i,j}^B \qquad \text{pour chaque facteur j} \ldots (1.1)$$

$$Y^F = \sum_{i=1}^{m_j} Y_{i,j}^F \, N_{i,j}^B \qquad \text{pour chaque facteur j}$$

L'écart de revenu moyen de travail entre les deux groupes ethniques s'écrit :

$$Y^B - Y^F = \sum_{i=1}^{m_j} Y_{i,j}^B \, N_{i,j}^B - \sum_{i=1}^{m_j} Y_{i,j}^F \, N_{i,j}^F \qquad \text{pour chaque facteur j} \ldots (1.2)$$

On définit les relations suivantes :

$$dY_{i,j} = Y_{i,j}^B - Y_{i,j}^F$$

$$dN_{i,j} = N_{i,j}^B - N_{i,j}^F$$

Il résulte que la formule (1.2) peut s'écrire*** :

$$Y^B - Y^F = \sum_{i=1}^{m_j} dY_{i,j} \, N_{i,j}^F + \sum_{i=1}^{m_j} dN_{i,j} \, Y_{i,j}^F + \sum_{i=1}^{m_j} dY_{i,j} \, dN_{i,j} \qquad \text{pour chaque facteur j}$$
(1.3)

Le membre gauche de l'équation (1.3) indique la différence qui existe entre le revenu moyen de la main-d'œuvre d'origine britannique et celui de la main-d'œuvre d'origine française, alors que le membre droit indique les sources de cette différence :

a) $\sum_{i=1}^{m_j} dY_{i,j} \, N_{i,j}^F$ est l'effet attribuable à la différence de revenu entre les deux

groupes ethniques à l'intérieur de chaque catégorie i du facteur j considéré. En d'autres termes, l'effet de revenu explique la différence de revenu qui existerait même si les salariés d'origine britannique avaient la même structure de main-d'œuvre que ceux d'origine française selon le facteur considéré.

***En effet, on n'a qu'à additionner d'une part les membres de gauche et d'autre part les membres de droite des équations suivantes :

$$\sum_i dY_{i,j} \, N_{i,j}^F = \sum_i (Y_{i,j}^B - Y_{i,j}^F) \, N_{i,j}^F = \sum_i Y_{i,j}^B \, N_{i,j}^F - \sum_i Y_{i,j}^F \, N_{i,j}^F$$

$$\sum_i dN_{i,j} \, Y_{i,j}^F = \sum_i (N_{i,j}^B - N_{i,j}^F) \, Y_{i,j}^F = \sum_i N_{i,j}^B \, Y_{i,j}^F - \sum_i N_{i,j}^F \, Y_{i,j}^F$$

$$\sum_i dY_{i,j} \, dN_{i,j} = \sum_i (Y_{i,j}^B - Y_{i,j}^F)(N_{i,j}^B - N_{i,j}^F) = \sum_i Y_{i,j}^B \, N_{i,j}^B - \sum_i Y_{i,j}^F \, N_{i,j}^B - \sum_i Y_{i,j}^B \, N_{i,j}^F + \sum_i Y_{i,j}^F \, N_{i,j}^F$$

b) $\sum_{i=1}^{m_j} dN_{i,j} \, Y^F_{i,j}$ est l'effet attribuable à la différence de structure entre les main-d'œuvres des deux groupes ethniques selon le facteur j considéré. En d'autres termes, l'effet de structure explique la différence de revenu qui existerait même si les salariés d'origine britannique avaient le même revenu moyen que ceux d'origine française dans chaque catégorie i du facteur j considéré.

c) $\sum_{i=1}^{m_j} dY_{i,j} \, dN_{i,j}$ est l'influence jointe attribuable à la différence de revenu et de structure. L'influence jointe étant plus difficile à interpréter, il faut faire quelques hypothèses. Si l'effet de structure est positif, alors les $dN_{i,j}$ sont positifs dans les catégories de revenus élevés et négatifs dans les catégories de bas revenus car on a $\sum_{i=1}^{m_j} dN_{i,j} = 0$. Si, de plus, $dY_{i,j} \geqslant 0$ pour tout i****, alors une influence jointe positive implique des écarts de revenu dans les catégories à revenus élevés, plus importants que ceux dans les catégories à bas revenus. Dans ces conditions, on peut dire que l'influence jointe montre dans quelle mesure les salariés d'origine française dans les catégories à revenus élevés sont défavorisés par rapport aux salariés d'origine française dans les catégories à bas revenus dans les comparaisons avec les revenus des salariés d'origine britannique.

2. L'analyse de l'influence de certains facteurs sur les disparités de revenus

Dans la zone métropolitaine d'Ottawa en 1961, le revenu moyen de travail était de $ 5 504 pour la main-d'œuvre masculine d'origine britannique et de $ 4 008 pour la main-d'œuvre masculine d'origine française. L'écart de revenu entre les deux groupes ethniques était de $ 1 496 en faveur du britannique*****. Les caractéristiques de l'offre de travail diffèrent entre les deux quant aux différents facteurs pris en considération. On cherche à évaluer successivement l'écart de revenu attribuable à des différences de scolarité, de structure occupationnelle, de structure industrielle et d'âge.

a) L'influence de la scolarité

En utilisant la méthode décrite précédemment pour étudier l'influence du degré d'instruction (i. e. en fixant j = s), on arrive aux résultats suivants :

$\sum_{i=1}^{m_s} dN_{i,s} \, Y^F_{i,s}$: $ 644,54 \qquad (43,04 \%)$

$\sum_{i=1}^{m_s} dY_{i,s} \, N^F_{i,s}$: $ 722,91 \qquad (48,28 \%)$

****Cette hypothèse est évidemment restrictive.
*****Dans les considérations qui suivent, cet écart varie très légèrement et de façon négligeable selon le facteur considéré, à cause de la méthode de calcul.

$$\sum_{i=1}^{m_s} dY_{i,s} \, dN_{i,s} \quad : \quad \$129{,}94 \qquad (8{,}68\,\%)$$

différence totale   : $ 1 497,39   (100 %)

Le tableau A illustre la méthode de calcul. La colonne 8 du tableau indique que $ 644,54 (soit 43,04 %) de l'écart existant entre les revenus des deux groupes ethniques est attribuable au degré d'instruction plus faible des salariés du groupe d'origine française. La colonne 7 du tableau indique que même si les deux groupes avaient le même degré d'instruction, il existerait encore une différence de $ 722,91 (soit 48,28 %). L'influence jointe est de $ 129,94 (soit 8,68 %).

b) L'influence de la structure occupationnelle

La structure occupationnelle (11 catégories d'occupation) est le deuxième facteur que l'on a retenu pour tenter d'expliquer l'écart de revenu. On se propose d'évaluer la partie de l'écart qui est attribuable à la différence entre les structures occupationnelles de la main-d'œuvre d'origine britannique et d'origine française.

On obtient les résultats suivants :

$$\sum_{i=1}^{m_o} dN_{i,o} \, Y_{i,o}^F \quad : \quad \$639{,}35 \cdot \qquad (42{,}75\,\%)$$

$$\sum_{i=1}^{m_o} dY_{i,o} \, N_{i,o}^F \quad : \quad \$682{,}20 \qquad (45{,}61\,\%)$$

$$\sum_{i=1}^{m_o} dY_{i,o} \, dN_{i,o} \quad : \quad \$173{,}91 \qquad (11{,}63\,\%)$$

différence totale   : $ 1 495,46   (100 %)

Il résulte que $ 639,35 (soit 42,75 %) de l'écart existant entre les revenus des deux groupes ethniques est attribuable à la structure occupationnelle défavorable au groupe d'origine française. Même si les structures occupationnelles de ces deux groupes étaient identiques, il existerait encore une différence de revenu de $ 682,20 (soit 45,61 %).

c) L'influence de la scolarité et de la structure occupationnelle par classification croisée

La scolarité et la structure occupationnelle étant des facteurs explicatifs corrélatifs, leur influence totale n'est pas la somme de leurs effets particuliers.

La classification croisée par groupes occupationnels et niveaux de scolarité permet l'élimination du problème que présente la corrélation linéaire entre les facteurs. De plus, la classification des groupes occupationnels selon les niveaux de scolarité compense en partie la faible spécification de la classification occupationnelle.

TABLEAU A   Niveau d'instruction et différence de revenu de travail entre la main-d'œuvre masculine d'origine britannique et d'origine française dans la zone métropolitaine d'Ottawa, en 1961.

	Origine ethnique								
	Britanniques		Français						
	(1)	(2)	(3)	(4)	(5)	(6)	(7)	(8)	(9)
Instruction	Revenus moyens $Y_{i,s}^B$	Pourcentage de m.-o* $N_{i,s}^B$	Revenus moyens $Y_{i,s}^F$	Pourcentage de m.-o* $N_{i,s}^F$	$dY_{i,s}$	$dN_{i,s}$	$dY_{i,s}N_{i,s}^F$	$dN_{i,s}Y_{i,s}^F$	$dY_{i,s}dN_{i,s}$
Aucune	2 688	0,0013	2 481	0,0060	207	-0,0047	1,2420	-11,6607	-0,9729
Elémentaire	3 928	0,1765	3 385	0,4564	543	-0,2799	247,8252	-947,4615	-151,9857
Secondaire (1-2 ans)	4 394	0,2026	3 615	0,2280	779	-0,0254	177,6120	-91,8210	-19,7866
Secondaire (3-5 ans)	5 354	0,3946	4 462	0,2111	892	0,1835	188,3012	818,7770	163,6820
Universitaire (1 an et plus)	8 023	0,2249	6 925	0,0983	1 098	0,1266	107,9334	876,9334	139,0068
Total	5 504	0,9999	4 008	0,9998		0,0001	722,9138	644,5388	129,9436

*Pourcentage de la main-d'œuvre.

La méthode utilisée est la même sauf que dans ce cas l'indice i couvre tout le domaine de la classification croisée. Si on fixe j = so, alors m_{so} sera égal au nombre de catégories occupationnelles multiplié par le nombre des niveaux de scolarité.

On obtient les résultats suivants :

$\sum_{i=1}^{m_{so}} dN_{i,so} \quad Y_{i,so}^F$: $ 932,72 \hfill (62,36 %)

$\sum_{i=1}^{m_{so}} dY_{i,so} \quad N_{i,so}^F$: $ 470,92 \hfill (31,48 %)

$\sum_{i=1}^{m_{so}} dY_{i,so} \quad dN_{i,so}$: $ 92,13 \hfill (6,16 %)

différence totale : $ 1 495,77 \hfill (100 %)

Ces résultats montrent que $ 932,72 (soit 62,36 %) de l'écart existant entre les revenus de la main-d'œuvre d'origine britannique et de celle d'origine française est attribuable aux différences entre, d'une part la scolarité et la structure occupationnelle du groupe d'origine britannique, et d'autre part la scolarité et la structure occupationnelle du groupe d'origine française.

En étudiant séparément les effets des deux facteurs, on est arrivé à la conclusion que les différences de scolarité et de structure occupationnelle comptent respectivement pour $ 644,54 et pour $ 639,35 dans l'écart du revenu entre les deux groupes. Étant donné que la scolarité et la structure occupationnelle sont corrélatifs, leur influence totale n'est que de $ 932,72 lorsqu'on l'évalue par la classification croisée.

D'autre part, même si les niveaux de scolarité et les structures occupationnelles étaient les mêmes chez les deux groupes ethniques, il existerait encore une différence de $ 470,92 (soit 31,48 %) entre leurs revenus. L'influence jointe est de $ 92,13 (soit 6,16 %).

d) L'influence de la structure industrielle

En utilisant la même méthode, on se propose de mesurer l'influence de la structure industrielle en ayant retenu neuf groupes industriels.

On obtient les résultats suivants :

$\sum_{i=1}^{m_t} dN_{i,t} \quad Y_{i,t}^F$: $ 113,47 \hfill (7,59 %)

$\sum_{i=1}^{m_t} dY_{i,t} \quad N_{i,t}^F$: $ 1 295,08 \hfill (89,61 %)

$\sum_{i=1}^{m_t} dY_{i,t} \quad dN_{i,t}$: $ 86,71 \hfill (5,79 %)

différence totale : $ 1 495,26 \hfill (100 %)

Il résulte que la différence entre les structures industrielles des groupes d'origines britannique et française n'explique que $ 113,47 (soit 7,59 %) de l'écart de revenu existant. Même si les structures industrielles des deux groupes ethniques étaient identiques, il existerait encore une différence de revenu de $ 1 295,08 (soit 86,61 %). L'influence jointe est de $ 86,71 (soit 5,79 %).

e) L'influence de la structure occupationnelle et de la structure industrielle par classification croisée

La structure occupationnelle et la structure industrielle étant des facteurs explicatifs corrélatifs, en utilisant la classification croisée on arrive aux résultats suivants :

$\sum_{i=1}^{m_{ot}} dN_{i,ot} \ Y^F_{i,ot}$: $ 710,93 (47,62 %)

$\sum_{i=1}^{m_{ot}} dY_{i,ot} \ N^F_{i,ot}$: $ 511,99 (34,29 %)

$\sum_{i=1}^{m_{ot}} dY_{i,ot} \ dN_{i,ot}$: $ 270,15 (18,09 %)

différence totale : $ 1 493,07 (100 %)

En étudiant séparément les effets des deux facteurs, on a trouvé que les différences de structure occupationnelle et de structure industrielle expliquent respectivement $ 639,35 et $ 113,47 de l'écart de revenu entre le groupe d'origine britannique et celui d'origine française. À cause de la corrélation, leur influence totale n'est que de $ 710,93 (soit 47,62 %). Toutefois, la corrélation apparaît comme étant relativement faible. D'autre part, même pour des structures occupationnelles et industrielles identiques, il existerait une différence de $ 511,99 (soit 34,29 %) entre les revenus des deux groupes ethniques. L'influence jointe est de $ 270,15 (soit 18,09 %).

f) L'influence de l'âge

Avec les données dont nous disposons, nous établissons une classification des revenus selon quatre groupes d'âge à partir des revenus totaux, alors que jusqu'ici on n'a utilisé que les revenus de travail. Pour cette raison, l'écart de revenu est nettement différent par rapport aux cas précédents. Cette différence ne crée pas de problèmes dans les comparaisons sur l'ensemble des facteurs, car on fera les adaptations à partir des pourcentages.

On obtient les résultats suivants :

$\sum_{i=1}^{m_a} dN_{i,a} \ Y^F_{i,a}$: $ 170,22 (10,75 %)

$\sum_{i=1}^{m_a} dY_{i,a} \ N^F_{i,a}$: $ 1 268,02 (80,11 %)

$\sum_{i=1}^{m_a} dY_{i,a} \ dN_{i,a}$: $ 144,53 (9,13 %)

différence totale : $ 1 582,77 (100 %)

La différence entre les pyramides d'âge des groupes d'origine britannique et d'origine française représente $ 170,22 (soit 10,75 %) de l'écart de revenu existant entre les deux groupes ethniques. Même si les pyramides d'âge de ces deux groupes étaient identiques, il existerait un écart de revenu de $ 1 268,02 (soit 80,11 %). L'influence jointe est de $ 144,53 (soit 9,13 %).

g) L'influence du niveau de l'emploi

En plus des facteurs dont nous avons déjà tenu compte, le degré d'emploi peut expliquer l'écart de revenu entre les deux groupes ethniques. Toutes autres choses égales par ailleurs, un taux de chômage plus élevé chez un groupe ethnique se traduit par un revenu moindre que celui d'un autre groupe ethnique.

Une estimation faite à partir des taux de chômage par niveau de scolarité au Canada en 1960 (étude de Raynauld) montre que l'écart entre le taux de chômage des groupes d'origines britannique et française est de 3,3 %. Dans le cas étudié, ce pourcentage réduit le revenu annuel du groupe d'origine française par rapport à celui du britannique d'environ $ 137.

h) Considérations sur l'influence de l'ensemble des facteurs

L'ensemble des résultats est résumé dans le tableau suivant :

TABLEAU B Influence de certains facteurs sur la disparité des revenus entre la main-d'œuvre masculine d'origine britannique et d'origine française à Ottawa, en 1961.

Facteurs	$dN_{i,j}Y^F_{i,j}$	$dY_{i,j}N^F_{i,j}$	$dY_{i,j}dN_{i,j}$
1. Scolarité	$ 644,54	$ 722,91	$ 129,94
2. Emploi	639,35	682,20	173,91
3. Scolarité – genre d'emploi	932,72	470,92	92,13
4. Type d'industrie	113,47	1 295,08	86,71
5. Emploi – type d'industrie	710,93	511,99	270,15
6. Âge*	160,82	1 198,45	136,58
7. Niveau de l'emploi	137,00		

*Valeurs corrigées pour le revenu de travail à partir du revenu total.

L'écart de revenu moyen entre les deux groupes ethniques est de $ 1 496 en faveur du groupe d'origine britannique. Les différences entre, d'une part, la scolarité et la structure occupationnelle du groupe d'origine britannique et, d'autre part, la scolarité et la structure occupationnelle du groupe d'origine française, expliquent 62,36 % (soit $ 932,72) de cet écart.

Les évaluations précédentes ont montré que la structure industrielle est un facteur sans grande corrélation avec la structure occupationnelle. Tout en soulignant que c'est une évaluation légèrement excessive, on peut avancer que 7,59 % (soit $ 113,47) représente l'influence de la structure industrielle.

En supposant qu'il n'y ait pas de corrélation linéaire entre les facteurs retenus, on peut additionner l'influence de ces facteurs sur l'écart de revenu entre les deux groupes ethniques. On utilise les chiffres des lignes 3, 4, 6 et 7 du tableau B.

L'influence totale des facteurs retenus pour expliquer l'écart de revenu entre les deux groupes ethniques est la suivante :

Scolarité – structure occupationnelle	$ 932,72	62,36 %
Structure industrielle	$ 113,47	7,59 %
Âge	$ 160,82	10,75 %
Niveau de l'emploi	$ 137,00	9,16 %
Total	$ 1 344,01	89,86 %

Il résulte que même si la scolarité, la structure occupationnelle, la structure industrielle, les pyramides d'âge et le niveau de l'emploi des groupes d'origine britannique et d'origine française étaient identiques, il existerait un écart de revenu de $ 151,99 (soit 10,14 %) entre les deux groupes ethniques.

Le tableau C compare l'influence des facteurs retenus pour Ottawa, Montréal et Toronto.

TABLEAU C Influence des facteurs retenus sur l'écart de revenu entre la main-d'œuvre d'origine britannique et celle d'origine française à Ottawa, Montréal et Toronto, en 1961*.

Facteurs	Ottawa	Montréal	Toronto
Scolarité – structure occupationnelle	62,36 %	45,1 %	44,1 %
Structure industrielle	7,59 %	4,2 %	4,4 %
Âge	10,75 %	5,9 %	16,1 %
Niveau de l'emploi	9,16 %	6,3 %	13,0 %**
Total	89,86 %	61,5 %	77,6 %

*Les chiffres pour Montréal et Toronto sont tirés de l'étude de A. Raynauld, G. Marion et R. Béland ; « La répartition des revenus selon les groupes ethniques au Canada ».
**Estimation faite à partir des taux de chômage par niveau de scolarité selon les groupes ethniques.

Cette comparaison montre que l'influence totale des facteurs retenus est plus élevée à Ottawa qu'à Montréal ou à Toronto. On remarque que ce phénomène s'explique par l'influence relativement forte du facteur « scolarité – structure occupationnelle » sur l'écart de revenu entre les deux groupes ethniques à Ottawa.

Appendice C (Chapitre II)   La signalisation bilingue à Ottawa

La question de la signalisation bilingue dans la ville d'Ottawa remonte à une résolution du conseil adoptée en 1956 et recommandant l'utilisation de panneaux bilingues dans le quartier de By, à majorité francophone. L'administration municipale donna suite à la résolution, et la question ne fut à nouveau soulevée qu'en décembre 1962. Une proposition concernant l'installation, dans le quartier de By, d'un panneau ne portant que le mot « Yield » fit revenir la question à la surface. Ce fut le début d'une controverse qui atteignit son paroxysme durant l'hiver 1963-1964 et s'est poursuivie depuis de façon intermittente.

L'opposition aux panneaux bilingues s'appuyait sur deux arguments. Le premier, sur lequel il est inutile de s'attarder, tenait à un vice de procédure : la résolution de 1956 n'avait été sanctionnée par aucun règlement municipal et on ne pouvait donc l'invoquer. Selon le second argument, il n'entrait pas dans la compétence de la ville d'adopter un règlement sans en avoir reçu le droit exprès de la Province. Charlotte Whitton, alors maire d'Ottawa, déclara à l'appui de cette thèse : « The City of Ottawa, though the Capital of the Dominion of Canada ... is a municipality in the province of Ontario. It is subject, as the province's creation and creature, to the provincial authority in all matters in civil and property rights[1] » (*Ottawa Citizen,* 10 décembre 1963).

Le maire ajoutait qu'à sa connaissance, ni l'A. A. N. B., ni le Municipal Act de l'Ontario, ni aucune autre loi, n'autorisaient le conseil municipal à faire d'Ottawa une ville officiellement bilingue. Tant que ce pouvoir ne serait pas accordé, on ne pourrait légalement installer des panneaux bilingues. « Informal hearsay, or word, or opinion of tolerance from any member of either the federal or the provincial authority, that « there is nothing wrong about it » or « nothing really to stop it[2] » ne constituaient pas une reconnaissance de pouvoir.

Un rapport soumis au conseil par le conseiller juridique et le directeur de la circulation est venu confirmer le point de vue du maire. Ses auteurs déclaraient : « There does not exist any enabling legislation or other statutory authority which would empower this or any other Ontario municipality to enact a by-law declaring as lawful the erection of bilingual signs » (*Ottawa Journal*, 18 février 1964). Seule une modification du Highway Act à cet effet ou une autorisation spéciale accordée par une loi d'intérêt particulier pourrait légalement permettre d'installer de tels panneaux à Ottawa.

Les partisans des panneaux bilingues faisaient valoir qu'il y en avait déjà dans d'autres municipalités telles que Hawkesbury, Eastview et Sturgeon Falls*. S'il était illégal d'utiliser de tels panneaux, disaient-ils, il y a longtemps que les autorités provinciales les auraient fait enlever; or, bien au contraire, celles-ci avaient donné un avis favorable en plusieurs occasions, à commencer par le premier ministre Leslie Frost, en 1961. Deux ans plus tard, le premier ministre John Robarts et le ministre des Transports, James Auld, avaient exprimé l'opinion que rien n'interdisait l'utilisation de panneaux bilingues par une municipalité, à condition que ceux-ci respectent les normes provinciales quant à la forme, la couleur et la dimension. Par la suite, en 1964, le ministre des Transports, Irwin Haskett, a approuvé un arrêté municipal d'Eastview dont une clause prévoyait la mise en place de panneaux bilingues. De nouveau en 1966, le ministre des Transports a déclaré au Parlement qu'il ne serait pas fait opposition à la signalisation bilingue.

Aucune de ces déclarations ne répond vraiment à l'objection de certains membres de l'administration municipale selon laquelle la ville d'Ottawa n'a pas légalement le pouvoir exprès d'installer des panneaux bilingues. On leur oppose habituellement un autre argument : aucune loi ne l'empêche de le faire. Il faudra sans doute que cette question soit tranchée un jour par le parlement ontarien ou les tribunaux.

---

*La Commission de la capitale nationale a aussi fait placer des panneaux bilingues sur le réseau des routes fédérales dans Ottawa et la région. Pour plus de détails, se reporter au chapitre V, p. 131.

Appendice D (Chapitre III)   Échange de lettres entre la Commission
royale d'enquête sur le bilinguisme
et le biculturalisme, et les villes d'Ottawa,
Hull et Eastview

Lettre de M. André Laurendeau, président conjoint de la Commission royale d'enquête sur le bilinguisme et le biculturalisme, adressée le 26 février 1965 à M. Donald B. Reid, maire d'Ottawa.

Monsieur le Maire,

Peut-être aviez-vous prévu, Ottawa étant la capitale du Canada, que la Commission royale d'enquête sur le bilinguisme et le biculturalisme voudrait effectuer quelque recherche sur divers aspects de l'administration municipale dans la région. Les buts que poursuit la Commission vous sont connus, sans doute, mais je joins toutefois à la présente, au cas où il vous serait utile, un extrait du décret 1106 (18 juillet 1963) énonçant notre mandat.

Nous étudions, entre autres, la région de la capitale afin de déterminer dans quelle mesure elle reflète la dualité canadienne. Bien entendu, le corps municipal et l'administration d'Ottawa comptent parmi les principaux domaines de cette recherche; aussi escomptons-nous votre intérêt et votre concours pour cette partie de notre programme. Plus particulièrement, nous aimerions :

1) nous renseigner davantage sur la représentation passée et présente des groupes ethniques dans les affaires municipales;
2) étudier la représentation des groupes ethniques et l'emploi des langues dans l'administration municipale.

MM. David R. Cameron et Jean-T. Fournier travaillent depuis un certain temps à cette recherche sous la direction de M. Kenneth D. McRae; ils entreront sous peu en contact avec vous. Permettez-nous de solliciter instamment votre concours et celui des divers services de votre administration pour la réalisation de cette étude.

Je vous prie d'agréer...

Lettre de M. David R. Cameron, du groupe de recherche de la Commission royale d'enquête sur le bilinguisme et le biculturalisme, adressée le 8 mars 1965 à M. A. T. Hastey, greffier de la ville d'Ottawa (traduction).

Monsieur,

Donnant suite à notre entretien de ce matin avec M. le Maire et M. Wilson, je vous envoie bien volontiers un bref exposé de notre project.

La Commission royale d'enquête sur le bilinguisme et le biculturalisme a entrepris, dans le cadre de son programme de recherche, une étude sur la capitale nationale, afin d'y évaluer l'étendue de la dualité linguistique et culturelle, et de rechercher les moyens à prendre pour la réaliser plus pleinement. Une partie importante de cette étude portera sur l'état actuel dans diverses administrations municipales de la région, notamment celles d'Ottawa, de Hull et d'Eastview.

Vous trouverez ci-joint un résumé du programme de recherche que nous nous proposons de faire sur le régime municipal et sur le conseil de la ville d'Ottawa. Nous espérons que ces renseignements vous permettront d'expliquer aux membres du Bureau des commissaires l'objet de notre étude.

Je vous prie d'agréer...

Plan de recherche joint à la lettre précédente (traduction).

I. *Administration municipale*

1. *Représentation* — Étude de la représentation des groupes linguistiques et ethniques dans les divers services de l'administration municipale (y compris les bureaux et commissions, telle que la Commission des Transports d'Ottawa).
2. *Emploi des langues* — Étude sur l'emploi des langues dans les rapports entre les divers organismes administratifs et le public (langue des communications extérieures) ainsi qu'au sein de ces organismes (langue de communication interne).

II. *Conseil municipal*

Étude de la représentation passée et présente des groupes ethniques au conseil municipal d'Ottawa.

Nos méthodes de recherche pour cette étude comportent des renvois aux documents sur le personnel et aux sources historiques, ainsi que des interviews avec des chefs de services municipaux et d'autres employés, quand cela est nécessaire. Nous nous proposons de faire appel au personnel de la Commission pour rassembler les statistiques et analyser les données recueillies.

Lettre de M. R. J. Gorman, secrétaire du Bureau des commissaires d'Ottawa, adressée le 10 mars 1965 à M. David R. Cameron, de la Commission (traduction).

Monsieur,

Le Bureau des commissaires a pris connaissance de votre lettre du 8 mars à M. A. T. Hastey, dans laquelle vous soumettiez à l'intention des membres de ce bureau un résumé de votre projet de recherche.

Le Bureau vous autorise à exécuter votre étude conformément à votre exposé.

Je vous prie d'agréer...

Lettre de M. A. T. Hastey, greffier de la ville d'Ottawa, adressée le 11 mars 1965 à M. David R. Cameron, de la Commission (traduction).

Monsieur,

J'accuse réception de votre envoi du 8 courant concernant le programme de recherche de votre Commission sur la municipalité d'Ottawa, ses bureaux et ses commissions.

J'ai également reçu une copie de la lettre par laquelle le secrétaire du Bureau des commissaires, M. R. J. Gorman, vous annonçait la décision de ce Bureau vous permettant d'exécuter votre étude, telle que décrite dans votre exposé.

Il convient d'ajouter toutefois, qu'en vertu de l'arrêté 5499 de notre règlement intérieur, toute la correspondance adressée au chef du conseil, au greffier et au chef de tout service à titre officiel, et se rapportant aux affaires de la municipalité, doit être déposée au conseil dès la réunion qui suit la réception de ces documents.

Le conseil se réunira le lundi 15 mars; la communication que vous m'avez adressée et celle de M. André Laurendeau à Son Honneur le Maire seront alors soumises aux membres du conseil.

Je vous prie d'agréer...

Lettre de M. Robin Scott, conseiller juridique au ministère du Procureur général de l'Ontario, adressée le 18 mars 1965 au Bureau des commissaires d'Ottawa, aux soins de M. Murray A. Heit (traduction).

Monsieur,

On m'a communiqué votre lettre du 15 mars au directeur de la Commission ontarienne des droits de l'homme, me demandant mon opinion et mes commentaires.

Je vous signalerai que la Commission sur le bilinguisme et le biculturalisme est fédérale et relève vraisemblablement de la Division des justes méthodes d'emploi (Fair Employment Practices Division) du ministère du Travail.

Je vous conseille donc de discuter cette question avec son directeur, M. Bernard Wilson.

Toutefois, si je me réfère à l'essentiel de votre lettre, je suis d'avis que l'article 4 du Code se limite aux questions relatives à l'emploi ou à l'emploi éventuel, qui sont du domaine de l'embauche et non de celui de la recherche d'ordre ethnique.

D'autre part, je reconnais que la phrase « No person shall ... make any written or oral inquiry that expresses either directly or indirectly any limitation, etc... » s'appliquerait, littéralement, aux enquêtes de la Commission sur le bilinguisme et le biculturalisme, mais, à mon avis, le champ d'application de l'article, ainsi que pourrait l'interpréter un tribunal, n'est pas suffisamment étendu pour embrasser les études qu'entreprendra cette Commission. C'est pourquoi ces enquêtes ne m'apparaissent pas comme contraires à l'esprit du Code.

Je vous prie d'agréer...

Double de cette lettre à M. D. G. Hill, président de la Commission ontarienne des droits de l'homme.

Lettre de M. R. J. Gorman, secrétaire du Bureau des commissaires d'Ottawa, adressée le 19 mars 1965 à M. David R. Cameron (traduction).

Monsieur,

Le Bureau des commissaires de la ville d'Ottawa, à la suite de la requête de la Commission royale d'enquête sur le bilinguisme et le biculturalisme concernant un programme de recherche sur la municipalité d'Ottawa, ses bureaux et ses commissions, me charge de vous demander de fournir un rapport détaillé sur les personnes qui entreprendraient cette enquête et sur les méthodes prévues pour son exécution. Le Bureau des commissaires de la ville d'Ottawa voudrait savoir, en outre, si les données et les renseignements recueillis seront soumis à la Ville et à son directeur du personnel, pour être revus avant leur publication, de sorte que les renseignements jugés confidentiels ne soient pas révélés au public.

Nous vous saurions gré d'accorder une bienveillante attention à cette demande du Bureau.

Je vous prie d'agréer...

Lettre de M. Michael Oliver, directeur de la recherche à la Commission, adressée le 25 mars 1965 à M. R. J. Gorman, secrétaire du Bureau des commissaires d'Ottawa (traduction).

Monsieur,

M. D. R. Cameron m'a communiqué votre lettre du 19 mars dans laquelle vous demandiez plus de renseignements sur notre projet d'étude du conseil et de l'administration de la municipalité.

Je joins, au plan de recherche ci-inclus, la liste des personnes qui seront chargées d'effectuer l'étude, ainsi qu'un exposé des méthodes de recherche qui seront employées. Nous mettrons volontiers à la disposition de la Ville les résultats de l'étude et, avant de les publier, nous en discuterons volontiers avec le directeur du personnel, ou toute autre personne désignée par la Ville. Nous pouvons en outre vous assurer qu'aucun employé municipal ne sera désigné par son nom dans notre rapport.

En terminant, j'ajouterai que je serais heureux de rencontrer des membres du Bureau des commissaires ou de son personnel, s'il se présente d'autres points à discuter.

Je vous prie d'agréer...

Plan de recherche pour une étude sur la ville d'Ottawa joint à la lettre précédente (traduction).

Avec la zone urbaine qui l'entoure, Ottawa a un rôle important et original à jouer dans la vie du pays. En tant que capitale du Canada, siège du gouvernement fédéral, la zone métropolitaine d'Ottawa-Hull symbolise nécessairement le pays dans son ensemble pour les milliers de Canadiens qui se déplacent pour la voir chaque année, et pour les touristes étrangers. Chose également importante, la région de la capitale est habitée par un grand nombre de fonctionnaires fédéraux de toutes les parties du Canada; venant dans la capitale pour y travailler, ils ont à l'égard de la ville et de ses environs des exigences bien différentes de celles auxquelles doit faire face toute autre municipalité canadienne.

La Commission royale d'enquête sur le bilinguisme et le biculturalisme a donc décidé d'entreprendre une étude approfondie de la zone métropolitaine d'Ottawa-Hull. Le but de ce projet, en cours d'élaboration depuis dix mois, est de déterminer dans quelle mesure la région de la capitale reflète la dualité canadienne. Une partie importante de cette étude porte sur la situation dans les diverses administrations municipales de la région, et plus particulièrement dans celles d'Ottawa, Hull et Eastview.

Ci-joint un plan de recherche que nous aimerions utiliser dans l'étude du conseil municipal et de l'administration de la ville d'Ottawa.

I. *Administration municipale*

1. *Représentation* — Dans cette partie de l'étude, nous tenterons d'établir le rôle des principaux groupes ethniques d'Ottawa dans l'administration de la ville. Nous entendons vérifier la place de chacun dans les services, les commissions et les bureaux qui composent l'organisation administrative municipale, de même que leur répartition dans la hiérarchie. On peut atteindre ce but en consultant les dossiers du personnel, s'ils renferment les indications nécessaires, ou bien, par une méthode moins satisfaisante, en analysant l'origine ethnique des employés, d'après leurs noms. On accordera une plus grande attention aux échelons supérieurs de l'administration afin d'y découvrir la proportion des Canadiens ayant le français pour langue maternelle, comparativement à l'ensemble de l'administration.

2. *Emploi des langues* — Cette importante partie de l'étude concerne l'emploi des langues dans les communications avec le public et à l'intérieur des services. Afin de réunir le matériel nécessaire, nous prévoyons des interviews avec les chefs des divers services, avec les membres les plus élevés de la direction et du personnel des grands bureaux et commissions, et avec d'autres personnes.

La langue « externe » de communication est celle utilisée dans les rapports entre les divers organismes administratifs de la municipalité et le public. Nous cherchons à établir comment l'administration municipale communique avec les citoyens d'Ottawa de diverses langues maternelles, et comment elle réagit aux demandes exprimées en ces langues. Plus particulièrement nous voudrions savoir :
— dans quelle mesure les langues autres que l'anglais sont employées officiellement ou officieusement dans les rapports oraux ou écrits avec le public;
— quelles sont les dispositions prises par les divers organismes administratifs pour assurer les rapports écrits ou oraux avec les citoyens dans une langue autre que l'anglais (plus particulièrement le français).

Par langue « interne » de communication nous entendons la langue employée dans, et entre, les divers organismes municipaux. Nous nous intéressons ici à la situation officielle et officieuse de cet emploi de la langue ainsi qu'aux variations que peuvent présenter, dans l'emploi des langues, les différents services et les différents paliers de la hiérarchie administrative. Là encore, nous pensons à l'usage écrit et à l'usage oral du système de communication.

II. *Conseil municipal*

En ce qui concerne le conseil municipal — soit l'organe électif et législatif de la ville d'Ottawa —, nous nous intéressons aux représentants élus, passés et actuels, pouvant être considérés comme représentatifs des groupes ethniques de la population urbaine. Cette partie de l'étude vient, en importance, après la recherche sur l'administration; elle doit donc se limiter à un examen historique de la composition du conseil d'Ottawa d'après l'origine ethnique. Nous voudrions découvrir le rapport entre les effectifs d'un groupe culturel, sa concentration dans diverses parties de la ville, d'une part, et sa représentation manifeste dans la municipalité, d'autre part. On peut effectuer cette étude en faisant un rapprochement entre l'appartenance culturelle et, si possible, la langue maternelle, des conseillers municipaux et celles de la population de la ville.

Nous nous proposons de faire effectuer cette recherche par David R. Cameron et un assistant, sous la direction de M. Kenneth D. McRae.

Lettre de M. R. J. Gorman, secrétaire du Bureau des commissaires d'Ottawa, adressée le 25 mars 1965 à M. D. V. Hambling, conseiller juridique de la ville d'Ottawa (traduction).

Objet : Commission royale d'enquête sur le bilinguisme et le biculturalisme

Monsieur,

Nous vous demandons de formuler une opinion juridique pour le Bureau des commissaires sur le point suivant : est-ce que la demande présentée par la Commission royale d'enquête sur le bilinguisme et le biculturalisme en vue d'entreprendre une étude sur la ville d'Ottawa contrevient, eu égard à ses lettres et annexe ci-jointes, aux dispositions du Code ontarien des droits de l'homme ?

Vous êtes autorisé à communiquer, au besoin, avec le procureur général de la province d'Ontario, à ce sujet.

Le Bureau désire examiner cette affaire afin de pouvoir présenter une recommandation au conseil le 5 avril; nous vous saurions donc gré d'y accorder immédiatement votre attention.

Je vous prie...

Lettre de M. D. W. Hambling, conseiller juridique de la ville d'Ottawa, adressée le 26 mars 1965 à M. R. J. Gorman, secrétaire du Bureau des commissaires d'Ottawa (traduction).

Objet : Commission royale d'enquête sur le bilinguisme et le biculturalisme

Monsieur,

Vous m'avez invité à formuler une opinion juridique sur la question de savoir si la demande présentée par la Commission royale d'enquête sur le bilinguisme et le biculturalisme en vue d'entreprendre une étude sur la ville d'Ottawa contrevient, eu égard à ses lettres et annexe que vous m'avez soumises, aux dispositions du Code ontarien des droits de l'homme.

Comme le sait votre Bureau, j'ai eu l'occasion de revoir dans le détail les dispositions du Code ontarien des droits de l'homme lors d'une instruction menée par le juge J. C. Anderson, à l'Hôtel de Ville, le 15 février 1964. En cette circonstance, les dispositions du Code ontarien des droits de l'homme ont été discutées à fond relativement à une plainte portée contre la Ville; le plaignant lui reprochait d'exiger de ceux qui postulaient un emploi des renseignements contraires, prétendait-il, aux dispositions du Code ontarien des droits de l'homme.

J'ai de nouveau étudié avec soin le Code ontarien des droits de l'homme, en relation, cette fois, avec l'étude projetée par la Commission royale d'enquête sur le bilinguisme et le biculturalisme, et mentionnée dans la lettre que m'adressait votre Bureau le 25 mars. Tout bien pesé, j'estime qu'il n'existe aucune incompatibilité entre le mandat de la Commission et le Code ontarien des droits de l'homme. L'objet du Code est de prévenir toute discrimination dans l'embauche et d'empêcher l'employeur de se référer à l'origine ethnique, à la foi, à la couleur, etc., de celui qui postule un emploi. Mon opinion est confirmée par celle du directeur de la Commission ontarienne des droits de l'homme, M. D. H. Hill; il a déclaré qu'il n'existe pas, à son avis, de conflit entre l'enquête projetée par la Commission et le Code ontarien des droits de l'homme.

Je vous prie d'agréer...

Lettre de M. A. D. Dunton, président conjoint de la Commission, adressée le 5 avril 1965 à Son Honneur Donald B. Reid, maire d'Ottawa (traduction).

Monsieur le Maire,

Le 2 avril, au cours d'une conversation téléphonique, le secrétaire du Bureau des commissaires faisait part à la Commission royale d'une recommandation du Bureau au conseil municipal concernant l'étude qu'elle se proposait de mener sur la ville d'Ottawa.

Le Bureau des commissaires demandait que la Commission « soit autorisée à ne conférer qu'avec le greffier de la Ville et le directeur du personnel ».

Si vous vous reportez au plan original ou au plan plus détaillé de recherche, vous constaterez que la Commission envisageait une étude plus poussée du conseil municipal et de l'administration et comportant des interviews avec un certain nombre de membres du personnel dans divers services et organismes, ainsi que la consultation des dossiers du personnel.

La recommandation du Bureau, selon notre interprétation actuelle, ne nous donne aucune garantie d'accès aux sources écrites de renseignement; elle ne nous permettrait pas d'entretiens, non plus, avec les représentants des divers services et organismes municipaux. Si cette interprétation est exacte, la Commission estime que les très rigoureuses restrictions imposées par le Bureau des commissaires limiteraient tellement la portée de son enquête que nous nous demandons s'il vaudrait la peine d'entreprendre cette partie de l'étude.

Je crois savoir que le conseiller juridique de la Ville, le conseiller juridique du ministère du Procureur général de l'Ontario et le propre conseiller juridique de notre Commission sont tous d'accord pour reconnaître que le projet de recherche de la Commission, dans sa conception originale, ne contreviendrait à aucune loi provinciale.

Permettez-moi d'insister encore une fois sur la grande importance que la Commission attache à cette partie de son étude sur la région de la capitale.

Je vous prie d'agréer...

Recommandation du Bureau des commissaires au conseil municipal d'Ottawa (traduction).

Commission royale d'enquête sur le bilinguisme et le biculturalisme

Le Bureau des commissaires recommande qu'on autorise la Commission royale d'enquête sur le bilinguisme et le biculturalisme à s'entretenir exclusivement avec le greffier de la Ville et le directeur du personnel, et sous réserve que tous les résultats qu'elle obtiendra de ses recherches soient rendus publics et soient communiqués à la Ville.

La correspondance relative à la demande par la Commission d'entreprendre un programme de recherches sur la ville d'Ottawa est contenue dans les pages qui suivent.

Le 15 mars, le conseil a renvoyé au Bureau une communication de M. André Laurendeau, président conjoint de la Commission royale d'enquête sur le bilinguisme et le biculturalisme, à Son Honneur le Maire, sollicitant le concours de la Ville pour une étude sur la représentation des groupes ethniques dans les affaires municipales et sur l'emploi des langues dans l'administration municipale.

Le 15 mars, le conseil a également soumis au Bureau une communication de M. D. R. Cameron, de la Commission royale d'enquête sur le bilinguisme et le biculturalisme, présentant le plan de recherche qu'on se propose de suivre dans l'enquête sur le conseil municipal et l'administration de la ville d'Ottawa. Vous trouverez ci-joint les copies des documents susmentionnés, ainsi qu'il a été indiqué plus haut.

Lettre de M. A. T. Hastey, greffier de la ville d'Ottawa, adressée le 7 avril 1965 à M. Oliver, directeur de la recherche à la Commission (traduction).

    Objet : Commission royale d'enquête sur le bilinguisme et le biculturalisme

Monsieur,

Le 5 courant, le conseil municipal a approuvé la recommandation du Bureau des commissaires ci-jointe, modifiée comme suit :

    Proposé par le conseiller St-Germain, appuyé par le conseiller O'Regan

> Que les mots « et tout représentant électif et employé municipal »(qui consentiraient librement à être interviewés) soient insérés après « directeur du personnel » dans la recommandation 9(3) relative à la Commission royale d'enquête sur le bilinguisme et le biculturalisme.

Je dois ajouter toutefois qu'en conformité avec l'arrêté 5499 du règlement intérieur, un avis de réexamen a été déposé; cet avis sera discuté à la prochaine séance ordinaire du conseil qui se tiendra à la salle du conseil le mardi 20 avril à 7 h 30 du soir.

N'hésitez pas à communiquer avec moi si vous désirez des renseignements supplémentaires.

Je vous prie d'agréer...

Lettre de Son Honneur D. B. Reid, maire d'Ottawa, adressée le 7 avril 1965 à M. A. D. Dunton, président conjoint de la Commission (traduction).

Monsieur le président,

Votre lettre du 5 avril a été présentée au conseil municipal, et étudiée à la réunion qu'il tenait le jour même, soit lundi. Le greffier a fait part de la décision du conseil à M. Michael Oliver, votre directeur de la recherche.

Je vous prie d'agréer...

Lettre de M. R. J. Gorman, secrétaire du Bureau des commissaires d'Ottawa, adressée le 14 avril 1965 à M. David R. Cameron, de la Commission (traduction).

Monsieur,

Le Bureau des commissaires aimerait recevoir une copie de tout projet de questionnaire que votre Commission pourrait proposer aux employés municipaux selon un programme de recherches qu'approuverait le conseil municipal.

Nous vous saurions gré d'accorder votre attention à cette demande.

Je vous prie d'agréer...

Lettre de M. A. T. Hastey, greffier de la ville d'Ottawa, adressée le 21 avril 1965 à M. Michael Oliver, directeur de la recherche à la Commission (traduction).

Objet : Commission royale d'enquête sur le bilinguisme et le biculturalisme

Monsieur,

Je vous ai fait savoir, le 7 avril, que le conseil municipal avait approuvé deux jours plus tôt une recommandation — dont je joignais copie à ma lettre — concernant votre Commission et modifiée de façon à comprendre tout représentant électif et employé municipal qui consentiraient librement à être interviewés, et précisant d'autre part qu'on avait, conformément au règlement intérieur, déposé un avis de réexamen qui serait discuté à la séance ordinaire du conseil du 20 avril.

Le conseil municipal, à sa réunion ordinaire d'hier soir, a résolu de ne pas revenir sur sa décision du 5 avril; celle-ci prévoit que votre Commission s'entretiendra avec le soussigné, avec le directeur du personnel et avec tout représentant élu et employé municipal qui accepteront d'être interviewés, à condition que les résultats que la Commission obtiendra de son enquête à ce sujet soient rendus publics et soient communiqués intégralement à la Ville.

Si vous avez besoin de renseignements supplémentaires, veuillez communiquer avec M. R. J. Wilson, directeur du personnel, ou avec moi-même.

Je vous prie d'agréer...

Lettre de M. M. Oliver, directeur de la recherche de la Commission, adressée le 3 mai 1965 à M. R. J. Gorman, secrétaire du Bureau des commissaires d'Ottawa (traduction).

Monsieur,

M. Cameron m'a transmis votre lettre du 14 avril relative à la demande exprimée par le Bureau des commissaires de recevoir une copie de tout questionnaire qui pourrait être utilisé à l'Hôtel de Ville. Je peux seulement vous dire, actuellement, que nous rediscutons notre programme de recherche, notamment avec M. Wilson, et que nous n'avons pas encore décidé s'il convenait d'employer un questionnaire général. Toutefois nous n'oublions pas la demande de votre Bureau, au cas où nous déciderions d'utiliser un tel questionnaire.

Je vous prie d'agréer...

Note adressée le 14 mai 1965 aux employés de la ville d'Ottawa, par M. R. J. Wilson, directeur du personnel (traduction).

Le Bureau des commissaires me charge de vous informer que le conseil municipal, à sa réunion ordinaire du 20 avril, a autorisé la Commission royale d'enquête sur le bilinguisme et le biculturalisme « ... à s'entretenir avec le greffier, le directeur du personnel et avec tout représentant électif et tout employé municipal qui acceptent d'être interviewés... »
Tous les employés peuvent se conformer à cette directive du conseil pour aider la Commission royale à effectuer son enquête.

Lettre de MM. A. Davidson Dunton et André Laurendeau, présidents conjoints de la Commission, adressée le 25 avril 1966 au Bureau des commissaires d'Ottawa (traduction).

Au président et aux membres du Bureau,

Afin de faciliter notre étude sur Ottawa, les membres de notre service de recherche ont mis au point, en étroite collaboration avec M. R. J. Wilson, directeur du personnel, un questionnaire à distribuer aux employés municipaux. Le résultat de ce travail en commun est la rédaction d'une formule d'enquête qui a maintenant l'approbation du directeur du personnel de la Ville et des représentants des associations d'employés.

Pour donner suite à la demande exprimée par votre secrétaire dans sa lettre du 14 avril 1965, nous sommes heureux de faire connaître à votre Bureau les termes de ce questionnaire. À cette fin, des exemplaires ont déjà été remis à M. Wilson. Afin d'éviter que les personnes interrogées ne subissent une influence quelconque, nous insistons sur la nécessité de garder au questionnaire un caractère confidentiel, tant que l'enquête ne sera pas terminée.

Seriez-vous d'accord pour que notre service de recherche mette au point avec votre directeur du personnel les derniers détails de notre enquête, de façon à nous permettre de distribuer le questionnaire le 10 mai ou vers cette date ? Nous profitons de cette lettre pour vous remercier du concours que vous avez, jusqu'à maintenant, apporté à notre Bureau de recherche.

Nous vous prions d'agréer, Messieurs, l'expression de nos sentiments distingués.

Lettre de MM. A. Davidson Dunton et André Laurendeau, présidents conjoints de la Commission, adressée le 8 juin 1966 au Bureau des commissaires d'Ottawa (traduction).

Au président et aux membres du Bureau,

Nous vous avons adressé le 25 avril, comme vous le savez sans doute, une requête concernant la distribution d'un questionnaire aux employés de la ville d'Ottawa et nous avons prévu que cela pourrait être fait le 10 mai. Votre accusé de réception, signé par M. Gorman, secrétaire du Bureau des commissaires, était daté du 29 avril.

Depuis lors, nous avons été très déçus de voir se succéder les réunions du Bureau sans qu'il soit donné suite à notre requête. Des demandes d'explication réitérées par téléphone de la part de notre personnel de recherche sont demeurées sans succès.

Vous comprendrez sans doute que nous nous inquiétions de ce retard. La Commission doit respecter des objectifs impérieux de temps pour réaliser son programme de recherche et pour prendre les mesures qui s'imposent pour la rédaction de son rapport final. De plus, le fait de ne pas nous faire connaître la date de distribution du questionnaire nous oblige à garder inactif le personnel chargé d'analyser les réponses à notre enquête.

Depuis six semaines déjà, le personnel de recherche attend votre autorisation pour prendre les dernières mesures avant d'entreprendre cette enquête. Puisqu'il en est ainsi, la Commission est contrainte de considérer le silence persistant du Bureau comme un refus d'autoriser l'enquête. Si, à votre avis, nous avons mal interprété les intentions du Bureau sur ce point, nous vous prions instamment de communiquer avec nous sans tarder.

Dans la situation actuelle, la Commission se voit obligée de demander à son personnel de recherche d'entreprendre l'étude de l'administration municipale d'Ottawa avec les meilleurs moyens dont elle dispose actuellement. Il lui faudra, entre autres choses, combler certaines lacunes de sa documentation sur l'administration d'Ottawa par quelques entretiens plus personnels avec des employés municipaux, conformément à l'autorisation du Conseil en date du 5 avril 1965.

Nous vous prions d'agréer...

Lettre de M. R. J. Gorman, secrétaire du Bureau des commissaires d'Ottawa, adressée le 9 juin 1966 à MM. A. Davidson Dunton et André Laurendeau, présidents conjoints de la Commission (traduction).

Messieurs,

Le Bureau des commissaires a pris connaissance de votre lettre du 25 avril, à laquelle était joint un exemplaire du questionnaire que vous vous proposiez de faire circuler parmi les employés municipaux dans le cadre de l'enquête menée par votre Commission.

Le Bureau m'a demandé de vous faire savoir qu'il n'estime pas que le questionnaire – outrepassant, selon lui, le champ d'application et l'objet de la proposition originale – doive être distribué aux employés municipaux. Au début, il s'agissait, à son avis, de remettre un bref questionnaire, par échantillonnage, à un nombre restreint d'employés.

Le Bureau espère que l'explication donnée plus haut répondra à votre demande.

Je vous prie d'agréer...

Lettre de M. Michael Oliver, directeur de la recherche à la Commission, adressée le 17 juin 1966 aux chefs de 18 services municipaux (traduction).

Afin d'appuyer sur des documents notre étude sur l'administration municipale d'Ottawa, nous aimerions recevoir, en spécimens, une série de formulaires employés par la Ville dans les affaires courantes. Nous aimerions particulièrement avoir le type de formulaires destinés à l'*usage interne* et des formulaires que l'administration envoie aux particuliers, aux entreprises et aux institutions.

Nous sommes tout particulièrement intéressés à avoir des spécimens de tous les formulaires rédigés en des langues autres que l'anglais. L'objet de notre demande consiste simplement à vouloir appuyer notre étude sur une documentation propre à illustrer les résultats de nos interviews.

Nous sollicitons instamment votre concours à ce sujet. Étant donné les délais fixés à la recherche, nous vous saurions gré de faire parvenir les spécimens à la Commission, à l'adresse susmentionnée, aussitôt que cela vous sera possible, et au plus tard le 30 juin.

D'avance, nous vous remercions de votre bonne attention.

Nous vous prions d'agréer...

Lettre de MM. A. Davidson Dunton et André Laurendeau, présidents conjoints de la Commission, adressée le 29 juin 1966 au Bureau des commissaires d'Ottawa (traduction).

Au président et aux membres du Bureau,

Nous avons reçu votre lettre du 9 juin, signée par M. R. J. Gorman, nous informant que le Bureau refusait de permettre que le questionnaire sur l'administration municipale d'Ottawa soit distribué aux employés. On nous donne comme explication que le questionnaire outrepasse le champ d'application et l'objet de la proposition originale (is beyond the scope and intention of the original proposal).

Quelque éclaircissement nous semble nécessaire. L'objet de l'étude n'a été ni modifié, ni élargi. Les principales méthodes de recherche prévues dans le plan original présenté le 8 mars 1965 et dans le plan plus développé en date du 25 mars 1965, qu'avait demandé le conseil municipal, consistaient en une consultation des dossiers du personnel et en des interviews particulières. Il n'avait pas été fait mention d'un questionnaire avant que M. Gorman écrive, le 14 avril 1965 : Le Bureau des commissaires serait heureux de recevoir une copie de tout projet de questionnaire que votre Commission soumettrait aux employés municipaux et faisant partie d'un programme de recherches que le conseil municipal pourrait accepter (The Board of Control would be pleased to receive a copy of any prepared questionnaire which might be submitted by your Commission to civic employees in any research program which might be authorized by City Council).

Malgré ce consentement apparent du Bureau à prendre en considération un questionnaire, la Commission n'a pas commencé à en élaborer un immédiatement. Toutefois, le personnel de recherche constatait, peu après, qu'il n'avait pas le moindre accès aux dossiers du personnel, et que les interviews seules ne suffisaient pas à donner une idée exacte de la situation. Alors seulement est-il passé à l'élaboration du questionnaire qui vous a été soumis le 25 avril 1966, après essais préalables par notre service de recherche et approbation par votre directeur du personnel et les dirigeants des associations d'employés.

Nous aurions espéré que le Bureau nous consulte avant de rejeter arbitrairement un questionnaire qui a exigé beaucoup de temps et d'effort. Pressés, cependant, par les dates limites relatives à l'enquête, nous devons maintenant rechercher d'autres méthodes.

Pouvons-nous, par conséquent, convenir de la possibilité d'une rencontre entre notre directeur de la recherche et d'autres membres de son haut personnel et vous ou le maire Reid, pour examiner les autres moyens d'enquête qui pourraient être utilisés ? Nous aimerions, par exemple, que vous nous remettiez une copie de certaines données obtenues par ordinateur au service du personnel et que vous nous permettiez de consulter les dossiers des membres de vos services, afin que, de cette façon, nous utilisions tous ces renseignements pour notre enquête. Peut-être nous proposeriez-vous d'autres moyens d'obtenir ces renseignements.

Nous devons vous signaler qu'il importe, pour le calendrier de nos travaux, de régler cette question le plus tôt possible d'ici le 15 juillet.

Nous ne croyons pas nécessaire de vous redire que la Commission rédigera, quoi qu'il en soit, un rapport sur la capitale fédérale et que, par conséquent, elle attache une grande importance à cette étude. Nous regretterions sincèrement d'avoir à présenter un rapport sur l'administration municipale d'Ottawa sans avoir fait tous les efforts pour exposer, de la façon la plus complète possible, les résultats de notre enquête.

Nous vous prions d'agréer...

Lettre de M. R. J. Gorman, secrétaire du Bureau des commissaires d'Ottawa, adressée le 18 juillet 1966 à MM. A. Davidson Dunton et André Laurendeau, présidents conjoints de la Commission (traduction).

Messieurs,

Le Bureau des commissaires accuse réception de votre lettre du 29 juin, répondant à la sienne du 9 juin. Celle-ci avait trait à sa décision de ne pas permettre que le questionnaire proposé soit distribué aux employés municipaux dans le cadre de l'étude menée par la Commission royale d'enquête sur le bilinguisme et le biculturalisme.

La question essentielle soulevée dans votre lettre, semble-t-il, est de savoir s'il est possible de ménager un entretien entre votre directeur de la recherche et d'autres membres de son haut personnel et le Bureau ou Son Honneur le maire Reid, pour étudier les autres moyens d'enquête pouvant être utilisés. Toutefois, il est difficile de vous donner une réponse avant que ceux-ci soient proposés.

Nous ne pouvons satisfaire votre demande d'obtenir une copie de certaines données du service du personnel dont la compilation serait faite par un ordinateur et de consulter les dossiers des membres de nos services, afin de compléter votre étude. Ces données et ces dossiers ne concernent que les noms et les salaires de notre personnel et ces renseignements, à notre avis, n'ont pas grand rapport avec le but de votre enquête.

Le directeur du personnel, M. R. J. Wilson, vous en conviendrez sûrement, s'est montré aussi obligeant que possible envers votre Commission quand il s'est agi de vous fournir des renseignements. Mais il ne pouvait, pour sa part, consentir à ouvrir les dossiers du personnel à des gens de l'extérieur. Ces dossiers ont un caractère hautement confidentiel et, à ce titre, relèvent de lui; ils ne sont même pas accessibles, sans réserve, aux chefs de services ou aux membres du conseil. On reconnaîtra volontiers, par exemple, qu'un dossier puisse renfermer certains documents sur la santé d'une personne, que le directeur du personnel se soit vu confier ce dossier au cours de l'exercice de ses fonctions, et cela justement parce que les employés savent que c'est à titre confidentiel. On pourrait mentionner nombre d'autres exemples.

Le Bureau ne voudrait pas donner l'impression de vouloir réduire le domaine des recherches que votre Commission a le droit d'entreprendre, en se retranchant derrière le directeur du personnel; toutefois, il faudrait nous assurer que le caractère confidentiel des renseignements dont le directeur a la charge serait respecté. De toute façon, il ne pourrait sûrement pas accorder libre accès aux dossiers à quelque personne que ce soit qui n'appartient pas à son service. Le Bureau et le directeur du personnel estiment que les dossiers en question ont le même caractère confidentiel que ceux, par exemple, du ministère du Bien-être. Dans les deux cas, il y a des intérêts particuliers à protéger.

Le Bureau a voulu, par ce qui précède, élucider les points que vous avez soulevés dans votre lettre et compte bien que vous comprendrez son point de vue.

Je vous prie d'agréer ...

Lettre de M. André Laurendeau, président conjoint de la Commission, adressée le 26 février 1965 à Son Honneur Marcel d'Amour, maire de Hull.

Monsieur le Maire,

Vous savez sans doute que la Commission royale d'enquête sur le bilinguisme et le biculturalisme s'intéresse au gouvernement et à l'administration d'Ottawa et de ses municipalités. Nous voulons entreprendre des recherches dont le but sera d'établir jusqu'à quel point la capitale et ses environs représentent la dualité culturelle et linguistique de notre pays. Pour votre renseignement, veuillez trouver sous pli un extrait de l'arrêté-en-Conseil 1106 (19 juillet 1963) qui établit notre mandat.

En ce qui concerne le gouvernement municipal et l'administration, nous voudrions obtenir :
(1) des renseignements sur la représentation, actuelle et passée, des Canadiens français et des Canadiens anglais dans les conseils municipaux;
(2) des renseignements sur la représentation des divers groupes ethniques et sur l'usage des langues dans les administrations municipales.

Sous la direction du Dr. Kenneth D. McRae, MM. Jean-T. Fournier et David R. Cameron ont déjà commencé les travaux préliminaires; ils communiqueront avec vous bientôt. Puis-je compter sur la coopération de votre administration dans la poursuite de cette étude ?

Veuillez agréer, Monsieur le Maire, l'assurance de ma plus haute considération.

Lettre de M. Marcel d'Amour, maire de Hull, adressée le 17 mars 1965 à M. André Laurendeau, président conjoint de la Commission.

Cher Monsieur Laurendeau,

En réponse à la vôtre du 26 février dernier, il me fait plaisir de vous aviser que vous pouvez compter non seulement sur ma plus entière collaboration, mais aussi sur celle des membres du conseil et de tous les employés au service de la Ville.

Espérant que notre humble contribution pourra vous être utile, je profite de l'occasion pour vous féliciter du magnifique travail accompli à date.

J'anticipe le plaisir de faire votre connaissance dans un avenir rapproché et, sur ce, veuillez agréer l'expression de mes sentiments les plus distingués.

Bien à vous...

Lettre de M. André Laurendeau, président conjoint de la Commission, adressée le 26 février 1965, à Son Honneur Gérard Grandmaître, maire d'Eastview.

Monsieur le Maire,

Vous savez sans doute que la Commission royale d'enquête sur le bilinguisme et le biculturalisme s'intéresse au gouvernement et à l'administration d'Ottawa et de ses municipalités. Nous voulons entreprendre des recherches dont le but sera d'établir jusqu'à quel point la capitale et ses environs représentent la dualité culturelle et linguistique de notre pays. Pour votre renseignement, veuillez trouver sous pli un extrait de l'arrêté-en-Conseil 1106 (19 juillet 1963) qui établit notre mandat.

En ce qui concerne le gouvernement municipal et l'administration, nous voudrions obtenir :
(1) des renseignements sur la représentation, actuelle et passée, des Canadiens français et des Canadiens anglais dans les conseils municipaux;
(2) des renseignements sur la représentation des divers groupes ethniques et sur l'usage des langues dans les administrations municipales.

Sous la direction du Dr. Kenneth D. McRae, MM. Jean-T. Fournier et David R. Cameron ont déjà commencé les travaux préliminaires; ils communiqueront avec vous bientôt. Puis-je compter sur la coopération de votre administration dans la poursuite de cette étude ?

Veuillez agréer, Monsieur le Maire, l'assurance de ma plus haute considération.

Conseil municipal d'Eastview. Extrait du procès-verbal de la séance du 21 avril 1965. (traduction).

Résolution n⁰ 65-177 présentée par le conseiller Roger Crête, appuyée par M. W.-J. Champagne.

Attendu qu'un représentant de la Commission d'enquête sur le bilinguisme et le biculturalisme est entré en contact avec le greffier en vue d'effectuer certaines études au sein de l'administration de la municipalité d'Eastview conformément au mandat de la dite Commission;
Attendu que le conseil de la municipalité d'Eastview estime souhaitable que ces études s'effectuent;
Le conseil de la municipalité d'Eastview adopte la résolution suivante :
1. Que le maire soit chargé de munir M. Dave Cameron, membre de l'équipe de la Commission sur le bilinguisme et le biculturalisme, d'une lettre de recommandation l'introduisant auprès des membres du personnel de la municipalité;
2. Que les chefs de service et le personnel de la municipalité d'Eastview soient invités à collaborer dans toute la mesure possible avec M. Cameron à ce sujet.
Adoptée.

Lettre de M. G. Grandmaître, maire d'Eastview, en date du 22 avril 1965, pour M. D. Cameron, de la Commission.

Aux membres du personnel de la municipalité d'Eastview,

Par une résolution adoptée à sa séance du 21 avril 1965, le Conseil a permis que l'on encourage toute collaboration avec M. Dave Cameron de la Commission d'enquête sur le bilinguisme et le biculturalisme pour certaines études effectuées au sein de l'organisation de la Ville d'Eastview, conformément au mandat de ladite Commission.

Nous vous prions donc d'accorder votre concours à M. Cameron de sorte qu'il puisse accomplir sa tâche à Eastview d'une façon satisfaisante.

Je demeure...

Appendice E (Chapitre III)	L'emploi des langues dans quelques organismes municipaux d'Ottawa

Si chaque organisme de l'administration municipale est appelé à fournir des services au public, certains jouent un rôle plus important que d'autres dans le domaine des rapports oraux et écrits avec les citoyens. Dans les pages qui suivent, nous présentons une série de brefs exposés sur les organismes qui, de par leurs fonctions, peuvent être en contact fréquent avec le public.

Le public semble utiliser trois organismes en particulier pour entrer en relation avec les autorités locales : le Bureau des réclamations, le Bureau du greffier qui, en plus d'occuper une position clef dans la diffusion de l'information, est aussi l'antichanbre du conseil municipal; enfin, le secrétariat du Bureau des commissaires, placé dans une position analogue, mais à l'échelon supérieur de la hiérarchie municipale.

Les données sur le *Bureau des réclamations* ne sont pas aussi complètes qu'on aurait pu le souhaiter, son directeur ayant refusé d'être interviewé par le personnel de la Commission. Néanmoins, les quelques renseignements recueillis semblent placer cet organisme parmi ceux qui ont le mieux réussi à fournir au public un service bilingue. Au cours de l'enquête téléphonique, la Commission a appelé trois fois ce bureau. Dans un cas, l'enquêteur a dû demander, en anglais, les services d'une personne parlant français et il a facilement obtenu satisfaction. Dans les deux autres, les standardistes ne parlaient que l'anglais, mais elles passèrent presque immédiatement la communication à des employés parlant français.

À certains égards, la situation est la même au Bureau du greffier, auquel on téléphona également trois fois. S'il fut possible d'obtenir dans les trois cas une réponse en français, à deux reprises les employés qui répondirent semblèrent faire office de simples interprètes, sans doute parce que la personne en mesure de fournir les renseignements demandés ne pouvait s'exprimer avec facilité en français. Les interviews semblaient indiquer en effet que le Bureau du greffier ne s'efforçait de fournir un service en français que dans les cas où le citoyen ne parlait manifestement pas l'anglais. Le porte-parole de cet organisme avait déclaré qu'on répondait habituellement en anglais aux lettres reçues en français.

Parmi les exemplaires d'imprimés fournis à notre demande par le bureau, plusieurs comportaient du français mais c'étaient en majorité des imprimés à caractère publicitaire ou destinés aux touristes. L'une des publications était semblable au plan touristique déjà mentionné : le titre était bilingue, mais les renseignements ne figuraient qu'en anglais. On n'a signalé aucune version française des formules utilisées par le bureau.

Nous possédons peu de données précises sur le secrétariat du Bureau des commissaires. La Commission s'est vu refuser une entrevue avec un porte-parole de cet organisme et les listes sélectives du personnel salarié. Il lui a été également impossible d'obtenir des échantillons de documentation. Le seul appel fait au cours du sondage par téléphone s'est soldé par un échec complet. L'employé qui répondit, en anglais, déclara qu'il n'y avait personne dans le bureau en mesure de donner des renseignements en français.

L'Office du tourisme, en fournissant des renseignements précis sur la ville d'Ottawa, semble remplir une fonction particulière. Deux des quatre appels à l'Office donnèrent des résultats satisfaisants, même s'il fallut attendre que la communication soit transmise à une personne parlant français. Dans le troisième cas, le service était d'une qualité inférieure à celle qu'on aurait obtenue en anglais; l'employé, bien que très serviable, avait une connaissance insuffisante du français pour répondre convenablement aux questions. Il a été impossible d'obtenir une seule réponse en français au cours du dernier appel téléphonique.

L'impression d'ensemble qui se dégage de l'interview à l'Office du tourisme est celle d'une agence essentiellement anglophone, servant une clientèle anglophone. On s'efforce néanmoins, dans une certaine mesure, de fournir des services en français; ainsi, au cours de l'interview, on a signalé qu'on répondait en français aux lettres rédigées en français. Bien que l'Office n'ait pas envoyé d'échantillons de ses imprimés, la documentation recueillie en d'autres occasions par les membres de l'équipe de recherche prouve qu'il existe quelques publications en français, destinées surtout aux touristes. Le choix des publications en anglais est cependant beaucoup plus vaste.

On a déjà mentionné que la section des Taxes municipales du service de la Trésorerie (Tax and Water Revenue Branch) avait effectué des changements à des formules en adoptant l'emploi des deux langues. Non moins intéressante est la question des renseignements donnés de vive voix par ce même service. Les deux appels faits au cours de l'enquête téléphonique ont donné des résultats satisfaisants, bien que, dans un cas, le fonctionnaire ait tenté de découvrir si la personne qui appelait était effectivement incapable de parler anglais.

Au Bureau des évaluations, on a noté au cours de l'interview une certaine tendance à fournir des services en français, mais à titre officieux, et à l'échelon subalterne, bien qu'on reconnaisse officiellement la langue française, si peu que ce soit. Les autres renseignements recueillis confirmeraient cette impression. Un seul appel téléphonique a été fait pendant l'enquête; on a pu obtenir une réponse en français, mais il a fallu insister.

La documentation fournie par cet organisme à titre d'échantillon est exclusivement en anglais. Jusqu'à un certain point, cet « unilinguisme officiel » paraît être une conséquence du milieu institutionnel dans lequel fonctionne le Bureau des évaluations. Comme devait le faire observer le porte-parole du bureau au cours de l'interview, la rédaction des formules est soumise à des dispositions réglementaires. Très souvent, la loi indique avec précision quelle formule employer et, par conséquent, la langue dans laquelle elle doit être rédigée (voir pp. 45 et 67). Il semble étrange, néanmoins, qu'un citoyen reçoive un relevé bilingue de ses taxes foncières et taxe d'eau pour 1967, alors que les avis d'imposition imprimés en 1967 pour l'année fiscale 1968 — qui peuvent porter plus directement atteinte à ses droits devant la loi — continuent à être rédigés exclusivement en anglais.

On a mentionné précédemment la place qu'occupent les langues autres que l'anglais et le français dans les publications du service d'Hygiène. Le français y occupe une position beaucoup plus forte que celle des autres langues mais, par bien des aspects, la qualité de la langue n'en est guère meilleure. L'examen de la documentation produite porte à croire qu'une bonne partie des imprimés existe en français — que soient des formules à remplir par le citoyen ou des publications destinées à informer le public. Toutes les formules utilisées à l'intérieur du service sont évidemment en anglais.

Au cours de l'enquête téléphonique, on a appelé sept fois cet organisme et ses diverses sections. Dans six cas, le service en français était plus ou moins satisfaisant; dans deux de ces cas seulement, il pouvait se comparer à celui qu'aurait obtenu un anglophone. Au cours des quatre autres appels, on s'est heurté à des difficultés, soit que les employés aient tenté de répondre en anglais, soit qu'ils aient eu une connaissance insuffisante du français.

L'entrevue avec le représentant du service du Bien-être social a révélé un désir très net de fournir des services en français. Ainsi les lettres en français reçoivent toujours, semble-t-il, une réponse en français, même si elles sont traduites pour les besoins du service. On a en outre mis au point un système, assez efficace, qui permet de transmettre au personnel bilingue les appels téléphoniques en français. Son fonctionnement a été mis une fois à l'épreuve au cours de l'enquête téléphonique, et le service obtenu a été satisfaisant.

Les imprimés, par contre, sont presque exclusivement publiés en anglais. À l'exception d'une formule dont une partie est en français, l'interview n'a révélé l'existence d'aucune version française. Les exemplaires de formules qui nous ont été présentés étaient tous en anglais. Là encore, l'influence des institutions provinciales semble contribuer largement à cet « unilinguisme officiel ». Un grand nombre de formules, depuis les demandes d'assistance au titre d'une loi provinciale jusqu'aux demandes d'admission des malades mentaux dans une institution, sont fournies ou imposées par la province d'Ontario. La lettre* qui accompagnait l'envoi de documentation confirme ce fait : « You will see from examination that many of these are actually provincial welfare department forms. Their use is either prescribed or made available to us[1]. »

La documentation présentée par le service des Parcs et des activités récréatives laisse supposer que les formules utilisées à l'intérieur de ce service n'existent qu'en anglais; toutefois, un porte-parole a déclaré que les dépliants publicitaires et les informations destinées au public étaient presque tous rédigés dans les deux langues. En outre, selon la même source, il est de règle de répondre en français aux lettres reçues dans cette langue.

Au cours de l'enquête téléphonique, on a fait cinq appels à ce service et à ses bureaux détachés. Dans trois cas, les réponses en français ont été vraiment satisfaisantes, dans un cas il a fallu insister et, dans un autre, on n'a pu obtenir de service en français.

---
*Lettre de la direction du ministère du Bien-être social, 4 juillet 1966.

Appendice F (Chapitre III)   L'emploi des langues au service de la Police et à la Commission des transports d'Ottawa

Le service de la Police

Le service de la Police d'Ottawa* ne fonctionne pas comme organisme rattaché à l'administration municipale, mais relève d'une commission de police. En 1965, il comprenait 460 membres portant l'uniforme et 40 employés civils. De ce nombre, 142 parlaient couramment les deux langues. Tous les employés reçoivent un traitement fixe mais, faute de renseignements sur la répartition des anglophones et des francophones selon le rang et la rémunération, il a été impossible de faire des comparaisons avec les autres services.

Le directeur du service de la Police estimait que, dans l'activité courante, environ 10 % des affaires traitées avec le public exigeaient la connaissance du français. Il s'agissait surtout de questions et de demandes de renseignements sur les instructions aux agents de la circulation. De plus, le travail de routine et les enquêtes sur les accidents devaient s'effectuer en bonne partie en français. Afin de développer l'aptitude de ses effectifs à satisfaire ces besoins, le service de la Police a mis sur pied son propre cours de français; on y attache une importance particulière aux termes français qu'un policier est appelé à utiliser couramment dans l'exercice de ses fonctions. Environ 75 policiers avaient déjà suivi avec succès ce cours facultatif.

La plupart des téléphonistes étaient bilingues; si un agent anglophone recevait un appel en français, il le passait à une personne pouvant répondre en cette langue. Les lettres et demandes de renseignements écrites en français, assez fréquentes (en particulier dans le cas des contraventions pour stationnement), faisaient l'objet de réponses en français. Toutefois, lettres et réponses étaient traduites.

Le directeur du service a déclaré que pour le recrutement et l'avancement on ne tenait pas compte de l'aptitude à parler français, sauf pour quelques postes où un personnel bilingue était absolument nécessaire (téléphone, renseignements, bureau des permis).

---

*D'après une interview avec le chef de la Police (1965).

Bien qu'en règle générale on ne tînt pas compte de la langue maternelle des candidats, le même directeur a précisé que le corps de police était bien équilibré à ce point de vue : la plupart des grandes langues européennes y étaient représentées.

Si l'organisation interne du service de la Police n'a pas été touchée par notre enquête, elle a néanmoins fait l'objet d'un éditorial de l'*Ottawa Journal* le 28 novembre 1966. L'article signalait que, des 19 fonctionnaires supérieurs de la Police, deux seulement étaient de langue française, et il considérait comme un mal cette représentation insuffisante des francophones. Il n'est pas sans intérêt de reproduire ici les motifs qui incitaient le journal à réclamer pour cette question une attention tout à fait spéciale :

> The policeman is the embodiment of the law. He is often an arbiter who becomes involved in the most difficult areas of human relationships. The language of a police officer is particularly important because people dealing with the police are often under stress.
>
> The Ottawa Police Department is said to have been able to recruit some excellent young French-speaking constables. That is encouraging. But more should be done to have the force on all its levels reflect the character of the city. It is vital for the good functioning and health of the police force itself that it be a kind of extension of the citizens themselves[1].

La Commission des transports d'Ottawa

La Commission des transports d'Ottawa* est un service public placé sous la direction et le contrôle d'une commission de trois membres et géré par un administrateur général. En 1965, son personnel comprenait un peu plus de 600 membres, dont 536 salariés, conducteurs d'autobus et préposés à l'entretien pour la plupart. Il y avait 77 employés à traitement fixe, y compris les chefs d'atelier et inspecteurs itinérants. Le tableau A en donne la répartition selon la langue maternelle.

TABLEAU A Répartition en pourcentage, selon la langue maternelle, du personnel à salaire et à traitement fixe, à la Commission des transports d'Ottawa, en 1965.

Langue maternelle	Effectif		Personnel	
	Nombre	%	À salaire	À traitement fixe
Total	613	100	100	100
Anglais	310	50,6	46,3	80,5
Français	279	45,4	49,2	19,5
Autre	24	3,9	4,5	0,0

Source : Renseignements fournis par l'administrateur général.

L'écart entre anglophones et francophones à traitement fixe aurait été plus accusé encore si, comme le proposait l'administrateur général, on avait exclu inspecteurs et chefs

---

*D'après une interview avec l'administrateur général (1965).

d'atelier. On ne comptait que six francophones sur les 43 employés de bureau, secrétaires, techniciens et membres du personnel spécialisé.

À l'intérieur des services, la langue de travail était l'anglais. Même les lettres et demandes de renseignements en français faisaient l'objet, paraît-il, de réponses en anglais, faute de personnel pour les traduire. Seule exception mentionnée : les téléphonistes étaient bilingues et capables de fournir verbalement des renseignements dans les deux langues.

Les chauffeurs d'autobus – comme on pouvait le prévoir – employaient largement le français au travail. Les horaires mis à part, tous les documents d'information et de publicité étaient bilingues. L'étaient également les panneaux d'arrêts et les indications sur les autobus. Les indications d'arrêt bilingues, en rouge et blanc, inaugurées en 1964 et maintenant étendues à toute la ville, contrastent vivement avec les panneaux de signalisation et les désignations de rue, unilingues.

En ce qui concerne l'embauche et la promotion, l'administrateur général a affirmé qu'elles se faisaient sans aucune considération de langue. Comme les traitements et salaires de la Commission soutenaient bien la concurrence, le recrutement n'exigeait pas de publicité. On pourvoyait aux vacances à partir d'une longue liste de candidatures, le choix étant basé uniquement sur la compétence des candidats et l'ordre dans lequel ils avaient présenté leur demande.

Appendice G (Chapitre IV) Tableaux

TABLEAU A Répartition en pourcentage, selon la langue maternelle, de la population (en 1961) et des fonctionnaires municipaux (en 1966) de la zone métropolitaine d'Ottawa, classés par municipalité.

Municipalité	Population (1961)						Fonctionnaires municipaux (1966)					
	Nombre	%	Langue maternelle				Nombre	%	Langue maternelle			
			Anglais	Français	Autre				Anglais	Français	Autre	Non déclarée
Total – Zone métropolitaine	429 750	100	56,0	38,0	6,0		3 362	100	60,0	36,0	3,0	1,0
Total – Ontario	332 899	100	68,0	24,0	8,0		3 035	100	66,0	30,0	4,0	–
Eastview	24 555	100	34,0	61,0	5,0		107	100	12,0	87,0	1,0	–
Gloucester	18 301	100	54,0	40,0	6,0		74	100	74,0	20,0	3,0	3,0
Nepean	19 753	100	89,0	4,0	7,0		165	100	85,0	7,0	2,0	6,0
Ottawa	268 206	100	70,0	21,0	9,0		2 676	100	66,0	30,0	4,0	–
Rockcliffe Park	2 084	100	85,0	10,0	5,0		13	100	85,0	15,0	–	–
Total – Québec	96 851	100	14,0	84,0	2,0		327	100	6,0	91,0	1,0	3,0
Aylmer	6 286	100	41,0	56,0	3,0		34	100	12,0	88,0	–	–
Deschênes	2 090	100	30,0	68,0	2,0		4	100	25,0	50,0	25,0	–
Gatineau	13 022	100	12,0	87,0	1,0		77	100	–	97,0	–	3,0
Hull	56 929	100	8,0	90,0	2,0		147	100	3,0	95,0	1,0	1,0
Lucerne	5 762	100	52,0	45,0	3,0		17	100	41,0	59,0	–	–
Pointe-Gatineau	8 854	100	3,0	96,0	1,0		43	100	2,0	98,0	–	–
Templeton	2 965	100	14,0	85,0	1,0		5	100	–	–	–	100,0
Templeton-Ouest	943	100	37,0	62,0	1,0		0	100	–	–	–	–

Sources : Pour la population : Recensement du Canada de 1961, catalogue 95-528.
Pour les fonctionnaires municipaux : Ottawa : bande 2, tableau 1, p. 42.
Autres municipalités : listes de contrôle du personnel en 1966.

Appendices 254

TABLEAU B Répartition en pourcentage, selon l'aptitude à servir le public en anglais ou en français, des fonctionnaires municipaux de la zone métropolitaine d'Ottawa, classés par municipalité.

Connaissance de l'anglais					Municipalité	Employés		Connaissance du français				
Excellente	Très bonne	Rudimentaire	Nulle	Sans réponse		Nombre	%	Excellente	Très bonne	Rudimentaire	Nulle	Sans réponse
49,0	31,0	18,0	—	2,0	Eastview	107	100	84,0	7,0	6,0	1,0	2,0
86,0	8,0	3,0	—	3,0	Gloucester	74	100	19,0	7,0	27,0	43,0	4,0
94,0	1,0	—	—	5,0	Nepean	165	100	7,0	4,0	8,0	76,0	6,0
99,0	—	1,0	—	—	Ottawa*	2 676	100	38,0	—	62,0	—	—
92,0	—	8,0	—	—	Rockcliffe Park	13	100	23,0	—	23,0	54,0	—
—	100,0	—	—	—	Aylmer	34	100	—	94,0	3,0	3,0	—
100,0	—	—	—	—	Deschênes	4	100	50,0	—	—	50,0	—
20,0	26,0	30,0	24,0	—	Gatineau	77	100	21,0	77,0	—	—	2,0
73,0	18,0	8,0	—	1,0	Hull	147	100	93,0	1,0	5,0	1,0	—
71,0	23,0	6,0	—	—	Lucerne	17	100	71,0	—	6,0	23,0	—
26,0	30,0	19,0	23,0	2,0	Pointe-Gatineau	43	100	40,0	60,0	—	—	—
—	—	—	—	5,0	Templeton	5	100	—	—	—	—	5,0
—	—	—	—	—	Templeton-Ouest	0	100	—	—	—	—	—
80,0	11,0	6,0	—	3,0	Ontario, sauf Ottawa	359	100	33,0	5,0	12,0	46,0	4,0
98,0		2,0		—	Total — Ontario	3 035	100	38,0		62,0		—
46,0	30,0	13,0	9,0	2,0	Total — Québec	327	100	82,0	13,0	2,0	2,0	2,0
64,0	20,0	10,0	4,0	3,0	Zone métropolitaine, sauf Ottawa	686	100	58,0	6,0	7,0	25,0	3,0
96,0	4,0			1,0	Zone métropolitaine	3 362	100	42,0	56,0			1,0

Source : Pour Ottawa : bande 2, tableau 1. Pour les autres municipalités : listes de contrôle du personnel en 1966.
*Les pourcentages pour Ottawa sont établis d'après le recensement selon la langue officielle : on considère comme ayant une connaissance « excellente » ou « très bonne » de l'anglais, par exemple, ceux qui ont déclaré que c'était pour eux la langue officielle d'usage et aussi ceux qui ont été recensés comme bilingues.

TABLEAU C Répartition en pourcentage, selon la connaissance de la langue seconde, des fonctionnaires municipaux de la zone métropolitaine d'Ottawa, classés par municipalité.

Municipalité	Nombre total d'employés	Connaissance de la langue seconde					Total	
		Excellente	Très bonne	Rudimentaire	Nulle	Sans réponse	« Excellente » et « très bonne »	« Rudimentaire », « nulle » et « sans réponse »
Eastview	107	43,0	32,0	22,0	1,0	2,0	75,0	25,0
Gloucester	74	11,0	12,0	30,0	43,0	4,0	23,0	77,0
Nepean	165	7,0	4,0	8,0	75,0	7,0	11,0	89,0
Ottawa*	2 676	37,0	—	—	—	—	37,0	63,0
Rockcliffe Park	13	15,0	—	31,0	54,0	—	15,0	85,0
Aylmer	34	—	94,0	3,0	3,0	—	94,0	6,0
Deschênes	4	50,0	—	—	50,0	—	50,0	50,0
Gatineau	77	19,0	26,0	29,0	23,0	3,0	45,0	55,0
Hull	147	73,0	18,0	8,0	—	2,0	90,0	10,0
Lucerne	17	41,0	24,0	12,0	23,0	—	65,0	35,0
Pointe-Gatineau	43	23,0	33,0	19,0	23,0	2,0	56,0	44,0
Templeton	5	—	—	—	—	5,0	—	100,0
Templeton-Ouest	0	—	—	—	—	—	—	—
Ontario, sauf Ottawa	359	19,0	14,0	17,0	46,0	4,0	32,0	68,0
Total – Ontario	3 035	36,0	—	—	11,0	1,0	36,0	64,0
Total – Québec	327	43,0	29,0	13,0	—	3,0	72,0	28,0
Zone métropolitaine, sauf Ottawa	686	30,0	21,0	16,0	29,0	4,0	51,0	49,0
Zone métropolitaine	3 362	40,0	—	60,0	—	1,0	40,0	60,0

Sources : Pour Ottawa : bande 2, tableau 1. Pour les autres municipalités : listes de contrôle du personnel en 1966.
*Pour Ottawa, ceux qui ont déclaré au recensement parler les deux langues officielles sont inscrits dans les colonnes « excellente » ou « très bonne », ceux qui ont indiqué l'anglais seulement, le français seulement, ou aucune des deux langues, sont classés dans les autres colonnes.

Appendices

TABLEAU D Répartition en nombre et en pourcentage, selon les catégories d'emploi, des fonctionnaires municipaux bilingues de la zone métropolitaine d'Ottawa, classés par municipalité (à l'exclusion des services de protection).

Municipalité	Nombre total d'employés			Catégories d'emploi																		
				Ouvriers			Secrétaires			Employés de bureau			Techniciens			Professions libérales			Cadres subalternes			Sans réponse
	1*	2*	3*	1	2	3	1	2	3	1	2	3	1	2	3	1	2	3	1	2	3	
Zone métropolitaine	1 380	434	31,0	231	60	26,0	102	32	31,0	250	103	41,0	349	105	30,0	172	58	34,0	216	72	33,0	60
Total – Ontario	1 191	324	27,0	159	39	25,0	85	20	24,0	204	66	32,0	330	92	28,0	164	50	30,0	198	57	29,0	51
Eastview	50	29	58,0	13	2	15,0	4	4	100,0	10	9	90,0	13	5	39,0	4	4	100,0	6	5	83,0	–
Gloucester	36	5	14,0	11	3	27,0	6	0	0,0	4	1	25,0	4	0	0,0	8	1	13,0	2	0	0,0	1
Nepean	102	12	12,0	55	8	15,0	6	1	17,0	10	1	10,0	13	0	0,0	3	0	–	14	2	14,0	1
Ottawa**	990	276	28,0	72	24	33,0	66	15	23,0	180	55	31,0	300	87	29,0	149	45	30,0	174	50	29,0	49
Rockcliffe Park	13	2	15,0	8	2	25,0	3	0	0,0	–	–	–	–	–	–	–	–	–	2	0	0,0	–
Total – Québec	189	110	58,0	72	21	29,0	17	12	71,0	46	37	80,0	19	13	68,0	8	8	100,0	18	15	83,0	9
Aylmer	20	19	95,0	10	10	100,0	3	3	100,0	–	–	–	1	1	100,0	–	–	–	2	1	50,0	4
Deschênes	4	2	50,0	–	–	–	1	1	100,0	–	–	–	2	0	0,0	1	1	100,0	–	–	–	–
Gatineau	59	24	41,0	35	5	14,0	2	2	100,0	12	8	67,0	8	7	88,0	2	2	100,0	–	–	–	–
Hull	66	51	77,0	10	4	40,0	9	4	44,0	26	24	92,0	6	5	83,0	5	5	100,0	10	9	90,0	–
Lucerne	8	3	38,0	5	1	20,0	–	–	–	3	2	67,0	–	–	–	–	–	–	–	–	–	–
Pointe-Gatineau	27	11	41,0	12	1	8,0	2	2	100,0	5	3	60,0	2	0	0,0	–	–	–	6	5	83,0	–
Templeton	5	0	0,0	–	–	–	–	–	–	–	–	–	–	–	–	–	–	–	–	–	–	5
Templeton-Ouest	0	0	0,0	–	–	–	–	–	–	–	–	–	–	–	–	–	–	–	–	–	–	–

Source : Listes de contrôle du personnel.
*Colonne 1 : nombre d'employés dans la catégorie; colonne 2 : nombre d'employés bilingues dans la catégorie; colonne 3 : proportion des employés bilingues par rapport au total de la catégorie.
**Les catégories d'emploi du recensement ne correspondent pas à celles des listes sélectives. Dans le tableau ci-dessus, on a analysé à des fins de comparaison les listes dressées par l'administration d'Ottawa. Ces listes sont incomplètes et n'indiquent pas le degré de connaissance de l'anglais. Le critère de bilinguisme est donc pour toutes les municipalités, sauf Ottawa, une connaissance « excellente » ou « très bonne » de la langue seconde. Dans le cas d'Ottawa, sont considérées comme bilingues toutes les personnes de langue maternelle française et celles qui ont déclaré avoir une connaissance « excellente » ou « très bonne » du français, langue seconde.

TABLEAU E Répartition en nombre et en pourcentage, selon la fréquence des rapports avec le public, des employés municipaux bilingues de la zone métropolitaine d'Ottawa, classés par municipalité (à l'exclusion des services de protection).

Municipalité	Nombre total d'employés			Fréquence des rapports									Sans réponse***
				Aucun rapport			Moins d'un rapport par jour			Plus d'un rapport par jour			
	1*	2*	3*	1	2	3	1	2	3	1	2	3	
Zone métropolitaine	1 380	434	31,0	202	58	29,0	263	67	25,0	823	301	37,0	92
Total – Ontario	1 191	324	27,0	157	42	27,0	232	57	25,0	717	218	30,0	85
Eastview	50	29	58,0	21	3	14,0	1	0	0,0	28	26	93,0	–
Gloucester	36	5	14,0	–	–	–	3	0	0,0	32	5	16,0	1
Nepean	102	12	12,0	14	3	21,0	33	5	15,0	46	4	9,0	9
Ottawa**	990	276	28,0	122	36	30,0	195	52	27,0	599	181	30,0	74
Rockcliffe Park	13	2	15,0	–	–	–	–	–	–	12	2	17,0	1
Total – Québec	189	110	58,0	45	16	36,0	31	10	32,0	106	83	78,0	7
Aylmer	20	19	95,0	10	10	100,0	4	4	100,0	5	4	80,0	1
Deschênes	4	2	50,0	–	–	–	1	0	0,0	3	2	67,0	–
Gatineau	59	24	41,0	27	5	19,0	3	1	33,0	29	18	62,0	–
Hull	66	51	77,0	3	0	0,0	8	3	38,0	54	48	89,0	1
Lucerne	8	3	38,0	5	1	20,0	–	–	–	3	2	67,0	–
Pointe-Gatineau	27	11	41,0	–	–	–	15	2	13,0	12	9	75,0	–
Templeton	5	0	0,0	–	–	–	–	–	–	–	–	–	5
Templeton-Ouest	0	0	0,0	–	–	–	–	–	–	–	–	–	–

Source : Listes de contrôle du personnel.
* Colonne 1 : Nombre d'employés dans la catégorie; colonne 2 : nombre d'employés bilingues dans la catégorie; colonne 3 : proportion des employés bilingue par rapport au total de la catégorie.
** Critères employés pour Ottawa : voir tableau D, note **.
*** Il peut y avoir des différences entre les chiffres de cette colonne et ceux de la colonne « sans réponse » du tableau D, car nous n'avons pas reçu le même nombre de réponses.

Appendice H (Chapitre V) — Dépenses de la Commission de la capitale nationale, de 1947 à 1967

Dépenses faites pour la mise en valeur et l'embellissement de la région de la capitale nationale entre le 1er avril 1947 et le 31 mars 1967. A. Dépenses année par année. B. Ventilation des dépenses.

A. Dépenses année par année

Année d'exercice	Montant	Année d'exercice	Montant
1947-48	$ 370 638	1957-58	$ 4 533 857
1948-49	936 833	1958-59	7 740 285
1949-50	1 146 200	1959-60	13 758 703
1950-51	1 634 074	1960-61	11 862 201
1951-52	1 832 964	1961-62	11 484 739
1952-53	1 911 536	1962-63	16 933 984
1953-54	2 678 623	1963-64	21 852 600
1954-55	5 508 955	1964-65	18 582 674
1955-56	4 612 787	1965-66	25 297 115
1956-57	3 422 380	1966-67	33 352 247

Source : Commission de la capitale nationale, *Rapport annuel, 1966-1967*, 2e partie.

Dépenses de la C. C. N. 259

B. *Ventilation des dépenses*

TOTAL CUMULATIF	$ 189 453 395	
Intérêts sur emprunts pour achat de propriétés		17 356 473
Dépenses diverses d'entretien		1 126 838
Aide aux projets municipaux de construction et subventions pour égouts collecteurs et conduites d'aqueduc principales.		14 579 104
Travaux divers sur des propriétés de la Commission		25 154 471
Remaniements ferroviaires		35 634 719
Pont Mackenzie King		1 351 548
Achats de propriétés		94 250 242

DÉTAILS

Subventions à Ottawa pour la construction prévue d'égouts collecteurs et de conduites d'aqueduc principales. Total $ 2 758 000 acquitté en entier	2 685 971
Subvention à Ottawa pour construction de conduites menant à l'usine d'épuration à Green Creek pour enrayer la pollution des eaux de la rivière des Outaouais. acquitté en entier	5 000 000
Part du coût de l'enfouissement des cables — centre d'affaires, Ottawa	260 298
Subvention à Nepean pour la construction de nouvelles conduites et d'une usine d'épuration acquitté en entier	160 000
Contribution relative à la construction des ponts Bytown et améliorations à la promenade Sussex	966 315
Contribution relative à la construction du nouveau pont Bronson (Canal Rideau)	639 313
Contribution à la construction de la promenade Riverside	1 205 842
Améliorations aux approches du pont Chaudière Ottawa et Hull	797 603
Contribution relative à la construction du pont Dunbar	190 815
Jardinage paysager et démolition de bâtiments pour le Queensway	456 379
Démolition des bâtiments pour approches du pont Macdonald-Cartier	200 695
Contribution au coût d'une structure au croisement de l'avenue Carling et la promenade de l'Ouest (proposée)	378 956
Octrois aux sociétés d'histoire	77 564
Aide diverse	437 671
Recherches et études	124 114
Place de la Confédération — changements	777 019
LeBreton Flats — études etc.	220 549

DÉTAILS

Promenade dans le parc de la Gatineau	5 918 547
Promenade du lac des Fées	507 770
Aménagement du parc de Hogs Back	523 636
Aménagement des parcs de Hull	786 394
Amélioration des commodités dans le parc de la Gatineau	1 340 554
Promenade de l'Outaouais	7 220 472
Améliorations dans LeBreton Flats	463 815
Amélioration dans la Zone Verte	412 188
Divers projets	6 452 786
Amélioration aux propriétés historiques	348 972
Promenade du Col. By	1 179 337

ACHATS DE PROPRIÉTÉS

Place de la Confédération	3 779 281
Promenade de l'Est	2 112 138
Parc de la Gatineau	5 699 712
Zone verte en Ontario	35 587 827
Lieux historiques	3 157
Promenade de Lucerne	606 564
Promenade Philemon Wright — Hull	941 604
Terrains divers dans Hull	877 164
Emplacements industriel et ferroviaires. Twp. de Gloucester	429 989
Pont Mackenzie King	270 962
Emplacements divers	2 247 338
Approches du pont Macdonald-Cartier	2 015 618
Approches du nord de Hull	631 349
Nouvelle gare-terminus pour voyageurs — Hurdman	819 911
Promenade de l'Outaouais	4 640 810
Le Queensway	4 541 264
Promenade de la Rideau	2 694 088
LeBreton Flats	18 012 380
Boulevard de la gare	243 426
Promenade Sussex	5 149 603
Promenade de l'Ouest	1 004 151
District central d'affaires — Ottawa	408 626
Approches du pont Deschênes-Britannia	1 066 273
Prolongement de la Promenade du Col. By	406 782
Hull-Lucerne	60 225

Appendice I (Chapitre V) — Propriétés acquises par la Commission de la capitale nationale

Nombre de terrains expropriés et achetés au Québec et en Ontario, pour la réalisation de divers projets, par la Commission de la capitale nationale, entre février 1959 et août 1967.

Au Québec

Travaux	Nombre de terrains expropriés	Nombre de terrains achetés	Utilisation
Parc de la Gatineau	13	156	parc et route de plaisance
Accès nord, route n° 11	27	9	passage de la route
Pont Deschênes-Britannia	115	–	approches du pont, route de plaisance
Pont Cartier-Macdonald	50	–	approches du pont
Philémon Wright	15	–	route de plaisance
Déplacement de voies ferrées	1	–	voie de raccordement
Promenade de Lucerne	–	2	route de plaisance
Total	221	167	

En Ontario

Travaux	Nombre de terrains expropriés	Nombre de terrains achetés	Utilisation
Promenade de l'Outaouais – ouest	4	8	route de plaisance
– est	49	–	route de plaisance
Pont Macdonald-Cartier	118	–	approches du pont et emplacement d'un immeuble du gouvernement
Promenade Sussex	24	–	site historique
Stanley-Mackay	29	–	emplacement d'un immeuble du gouvernement et parc
LeBreton Flats	283	–	emplacement d'immeubles du gouvernement et route de plaisance
Victoria Island-Richmond Landing	3	1	site historique et parc
Promenade du Colonel By	3	1	route de plaisance
Queensway	37	80	passage de la route
Place de la Confédération	16	3	emplacement d'immeubles du gouvernement
Promenade de l'Est	2	3	route de plaisance enjambant le Rideau
Promenade de l'Ouest	4	3	route de plaisance enjambant le Rideau
Rivière Rideau	–	2	parc
Déplacement de voies ferrées	–	1	voie de raccordement
Non précisé	–	3	
Zone verte	745	603	
Total	1 317	708	

Source : Chiffres fournis par la Commission de la capitale nationale.

Appendice J (Chapitre V) Versements faits à la ville d'Ottawa

Relevé des taxes et des subventions compensatrices versées à la ville d'Ottawa par le gouvernement fédéral pour les exercices financiers de 1961 à 1966.

Propriétés pour lesquelles des taxes ou des subventions compensatrices ont été versées	Sommes versées* (en milliers de dollars)					
	1961	1962	1963	1964	1965	1966
Total des versements	6 474	7 086	7 246	8 011	8 720	9 180
Propriétés des ministères**	5 484	5 942	6 187	6 691	7 247	7 607
Propriétés des sociétés de la Couronne***	865	1 011	917	1 133	1 268	1 353
Propriétés des missions diplomatiques et résidences des chefs de mission	125	133	142	187	205	220

Source : Renseignements fournis par le ministère des Finances.
*Les taxes comprises sont l'impôt foncier (dans le cas de certaines sociétés de la Couronne), les contributions aux améliorations urbaines, aux frais de réaménagement et à la protection contre l'incendie, ainsi que la surtaxe pour les canalisations d'eau. Les versements touchant les propriétés de la Couronne louées au ou par le gouvernement fédéral ne sont pas compris. Pour toutes les années en cause, les contributions relatives à l'équipement contre l'incendie et la surtaxe pour les canalisations d'eau sont des estimations. C'est également le cas pour les autres taxes relatives à l'exercice 1966, de *Atomic Energy of Canada,* Radio-Canada, ainsi que des gouvernements étrangers. Pour toutes les années étudiées, les sommes versées par la Commission de la capitale nationale sont des estimations.
**Y compris le Conseil national de recherches.
***Comprend Air Canada, *Atomic Energy of Canada,* la Banque du Canada, Radio-Canada, les Chemins de fer nationaux, la Société centrale d'hypothèques et de logement, *Eldorado Mining and Refining,* et la Commission de la capitale nationale.

Appendice K (Chapitre V) Exemples de rapports entre la ville d'Ottawa et le gouvernement fédéral

1. L'affaire du règlement de zonage

La controverse sur les règlements de zonage d'Ottawa éclaire, du moins partiellement, les relations passées entre l'administration municipale et un organisme important du gouvernement fédéral, la Commission de la capitale nationale. L'aspect le plus frappant est peut-être le manque total de coordination entre eux. Il convient cependant de signaler que le premier ministre a énergiquement appuyé la Commission de la capitale nationale lorsque les initiatives prises par la ville l'ont mis en cause.

Le 9 septembre 1964, l'*Ottawa Citizen* relatait brièvement que la Commission de la capitale nationale, quelques jours auparavant, avait demandé de ne pas être soumise au règlement de zonage AZ-64 alors en voie d'élaboration par la ville. La Commission, disait le journal, fondait sa requête sur le fait que les gouvernements fédéral et provinciaux ne sont pas astreints aux arrêtés municipaux.

La première réaction de l'Hôtel de ville fut plutôt défavorable. Quant à celle du maire, elle fut d'écrire, à titre privé, au premier ministre. Il semblerait qu'on n'a communiqué, ni officiellement ni officieusement, avec la Commission de la capitale nationale, mais que celle-ci a été « court-circuitée » par la ville, au profit du premier ministre lui-même. La réponse de ce dernier, reçue par les autorités municipales le 8 septembre, ne fut pas rendue publique.

À sa séance de la semaine suivante, le conseil municipal rejeta, selon l'*Ottawa Journal* du 16 septembre, les treize objections soulevées par la Commission de la capitale nationale contre le nouveau règlement. Jusque-là, l'organisme fédéral s'était généralement conformé aux règlements municipaux, et il cherchait alors à exempter des conditions du nouvel arrêté des propriétés sises sur le territoire de la ville. Le journal rapportait ainsi les paroles du maire : « So far as we are concerned they can come forward with individual requests for exemptions as they have been doing ». Dans son édition du même jour, le quotidien rapportait, relativement à une autre affaire, des propos du maire se plaignant que la ville ne fût pas informée de certaines modifications apportées par la Commission de la capitale nationale à ses projets. Le journal poursuivait : « In a recurring complaint the Mayor feels there should be closer liaison between the two bodies[2] ». Une fois de plus, le maire exprimait son intention d'écrire au premier ministre plutôt qu'à la Commission.

Dans un éditorial du lendemain, l'*Ottawa Journal* faisait le commentaire suivant :

> The discussion of Council might have shown greater awareness of the special status of Crown lands. The brusque treatment does no good to the relationship between Crown and town which is so vital to the progress of this city... The city considers that it had « the right and duty to indicate publicly its opinion with respect to the use of all lands under its jurisdiction, including Federal lands ». Of course it has ! But this could still be done while recognizing the special position of the Federal Government's holdings[3]

Le lundi 21 septembre, l'*Ottawa Citizen* faisait état d'une lettre au maire où le premier ministre affirmait la situation particulière exceptionnelle de la Commission de la capitale nationale, de même que sa prépondérance dans le conflit de zonage : « If the NCC and the city find themselves in a deadlocked dispute, the letter says, the will of the NCC will prevail. But the NCC will continue to follow city zoning bylaws whenever possible because it chooses to do so; not because it has to[4] ».

Selon le même journal, le premier ministre aurait déclaré que la Commission de la capitale nationale, en demandant de n'être en aucun cas soumise aux règlements de la ville, visait à faire consigner dans un document officiel les pouvoirs qu'elle avait déjà.

Le lendemain sous le titre « The City and the NCC », l'*Ottawa Citizen* résumait toute la question :

> The debate between civic and federal authorities ... once again points up the need for closer liaison between the two levels of government... As long as the city and the NCC keep at arms length — a situation due largely to the unco-operative attitude shown by Mayor Whitton — there will always be obstacles in the way of orderly development of the national capital[5].

2. La restauration du quartier est de la basse ville

Au début de novembre 1965, on apprenait par les journaux que la rénovation du quartier est de la basse ville, secteur de la ville d'Ottawa dont la population est en majorité francophone, en était au stade de la planification. Selon un article paru dans *Le Droit* du 9 novembre, des fonctionnaires municipaux s'étaient entretenus de ce projet avec des représentants de la Société centrale d'hypothèques et de logement. L'auteur laissait entendre que, même si les premières réactions des gens touchés par le projet avaient été favorables, des réserves n'en avaient pas moins été formulées. On aurait appréhendé la dispersion des résidants du secteur et redouté que ce programme de rénovation ne se traduise par une diminution de la représentation canadienne-française au conseil municipal; enfin on se serait demandé si l'école secondaire prévue dans ce secteur serait bilingue.

En dépit des précisions communiquées au public au cours du mois suivant, ce n'est que vers la fin de mars 1966, à la présentation du plan détaillé au conseil municipal, qu'on put se rendre compte de toute l'envergure du projet; il embrassait quelque 186 acres, touchait 9 400 personnes et devait coûter environ 15 millions de dollars. Certains points en étaient déjà connus depuis à peu près quatre mois et jusque-là, le projet dans son ensemble ne semble guère avoir soulevé de difficultés. On tenait compte du caractère particulier du quartier, avec la population duquel les autorités municipales s'étaient sérieusement efforcées de maintenir le contact, allant jusqu'à faire distribuer une brochure bilingue sur les grandes lignes du projet.

Dans un éditorial de l'*Ottawa Citizen,* en date du 23 mars 1966, on lisait :

> The city rightly plans to give those displaced by the Lower Town scheme the first opportunity to use the new facilities that will be located in the area. More than 700 public housing units will be built... One of the reasons that Lower Town people are not raising a fuss over the city's plans is that they have been kept fully in the picture... Civic officials have learned the hard way that good public relations can be a major factor in ensuring the success of an urban renewal scheme[6].

Dans *Le Droit* du même jour, M. Gérard Bernier exprimait un point de vue analogue :

> *Le Droit* approuvait récemment le projet de réaménagement de la basse ville d'Ottawa, à la condition sine qua non que l'on respecte intégralement l'entité sociale propre à ce secteur. Or, comme le rapport a tenu compte de ce facteur primordial, notre journal ne peut que féliciter les édiles d'avoir déjà approuvé en principe ce vaste programme et souhaiter qu'il se concrétise complètement.

Pourtant, cinq jours plus tard, dans son numéro du 28 mars, *Le Droit* publiait plusieurs articles qui donnaient à entendre qu'en dépit de l'appui général accordé au projet par les résidants de la basse ville, des objections n'en étaient pas moins soulevées touchant le nombre relativement petit de maisons individuelles. On exprimait également des craintes quant au maintien du caractère canadien-français du quartier.

L'affaire sommeilla pendant deux mois; entre-temps l'administration municipale s'employait à obtenir du gouvernement provincial l'autorisation d'aller plus avant, tout en poursuivant ses entretiens avec la Société centrale d'hypothèques et de logement sur l'aide du gouvernement fédéral. En juin, l'affaire rebondit. Le 15, l'*Ottawa Citizen* faisait part de l'opinion d'un groupe représentant le quartier, l'Association de contribuables du secteur est de la basse ville. Les griefs portaient sur le petit nombre de maisons individuelles, qui incitait beaucoup de gens à s'installer ailleurs et, par suite, mettait en péril le caractère particulier du quartier; on s'interrogeait aussi sur la langue d'enseignement de la future école. Le compte rendu du *Droit* mentionnait une accusation de mauvaise foi portée par le président de l'Association contre la municipalité. Selon l'article, le président soutenait que les autorités municipales essayaient de convaincre le gouvernement provincial et la Société centrale d'hypothèques et de logement que le projet n'avait rencontré que peu d'opposition, en dépit d'une pétition de quelque 500 personnes reçue par la municipalité au début de juin.

Le lendemain, 16 juin, des membres de l'Association discutèrent la question avec le maire et d'autres administrateurs de la ville. Selon l'*Ottawa Citizen*, ils auraient fait valoir les deux mêmes griefs : opposition des citoyens aux nouveaux logements, et incertitude quant à la langue d'enseignement de la future école.

Peu de temps après, la Société centrale d'hypothèques et de logement intervint. Dans son numéro du 24 juin, l'*Ottawa Citizen* annonçait que la veille, l'organisme fédéral avait demandé à la ville de faire appel à des conseillers spéciaux en urbanisme : « CMHC wants the consultants to study all details of land use. »

La semaine suivante, selon l'*Ottawa Journal* du 28 juin, le Bureau des commissaires d'Ottawa accorda à contrecœur un délai de quatre mois pour permettre à des conseillers de l'extérieur de faire une étude. Les commissaires ne pouvaient guère faire autre chose, la Commission ontarienne des affaires municipales, avant de donner son autorisation, exigeant l'approbation de la Société centrale d'hypothèques et de logement. Dans un éditorial du même jour, l'*Ottawa Journal* approuvait en des termes modérés la position adoptée par la S. C. H. L., comme le fit deux jours plus tard l'*Ottawa Citizen*.

Le 5 juillet, selon un article paru le lendemain dans l'*Ottawa Citizen*, le Collegiate Institute Board annonça son intention d'entrer en communication avec le ministre de l'Éducation pour demander l'autorisation d'ouvrir une école secondaire où le français serait la principale langue d'enseignement. On tentait ainsi, semble-t-il, de rallier les habitants de la basse ville, impression qui se trouve confirmée par le deuxième article d'une série sur la question par un journaliste de l'*Ottawa Citizen*, et paru environ neuf semaines plus tard :

> To overcome some of this opposition the CIB said it would operate its proposed school as a bilingual school... Apart from French language courses, the department of education only allows for social studies and Latin to be taught in French. Other subjects can be taught in French by special permission. But the CIB hasn't applied for this special permission yet nor indicated how many subjects it would attempt to teach in French[8].

Vers septembre 1966, on n'était guère plus avancé, les urbanistes-conseils ne devant remettre leur rapport que vers la fin d'octobre ou le début de novembre. Dans l'intervalle, cependant, la situation s'était compliquée d'un nouvel élément. Certains habitants de la basse ville, cherchant à se loger ailleurs, s'étaient engagés, par écrit, à acheter de nouvelles maisons, comptant, pour leur versement initial, sur l'argent qu'ils devaient toucher de l'expropriation de celles qu'ils possédaient. Cependant le retard dans la mise en route du projet ayant entraîné celui des formalités d'expropriation, l'argent n'arrivait pas. Mais eux, ils avaient contracté des engagements et plusieurs, disait-on, se voyaient menacés d'une action en justice. D'après un article de l'*Ottawa Citizen* en date du 29 septembre, les autorités municipales et provinciales auraient consenti à devancer l'approbation intégrale du projet. Cependant, toujours selon le même article, le maire aurait déclaré que la Société centrale d'hypothèques et de logement ne pouvait légalement avancer de l'argent pour un projet qui n'était pas encore complètement approuvé. L'auteur poursuivait ainsi :

> The Mayor has approached the Cabinet asking for an immediate payment from the federal government to be deducted from the CMHC contribution later. « This seems the only way around the problem, the Mayor said. I have discussed it with Public Works Minister McIlraith and I am very optimistic we will get the results we want[9]. »

L'affaire en était là à la fin de septembre 1966, une année après, et l'on attendait toujours la solution. Les premières étapes de ce projet, dont nous avons tracé ici les grandes lignes, illustrent l'action réciproque entre les divers échelons du pouvoir public.

3. Application des règlements de sécurité

Le chevauchement des compétences dans la région de la capitale peut même parfois être cause de pertes de vie, comme le démontre un événement survenu au printemps de 1966. Le 8 avril, travaillant sur un chantier du centre d'Ottawa, Maurice Cardinal, ouvrier en démolition, se tua en tombant d'un sixième étage.

L'enquête a révélé qu'on méconnaissait gravement les règles de sécurité. La « barrière de la langue » paraît en avoir été l'une des causes; le président de la firme de démolition, un francophone, aurait dit dans son témoignage, selon l'*Ottawa Citizen* du 7 juin 1966, qu'il avait quelque difficulté à comprendre l'inspecteur municipal parce qu'il parlait vite.

Étant données les prescriptions de la loi dans le cas d'infractions de cette nature, on se demande comment il se fait qu'on ait permis à la firme en question de poursuivre les travaux, alors qu'elle ne s'était pas conformée aux règlements de sécurité. Selon les comptes rendus de l'enquête publiés par les journaux, les inspecteurs de la ville d'Ottawa étaient parfaitement au courant du peu de cas qu'on faisait de la loi provinciale sur la sécurité (Safety Act), mais ils se sentaient impuissants à intervenir, parce qu'il s'agissait de travaux exécutés sur un terrain du gouvernement fédéral et qu'ils avaient des doutes sur leur compétence. De son côté, le personnel du ministère des Travaux publics, ministère qui avait attribué le contrat de démolition, pensait que l'inspection de sécurité relevait de la ville. En conséquence, ni la ville d'Ottawa, ni le gouvernement fédéral n'avaient assuré l'application des règlements de sécurité.

Malheureusement, le cas Cardinal n'est pas unique. Dans un autre accident survenu le 5 août 1966 à la nouvelle gare d'Ottawa, deux ouvriers trouvèrent la mort. Le jury du coroner conclut que l'accident était en bonne partie imputable au fait qu'on ne savait pas exactement de qui relevait l'inspection des mesures de sécurité sur les chantiers situés sur les propriétés du gouvernement fédéral (voir l'*Ottawa Citizen*, numéros du 31 janvier, des 1er, 2 et 3 février 1967).

À la suite de l'accident de la gare, cette question de compétence fut soulevée devant les tribunaux : un magistrat d'Ottawa statua que les inspecteurs provinciaux de la sécurité n'avaient pas autorité sur les entrepreneurs exécutant des travaux pour le gouvernement fédéral, sur des terrains appartenant au gouvernement fédéral. La cause fut alors portée devant la cour d'appel de l'Ontario, mais le gouvernement ontarien se désista avant l'audience. La loi provinciale ne s'applique donc pas aux chantiers fédéraux, et il n'existe pas de loi fédérale équivalente (voir l'*Ottawa Journal,* numéro du 14 octobre, et éditorial du 17 octobre 1967).

Appendice L (Chapitre V) Comparaison des sommes dépensées par le gouvernement fédéral à Ottawa et à Hull, de 1954 à 1964

Dépenses du gouvernement fédéral dans les villes d'Ottawa et de Hull au cours des dix années comprises entre 1954 et 1964.

Dépenses	Ottawa	Hull	Hull par rapport à Ottawa
POPULATION (Recensement du Canada, 1961)	268 206	56 929	21,23 %
1. Ministère des Travaux publics			
a) Nombre d'immeubles (y compris les agrandissements)	80	1	1,25 %
b) Coût total des immeubles	$ 114 930 000	$ 735 624	0,64 %
c) Subventions spéciales (Queensway, ponts, égouts, etc.)	6 043 571	---	0,00 %
d) Chantiers interprovinciaux (pont Cartier-Macdonald, entretien du pont Chaudière)	1 105 218	1 105 218	100,00 %
Total	122 078 789	1 840 842	1,51 %
2. Ministère des Finances			
Taxes municipales (y compris les taxes payées à la Commission scolaire de Hull)	41 472 497	3 430 354	8,27 %
3. Commission de la capitale nationale			
a) Contributions spéciales (égouts, démolitions, etc.)	$ 10 858 206	563 672	5,19 %
b) Aménagement de parcs	12 803 092	1 446 296	11,30 %
c) Achats et expropriations de terrains	23 670 357	2 045 423	8,64 %
d) Taxes municipales	327 109		0,00 %
Total	47 658 764	4 055 391	8,51 %
4. Récapitulation			
a) Ministère des Travaux publics	$ 122 078 789	1 840 842	1,51 %
b) Ministère des Finances	41 472 497	3 430 354	8,27 %
c) Commission de la capitale nationale	47 658 764	4 055 391	8,51 %
Total	$ 211 210 050	$ 9 326 587	4,42 %

Source : *Mémoire sur la nécessité d'un regain industriel à Hull,* présenté aux autorités municipales de Hull par la Chambre de commerce de cette ville, le 10 décembre 1964, annexe D, p. 41.

Appendice M (Chapitre VI)   L'enregistrement des actes dans le
                              comté de Carleton, en Ontario

1. Les biens immobiliers

Il y a deux modes d'enregistrement des biens fonciers dans le comté de Carleton. Certaines parties du comté sont régies par le régime des « titres de propriété foncière » et les autres par celui du bureau d'enregistrement. Le premier relève de la Cour suprême de l'Ontario, dont certains employés peuvent remplir leurs fonctions en anglais et en français. Le second comprend deux bureaux, l'un pour la ville d'Ottawa et l'autre pour l'extérieur, qui peuvent assurer leur service en français. Cependant, sous les deux régimes, ce sont généralement des avocats qui traitent avec les bureaux, et presque toujours en anglais.

Actuellement, les actes ne sont qu'en anglais. Une des conséquences de cet état de choses est que ces pièces peuvent être consultées par des personnes des deux groupes linguistiques. Cependant elles servent presque exclusivement aux hommes de loi; comme on l'a souligné plus haut, un homme de loi ne peut actuellement être admis au barreau ontarien s'il ne lit l'anglais à peu près couramment.

2. La propriété mobilière

Au bureau de la cour de comté, qui ne comprenait aucun employé francophone au moment de notre enquête, on enregistre les contrats de vente ordinaires et sous condition et les hypothèques sur biens meubles. Ces actes peuvent être en français, mais les employés ont l'habitude d'exiger une brève explication écrite de l'acte; celle-ci doit être rédigée en anglais et déposée au moment de l'enregistrement. Cela facilite la recherche des titres de biens meubles et le transfert des pièces d'enregistrement entre comtés. S'il faut rendre un contrat exécutoire, on doit remettre une traduction à l'usage de la cour.

La terminologie de ces actes est très technique et probablement incompréhensible pour la plupart des profanes. Même si l'acte est dans la langue de la personne la plus directement intéressée (l'acheteur dans un contrat de vente sous condition, ou le débiteur hypothécaire sur biens meubles), le mieux est de se faire expliquer à fond par un avocat la teneur du document.

Les nantissements sur biens meubles occasionnent des problèmes semblables à ceux soulevés par les actes touchant les biens immobiliers. Ainsi, les parties directement intéressées peuvent être le vendeur et l'acheteur dans un contrat sous condition, ou le débiteur et le créancier hypothécaire dans le cas des gages sur biens meubles. Les intérêts des tiers peuvent parfois être gravement atteints, par exemple si celui qui a acheté sous condition ou le débiteur sur gage essaie de vendre les meubles comme s'il en avait la propriété absolue. On doit préserver les intérêts du second acheteur, tout comme ceux de la personne qui a vendu sous conditions, et du créancier gagiste. C'est principalement pour cette raison que l'on exige l'enregistrement de l'acte relatif à l'opération. La protection des tiers peut exiger qu'ils connaissent la teneur de l'acte aussi bien que l'acheteur dans un contrat sous condition ou que le débiteur-hypothécaire; on doit donc tenir compte de leur langue.

L'enregistrement des actes se fait dans le comté où réside l'acheteur ou le débiteur gagiste, ou dans celui où se trouve le bien. Aussi, les dispositions concernant le transfert de l'enregistrement dans un autre comté sont-elles de première importance; on doit également prendre en considération la langue du personnel de la cour de ce comté.

Notes

Chapitre premier

1. *Statistical Review with Explanatory Notes: National Capital Region;* Ottawa/Hull Area Transportation Study Technical Co-Ordinating Committee and Land Use Sub-Committee, Ottawa Committee, Ottawa, 1964.

2. *Rapport de la Commission royale d'enquête sur le bilinguisme et le biculturalisme,* vol. 1, Ottawa, Imprimeur de la Reine, 1967, Introduction générale.

3. L'administration régionale que le gouvernement d'Ontario propose pour Ottawa couvrirait tout le comté de Carleton (352 932 hab.) et le canton de Cumberland (5 478 hab.) dans le comté de Russell. En 1961, selon le B. F. S., 68,7 % de la population étaient de langue maternelle anglaise, 23,4 % de langue maternelle française et 7,9 %, d'une autre langue maternelle.

4. Sauf indication contraire, les chiffres de la présente section proviennent d'un échantillonnage de 20%, soit des statistiques empruntées à l'étude de Raynauld, Marion et Béland, et des bandes établies pour la Commission par le Bureau fédéral de la statistique. On notera aussi que la catégorie « industrie primaire » n'inclut pas l'agriculture.

5. On a considéré les 80 secteurs de recensement d'après le revenu moyen et on les a partagés en quarts. La population y est assez également répartie, soit :

les 20 secteurs les plus pauvres	24,2 %
les 20 secteurs suivants	26,3 %
les 20 secteurs suivants	25,8 %
les 20 secteurs les plus riches	23,8 %.

6. On peut évidemment étudier la question du bilinguisme dans ses rapports avec les autres langues, mais les statistiques du recensement sont incomplètes en la matière. Cependant, nous disposons de données sur les communautés qui n'ont pour langue maternelle ni le français ni l'anglais. Ainsi, dans la zone métropolitaine d'Ottawa, les gens qui parlent une des langues officielles en plus de la leur (comme l'indique le questionnaire sur la langue maternelle) constituent environ 5,7 % de la population âgée de 15 ans au minimum; ceux qui parlent les deux en plus de la leur (même base) en constituent 1 %. Pour l'ensemble du Canada, les pourcentages sont de 11 et 0,7 respectivement. En fait, il se peut que les proportions soient plus élevées, car le recensement donne les chiffres minimaux. Ainsi, le bilinguisme officiel est plus répandu dans la capitale que dans l'ensemble du pays; mais, lorsque entre en ligne de compte une langue autre que le français ou l'anglais, il est moins répandu à Ottawa. Sources : pour les statistiques sur Ottawa : bande 3, tableau 5 (échantillon de 20 % de la population de 15 ans et plus); pour les statistiques sur le Canada : bande 5, tableau 1 (échantillon de 1 % des foyers).

Chapitre II

1. C.-A. Sheppard, « The Law of Languages in Canada », étude faite pour la Commission royale d'enquête sur le bilinguisme et le biculturalisme.

La langue de communication avec les citoyens ou des avis au public, la langue des formules et rapports officiels qu'un citoyen doit remettre aux autorités, la langue dans laquelle certains produits toxiques ou dangereux doivent être étiquetés, est fréquemment réglementée par la loi. Même les aspects linguistiques d'un nombre d'activités professionnelles peuvent faire l'objet de lois : la compétence linguistique pour l'admission à la pratique d'une profession; la connaissance minimale de la langue courante exigée pour certains métiers — particulièrement dans le domaine minier — qui exigent le respect de mesures de sécurité, et la langue dans laquelle les examens de qualification peuvent ou doivent être passés. Même des documents privés, lorsque leur importance pour la société le justifie, peuvent requérir une réglementation linguistique : par exemple, les documents, connaissements et avis émis par les transporteurs publics, les conventions collectives et les marques de commerce (*traduction*).

2. N. Bryan, « Ethnic Participation and Language Use in the Public Service of Ontario », étude faite pour la Commission royale d'enquête sur le bilinguisme et le biculturalisme.

3. « La majorité des gens qui s'adressent à notre bureau d'Ottawa sont des anglophones, mais notre personnel est habituellement en mesure de faire appel à des interprètes lorsque c'est nécessaire » (*traduction*).

Sauf indication contraire, les passages cités dans ce chapitre sont extraits des questionnaires remplis par les ministères.

4. « Les concessions faites aux autres langues par le gouvernement ontarien dépendent du genre de rapports — personnels ou écrits — et de la catégorie de personnes avec qui sont établis ces rapports, selon qu'il s'agit du grand public, d'entreprises commerciales ou d'autres gouvernements » (*traduction*).

5. « Ces demandes sont rares et nous éprouvons peu de difficultés en y répondant en anglais » (*traduction*).

6. « Les bureaux d'Ottawa ont constaté qu'ils pouvaient faire leur travail de façon satisfaisante en n'utilisant que l'anglais, étant donné que la plupart des résidants francophones sont bilingues; de leur côté, les inspecteurs de la section des articles rembourrés et pesticides estiment qu'il serait utile d'imprimer des brochures sur les pesticides en italien ou en allemand plutôt qu'en français, pour la raison indiquée ci-dessus » (*traduction*).

7. « Il n'y a pas une grande demande de la part du public à l'échelle de la province; elle existe surtout dans les régions francophones. La publication d'une documentation non anglaise n'a été que faiblement motivée par la demande publique. Nous voulons éviter qu'une personne ne soit exposée à payer des frais d'hospitalisation à cause de la barrière des langues. Une enquête portant sur douze groupes ethniques de la province a révélé que les Italiens et les Portugais éprouvaient le plus de difficultés » (*traduction*).

8. « Sauf lorsque la communication peut avoir lieu par téléphone avec le membre itinérant bilingue de notre personnel » (*traduction*).

9. Tandis que la question du recensement portait sur l'aptitude à *parler* la langue seconde, les résultats de l'étude de Bryan ont indiqué que les fonctionnaires peuvent *lire* le français en plus grand nombre que ne le laissaient supposer les chiffres du recensement, mais qu'ils le parlaient effectivement moins souvent. Parmi les fonctionnaires dont la langue maternelle était l'anglais ou une langue autre que le français, ceux qui ont déclaré avoir des connaissances en français se répartissaient de la façon suivante :

Langue maternelle	Lit le français	Écrit le français	Comprend le français parlé	Parle le français
Anglais	6,4	2,9	4,2	2,6
Autres langues	11,8	4,6	10,1	6,2

Dans le cas des deux groupes, ce qu'on appelle la connaissance passive de la langue – lire et comprendre – semblait plus développée que la connaissance active – parler et écrire. (Données préparées pour l'étude de Bryan).

10. « J'accepte qu'il soit de règle pour notre gouvernement qu'aucune personne ne se sente jamais lésée, qu'elle ne soit jamais privée d'un droit, d'un privilège ou de quoi que ce soit dont jouissent ses concitoyens, du fait qu'elle est incapable de communiquer dans une langue lui permettant de se faire comprendre et d'exposer ses difficultés. Toute personne qui se présentera à n'importe quel ministère du gouvernement est assurée d'être servie selon ses désirs. » (Débats de l'assemblée législative de l'Ontario, 1966, p. 3309.)

11. Même si la police provinciale de l'Ontario est exclue de notre étude, mentionnons qu'à la suite d'une campagne entreprise à l'automne 1966, elle a recruté des agents bilingues pour diverses régions de la province, notamment dans l'est, estimant qu'ils « répondaient à un besoin » dans ces régions. Voir le *Globe and Mail*, 6 décembre 1966.

12. Au cours d'entrevues à Toronto, leurs représentants avaient laissé entendre qu'on choisissait délibérément des employés bilingues pour la région d'Ottawa. Dans leurs réponses écrites au questionnaire, les deux ont répondu par la négative lorsqu'on leur a demandé s'il y avait ou non une politique définie d'embauche de candidats bilingues à certains postes de leurs bureaux d'Ottawa.

13. Gérard Lapointe, « Essais sur la fonction publique québécoise », étude faite pour la Commission royale d'enquête sur le bilinguisme et le biculturalisme.

14. J. Larivière, « Le bilinguisme dans la fonction publique québécoise », document de travail préparé pour la Commission.

15. L'étude de Gérard Lapointe apporte d'autres précisions sur la connaissance des langues chez les fonctionnaires québécois. On y classe les personnes interrogées dans la catégorie anglophone ou francophone selon la langue qu'elles ont utilisée pour répondre au questionnaire, et non d'après leur langue maternelle. De plus, on a tenté d'évaluer leur aptitude en distinguant quatre niveaux de connaissance : excellente ou bonne, passable, médiocre et nulle. Si l'on considère que les deux niveaux supérieurs correspondant à une connaissance suffisante pour servir le public dans les deux langues, le pourcentage des fonctionnaires effectivement bilingues se présente de la façon suivante :

	Lisent	Écrivent	Comprennent	Parlent
Francophones connaissant l'anglais	83,1	74,3	77,1	72,8
Anglophones connaissant le français	90,2	74,0	86,1	81,8

D'après l'échelle choisie plus haut, le degré de bilinguisme est plus élevé que ne l'indiquent les chiffres du recensement de 1961. Comme dans le cas de l'Ontario (voir note 9), la connaissance passive de la langue – aptitude à lire et à comprendre – est plus grande que la connaissance active – aptitude à écrire et à parler – mais la marge est faible.

16. « Chaque conseil peut adopter les règlements et prendre les dispositions qui s'imposent et ne sont pas contraires à la loi, en vue de protéger la santé, la sécurité, la moralité et le bien-être des habitants dans les cas non expressément visés par la présente loi, et pour servir de règle aux délibérations du conseil, à la conduite de ses membres et à la convocation des assemblées » (*traduction*).

17. Parmi les domaines visés par la loi, citons les suivants : drainage et inondations, expositions, parcs, incendies, animaux et oiseaux, aliments et combustibles, atteintes aux droits du public, enseignes, marchés. Ces exemples donnent un bon aperçu du caractère local des affaires que les municipalités peuvent réglementer.

18. Ce renseignement nous a été fourni par la municipalité de Lucerne. En 1927, année où la permission lui fut accordée, la population était à forte majorité anglophone; en 1961, la population de langue maternelle française comptait pour 45,1 %.

19. C.-A. Sheppard, « The Law of Languages in Canada ».

« Il me semble pas exister d'empêchement juridique, n'importe où au Canada, à l'utilisation par une municipalité d'une langue minoritaire dans son administration, quelque faible que soit sa minorité » (*traduction*).

20. S. Q., 2-3 Eliz. II, chap. 68, art. 14.

21. La clause de 1893 a été modifiée par S. Q., 4-5 Eliz. II, chap. 73, art. 29.

Chapitre III

1. On trouvera à l'appendice D la correspondance et la documentation appropriées.

2. Les enquêteurs de la Commission ont reçu un accueil très différent dans les autres municipalités. La consultation des dossiers du personnel n'a soulevé aucune difficulté ni à Winnipeg, ni à Montréal, villes où l'on a procédé à des études similaires.

3. La Commission n'a pris une décision ferme au sujet de la nécessité d'un questionnaire qu'à la fin de l'été de 1965, alors que le Bureau des commissaires avait demandé, dès le 14 avril, un exemplaire de tout questionnaire qu'on pourrait proposer (voir l'appendice D).

4. Exemples de questions : Quand auront lieu les prochaines élections municipales ? Quelles sont les heures d'ouverture de la maison Laurier ? Où peut-on se faire vacciner ? Quel est le montant de la taxe foncière sur telle maison ? Quand prendront fin les travaux dans telle rue ?

5. Au début de l'enquête, on constata que plusieurs services étaient efficacement protégés contre les appels en français par des téléphonistes ne parlant qu'anglais au standard central de la ville. Dans ce cas, les enquêteurs avaient reçu instruction d'utiliser l'anglais pour obtenir la communication du standard et de revenir ensuite au français.

6. Ces données concernent les employés municipaux qui demeuraient à Ottawa au moment du recensement, mais, en fait, la municipalité exige depuis mai 1931 que ses employés résident dans la ville. Certaines municipalités de la région ont le même règlement, d'autres n'ont pas assez d'importance pour modifier la valeur des renseignements sur Ottawa; il existe donc une corrélation assez étroite entre les employés municipaux demeurant à Ottawa et ceux qu'emploie la municipalité. Il convient également de signaler que, pour respecter l'anonymat des personnes, le Bureau fédéral de la statistique avait éliminé de ses tableaux toutes les lignes dont le total ne représentait qu'une personne, ce qui explique que les totaux peuvent différer légèrement d'un tableau à un autre.

7. À Hull, la liste principale est uniquement en français, tandis qu'à Eastview, sous la rubrique « Eastview, ville de », la liste des services est bilingue. Pour les trois villes, il existe un renvoi à l'autre langue. Dans le cas d'Ottawa, par exemple, on lit : « Ottawa, Cité de — ;ee City Hall ».

8. Comme les différents services municipaux n'ont pas de noms officiels français, nous indiquerons entre parenthèses le nom officiel anglais lorsque la traduction française pourra prêter à confusion.

9. Signalons que, pour ses relevés de compte d'électricité, la Régie de l'énergie hydro-électrique d'Ottawa (Ottawa Hydro-Electric Commission) utilise depuis plusieurs années des formules bilingues.

10. Le service du Bien-être social, la section des Taxes municipales du service de la Trésorerie, le Bureau des évaluations et la section d'Urbanisme, de conservation et de logement du service d'Administration des immeubles (Urban Redevelopment, Conservation and Housing Branch of the Property Administration Department).

11. Lettre du directeur du service d'Hygiène, du 30 juin 1966.

12. Il semble qu'aucune de ces personnes n'était plus au service de la municipalité au moment des interviews.

13. Des noms comme « Albert » et « Martin » peuvent indiquer une origine britannique ou française. En outre, il est souvent difficile d'identifier comme tels les noms d'autre origine; on risque donc d'en sous-estimer le nombre.

Chapitre IV

1. Pour tenir compte des situations particulières aux deux provinces, les questionnaires différaient légèrement selon que la municipalité était ontarienne ou québécoise.

2. Templeton n'a pas renvoyé ses listes de contrôle, ni la copie vérifiée du questionnaire. L'analyse de l'emploi des langues par cette municipalité ne repose donc que sur l'interview par téléphone.

3. Ce chiffre ne comprend que cinq membres du personnel administratif du service des Incendies. En 1965, une entrevue a révélé que ce service employait quelque 85 personnes, dont 50 étaient bilingues.

4. À Rockcliffe Park, le service d'ordre est assuré par la Sureté provinciale de l'Ontario qui utilise ses propres formules et non celles de la municipalité.

5. Notre questionnaire ne s'appliquait pas à certains cas. Templeton-Ouest, par exemple, n'émet ni contraventions ni sommations pour infractions au Code de la route et n'installe pas de panneaux de signalisation ou de sécurité.

Chapitre V

1. M. D. C. Rowat a relevé que sur 15 autres pays dotés d'une constitution fédérale, 10 ont institué un régime de relations entre la capitale et le gouvernement fédéral. Et huit de ces capitales semblent avoir conservé une certaine autonomie administrative, les deux exceptions étant Washington et Canberra (Australie). Un onzième pays, l'Autriche, a fait de sa capitale l'un des États de la fédération. Voir « Le territoire québécois de la région de la capitale nationale », document présenté par le Conseil économique régional de l'Ouest du Québec, Hull 1967, appendice A, pp. 44-45.

2. W. Eggleston, *Choix de la Reine,* Imprimeur de la Reine, Ottawa, 1961, p. 40.

3. En 1902, la Commission fut autorisée à émettre des obligations à concurrence de $ 250 000 et le nombre de ses membres fut doublé. Son budget annuel a été augmenté deux fois; il a été porté à $ 100 000 en 1910, puis à $ 150,000 en 1917. Voir J. Harvey Perry, *Report on the Financial and Administrative Arrangements in Capitals of Federal Countries,* Lagos, 1953, p. 18; et W. Eggleston, *Choix de la Reine,* pp. 171 et 178.

4. « L'adoption du plan Gréber par la Commission de la capitale nationale n'a pas d'effet juridique sur les terrains de la région de la capitale nationale...

D'autre part, tel n'est pas le cas lorsqu'une municipalité promulgue un plan officiel en vertu du Planning Act [d'Ontario]. Ainsi l'article 20 de cette loi prévoit qu'aucun réaménagement ... ne sera approuvé par le Municipal Board s'il ne se conforme au plan officiel. Il est aussi stipulé à l'article 15(1) que si un plan officiel est en vigueur dans une municipalité, seuls les travaux publics s'y conformant pourront être entrepris » *(traduction).* (J. Gibson : Commission de la capitale nationale c. Harold Munro, *Rapports judiciaires du Canada,* Cour de l'Échiquier du Canada, 1965, vol. 2, p. 616).

5. Le moyen auquel on pense d'abord pour contourner cet obstacle serait que les municipalités fassent du plan Gréber leur plan officiel. Au mois d'avril 1965, les suggestions en ce sens s'étaient toutes heurtées à un mutisme absolu: « ... sauf pour ce qui est des rues et de certains parcs, ni les cantons de Gloucester et Nepean, ni la ville d'Ottawa n'avaient adopté un plan officiel en vertu du Planning Act; chacune de ces municipalités avait pourtant été invitée à adopter le plan Gréber. Quant au Québec, il n'y a pas eu adoption d'un plan équivalent à celui dit « officiel » , ni du plan Gréber, – du moins en ce qui concerne les terrains compris dans la Région de la capitale nationale » *(traduction).* (J. Gibson : Commission de la capitale nationale c. Harold Munro, *Rapports judiciaires du Canada,* Cour de l'Échiquier du Canada, 1965, vol. 2, pp. 616-617).

6. Commission de la capitale nationale, *Rapport annuel, 1966-1967,* deuxième partie.

7. Comme cette interprétation se fonde surtout sur des articles de journaux, il se peut qu'elle ne reflète pas exactement les attitudes profondes des gens de la région. Elle correspond toutefois à celles exprimées dans et par la presse locale.

8. « Il me serait difficile de trouver un sujet de législation dépassant de façon plus manifeste les intérêts locaux et provinciaux et intéressant davantage l'ensemble du Canada que l'aménagement, la conservation et l'embellissement de la région de la capitale nationale suivant un plan ordonné qui tende à harmoniser la nature et le caractère du siège du gouvernement avec son importance nationale » *(traduction)*. (J. Cartwright : Munro c. la Commission de la capitale nationale, *Rapports judiciaires du Canada,* Cour suprême du Canada, 1966, p. 671).

9. À une certaine époque, on disait que M. Duplessis fournirait son concours à tout citoyen du Québec qui contesterait devant les tribunaux le pouvoir d'expropriation de la Commission du district fédéral.

10. Comité mixte du Sénat et de la Chambre des communes chargé d'examiner la question du plan d'aménagement de la capitale nationale, *Procès-verbaux et témoignages,* fascicule n° 1, 1956, p. 63.

11. Chiffres fournis par la C. C. N. On trouvera à l'appendice I un tableau détaillé, par province et par projet.

12. *Procès-verbaux et témoignages,* fascicule n° 3, voir notamment les pages 7 à 12. Selon le député d'une circonscription locale, la signalisation dans la région n'avait été qu'en anglais à une certaine époque. Notons, toutefois, que la Commission du district fédéral n'était pas alors complètement unilingue. Elle avait pris des dispositions, semble-t-il, pour diffuser en anglais et en français de l'information sur son activité.

13. « En matière de communications écrites, la Commission de la capitale nationale a commencé la semaine dernière à mettre en œuvre un nouveau programme qui se concrétisera sous forme d'une signalisation complètement bilingue » *(traduction)*.

14. L'analyse qui suit se fonde principalement sur des données fournies par la C. C. N. au cours de l'été 1965.

15. Selon les renseignements fournis par la C. C. N., une de ses publications, *Statistical Review with Explanatory Notes, National Capital Region,* n'était, en 1965, diffusée qu'en anglais; cependant une édition en langue française est parue à l'automne 1966.

16. Y compris les panneaux de signalisation routière le long des routes de la C. C. N., ainsi que les indications à la vue dans ses bureaux. Des personnes ont fait remarquer qu'en 1967, on trouvait encore des panneaux de signalisation dont les indications étaient en anglais seulement.

17. Lors de certaines rencontres avec les représentants des municipalités environnantes, le secrétaire sert d'interprète aux participants qui veulent s'exprimer en français, et cela semble donner satisfaction *(traduction)*.

18. Ces circonscriptions sont, en Ontario : Glengarry-Prescott, Stormont-Dundas, Leeds, Grenville-Carleton, Ottawa-Carleton, Lanark-et-Renfrew, Renfrew-Nord et l'agglomération urbaine d'Ottawa en Ontario; au Québec, Hull, Gatineau, Pontiac et Témiscamingue.

19. Il arrive que des ministres s'élèvent énergiquement contre le choix d'un emplacement pour leur ministère. Ainsi, le ministre du Nord canadien s'est opposé avec insistance à ce qu'on déplace son ministère du centre de la ville pour l'installer dans un immeuble nouveau de Confederation Heights (*Ottawa Journal,* 2 février 1966). Les projets du ministère des Travaux publics ont alors été contrecarrés, mais tel n'est pas toujours le cas. Le ministère des Affaires extérieures, par exemple, sera déménagé promenade Sussex, malgré les protestations du ministre auprès des Travaux publics (*Ottawa Citizen,* 16 novembre 1965).

20. En 1955, une municipalité de la Nouvelle-Écosse qui avait, contrairement aux dispositions d'une loi fédérale, perçu un impôt par tête sur des militaires américains, s'est vu refuser une subvention d'un montant égal à celui de l'impôt perçu.

21. En plus des subventions et taxes déjà mentionnées, le ministère des Finances évalue à $ 1,3 million la somme additionnelle versée à la cité d'Ottawa à titre d'impôts sur des propriétés privées prises à bail par le gouvernement fédéral; le recouvrement de cette somme provient des paiements de location.

22. On trouvera à l'appendice K trois autres exemples des rapports entre le gouvernement fédéral et les municipalités. Le deuxième, qui a trait à la restauration de l'est de la basse ville, nous fait voir la Société centrale d'hypothèques à l'œuvre.

23. *Ottawa Citizen,* 15, 16 et 29 septembre 1965; *Le Droit,* 8 octobre 1965. On trouvera un autre exemple de la participation du premier ministre aux affaires fédérales-municipales, sur la question du zonage, dans la première des trois études de l'appendice K.

24. Cet exposé s'appuie principalement sur des données réunies par J. LaRivière au cours de l'été 1965 pour son étude « La traduction dans la fonction publique »; elles proviennent de questionnaires remplis par quelque 70 organismes.

25. Le Conseil de la vie française, *Bilinguisme et biculturalisme au Canada,* Québec, 1964, pp. 144-145.

26. Déclaration de R. C. Honey, député, citée par le *Globe and Mail,* de Toronto, le 10 octobre 1966.

27. « Mounties arrest Grégoire, Govt. gets him out », *Ottawa Citizen,* 13 février 1965. Dans un article ultérieur, M. Grégoire a mentionné cet incident parmi d'autres qui l'ont mené au désenchantement vis-à-vis de la situation canadienne et à son adhésion au séparatisme. « Why I sit in a parliament I don't believe in », *The Canadian,* 22 avril 1967.

28. Le rôle du gouvernement fédéral dans les projets d'urbanisme a été illustré dernièrement par l'annonce d'un plan fédéral pour le centre de la ville; ce plan prévoyait non seulement des bureaux pour le gouvernement, mais également l'extension du mail de la rue Sparks, qui est une partie importante du plan d'urbanisme d'Ottawa pour le centre urbain. Voir Richard Jackson, « Giant Building Complex for Downtown Block », *Ottawa Journal,* 29 juin 1967.

29. *Mémoire sur la nécessité d'un regain industriel à Hull,* présenté le 10 décembre 1964 aux autorités municipales de Hull par la Chambre de commerce de cette ville.

Chapitre VI

1. L'article 133 de l'A. A. B. N. se lit comme suit : « Dans tout procès porté devant un tribunal du Canada établi en vertu de la présente loi ou devant tribunal du Québec, chacun pourra faire usage de l'une ou de l'autre de ces langues dans les procédures et les plaidoyers qui y seront faits ou dans les actes de procédure qui en émaneront. »

2. Aussi, la Cour juvénile et familiale, son siège et sa maison d'arrêt sont-ils situés loin des cours ordinaires du centre de la ville, tout près d'un terrain de jeu et de vastes espaces verts.

3. En 1964, à Ottawa, lors d'un procès pour meurtre, un témoin qui désirait déposer en français s'est fait dire par un juge de la Cour suprême de l'Ontario que le français n'avait pas de statut officiel dans la province et que le procès se déroulerait en anglais. Le lendemain, toutefois, cette personne put faire sa déposition en français grâce à un interprète. Voir l'*Ottawa Journal* et *Le Droit des* 22 et 23 avril 1964.

4. En novembre 1967, au procès à Ottawa de l'avocat montréalais Raymond Denis, ancien adjoint exécutif du ministre de la Citoyenneté et de l'immigration, quatre francophones furent exclus du jury parce que leur connaissance de l'anglais était insuffisante. Voir l'*Ottawa Citizen* du 14 novembre 1967.

5. En vertu du nouveau Code de procédure civile, en vigueur depuis le 1er septembre 1966, on a remplacé la cour de magistrat par la cour provinciale, qui peut entendre des causes engageant jusqu'à $ 999.

6. Toute la question de la langue des jurys au Canada est étudiée en détail par C.-A. Sheppard dans « The Law of Languages in Canada ».

7. À Hull, deux retraités très compétents font régulièrement office d'interprètes dans les procès de tous genres. Le protonotaire à Campbell's Bay et le sténographe de la cour à Mont-Laurier remplissent cette fonction et sont pour cela rétribués en plus de leur salaire ordinaire.

Notes 278

8. Recensement du Canada de 1961, catalogue 92-545.
9. Recensement du Canada de 1961, catalogue 92-545.

Chapitre VII

1. Voir chapitre I, pp. 3-5.
2. *Revised Statutes of Ontario,* 1960, ch. 249, art. 31.
3. *Statuts Refondus du Québec,* 1964, ch. 193, art. 30.
4. *Code Municipal de la Province de Québec,* titre II, ch. II, article 80.
5. S. O. 1957, 5-6 Eliz. II, ch. 161, art. 16, § 1.
6. Les cartes se rapportant au chapitre VII se trouvent après la page 182.
7. « ... il convient cependant de faire une exception. Ottawa étant une ville ethniquement bilingue [sic], il y a lieu de maintenir les circonscriptions à prédominance francophone » *(traduction).*
8. « La Ligue d'action civique participera à 100 p. 100 », *Le Droit,* 28 septembre 1966.
9. *Ibid.*
10. « L'importance de la collectivité francophone n'est pas une simple question de nombre; elle symbolise la présence des Canadiens français dans la Confédération. Il faut donc qu'ils soient présents à l'échelon exécutif de l'administration de la ville d'Ottawa » *(traduction).*
11. Dans un article intitulé « Un faible vote franco-outaouais et un rejet de l'électeur anglais » (*Le Droit,* 6 décembre 1966), M. Marcel Desjardins cite la phrase suivante de M. Mercier : « ... Ottawa demeure sans aucun doute la ville la plus préjugée de l'Ontario ».
12. *Ibid.*
13. « The civil election results », *Ottawa Citizen,* 6 décembre 1966.
14. Roger Appleton, « Voters reject racial origin for record », *Ottawa Citizen,* 6 décembre 1966.
15. Voir Seymour Martin Lipset, *Political Man,* New York, Doubleday & Co., 1963, pp. 188-189 et 194.
16. Voir plus haut, chap. I, p. 3.
17. Cette moyenne rejoint les conclusions d'une étude sur Montréal. Voir G. Bourassa, « Les relations ethniques dans la vie politique montréalaise », étude effectuée pour la Commission royale d'enquête sur le bilinguisme et le biculturalisme, p. 62.
18. Voir tableau F, appendice A.
19. Données du recensement de 1961. Bien qu'on ne puisse établir de rapport précis entre zones de recensement et circonscriptions, une estimation est possible.
20. *Ottawa Journal,* 21 décembre 1965; *Ottawa Citizen,* 21 décembre 1965.
21. Il n'est pas question, dans ce paragraphe, de référence à la connaissance des langues des conseillers dans des situations personnelles, mais de l'emploi des deux langues officielles dans l'exercice de leurs fonctions.
22. « Le conseil estime en fait qu'on ne portera nullement préjudice aux citoyens de la municipalité, en publiant en anglais seulement les règlements et les résolutions adoptés par le conseil » *(traduction).*
23. L. Brault, *Hull,* Les éditions de l'Université d'Ottawa, 1950, page 42.
24. Voir chapitre IV, p. 99.
25. Cependant, une tentative qu'on faisait récemment pour présenter au conseil d'Aylmer un dossier en français seulement s'est trouvée compromise du fait que les auteurs de ce document n'avaient pas pris soin de fournir au conseil une version anglaise du texte pour la gouverne des deux échevins anglophones. Voir « Le Conseil d'Aylmer approuve la vente des boissons alcooliques le

dimanche », *Le Droit,* 6 septembre 1967. Il semble donc que les électeurs soient contraints de s'adapter à la langue des représentants qu'ils élisent; on eût vraisemblablement pu s'attendre au contraire.

26. Il nous a été impossible de rejoindre un échevin de Templeton-Ouest afin de nous documenter sur l'origine des échevins de cette municipalité et leur connaissance des langues.

27. Voir ci-dessus, chapitre I, pp. 36-37.

28. Voir la carte n⁰ 7.4A. Une septième circonscription, Pontiac-Témiscamingue, déborde au nord-ouest sur le territoire de la région de la capitale nationale, mais ce chevauchement est minime. D'après le recensement de 1961, seulement 3 % de la population de cette circonscription seraient établis dans les limites de la région. La circonscription de Lanark déborde également sur la partie ouest de la région du côté ontarien, mais ce chevauchement est encore moins important.

29. Voir aussi la carte n⁰ 7.3A.

30. Voir la carte n⁰ 7.4B.

31. Voir la carte n⁰ 7.5A. Une sixième circonscription, Lanark, déborde quelque peu sur la région, du côté ouest. Cette étude a été faite avant les élections provinciales d'Ontario de 1967.

Appendice C

1. « La ville d'Ottawa, bien qu'elle soit la capitale du Dominion du Canada, ... est une municipalité de la province d'Ontario. Étant la création et la créature de la province, elle est soumise à l'autorité provinciale pour tout ce qui concerne les droits civils et la propriété » *(traduction).*

2. « Les simples ouï-dire, les encouragements à la tolérance de la part d'un représentant de l'autorité fédérale ou provinciale, l'opinion selon laquelle « il n'y a rien de mal à ça » ou « rien ne s'y oppose vraiment » *(traduction).*

3. « Il n'existe aucune loi ni autre texte législatif donnant à la ville d'Ottawa, ou à toute autre municipalité de l'Ontario le droit d'adopter un règlement déclarant légale l'installation de panneaux bilingues » *(traduction).*

Appendice E

1. « Vous constaterez à l'examen que bon nombre de ces formules proviennent du ministère provincial du Bien-être social. Elles sont mises à notre disposition ou nous sont imposées » *(traduction).*

Appendice F

1. « Le policier incarne la loi. Il se trouve souvent dans une situation d'arbitre, étant mêlé aux plus épineux des conflits humains. La langue qu'il parle a une importance particulière du fait que les gens qui traitent avec la police se trouvent souvent dans un état de tension.

On dit que le service de la Police d'Ottawa a su recruter d'excellents jeunes agents de langue française. C'est un succès encourageant. Mais il faut faire davantage pour que le caractère particulier de notre ville se reflète à tous les échelons de sa force policière. Il est même essentiel à son efficacité comme à son bon fonctionnement, que notre corps de police soit, en quelque sorte, un prolongement de la collectivité » *(traduction).*

Appendice K

1. « En ce qui nous concerne, ils n'auront qu'à continuer à nous présenter des demandes individuelles d'exemption » *(traduction)*.

2. « Le maire estime que les deux organismes devraient se tenir en liaison plus étroite » *(traduction)*.

3. « Dans ses délibérations, le conseil aurait pu se montrer plus conscient du régime particulier des terrains de la Couronne. La manière rude n'est pas de nature à améliorer les relations entre le gouvernement et la municipalité, dont dépend essentiellement le progrès de notre ville ...

La ville estime qu'elle a « le droit et le devoir de faire connaître publiquement son opinion relativement à l'aménagement de tout le territoire sous son autorité, y compris les terrains du gouvernement fédéral ». Nul ne le conteste, mais cela ne devrait pas empêcher qu'on reconnaisse le régime particulier des propriétés du gouvernement fédéral » *(traduction)*.

4. « Si la discussion entre la C. C. N. et la ville se révèle sans issue, dit la lettre, les vues de la C. C. N. prévaudront. Néanmoins, la C. C. N. continuera, dans la mesure du possible, à respecter les règlements de zonage de la ville, non qu'elle y soit obligée, mais parce qu'elle en a ainsi décidé » *(traduction)*.

5. « Le débat entre les autorités municipales et fédérales [...] illustre une fois de plus la nécessité de liens plus étroits entre ces deux échelons du pouvoir public...

Tant que la ville et la C. C. N. garderont leurs distances – situation attribuable dans une large mesure à l'attitude peu conciliante du maire Whitton –, des obstacles gêneront le développement harmonieux de la capitale nationale » *(traduction)*.

6. « La ville envisage avec raison d'accorder à ceux qui auront été délogés du fait de son programme de rénovation de la basse ville, la priorité d'accès aux nouvelles habitations qui seront établies dans le quartier. Plus de 700 logements seront construits [...] Si la population de la basse ville ne s'est pas opposée au projet de la ville, c'est, entre autres raisons, qu'elle n'en pas a été tenue à l'écart [...] Les autorités municipales ont pris du temps avant de comprendre que de bonnes relations publiques peuvent être un facteur important dans la réussite d'un projet de rénovation urbaine » *(traduction)*.

7. « La S. C. H. L. désire que les conseillers étudient dans le détail l'utilisation du terrain » *(traduction)*.

8. « Pour venir à bout de certaines résistances, le C. I. B. a déclaré qu'il ferait de la future école une école bilingue...

À part les cours de français, le ministère de l'Éducation n'autorise l'enseignement en français que pour le latin et les matières à caractère sociologique.

Pour enseigner les autres matières en français, il faut une permission spéciale. Cependant, le C. I. B. n'a pas encore sollicité cette permission spéciale, pas plus qu'il n'a précisé combien de matières il envisageait d'enseigner en français » *(traduction)*.

9. « Le maire a communiqué avec le cabinet pour solliciter du gouvernement fédéral une avance sur la contribution de la S. C. H. L. « Ce serait, semble-t-il, la seule façon de régler ce problème, a dit le maire. J'en ai discuté avec le ministre des Travaux publics, M. McIlraith, et j'ai très bon espoir que nous obtiendrons ce que nous désirons » *(traduction)*.